D0842321

PC
2111
.L617

340173

PAROLE ET PENSÉE

HENRI MATISSE
Intérieur à la boîte à violon
Collection, The Museum of Modern Art, New York
Lillie P. Bliss Collection

*Je souhaite que ce livre soit votre fenêtre ouverte sur
l'horizon plein de merveilles de la langue française.*

PAROLE ET PENSÉE

*Introduction au Français
d'Aujourd'hui*

YVONE LENARD
University of California at Los Angeles

THE UNIVERSITY OF MANITOBA
ELIZABETH DAFOE LIBRARY

HARPER & ROW
PUBLISHERS
NEW YORK, EVANSTON, AND LONDON

A deux maîtres de l'enseignement
Emile B. de Sauzé
et
Marguerite Dedieu Delavallade

PAROLE ET PENSÉE: Introduction au Français d'Aujourd'hui
Copyright © 1965 by Yvone Lenard
Printed in the United States of America. All rights reserved. No part of this book may be used or reproduced in any manner whatsoever without written permission except in the case of brief quotations embodied in critical articles and reviews. For information address Harper & Row, Publishers, Incorporated, 49 East 33rd Street, New York, N.Y. 10016.

C-3

Library of Congress Catalog Card Number: 65-12677

Contents

APPENDIXES

List of Illustrations

Preface

In the teaching of language, the most fundamental question is: "What is language?" There are a variety of answers to this question. Acceptance of one answer rather than another determines adherence to one method rather than another, for it is an inescapable fact that a language teaching method is based upon a definition of language, whether that definition be expressed or implied.

Thus, the time-honored and traditional grammar/translation method can be justified only if the answer to "What is language?" is "Language is a collection of graphic symbols"—symbols which must be deciphered (and translated) into the learner's own tongue for transmission over time and distance, a kind of silent, one-way communication of thought. True as this definition is, it becomes increasingly apparent that it is unsatisfactory and incomplete. Language exists indeed as symbol, but long before it becomes symbol, it is sound.

Teaching based upon the old method, good and valid as it may be in its own terms, has proved clearly inadequate. This has become so apparent, in fact, that of all disciplines, science is now involved in the teaching of language. And why not? The grammarians and men of letters obviously did not produce competent linguists. When need arose during World War II, it was *not* the college graduate with a language major, but the boy of French, Italian, or German descent, unlettered if not illiterate, who·could converse adequately with native speakers. On the other hand, the college graduate only too often could not carry on a simple conversation in the language he had studied. Perhaps then, the very learning of how to read and write a language, far from representing knowledge of that language, was instead a barrier to the true learning process. Sociologists, anthropologists, and structural linguists were studying and learning so-called "primitive" languages without the help of grammar, dictionary, or teacher. To the question, "What is language?" their answer would be, in effect: "Language is behavior." This means that a given situation will elicit a behavioral response, composed of a certain stream of sound, often accompanied by gestures and facial expressions. Words were lost as separate entities, for they functioned only in relationship to one another. To illustrate: "*il n'y a pas de...*" may be seen by the grammarian primarily as the negation of "*il y a ...*" Yet for the anthropologically oriented observer it is the morpheme "*yapad*," uttered by Frenchmen in certain situations like "*yapad pain*," "*yapad nouvelles*," or "*yapad raison*." "*Yapad*" is thus considered a *pattern* of speech, to be understood only as an utterance expressing lack, just as "ouch" expresses pain, and has to be memorized as such.

New teaching methods based upon these observations were soon developed; dialogue/pattern methods replaced the old grammar/translation approach. Parrot-like repetition of prefabricated phrases broke the old classroom silence; pattern drills replaced painstaking translation; recitation of verb forms gave way before equally dull substitution drills. A flow of sound filled classroom and language laboratory. But what was being said? Very little, actually. Through these endless hours of repetition, students memorized what Germaine Brée has dubbed "inept, artificially fabricated chit-chat." A disastrous confusion between speaking and reciting was created. "*La plume de ma tante est sur le bureau de mon oncle*" yielded to "*Keskya pour dîner? Des côtelettes et des nouilles*," one utterance as devoid of meaning as the other. Linguistics had replaced grammar. All well and good—but it is curious to note that actual classroom communication between teacher and student still took place in English. The contrived pattern dialogues only served in contrived pattern situations.

Is language, then, no more than the utterance of sound? Is the difference between the grunt of the ape and "*Keskya pour dîner?*" only a relative increase in articulation? Moreover, should we, as teachers of language, be called upon to train a generation of illiterate speakers? and will they become speakers? Is this really education, and is this the only alternative to the grammar/translation method of instruction? Grammar is clearly insufficient for the teaching of language, but can it be replaced by the methods of applied linguistics? Many teachers have wondered whether we are not simply proceeding from one error to another.

Years ago, in his Cleveland Plan, Professor Emile B. de Sauzé gave another answer to "What is language?" He based his method on the belief that "Language is invention." It has no existence apart from the speaker or the writer who re-creates, reinvents the language for his own needs each time he uses it. It cannot be memorized ready-made; there is *no such thing* as ready-made language. Learning a language is a discovery of reality in terms of that language. Language is not a part of culture—it *is* culture. Highly individual, it is what *you* say; it is emphatically not what Frenchmen, or Germans, or Italians may say in a given situation. Unfortunately for the student who has been taught via the pattern drill, the given situation seldom arises. We all know that no two people utter the same words, except perhaps in the most hackneyed expressions of greeting, thanks, or apology. What is worth saying is worth thinking: "*Science sans conscience n'est que ruine de l'âme.*"

Great ideas can be re-examined in a different light; re-explored in another context they remain valid. This is their hallmark. Where they were once conclusions, they may become points of departure. So it is that this book owes a heavy debt to Professor de Sauzé, whose ideas about teaching language as both a skill and a humanity were put in practice in the Cleveland Plan. As a point of departure I have taken de Sauzé's principles of MULTIPLE APPROACH and SINGLE EMPHASIS, and I have sought their fullest application. To the *pattern* of applied linguistics I oppose the *structure*, to the ready-made memorized phrase, the means with which to build one. Grammar is treated as a tool, used when it can be of help, left aside when it creates a difficulty in learning. I have incorporated elements drawn from observations of French elementary schools, where the children learn to write from "inside" the language, rather than from outside, as it were. There is no doubt that, used intelligently, some of the discoveries of applied linguistics can be helpful, particularly in the language laboratories.

Multiple Approach

It seems obvious that language must first be understood, then spoken; habits and mechanisms of speech are essential, too. Learning how to read and write, far from being a hindrance, will act instead as strong reinforcement *if* it is done concurrently with—not before or weeks or months later—learning how to speak. The student already knows how to read and write his own language, and try as he may, he cannot disregard that fact in learning the foreign language. To wit, the pathetic attempts audio-lingual students constantly make to transcribe what they are required to memorize into "free form" phonetics of their own. There is enough logic in the spelling of French so that a great deal of the writing can be deduced from sounds, rather than taught from the sight of words. And even though at first only so-called "simple" language is involved, it is certainly not true that simple language is synonymous with simple minds and childish thoughts. A ready example of this is Descartes' classic "*Je pense, donc je suis.*"

The multiple approach reunites the four distinct bands of language: audio, lingual, visual, and graphic. Each is used to reinforce the others. The components of language cannot be divorced from one another. They are, in the strictest sense, interdependent.

Single Emphasis

Single emphasis consists in teaching one thing at a time, and one thing only —with the constant incorporation of what was previously learned. It is, of course, also the basic idea of programmed instruction. Complexities in the material can always be broken down into component parts, each of which is simple enough for easy mastery. A familiar structure always serves to introduce a new one, always in conjunction with previously learned vocabulary. Vocabulary, in turn, serves to enlarge the means of expression thus acquired. Single emphasis requires a highly controlled and disciplined system, while constantly drawing upon the powers of imagination and invention. Students soon learn that *"Une bonne composition est correcte, originale, intéressante, probablement élégante. Et surtout, pas de dictionnaire."*

In this book, each lesson is built around one specific point, itself often one element of a complexity. Each lesson is short; it occupies no more than one or two hours of class time.

Acquisition of Automatisms

In spite of my previous criticisms, I am convinced that linguistics have made a very important discovery: that of *the necessity of the acquisition of automatisms.* There is no doubt, to my mind, in the light of what we know today of the process of language learning and language speaking, that a large part of language skill is a matter of acquisition of speech habits, reflexes, or automatisms.

I am equally convinced, however, that the linguists who consider that the acquisition of automatisms will be made through memorization of dialogues, are applying incorrectly a very sound idea. *The automatism to be acquired is that of the verb in its question/answer form.* It is the only part of speech in which the automatism will be of general use. The sentence arranges itself around the verb. In the complex sentence of the "dialogues" the important point is lost. Let students acquire those automatic question/answer forms of the French verbs, starting with the most common and the most difficult, *"être"* and *"avoir."*

Linguists will retort: but in actual speech, people do not answer like this at all. To the question: *"Avez-vous faim?"* they will not necessarily answer: *"Oui, j'ai faim."* They may say *any number* of things, like *"Oui"* or *"Et comment!"* or *"Je meurs de faim"* or even stray as far as *"Qu'est-ce qu'on la saute!"* Precisely. The *only* answer, then, is: *"Oui, j'ai faim,"* since the others vary so widely. Let us put first things first. How could we ask our students to memorize such highly subjective answers, and of such limited value? Let us teach the "automatic," valid one and proceed from there.

Instruction in the Foreign Language

Instruction can and must be carried out in the foreign language, provided the instructor uses it wisely, with clarity and great simplicity from the very first day. This is evidenced by the success obtained by those instructors who faithfully speak *only French in class*. Explaining in English that we must speak French is obviously self-defeating, and speaking English during the first semester will not make proficient second semester speakers. Time gained by speaking English is actually time lost.

Though the foreign language is used as exclusive means of instruction, this method is not to be confused with the so-called *direct* methods. It is not a *direct* method. It is instead a highly systematized programing, going from the simplest unit of language to the most complex through carefully calculated steps. And yet it gives the student a feeling of great freedom, of an endless possibility of expression and experimentation within an orderly framework.

Learning a language, of all educational processes, is perhaps the most truly educational, in the literal sense of *educere*, to bring out, to draw forth. Far from being a random process, it is, on the contrary, a rigorous one, subjected to laws not unlike those which govern organic growth. I have often compared it to the growth of a tree, with roots and branches seen as structures—means of support for leaves and flowers, even as sentence structure supports vocabulary. In this view, lists of disconnected words, recitation of verb forms, memorization of dialogues, are no more viable than leaves, heaped on the ground in the hope of producing a tree. These would soon wither and no growth would take place. If instead, from a single but firm root a few healthy branches grow, these can support a few leaves. No matter how small, the tree will grow if it is viable. Thus, as basic structures are established, they become roots and branches capable of supporting a constantly growing and differentiating vocabulary. At all phases of learning there is a strong, healthy organism, systematically building upon itself. Language is alive, it possesses all the qualities of life itself, and its learning can only be a process of combined order and dynamism.

Acknowledgments

Many people have helped, all of them generously and with talent. I want to thank, especially, Ralph Hester, of Stanford University, for his masterful and enlightened editing of an untidy manuscript; Madeleine Korol, of UCLA, for her help on matters of pronunciation; Gérard Jian for his editorial help. I am grateful to all those of my colleagues who used the lessons in syllabus form and were kind enough to comment and suggest; to M. de Martini, of the French Language Laboratory at UCLA, for his very able directorial work on the recording of the tapes which accompany the book. Last, but not least, I am indebted to Marina Preussner for her typing and editing, to which she brought rare competence and efficiency and her usual graciousness.

Richard Kerner and Herbert Elsky were most helpful in finding and selecting materials for illustrations and I wish to thank them here for the time and talent they devoted to the task.

For any shortcomings of the book I am solely responsible.

Y. L.

To the Teacher

This book is intended as an aid in teaching beginning students how to understand, speak, write, and read French. *Listening, understanding, and speaking are of primary importance, and writing must never be allowed to come first.* We want our students to be able to write what they can understand and what they can say. We do not want them to write instead of speaking.

Since a book, by its very nature, cannot be audio-lingual, however earnest the intentions of its author, *it rests upon the teacher to bring to life the written word in the classroom.* To this effect, I suggest the following procedures.

Preparation

When preparing your class, study carefully the point of structure you are going to introduce. Prepare a few simple statements, drawn from the "*phrases modèles*" and/or similar to them, making as clear as possible the new point you want to teach. Prepare also a large number (two or three per student, at least) of questions stressing that point, plus a number of questions in which this point is incorporated into what has been learned previously. Never introduce new vocabulary when introducing a new structure. You will introduce new words only after the structure itself no longer presents any difficulty.

In Class, Speak French Exclusively

Students are anxious to hear and to speak the foreign language. You need say very little at first outside of the actual words of the lesson. Choose your words carefully at first, use cognates, make simple statements. "*Excellent! Correct! Horrible! C'est une classe de français,*" etc., need no translation. Stylize your reactions: enthusiastic approval, serious doubt, horrified surprise. The point is to establish communication, without English, and with *a little* French. Avoid using words or structures the students cannot possibly understand. *This is always possible* and there is always another, simpler way to say what you mean.

Do Not Allow Students to Use English

This is very important. They may, at first, be a little self-conscious, or in-secure, and try to translate "to make sure." We all know that if they went to live in France, they would learn French, yet there would be no translation. Be good-natured and pleasant about it, but very firm. The success of the whole term depends on those first few days.

Introducing a New Structure

Suppose you want to introduce the negation. Your students already know "*C'est un ... c'est une ... .*" Pick up a book, for instance, and ask: "*Qu'est-ce que c'est?*" The class will answer: "*C'est un livre.*" Next, pick up an object which they cannot name yet in French, a key, for instance, and ask: "*Qu'est-ce que c'est?*" You will have no answer. So, you wait a second, and, with the dramatic manner which you reserve for the introduction of a new element, a manner which the class has already learned to recognize and to identify with "something new to learn," you say: "*Ce n'est pas un livre.*" Have the class repeat. You ask then, "*Est-ce un livre?*" and the class will answer, "*Non, ce n'est pas un livre.*" Then, going fast, pick up or point to various objects, asking: "*Est-ce une fenêtre? Est-ce une chaise? Est-ce une auto? etc. ...*" all requiring negative answers. Then, with a slight dramatic pause and your "Now, be careful!" look, start mixing questions which require positive and negative answers: "*Est-ce une jeune fille? Non, ce n'est pas ...; Est-ce un jeune homme? Oui, c'est ...*" etc.

Besides the choral responses which you want at the introduction of a new point, make sure that everyone in the class has spoken individually as often as possible. Choral responses mean little as far as individual participation is con-cerned. Then, send a student to the board to write what he has just said. Have the class watch, check, correct, if necessary, by explaining to him, *in French*, what his errors are. You, the teacher, will do a minimum of writing on the board. Instead, send the students to write what they have just said or what someone else has just said; never let them write, though, instead of speaking.

Learning How to Write

If you follow closely the procedure I am about to describe, your students will learn how to *write by ear*, before having *seen*. This is, of course, the most fruitful way to learn. You will start after a few days of class, as soon as greetings and basics such as "*C'est un, c'est une ...,*" etc. have been established (see text in book).

First, pronounce the vowels: *a e i o u.* Have the class repeat them a few times. Then, write them on the board. Ask the students to name them. Erase the board. Send students to the board to write: *e** *i o u a i a e,* etc. This will take a few minutes. Then ask students to call out vowels while another writes them on the board.

Next come the consonants, that is to say, now you announce *l'alphabet,* and recite slowly the whole alphabet distinctly, the class repeating after you. Then, follow the same procedure as for vowels. Write the whole alphabet on the board, have the students associate the letter with its French sound, point to letters at random. Then erase. Send a student to write: *c j† g x y w l e i j i g a,* etc. Ask students in the class to call out their initials, or their telephone prefix. You can easily make them understand what you want by giving *your own* initials (write your name on a corner of the board, underline your initials, etc.) or *your* phone prefix. This "personal" information has an advantage: the speaker will tolerate no error on the part of the writer, and will insist until the all-important facts concerning him are written correctly.

The next step is the syllable. Do not write anything yourself on the board at this point. Ask a student to write *l* and to write *e.* Then ask him to write *le.* Then ask him to write *l* and *a* and then *la;* then *li, lu, lo.* Ask another student to write *me, ma, mu, du, de, te, tu,* etc. You realize, of course, the importance of this exercise. Keep at it with a fast moving of students to and from the board.

After the syllable comes the word. Students at the board will write: *la porte, la table, le livre, le stylo* (you spell that one), *la note, la robe, la jupe,* etc.

On the following day, start the class with a brief review. Then, introduce *one* letter-group-sound: *eau* for instance. Write it on the board, circle it, have students repeat it. Then, showing the board, ask: "*Qu'est-ce que c'est?*" and ask a volunteer to write it on the board ("*Pas de volontaire? Alors, une victime!*"). Ask him to write "*le tableau,*" use the same procedure with "*le bureau*" and words like "*le chapeau,*" "*le drapeau,*" etc.

Then *you* write *C'est un*

         C'est une

and ask students to come to the board and write, "*C'est un drapeau,*" "*C'est un chapeau,*" etc., and also "*C'est le chapeau,*" "*C'est le drapeau,*" etc. After a few

---

* *e.* To make sure students understand this is a mute *e* sound and not an é, show them it is the sound you make when you are breathing hard, with expiration of air through the mouth (a panting sound), then bring the sound to a true *e* as *eu* in *jeune.*

† *j.* It may help your students in not confusing *j* and *g* if you point out that *i* and *j* follow each other, both have a dot, and rhyme.

moments of this, ask: *"Est-ce qu'un mot avec la terminaison* **eau** *est masculin ou féminin?"* The class will answer: *"Masculin."* If time allows, introduce other letter group-sounds: **ai**—*la* **maison**, *la* **craie**, *la* **chaise**. On the word **chaise**, point out that *s* is pronounced *z between 2 vowels*. Have students write: **la raison, la saison,** etc. (spell *on* if necessary).

Other sounds to learn to hear and write from sound include:

oi—**moi**, *une* **fois** (you say: *"avec* **s**"), *le* **toit** (you say: *"avec* **t**"), etc.

ou—*le livre est* **sous** *la table,* **où** *est la* **cour?**, etc. Immediately distinguish **ou** from **u**—**sous** *et* **sur**, **pour** *et* **pur**, **rue** *et* **roue**.

in or **ain** or **im**—students will learn how to write it in **américain, demain,** *la* **main.** Show that it is exactly the same sound in **matin, demain,** and **impossible.**

an or **en**—students will learn it in **présent, absent, étudiant,** etc.

You will proceed in a similar fashion for **on, un, ill, gn, eu,** etc.

Forget about the subtleties of advanced phonetics. Of course, you cannot teach your students how to spell *"Les yeux bleus des bœufs,"* by themselves at this point, but then you don't need to. You are establishing, in their minds, *a relationship between what they hear, what they say and what they see. And there is enough logic to the spelling of French to make this relationship very useful.*

After a few days, students are beginning to guess at spelling, not always correctly, but then you are here to guide them. And, most important, to show them how to make useful associations. The student who cannot write **demain** is told to write **de** and **main** and then **demain,** for instance. *Always use what has been learned to infer what needs to be learned.*

Teach the accents according to a similar procedure. It is clear that if *e* is a mute *e* and you hear *é*, you need something to modify the sound: *le téléphone, la télévision, un éléphant, un étudiant,* etc. Next, the grave accent. I show it, in the beginning, only as something on the *è* in the combination: *è + consonant + e* as in *père, mère, nièce, derrière, première,* etc., and insist that whenever this combination occurs, you have to have an *è*. Then have students write: *élève, Thérèse, Hélène,* etc. (This helps later when you come to verbs like *acheter, préférer,* etc.) I do not teach the circumflex and the cedilla at that point as a system (it would be meaningless) but as something which goes on or under certain words: *français, garçon* are the only ones they know at the time that require a cedilla. (*"Le français est élégant, exotique. Voilà une cédille sous le c."*)

On another day, you will show that *ss* between two vowels sounds *"s"*: *la classe, la tasse*; but remember: *la cho**s**e, la ro**s**e, la chai**s**e.*

On another day, show that *e* before a double consonant sounds like *e* but does not take an accent: *elle, par terre, derrière*, etc.

In teaching how to write in this way, you involve the student; he is constantly called upon to perform, to act, to think and correlate. It is not a process of memorizing, it is true learning.

A Few Words of Warning

—do not try to go too far and involve concepts students cannot grasp, or which you could not make perfectly clear in French;

—do not be afraid to add (*"toit avec **t** final"*), or to spell what the student could not figure out by himself (*"le temps," "ce n'est pas," "vingt"*);

—make it clear that being sent to the board is not a *test* of what he knows. He probably does not know, but he is going to learn—that's what we are here for;

—never fear to take a few minutes of class time to give an explanation of an important point of spelling when a student has difficulty writing his sentence on the board. Then, always be sure you involve the whole class.

Teaching of Vocabulary

Isolated words are, of course, of no interest whatsoever and vocabulary will always be taught in context. How can one teach new vocabulary without using English? In the first few lessons, you can either show *une jeune fille, un tableau, une fenêtre*, etc. (show a picture or draw a quick sketch), *un chien, un chat, une maison, un arbre*, etc. or rely on the resemblance between the French and the English word: *un professeur, un appartement, une auto, un téléphone, un restaurant*, etc. A little later— the vocabulary has been carefully selected from vocabulary frequency lists and arranged—you can explain the new word from words students already know: *un immeuble*, for instance. *"Un immeuble est un bâtiment avec beaucoup d'apparte-ments."* Sometimes, a quick sketch confirms the students' impression that they had understood. Many words are cognates, which makes them, except in a few cases (*actuellement, audience*) easily understandable, or they can be explained by means of a cognate (*la réclame, c'est la publicité*); often they can be explained as *"le contraire de quelque chose,"* particularly in the case of adjectives (*"facile est le contraire de difficile," "laid est le contraire de beau, ou de joli"*). In many cases, your ingenuity will be tested, and in others you will be delighted to hear some of your students' own definitions. You can often call on the students who have understood your definition to give their own to those who have not. Give many examples of use of the words you consider important, send students to write those sentences on the board, etc. Do not waste too much time on cognates; they will be easily learned.

Isn't this quite a waste of time, since it would be so much faster to translate? Most emphatically not. *You want your students to discover reality in terms of the French language* and the object to take on a new identity in terms of its French expression. (We all know, as one of my students pointed out, that *"une algue"* does not bring to mind the same picture as "seaweed.") Besides, throughout all this so-called "waste of time," *you are communicating and conversing with your students in French*, using all they have previously learned to learn more. Is there any sounder pedagogical exercise?

Teaching vs "Covering of Materials"

A language class is not a speed contest. What matters, in the final analysis, is what your students know, and I mean by this, *how well they can use what they have been taught* and not how much material they have covered.

My suggestions for the use of the book would be as follows:

1. In Universities, Colleges and Junior Colleges, if on the semester system, and with five-class hours a week, supplemented, but not replaced by, one or more hours of lab, Part I is adequate material for the first semester, Part II for the second. Additional reading may be introduced during the second semester, not during the first. If on the quarter system, or on the three-hour a week schedule, then Parts I and II would represent an adequate amount of material for three quarters or three semesters, as the case may be.

2. In High Schools, one year of High School French is counted, by many Colleges and Universities, as equivalent to one semester of College work. However, since few students begin the study of French in the 12th grade, we are faced with this de facto situation: Students who have had only one year of French had it *at the latest* in the 11th grade, over a year before they matriculate in college. This has prompted many colleges to pass the rule that less than two years of High School French do not count. Students who have had one year start over again, those who completed two years successfully are placed in French II. It would be wise for High School teachers to enquire into the policies of colleges in their area. In any case, Part I of the book can be considered to represent one year's work. Even better, if it could possibly be covered in two years, as in the cases I have mentioned above, this would be ideal; a perfectly

solid foundation would be established. Part II would be, according to this situation, a second or third year text with additional reading.

Dictation

Dictation is a valuable exercise. If you have a lab, why not save class time and have dictation in the lab? If you do not have a lab, you may schedule a dictation periodically. Always be sure the *"dictée"* applies what you have been teaching, rather than oddities or exceptions.

Textbook and the Classroom

The class should be conducted with books closed. Discourage the taking of notes in class, unless there seems to be a special reason (you are introducing vocabulary which is not in the lesson, or you are giving examples which do not appear in the book). And absolutely forbid the use of the dictionary. We will come back to this point later.

The text, in the book, should not be turned into the *"thing"* to know. It is intended only to show students how the structures they are learning will combine and form French expressions. Emphasis should be placed on the fact that it is what the student can do with what he has learned from the text which interests us. Studying the book is a means, not an end.

Exercises

They should be prepared at home, written, preferably, and done in class orally. It would be best if the student could do them without referring to his preparation. Or, have the students hand them in first, then do them orally, sending students to the board to write only points which seem to present a difficulty.

Oral Composition

It is a very important factor in the success you will obtain with this method. There are usually one or several subjects to choose from. You may replace them with, or add any that seem particularly appropriate to your specific class. Ask students to prepare in writing. The composition should be short—a few lines at first, then a paragraph, a short page at the most later on. In class, you will ask some students (for instance, the girls) to prepare questions to ask others (the boys) on what they will hear when M. So-and-So gives his composition. Then have the student speak loudly and clearly, without looking at his preparation (or perhaps, just an occasional glance—you be the judge). *Insist on imaginative and personal use of what has been learned, be extremely stern against those who have been looking up words in the dictionary.* We all know what disastrous results this brings! Next, ask for questions and answers so that everyone is involved. Have as many students as possible speak as often and as much as possible.

This exercise is easily the most important part of your class, and to devote two class hours out of every five to it would not be excessive.

Written Composition

Written composition should have the same qualities as the oral, but it can and should be longer after the first few weeks. Do not grade solely on the number of mistakes. You might discourage inventive attempts. Take into account originality, range of vocabulary and structures, complexity of thought, etc.

Show students how, if they are attentive, they will learn a great deal, when the teacher corrects errors or makes comments during the oral composition, that they can incorporate into their written composition the next day.

Literary Selections

The texts entitled "*La pensée de ...* " which have been placed between some of the lessons are independent. It is up to the instructor to do as much or as little with them as he pleases. They are edited texts taken from contemporary authors. Their syntax and vocabulary have been simplified, to various degrees, in order to adapt them to the level reached by the students at the time. In all cases, I have tried to remain faithful to the "thought." The original texts are given at the back of the book.

Examinations

There should be oral, as well as written, examinations. There are several ways to administer an oral examination. Of course, the lab can be used in various ways for different aspects of oral testing.

Here is how we administer oral examinations at UCLA: a schedule is made so that three teachers will be present in each class on oral examination day (regular instructor, plus two others). Each teacher has an envelope with questions on folded pieces of paper. Students are divided in three groups so that each instructor will have no more than ten students to examine. Each student, in turn, draws a question and converses with an instructor on the subject indicated in the question. We question, guide, and test, primarily, the student's ability to express himself rather than his knowledge of a given subject. This procedure can be adapted in a number of ways according to facilities.

PREMIÈRE PARTIE:

* * * * * * * *

LA RÉALITÉ IMMÉDIATE

LEÇON PRÉLIMINAIRE

Le Premier Jour de Classe

LE PROFESSEUR.   Bonjour monsieur, bonjour madame, bonjour mademoiselle!

LA CLASSE.   Bonjour monsieur !

LE PROFESSEUR.   Comment vous appelez-vous, monsieur?

L'ETUDIANT.   Je m'appelle Henri Brun.

LE PROFESSEUR.   Comment vous appelez-vous, mademoiselle?

L'ETUDIANT.   Je m'appelle Suzanne Masson.

LE PROFESSEUR.   Comment allez-vous?

LA CLASSE.   Très bien, merci. Et vous-même?

LE PROFESSEUR.   Très bien aussi, merci.

L'APPEL:

MONSIEUR BRUN?

  Présent.

MADEMOISELLE MASSON?

  Présente.

MADEMOISELLE LARUE?

  Absente.

MONSIEUR BERNARD?

  Absent.

LA CLASSE EST FINIE:

LE PROFESSEUR.   Au revoir monsieur, au revoir madame, au revoir mademoiselle. A demain!

LA CLASSE.   Au revoir monsieur. A demain!

PRONONCIATION

Madame   Ma/ dam
Mademoiselle   Mad/ mwa/ zel
Monsieur   Me/ cieu (Monsieur)

PREMIÈRE LEÇON

C'est un Objet,
c'est une Personne

PREMIÈRE PARTIE

LA DÉFINITION

Qu'est-ce que c'est ? C'est un _____

Question	*Réponse*
Qu'est-ce que c'est ?	C'est **un** livre.
	C'est un stylo.
	C'est un crayon.
Qu'est-ce que c'est ?	C'est un cahier.
	C'est un papier.
	C'est un pied.
	C'est un nez.
	C'est un paquet.
Qu'est-ce que c'est ?	C'est un tableau.
	C'est un drapeau.
	C'est un bureau.
Qu'est-ce que c'est ?	C'est un étudiant (c'est un élève).
	C'est un restaurant.
	C'est un appartement.
Qu'est-ce que c'est ?	C'est un autre livre.
	C'est un autre stylo.
	C'est un autre crayon.
	C'est un autre cahier.
	C'est un autre papier.

.   .   .   .   .   .

Qu'est-ce que c'est ?	C'est **une** chaise.
	C'est une table.
	C'est une porte.
	C'est une fenêtre.
	C'est une lampe.

VINCENT VAN GOGH

Le Restaurant
Rijksmuseum Krüller-Müller, Otterlo

C'est une chaise
C'est une table
et c'est un restaurant.

Qu'est-ce que c'est ?

C'est une carte.
C'est une classe.
C'est une enveloppe.
C'est une adresse.
C'est une auto.
C'est une étudiante (c'est une élève).

Madame X., qu'est-ce que c'est ?

C'est une dame.

Qu'est-ce que c'est ?

C'est une addition.
C'est une soustraction.
C'est une composition.

Qu'est-ce que c'est ?

C'est une autre chaise.
C'est une autre table.
C'est une autre porte.
C'est une autre fenêtre.
C'est une autre lampe.
C'est une autre carte.
C'est une autre classe.

PRONONCIATION

C'est un ⏜ — C'est une
C'est un appartement.   C'est une adresse.   C'est une autre adresse.

EXPLICATIONS

I. *Article indéfini :*

C'est **un** livre.
C'est **un** mur.
Livre est masculin, **mur** est masculin : **un livre, un mur.**
Un : article indéfini masculin.

C'est **une** table.
C'est **une** dame.
Table est féminin, **dame** est féminin : **une table, une dame.**
Une : article indéfini féminin.

II. *Genre (masculin, féminin):*

Un livre, un mur, etc. c'est **un nom masculin.**
Une table, une dame, etc. c'est **un nom féminin.**
Le nom est masculin ou féminin.

REMARQUEZ:

Un pap**ier** ⎱ -ier ⎱
Un cah**ier** ⎰ ⎪
Un n**ez** -ez ⎬ **Masculin** (un panier, un ballet, un alphabet, etc.)
Un pi**ed** -ed ⎪
Un paqu**et** -et ⎭

Un nom avec la terminaison **-ier, -ez, -ed, -et** est masculin.

Un tabl**eau** ⎱
Un bur**eau** ⎬ **Masculin** (un chapeau, un gâteau, un oiseau, etc.)
Un drap**eau** ⎭

Un nom avec la terminaison **-eau** est généralement masculin.

Un étudia**nt** ⎱ **Masculin** (un compliment, un savant, un complé-
Un restaura**nt** ⎬ ment, etc.)
Un appartem**ent** ⎭

Un nom avec la terminaison **-nt** est masculin.

Une addi**tion** ⎱ **Féminin** (une autorisation, une composition, une
Une soustrac**tion** ⎬ action, une réaction, etc.)*
Une composi**tion** ⎭

Un nom avec la terminaison **-tion** est féminin.

EXERCICE

Complétez la phrase:

Ex: C'est _____ action. C'est **une** action.

C'est _____ étudiante.   C'est _____ papier.
C'est _____ étudiant.   C'est _____ cahier.
C'est _____ négation.   C'est _____ professeur.

---

* *Noun ending does not necessarily reflect gender, but some endings indicate (with rare exceptions) a masculine or feminine noun:*

masculine: -eau; -ier; -et; -ed; -ez; -nt
feminine: -ion

C'est _____ affirmation.
C'est _____ restaurant.
C'est _____ tableau.
C'est _____ morceau.
C'est _____ résident.
C'est _____ tiret.
C'est _____ chapeau.

C'est _____ panier.
C'est _____ auto
C'est _____ stylo.
C'est _____ crayon.
C'est _____ sensation.
C'est _____ nez.
C'est _____ cabinet.

DEUXIÈME PARTIE

LA DÉFINITION (suite)
Qu'est-ce que c'est ?   C'est le ____

C'est la ____

C'est l' ____

Question	*Réponse*
Qu'est-ce que c'est ?	C'est **un** livre. C'est **le** livre de M. Brun (Monsieur).
Qu'est-ce que c'est ?	C'est **un** stylo. C'est **le** stylo de Mlle Masson (Mademoiselle).
Qu'est-ce que c'est ?	C'est **un** crayon. C'est **le** crayon de Mme Martin (Madame).
Qu'est-ce que c'est ?	C'est **une** chaise. C'est **la** chaise de M. Bernard.
Qu'est-ce que c'est ?	C'est **une** carte. C'est **la** carte de Mlle Masson.
Qu'est-ce que c'est ?	C'est **une** classe. C'est **la** classe de français.
Qu'est-ce que c'est ?	C'est **un** appartement. C'est **l'**appartement de M. et Mme Martin.
Qu'est-ce que c'est ?	C'est **une** auto. C'est **l'**auto de M. Petit.

Qu'est-ce que c'est ?

C'est **une** enveloppe.
C'est **l'**enveloppe.

Qu'est-ce que c'est ?

C'est **une** adresse.
C'est **l'**adresse de M. et Mme Martin.

EXPLICATIONS

Article défini : Le, La, L'

C'est **un** professeur.

C'est **le** professeur.
C'est **le** professeur de français.
C'est **le** professeur de français de M. Brun.

Le : article défini masculin.

C'est **une** chaise.

C'est **la** chaise.
C'est **la** chaise de M. Petit.

La : article défini féminin.

C'est **un** appartement.
C'est **une** auto.

C'est **l'**appartement de M. Petit.
C'est **l'**auto de Mme Martin.

L' (élision) : Article défini masculin ou féminin devant (*in front of*) une voyelle.

EXERCICE

Complétez par l'article correct :

Ex : C'est _____ chaise.   C'est **une** chaise.
C'est _____ chaise de M. X.   C'est **la** chaise de M. X.

C'est _____ table de Mlle X.
C'est _____ stylo de M. Z.
C'est _____ auto de M. B.
C'est _____ adresse. C'est _____ autre adresse. C'est _____ adresse de
  Jacqueline.

C'est _____ étudiant. C'est _____ étudiant. C'est _____ étudiante de
Professeur Y.

C'est _____ dame. C'est _____ autre dame.

C'est _____ négation.

C'est _____ addition.

C'est _____ tableau.

C'est _____ chapeau.   C'est _____ chapeau de M. F.

C'est _____ papier.   C'est _____ papier de Suzanne.

C'est _____ tablier.

C'est _____ restaurant.   C'est _____ restaurant de Van Gogh.

C'est _____ relation.

C'est _____ opération.

DEUXIÈME LEÇON

Comptez, Épelez et Écrivez

COMPTEZ, ÉPELEZ ET ÉCRIVEZ

LA DATE

Qu'est-ce que c'est aujourd'hui? (Quelle est la date aujourd'hui?)
Aujourd'hui, c'est lundi 10 septembre.

Qu'est-ce que c'est **demain?** (Quelle est la date demain?)
Demain, c'est **mardi** 11 septembre.

Lundi, c'est **un jour.**
Lundi, mardi, mercredi, jeudi, vendredi, samedi et dimanche, c'est **la semaine.**

Septembre, c'est **un mois. L'année,** c'est 12 (douze) mois: janvier, février, mars, avril, mai, juin, juillet, août, septembre, octobre, novembre et décembre.

LES CHIFFRES DE 1 A 30

COMPTEZ:

1	un	16	seize
2	deux	17	dix-sept
3	trois	18	dix-huit
4	quatre	19	dix-neuf
5	cinq	20	vingt
6	six	21	vingt et un
7	sept	22	vingt-deux
8	huit	23	vingt-trois
9	neuf	24	vingt-quatre
10	dix	25	vingt-cinq
11	onze	26	vingt-six
12	douze	27	vingt-sept
13	treize	28	vingt-huit
14	quatorze	29	vingt-neuf
15	quinze	30	trente

PIERRE SOULAGES

Le 10 janvier 1951
Collection, The Museum of Modern Art, New York
Acquired through the Lillie P. Bliss Bequest

Quelle est la date?
C'est Le 10 janvier 1951, *et c'est aussi le titre du tableau.*
Et pourquoi pas?

RÉPÉTEZ:

A   E   I   O   U
A   B   C   D   E   F   G   H   I   J   K   L   M   N   O   P
Q   R   S   T   U   V   W   X   Y   Z

Une lettre: L'alphabet est la liste de 26 (vingt-six) lettres.
Une voyelle: A est une voyelle; E est une autre voyelle; I, O, U, aussi.
Une consonne: B est une consonne: C est une autre consonne; D, F, G, aussi.

Allez au tableau, s'il vous plaît.

Ecrivez:

A   I   E   U   O

Ecrivez :

J   G   W   Y   Z

Très bien. Maintenant, écrivez: LE,   LA,   LU,   LI,   LO
                                  DU,   DE,   DI,   DO,   DA
                                  MA,   ME,   MU,   MI,   MO

Très bien. Maintenant, écrivez: la table   le livre   la porte
                                  la classe   la tasse
                                  mardi   samedi   etc.

Très bien, merci. Asseyez-vous.

Epelez:

      la clé   L, A, C, L, E accent aigu.

é accent aigu: la clé, la beauté, la charité, la générosité,
      le téléphone, la télévision, l'étudiant.

Epelez:

      l'élève   L apostrophe, E accent aigu, L, E accent grave, V, E.

è accent grave: l'él**è**ve, la pi**è**ce, Thér**è**se, Hél**è**ne, premi**è**re.

Remarquez la règle de terminaison:

$$\boxed{\text{è} + \text{consonne} + \text{e.}}$$

-ère; -èce; -ève; -ène; -èse.

Remarquez l'accent grave sur une autre voyelle:
    Ex: voilà; à; où.

Epelez:

la fenêtre   L, A, F, E, N, E accent circonflexe, T, R, E.
ê accent circonflexe: la fenêtre, même, la forêt, la tête.
Remarquez aussi l'accent circonflexe sur une autre voyelle, généralement devant un *t*:

Ex: g**â**teau; c**ô**te; s**û**r.

EXERCICES

I. Complétez par le jour correct:

Ex: Lundi _____ mercredi.   Lundi, mardi, mercredi.

Mardi _____ jeudi.
Samedi _____ lundi.
Vendredi _____ dimanche.
Mercredi _____ vendredi.

II. Quelle est la date aujourd'hui?
Quelle est la date demain?

III. Ecrivez en toutes lettres le résultat de l'addition:

cinq + neuf =   quinze + quinze =
dix + huit =   seize + treize =
onze + dix-sept =   deux + vingt-cinq =
quatorze + onze =   quatorze + douze =

IV. Placez l'accent ('aigu; ` grave; ^circonflexe):

une elève   une fenêtre   la générosité   le téléphone   l'etudiant
la télévision   le télégraphe   la télépathie   la clé   la répétition
le gâteau   Thérèse   Hélène   la forêt   très bien   répetez
écrivez   mère   s'il vous plaît   pièce   résident   voilà

TROISIÈME LEÇON

Voilà l'Auto du Jeune Homme

Montrez-moi . . .   Voilà (Voici)

De la, Du, De l'

Etudiez les phrases suivantes:

Déclaration et question	*Réponse*
Montrez-moi le tableau.	**Voilà** (voici) le tableau.
Montrez-moi un étudiant.	Voilà un étudiant.
Montrez-moi une étudiante.	Voilà une étudiante.
Montrez-moi la porte.	Voilà la porte.
Qu'est-ce que c'est?	C'est une porte.
Est-ce la porte?	Oui, monsieur, c'est la porte.
Est-ce la porte **de la** classe?	Oui, monsieur, c'est la porte **de la** classe.
Montrez-moi le professeur.	Voilà le professeur.
Montrez-moi le bureau **du** professeur.	Voilà le bureau **du** professeur.
Voilà un étudiant. Un étudiant est un jeune homme. Montrez-moi un autre jeune homme.	Voilà un jeune homme. Voilà un autre jeune homme.
Montrez-moi le crayon **du** jeune homme.	Voilà le crayon **du** jeune homme.
Voilà une étudiante. Une étudiante est une jeune fille. Montrez-moi une autre jeune fille.	Voilà une jeune fille. Voilà une autre jeune fille.
Montrez-moi la chaise **de la** jeune fille.	Voilà la chaise **de la** jeune fille.
Voilà une clé. C'est la clé **de l'**auto de M. Martin. Qu'est-ce que c'est?	C'est la clé **de l'**auto de M. Martin.

ROGER DE LA FRESNAYE

La Conquête de l'air
Collection, The Museum of Modern Art, New York
Mrs. Simon Guggenheim Fund

Voilà un jeune homme
et voilà un autre jeune homme…
Le reste est une suggestion pour votre imagination.

Voilà une autre clé. C'est la clé **de** l'appartement de M. Martin. Qu'est-ce que c'est?

C'est la clé **de** l'appartement de M. Martin.

Qu'est-ce que c'est?

C'est une enveloppe.

Montrez-moi l'enveloppe **de la** lettre.

Voilà l'enveloppe **de la** lettre.

PRONONCIATION

de   du

ABRÉVIATIONS

Comparez:

M. Martin.   Bonjour monsieur.
Mme Martin.   Oui madame.
Mlle Martin. Merci mademoiselle.

L'abréviation de monsieur, madame, mademoiselle est possible *devant le nom* de la personne.

EXPLICATIONS

Voilà la chaise **de la** jeune fille. }
C'est la clé **de la** jeune fille. }   **de la**

De la: devant un nom commun féminin.

Montrez-moi l'auto **du** professeur. }
Voilà le stylo **du** jeune homme. }   **du**

Du: contraction de **de le** devant un nom commun masculin.

C'est la clé **de** l'appartement. }
Voilà l'adresse **de** l'étudiant. }   **de l'**
Voilà l'adresse **de** l'étudiante. }

De l': devant un nom commun (masculin ou féminin) qui commence par une voyelle.

REMARQUEZ:

C'est la clé de l'appartement **de** M. Martin. }
Voilà le crayon **de** Françoise. }   **de**

De: devant un nom propre.

VOCABULAIRE

Noms

un étudiant
une étudiante
la porte
la classe
un jeune homme

une jeune fille
une clé
un appartement
une adresse
une enveloppe

EXERCICES

I. Répondez par écrit

  Ex: Est-ce un stylo?   Oui, c'est un stylo.

Est-ce la classe de français?
Montrez-moi un stylo.
Qu'est-ce que c'est?
Montrez-moi la fenêtre.
Qu'est-ce que c'est?
Montrez-moi la clé de l'auto.
Qu'est-ce que c'est?
Montrez-moi la chaise du jeune homme.
Qu'est-ce que c'est?
Montrez-moi le mur de la classe.
Qu'est-ce que c'est?

II. Complétez

  Ex: Voilà <u>le</u> livre <u>du</u> professeur.

Voilà _____ porte _____ classe.
Montrez-moi _____ mur _____ classe.
C'est _____ composition _____ étudiante.
Voilà _____ auto _____ professeur.
C'est _____ cahier _____ jeune fille.
C'est _____ cahier _____ jeune homme.
Montrez-moi _____ appartement _____ Suzanne.
Montrez-moi _____ appartement _____ étudiant.
C'est _____ adresse _____ M. Brun.
Voilà _____ adresse de _____ appartement _____ jeune homme _____ classe _____ français.

QUATRIÈME
LEÇON

Une Classe Brillante

LA SITUATION

Où est-il?   Il est _____

Où est-elle?   Elle est _____

**Sur, Sous, Dans, Devant, Derrière, Entre,
A côté de, Par terre**

Etudiez les phrases suivantes:

Déclaration et question	*Réponse*
Le livre est **sur** la table. La serviette est sur la table aussi. Où est **le** livre?	**Le** livre est sur la table. **Il est** sur la table.
Où est **la** serviette?	**La** serviette est sur la table aussi. **Elle est** sur la table aussi.
Le tableau est sur le mur. Où est **le** tableau? **Où est-il?** Où est l'autre tableau?	**Il est** sur le mur. Il est sur le mur aussi.
Le chien est **sous** la table. Où est-il? Le chat est sous la table. Où est-il?	Il est sous la table. Il est sous la table aussi.
Où est la craie? Où est le papier?	Elle est par terre. Il est par terre, sous la chaise.
La photo est dans l'album. **Où est-elle?** Et l'album, où est-il? Et l'autre photo, où est-elle?	**Elle est** dans l'album. Il est sur la table, avec la lampe. Elle est dans l'album aussi.
Le professeur est **devant** la classe. Où est-il?	Il est devant la classe.
Où est M. Petit? Où est la chaise de M. Petit?	Il est devant Mlle Legrand. Elle est devant la chaise de Mlle Legrand.

27

VINCENT VAN GOGH   *Nature morte*
                              Collection particulière, photographie Giraudon, Paris

Un livre, un autre livre, un autre livre ... une pile de
livres sur une table et une rose dans un vase.

Qui est devant Mlle Legrand?
Qui est devant vous?

M. Petit est devant Mlle Legrand.
Le professeur est devant moi.

Mlle Legrand est **derrière** M. Petit.
Où est-elle?
Qui est derrière vous?
Est-ce que M. Duval est derrière
vous?

Elle est derrière M. Petit.
M. Duval est derrière moi.

Oui, il est derrière moi.

Voilà M. Petit. Il est **entre** un
étudiant et une étudiante.
Où est-il?

Il est entre un étudiant et une
étudiante.
Elle est entre la porte et le tableau.

Où est la fenêtre?

Le livre est **à côté du** stylo.
Où est-il?

Il est à côté du stylo.

L'appartement est **à côté de l'**autre
appartement. Où est-il?

Il est à côté de l'autre appartement.

Le monsieur est **à côté de la** dame.
Où est-il?
Et la dame, où est-elle?

Il est à côté de la dame.
Elle est à côté du monsieur.

Mettez la clé **dans** l'enveloppe.
Où est-elle?

Elle est dans l'enveloppe.

Montrez-moi une montre.
Qu'est-ce que c'est?
Mettez la montre sur la table.
Où est-elle?

Voilà une montre.
C'est une montre.

Elle est sur la table, devant moi, à
côté du cahier.

Montrez-moi une serviette.
Mettez la serviette **par terre,** entre
la chaise et la chaise de l'autre
étudiant.
Où est-elle?

Voilà une serviette.

Elle est par terre, entre la chaise et
la chaise de l'autre étudiant.

Maintenant, mettez le stylo dans la
serviette. Où est-il maintenant?

Maintenant, il est dans la serviette,
avec le livre, l'autre livre et le cahier.

LECTURE

Une classe brillante

Aujourd'hui, c'est lundi. M. Nelson est dans la classe de français, parce qu'il est étudiant. Maintenant, il est sur une chaise, devant un autre étudiant et une étudiante. Il est à côté d'une jeune fille.

M. NELSON. Bonjour mademoiselle. Je m'appelle Robert Nelson. Comment vous appelez-vous ?

LA JEUNE FILLE. Je m'appelle Suzanne Petit... Chut! Voilà le professeur.

· · · · · ·

(Maintenant, le professeur est devant la classe).

LE PROFESSEUR. M. Nelson, allez au tableau. Voilà la craie.

M. NELSON. Merci, monsieur.

LE PROFESSEUR. Il n'y a pas de quoi. Maintenant, écrivez: « Le livre de français est dans la serviette, avec le cahier, le stylo et le crayon ».

M. NELSON. Voilà, monsieur.

LE PROFESSEUR. C'est très bien. Maintenant, lisez la phrase.

M. NELSON. Le livre est dans la serviette, avec le cahier, le stylo et le crayon.

LE PROFESSEUR. C'est très bien. Épelez le mot « serviette », Mlle Petit.

MLLE PETIT. Monsieur, qu'est-ce que c'est, « le mot » ?

LE PROFESSEUR. Voilà une excellente question. Eh bien, par exemple, « épelez » est un mot; « un » est un mot; « le » est un mot; « classe » est un mot. « Le mot » est un terme général. « Le nom » est spécifique. M. Duncan, montrez-moi un « mot » dans la phrase de M. Nelson.

M. DUNCAN. « Dans » est un mot. « Livre » est un autre mot, et c'est aussi un nom.

LE PROFESSEUR. C'est très bien, monsieur. Maintenant, Mlle Petit, épelez le mot « serviette ».

MLLE PETIT. S, E, R, V, I, E, deux T, E.

LE PROFESSEUR. Correct. Monsieur Nelson, est-ce un nom masculin ou féminin ?

M. NELSON. Féminin, monsieur. C'est « la » serviette.

LE PROFESSEUR. C'est très bien, monsieur. Asseyez-vous. Mlle Daly, allez au tableau, s'il vous plaît. Ecrivez le mot « trompette » sous le mot « serviette ». C'est un instrument de musique. Bien. Maintenant, écrivez le mot « clarinette ». C'est un autre instrument de musique. Mlle Daly, est-ce que « trompette » est probablement masculin ou féminin ?

MLLE DALY. Probablement féminin, monsieur.

LE PROFESSEUR. Pourquoi?

MLLE DALY. Parce que la fin du mot est «-ette». C'est «la serviette». C'est probablement «la trompette» et «la clarinette».

LE PROFESSEUR. Très bien, mademoiselle, excellent! Asseyez-vous.

UN ETUDIANT. Pardon, monsieur. En français, le nom d'un objet est masculin ou féminin. Pourquoi?

LE PROFESSEUR. C'est une autre excellente question. En français, le nom d'un objet est masculin ou féminin parce que le français est d'origine latine, et en latin, le nom d'un objet est masculin ou féminin.

QUESTIONS SUR LA LECTURE

1. Qui est M. Nelson?

2. Où est-il?

3. Est-ce que M. Nelson est à côté d'une jeune fille?

4. Est-ce que «devant» est un mot?

5. Est-ce que «serviette» est masculin ou féminin?

6. Est-ce que le français est d'origine latine?

7. Est-ce que la classe est brillante?

PRONONCIATION

Il est   Elle est

Où est-il? Où est-elle?

EXPLICATIONS

Où est **le** livre?   **Il** est sur la table.

Où est-**il**?   **Il** est sur la table.

Il remplace un nom masculin.

Où est **la** jeune fille?   **Elle** est dans la classe.

Où est-**elle**?   **Elle** est dans la classe.

Elle remplace un nom féminin.

VOCABULAIRE

Noms

la serviette	la photo
le chat	l'album (m)
le chien	le monsieur
la craie	la dame
le papier	la montre
la lampe	le mot

Prépositions

sur	derrière
sous	à côté de
dans	entre
devant	

Adverbe

par terre

EXERCICES

I. Répondez à la question par une phrase complète, avec le pronom **il** ou **elle**:

Où est le tableau?
Où est le chat?
Qui est dans la classe?
Qui est devant vous dans la classe de français?
Qui est à côté de vous dans la classe de français?
Où est la photo?
Qui est probablement sur la photo?
Où est la lampe?
Où est la serviette?

COMPOSITION

Composition (5-10 lignes) orale et écrite:

Une description de la classe de français.

CINQUIÈME LEÇON

Un Groupe Sympathique

LA DESCRIPTION

Comment est-il (elle) ? De quelle couleur est-il (elle) ?

Il est Il n'est pas

L'adjectif masculin et l'adjectif féminin

ÉTUDIEZ LES PHRASES SUIVANTES :

Déclaration et question	*Réponse*

Voilà un jeune homme. Comment **est-il ?**
Est-ce un grand jeune homme ?

Il est grand.
Oui, **c'est** un **grand jeune homme.**

Voilà une jeune fille. Comment **est-elle ?**
Est-ce une grande jeune fille ?

Elle est **grande.**
Oui, **c'est** une **grande jeune fille.**

Un jeune homme est **beau.** Une jeune fille est **jolie.** Comment est la jeune fille qui est derrière vous ?
Est-ce une jolie jeune fille ?

Elle est **jolie.**
Oui, c'est une jolie jeune fille.

Voilà un **bon** exercice. A + est une **bonne** note. Est-ce que A + est une bonne note ?

Oui, c'est une **bonne** note.

Est-ce qu'une auto française est **petite** généralement ?

Oui, elle est **petite** généralement.

De quelle couleur est le mur ?
Et la porte ?
Qu'est-ce que c'est ?

Il est **vert.**
La porte est **verte** aussi.
C'est un mur **vert.** C'est une porte **verte.**

De quelle couleur est le tableau ?
Et la serviette ?
De quelle couleur est le papier ?
Et la craie ?

Il est **noir.**
La serviette est **noire** aussi.
Il est **blanc.**
La craie est **blanche** aussi.

35

PABLO PICASSO

Jeunesse
Galerie Louise Leiris, Paris

*L'interprétation de Picasso de
la rencontre d'un jeune homme et d'une jeune fille.*

De quelle couleur est le bâtiment? | Il est **gris.**
Et la maison? | La maison est **grise** aussi.

De quelle couleur est le pantalon de M. Russell? Et la chemise de M. Russell? | Il est **bleu.** La chemise de M. Russell est **bleue** aussi.

De quelle couleur est le tricot de Mlle Masson? | Il est **rouge, orange** et **jaune.**
Et la robe de Mlle Masson? | La robe de Mlle Masson est **beige.**
Est-ce une robe **beige?** | C'est une robe **beige.**

Est-ce que M. Martin est **français?** | Non, il n'est pas **français;** il est **américain.**

Et Mlle Masson? | Elle n'est pas **française.** Elle est **américaine.**

Est-ce qu'une auto française est **grande** généralement? | Non, elle n'est pas **grande** généralement. Elle est **petite.**

Est-ce que le livre est **ouvert?** | Non, il n'est pas **ouvert.** Il est **fermé.**

Et la porte? | Elle n'est pas **ouverte.** Elle est **fermée** maintenant.

PRONONCIATION

grand / gran**de**   blanc / blan**che**   br**un** / br**une**
peti**t** / peti**te**   blond / blon**de**   gris / **grise**
français / françai**se**   améric**ain** / améric**aine**   ouvert / ouver**te**

LECTURE

Un groupe sympathique

Voilà Barbara; c'est une jeune fille américaine typique. Elle est blonde, elle est grande et elle est très jolie. Elle est étudiante de français. Le costume de Barbara est simple et pratique: une blouse bleue, parce que le bleu est joli pour une blonde, une jupe beige et un tricot beige aussi.

Barbara est avec une autre jeune fille, Carol. Carol est l'amie de Barbara. Elle n'est pas grande, elle n'est pas blonde. Elle est petite et rousse. Elle est jolie aussi, mais c'est un autre type. Le costume de Carol est simple aussi, mais élégant: une robe rouge avec une petite jaquette noire et un grand sac noir.

Voilà Bob et André. Bob est un jeune homme américain et il est dans la classe de Barbara. Il est blond aussi, comme Barbara, mais il est très, très grand. Il est beau, sportif et sympathique. Le costume de Bob est pratique pour l'université: un pantalon bleu, une chemise de sport grise et un tricot gris. André est différent de Bob. Il est français et il n'est pas très grand. Il est brun et sympathique aussi. Il n'est pas dans la classe de français de Bob et de Barbara, naturellement! Il est dans une classe de sciences politiques.

L'auto de Bob n'est pas dans le parking aujourd'hui. Elle est dans le garage de la maison de Bob. Bob est dans l'auto d'André. C'est une Renault noire. Elle n'est pas grande, mais elle est économique et confortable. L'auto de Carol est à côté de l'auto d'André. C'est une Ford. Elle est verte et elle est grande.

Maintenant, voilà Barbara et Carol devant la Ford de Carol et voilà aussi Bob et André. Grande conversation entre Barbara et Bob, Carol et André: Où est l'auto de Bob? Où est l'auto de Barbara? Est-ce que la classe de sciences politiques est difficile? Est-ce que la Renault est une bonne voiture (=auto)?

Quelle est la conclusion de la conversation? Maintenant, l'adresse de Barbara est dans le carnet noir dans la poche de la chemise de Bob et l'adresse de Carol est dans le carnet rouge dans la poche du veston d'André. Le numéro de téléphone est aussi dans le carnet parce qu'il est important.

QUESTIONS SUR LA LECTURE

1. Comment est Barbara?
2. Comment est le costume de Barbara?
3. Est-ce que le bleu est joli pour une blonde?
4. Est-ce que le beige est une couleur pratique?
5. Comment est Carol?
6. Est-elle différente de Barbara?

7. Comment est le costume de Carol?

8. Est-ce que Bob est brun?

9. Est-ce qu'André est américain?

10. Est-il étudiant de sciences politiques?

11. Où est l'auto de Bob aujourd'hui?

12. Comment est l'auto d'André?

13. Comment est l'auto de Carol?

14. Où est la voiture de Carol?

15. Est-ce que l'adresse de Barbara est dans le carnet d'André?

16. Où est-elle?

17. Est-ce que le numéro de téléphone est important?

18. Où est le numéro de téléphone de Carol?

EXPLICATIONS

I. *L'adjectif.*

A. Avec un nom féminin, l'adjectif est féminin.

> **Bob** est **grand, Barbara** est **grande.**
> **André** est **petit, Carol** est **petite.**

B. Formez le féminin de l'adjectif avec **e**:

joli, joli**e**
vert, vert**e**
bleu, bleu**e**
noir, noir**e**

C. L'adjectif avec la terminaison **e** pour le masculin est invariable au féminin:

Un livre roug**e, une** robe roug**e.**
Un sac jaun**e, une** auto jaune.
Une classe difficil**e, un** exercice difficil**e.**

D. Remarquez le féminin de:

Bon   Un **bon** livre, **une bonne** note.
Blanc   **Un** papier **blanc, une** robe **blanche.**

E. Place de l'adjectif:

> Une **grande** classe, une **petite** auto.
> Une **jeune** fille, une **jolie jeune** fille.
> Un **beau** bâtiment, un **beau jeune** homme.

L'adjectif: **grand, petit, joli, beau, jeune** est **devant** le nom. Pourquoi? Parce que c'est un **adjectif d'opinion.**

> Une robe **rouge,** un pantalon **bleu.**
> Un étudiant **américain,** un jeune homme **français.**
> Un costume **pratique,** une auto **économique.**

L'adjectif de couleur, de nationalité, de description en général est **après** (derrière) le nom. Pourquoi? Parce que c'est un **adjectif de fait.**

II. C'est *et* Il est.

Qu'est-ce que **c'est?** **C'est** un livre.
> C'est une auto.
> C'est l'ami de Bob.

> **C'est + le nom.**

Comment **est-il?**   **Il est** beau.
> Il est grand.
> Il est français.

De quelle couleur **est-il?**   **Il est** bleu.
> Il est jaune.

> **Il est + l'adjectif.**

REMARQUEZ:

C'est une jolie jeune **fille.**
C'est la **robe** rouge de Carol.
C'est la petite **auto** noire d'André.
C'est le **livre** rouge du jeune homme.

> **C'est + nom qualifié.**

III. *Négation.*

> Bob est grand, André **n'**est **pas** grand.
> Voilà André, il **n'**est **pas** grand.

La négation est: Ne ... pas.
Ne est devant le verbe, **pas** est après (derrière) le verbe.
Ne est **n'** devant une voyelle.

VOCABULAIRE

Noms

l'exercice	le sac
l'auto (la voiture)	le garage
le pantalon	la conversation
la chemise	la conclusion
le tricot	l'adresse
la robe	la poche
la jupe	le numéro de téléphone
le costume	le veston
la jaquette	le carnet

Adjectifs

grand(-e)	jaune
ouvert(-e)	français(-e)
vert(-e)	américain(-e)
noir(-e)	important(-e)
beige	confortable
gris(-e)	pratique
bleu(-e)	économique
rouge	sympathique
typique	sportif, sportive
blond(-e)	petit(-e)
brun(-e)	fermé(-e)
roux, rousse	
orange	blanc, blanche

Adverbes

maintenant	naturellement

EXERCICES

I. Mettez l'adjectif à la forme correcte et à la place correcte aussi:

Ex: (noir)	C'est un stylo	C'est un stylo noir.
(bon)	Voilà un livre	
(joli)	C'est une robe	

(petit)	C'est une auto
(grand)	Voilà le jeune homme
(gris)	C'est une auto
(bleu et jaune)	Voilà un cahier
(rouge et vert)	Voilà une chemise
(beau, blond)	C'est un jeune homme
(pratique, petit)	C'est une robe
(joli, simple)	C'est un costume

II. Faites six phrases avec deux adjectifs de la liste suivante :

grand ; petit ; joli ; beau ; bon ; blanc ; noir ; vert ; bleu ; rouge ; jaune ; facile ; difficile ; pratique ; simple ; confortable.

> Ex : Bob est dans une **grande** classe très **difficile.**
> La Chevrolet **verte** de Barbara est **pratique.**

III. Mettez au négatif :

> Ex : Il est grand.   Il n'est pas grand.

Elle est étudiante.
Bob est l'ami de Carol.
L'auto de Bob est dans le parking.
La Cadillac est économique.
Elle est sportive.

IV. Complétez les phrases suivantes avec : Il est ; elle est ; c'est.
Il n'est pas ; elle n'est pas.

C'est un _____ appartement confortable.
C'est une _____ bonne composition.
A +, _c'est_ _____ une bonne note.
c'est _____ une robe rouge. _elle est_ _____ pratique et simple.
c'est _____ une petite voiture. _il n'est pas_ grande.
c'est _____ l'ami de Bob. _Il est_ français, _il n'est pas_ américain.
L'amie de Barbara, _____ _c'est_ _____ Carol. _elle est_ _____ rousse et _elle est_
jolie. _elle n'est pas_ française.
C'est _____ un grand bâtiment. _il est_ _____ gris.

V. Questions.

Répondez à chaque question par une ou deux phrases complètes:

Comment est Barbara?
Comment est le costume de Barbara?
Est-ce un costume pratique?
Est-ce que le costume de Carol est joli?
Comment est-il?
Est-ce qu'André est grand?
Comment est l'auto d'André?
Où est l'auto de Bob aujourd'hui?
De quelle couleur est le carnet d'adresses de Bob?

SIXIÈME
LEÇON

Quelle Vie !

ÊTRE OU NE PAS ÊTRE :
Le verbe Être affirmatif et négatif

A la, A l' et Au

Quelle heure est-il ?

Etudiez les phrases suivantes :

Déclaration et question	Réponse
Voilà un livre. Il est jaune.	
Il n'est pas bleu.	
De quelle couleur est-il ?	Il est jaune.
Est-il bleu ?	Non, il n'est pas bleu.
Etes-vous français ?	Non, **je ne suis pas** français. **Je suis** américain.
C'est un livre de français. Ce n'est pas un livre de mathématiques.	
Est-ce un livre d'espagnol ?	Non, **ce n'est pas** un livre d'espagnol.
Est-ce un livre de chimie ?	Non, ce n'est pas un livre de chimie.
Est-ce un livre de français ?	Oui, c'est un livre de français.
Monsieur, êtes-vous étudiant ?	Oui, je suis étudiant.
Mademoiselle, êtes-vous étudiante ?	Oui, je suis étudiante.
Votre père, **est-il** docteur ?	Oui, **il est** docteur.
Je suis professeur. Je suis dans la classe. Vous, monsieur, vous, mademoiselle, etc., **vous êtes** dans la classe avec moi. Est-ce que **nous sommes** dans la classe ?	Oui, **nous sommes** dans la classe.
Est-ce que **M. et Mme Duval sont** à Washington ?	Non, ils ne sont pas à Washington. **Ils sont** à Paris.
Est-ce que votre père et votre mère sont à la maison ?	Oui, ils sont à la maison.
Est-ce que Barbara et Carol sont à l'université ?	Oui, **elles sont** à l'université.

45

MARC CHAGALL

Le Temps n'a point de rive
Collection, The Museum of Modern Art, New York

Un poisson ailé, une main et un violon, un village et une rivière...
Quelle heure est-il?

Où **sommes-nous?**

Nous sommes dans la classe. Nous ne sommes pas au laboratoire maintenant.

Quelle heure est-il?

Quelle heure est-il?

Il est midi.
Il est minuit.
Il est huit heures.
Il est neuf heures.

A quelle heure est la classe de français?

Elle est à onze heures du matin.

Où êtes-vous à onze heures et demie?

Je suis dans la classe, probablement au tableau.

Quand êtes-vous à la maison?

Je suis à la maison à cinq heures de l'après-midi.

A quelle heure êtes-vous devant la télévision?

Je suis devant la télévision à dix heures du soir.

Qui est au tableau à midi moins le quart?

A midi moins le quart, un autre étudiant est au tableau. C'est un volontaire.

Et à midi moins dix?

Je ne suis pas dans la classe. Je suis à la porte de la classe, **parce que** la classe est finie.

Et à midi?

Je suis au restaurant.

LECTURE

Quelle vie!

Je m'appelle Robert, je suis étudiant. Ce n'est pas une occupation idéale, hélas! Comment est la vie d'un étudiant? Elle n'est pas très compliquée, mais elle est toujours occupée.

Le lundi, le mardi et le vendredi, la première classe est à huit heures du matin. C'est une heure horrible, particulièrement le lundi. Je ne suis pas toujours à l'heure... Quelquefois, je suis en retard: cinq minutes... dix minutes... et (c'est exceptionnel!) un quart d'heure! Le professeur n'est pas en retard. A huit heures, il est derrière le bureau. C'est une classe de sciences politiques et elle est intéressante si je ne suis pas fatigué.

Le mardi et le jeudi, la première classe est à dix heures. C'est une classe de sciences et la conférence du professeur est généralement difficile. Pour moi, une classe de sciences, de mathématiques ou de physique est toujours difficile.

Mais chaque jour, la classe de français est à onze heures. C'est ma classe favorite. Elle est très intéressante, parce qu'elle est entièrement en français. Le français est une jolie langue. Il est utile et il n'est pas difficile. Il est aussi—c'est l'opinion du professeur—simple, clair et logique.

L'examen est généralement le vendredi, qui est le dernier jour de la semaine. Ce n'est pas un bon moment pour le pauvre étudiant! Mais quelquefois, le lundi, je suis content, parce que la note de l'examen de français est bonne. A, B,... vive la classe de français! C, D... le français est horrible!

Après la dernière classe, je suis à la maison ou à la bibliothèque. Mais le vendredi soir, je ne suis pas à la maison ou à la bibliothèque. Je suis au restaurant, au cinéma, au théâtre, à la piscine ou à la maison d'un ami. Pourquoi? Parce que la semaine de classe est finie!

QUESTIONS SUR LA LECTURE

1. Etes-vous étudiant?
2. Est-ce une occupation idéale?
3. Est-ce que la vie d'un étudiant est compliquée? Comment est-elle?
4. A quelle heure est la première classe de Robert?
5. Est-ce que huit heures est une bonne heure pour une classe?
6. Robert est-il toujours à l'heure?
7. Est-ce que le professeur est en retard?
8. A quelle heure est-il derrière le bureau?
9. A quelle heure est la classe de sciences?
10. Comment est la conférence du professeur?

11. Est-ce que Robert est un bon étudiant de sciences? Etes-vous un bon étudiant de sciences?

12. Quelle est la classe favorite de Robert? A quelle heure est-elle?

13. Comment est-elle?

14. Comment est le français?

15. Quel jour est l'examen?

PRONONCIATION

Je suis   Vous ̮êtes   Ils sont
     Il est   Elle est

EXPLICATIONS

I. *Le verbe* **Être**

A. **Être** est l'infinitif du verbe.

Voilà la conjugaison:

Je suis	Nous sommes
Tu es	Vous êtes
Il est, elle est	Ils sont, elles sont
C'est	Ce sont

Tu es est la forme d'adresse familière. Elle n'est pas nécessaire maintenant.

B. La forme interrogative du verbe **Être.**

Deux (2) formes possibles:

Est-ce que je suis?		Suis-je?
Est-ce que tu es?		Es-tu?
Est-ce qu'il (elle) est?		Est-il? Est-elle?
Est-ce que c'est?		Est-ce?
Est-ce que nous sommes?	*ou*	Sommes-nous?
Est-ce que vous êtes?		Êtes-vous?
Est-ce qu'ils (elles) sont?		Sont-ils? Sont-elles?
Est-ce que c'est?		Est-ce?

REMARQUEZ:

Avec le nom de la personne ou de l'objet :

> Est-ce que **Carol** est dans la voiture ?
>> ou : **Carol** est-elle dans la voiture ?
> Est-ce que **l'adresse** est dans le carnet ?
>> ou : **L'adresse** est-elle dans le carnet ?

Le nom de la personne ou de l'objet est au commencement de la phrase.

REMARQUEZ:

Le pluriel de **c'est: ce sont**

Il n'y a pas de pluriel pour la forme interrogative de **ce sont.**

> Qui **est-ce,** le monsieur et la dame ? **Ce sont** M. et Madame Bertrand.

C. La forme négative du verbe **être.**

> Je ne suis pas
> (Tu n'es pas)
> Il n'est pas, elle n'est pas, ce n'est pas
> Nous ne sommes pas
> Vous n'êtes pas
> Ils ne sont pas, elles ne sont pas, ce ne sont pas

REMARQUEZ:

> Je suis professeur.
> Mon père est docteur.
> Vous êtes étudiant.
> Il n'est pas architecte.

(Il n'est pas correct de dire : *Je suis un étudiant, il est un docteur.*)

> **Je suis étudiant.**
> **Il est docteur.** } Voilà la forme correcte.*

II. A la, A l', Au

> Je suis **à l'**université.
> Carol n'est pas **à l'**adresse qui est dans le livre du téléphone.
> A midi, je suis **au** restaurant. A huit heures, je suis **au** cinéma.
> Est-ce que M. Duval est **à la** maison ? Non, il est **à la** plage.

Au est la contraction de **à le: au** tableau ; **au** bureau ; **au** restaurant.

---

* **Je suis étudiant:** mais, Je suis **un** étudiant américain.
Je suis **un** excellent étudiant
parce qu'il y a un adjectif avec le nom.

III. *La préposition* **à** *devant le nom d'une ville :*

Le président est **à** Washington.

Le Vatican est **à** Rome.

Je suis **à** Los Angeles, **à** Paris, **à** Rome, **à** Madrid, **à** Bordeaux, etc.

Employez **à** devant le nom d'une ville.

IV. *Quelle heure est-il ?*

Il est midi

Il est minuit

Il est une heure

Il est deux heures

Il est trois heures

Il est une heure cinq

Il est une heure et quart

Il est une heure et demie

Il est deux heures
moins vingt-cinq

Il est deux heures
moins le quart

Il est deux heures
moins cinq

La classe de français est à huit heures, neuf heures, dix heures, onze heures **du matin** (du matin = *A.M.*).

De deux heures à cinq heures **de l'après-midi,** le dimanche, c'est la matinée au cinéma (de l'après-midi = *P.M. for the afternoon hours*).

Le dîner est à sept heures **du soir.** Un bon programme de télévision est généralement à huit ou neuf heures **du soir** (du soir = *P.M. for the evening hours*).

REMARQUEZ:

L'expression: **Être à l'heure.** Le contraire de **Être à l'heure,** c'est **Être en retard.**

Quelquefois, je suis **en retard** pour la classe de huit heures.
Etes-vous **en retard** pour un rendez-vous important?
Non, je suis toujours **à l'heure** pour un rendez-vous important.

VOCABULAIRE

Noms

l'espagnol	la conférence
la chimie	l'examen
le français	la note
le docteur	la bibliothèque
la maison	le restaurant
l'université	le cinéma
le laboratoire	le théâtre
l'occupation	la piscine
la vie	un architecte

Adjectifs

idéal(-e)	clair(-e)
compliqué(-e)	logique
horrible	dernier, dernière
exceptionnel, exceptionnelle	premier, première
fatigué(-e)	content(-e)
difficile	pauvre

favori, favorite
utile
simple

fini(-e)
intéressant(-e)

Préposition

après

Adverbes

toujours
particulièrement

entièrement
généralement

Autres

Pourquoi? Parce que ...
Hélas!
Vive la classe de français!

Je suis à l'heure.
Je suis en retard.

EXERCICES

I. Mettez à la forme négative:

Je suis président.
C'est une occupation idéale.
Nous sommes à Rome.
Une robe blanche est pratique.

Mademoiselle Masson est étudiante.
La vie d'un étudiant est compliquée.
Vous êtes en retard pour la classe.
La Cadillac est économique.

II. Mettez à la forme interrogative:

Ex: Bob est étudiant.
Bob est-il étudiant?

Frank Sinatra est acteur.
Carol est américaine.
La chemise de Bob est blanche.
Je suis content.
Ils sont au cinéma.

Vous êtes fatigué.
Il est à la maison.
Nous sommes à la plage le samedi.
La classe est finie.
Un architecte est un monsieur important.

III. Répondez par une phrase complète:

Ex: Où est le président ?   Il est à Washington.

(Tokio, Paris, Londres, Québec, Washington, Rome, Madrid, Berlin, San Francisco, New York, Reims.)

Le Château-Frontenac ?   La Cinquième Avenue ?
Le Pape Paul VI ?   La Tour Eiffel ?
La Reine Elisabeth ?   Le Palais Impérial ?
Le Général Franco ?   Le mur célèbre ?
Le bon champagne ?   Le gouvernement américain ?
La Porte d'Or ?   L'Arc de Triomphe ?

IV. Complétez (à la, à l', au):

Il n'est pas _____ adresse du livre de téléphone.
Je ne suis pas _____ cinéma le jour de l'examen !
Quelquefois, nous sommes _____ tableau vingt minutes.
Il n'est pas en retard _____ théâtre.
La voiture est _____ garage.
Le dimanche, elle est _____ plage.

V. Répondez à chaque question par une phrase complète:

Est-ce que la vie d'un étudiant est intéressante ?
Où êtes-vous à neuf heures du matin ?
Etes-vous à la piscine maintenant ?
A quelle heure est la matinée au cinéma ?
A quelle heure est un bon programme à la télévision ? Comment s'appelle le programme ?
Où êtes-vous généralement à onze heures du soir ? Etes-vous dans la classe ?
Sommes-nous dans la classe de français à midi ?

COMPOSITION

Composition orale et écrite:
La vie d'un étudiant typique le lundi, par exemple (ou un autre jour).

SEPTIÈME LEÇON

Ma Maison et ma Famille

LA POSSESSION

Mon, ma   Son, sa   Notre, Votre

Il y a

Etudiez les phrases suivantes:

Déclaration et question	*Réponse*
Dans la classe, **il y a** un tableau sur le mur.	
Est-ce qu'il y a un tableau sur le mur?	Oui, il y a un tableau sur le mur.
Est-ce qu'il y a (ou: **Y a-t-il**) un livre sur la table?	Oui, il y a un livre sur la table.
Y a-t-il un chien dans la classe?	Non, **il n'y a pas de** chien dans la classe. Il n'y a généralement pas d'animal dans une école.
Je m'appelle M. Brun. Voilà **le** livre de M. Brun. C'est **mon** livre. Mademoiselle Duval, montrez-moi **votre** livre.	Voilà **mon** livre.
Monsieur, de quelle couleur est votre chemise? Et votre pantalon?	**Ma** chemise est bleue (elle est bleue). Mon pantalon est gris.
Où est votre maison?	Ma maison est au coin de la rue. Ma rue n'est pas importante. C'est une petite rue tranquille. Il n'y a pas de circulation.
Où est **notre** classe?	**Notre** classe (elle) est dans un grand bâtiment.

57

ÉDOUARD VUILLARD   *Le Jardin de Cézanne   à Vaucresson*
                        The Metropolitan Museum of Art, New York, Wolfe Fund, 1952

Une belle maison, dans un grand jardin. C'est la maison de
Cézanne   à Vaucresson.

Voilà Bob et **son** ami André. Voilà
Barbara et **son** amie Carol. Où est
votre amie aujourd'hui, mademoiselle?

Mon amie est à la maison.

Où est la maison de votre amie?

Sa maison est au bord de la mer, à
la plage.

Où est votre autre amie?

Mon autre amie est à la piscine.

LECTURE

Ma maison et ma famille

Ma maison est au coin d'une petite rue tranquille et d'une autre rue.
L'autre rue est importante, mais ma rue est agréable, parce qu'il n'y a pas de
circulation. Sur ma maison, il y a un toit, naturellement, et une antenne de
télévision sur le toit. Il y a aussi une cheminée.

Il y a généralement une auto devant la maison. C'est mon auto (ou: ma
voiture). Mais aujourd'hui, il n'y a pas d'auto, parce que ma voiture est au
garage.

La façade de ma maison est ordinaire: il y a une porte, avec une fenêtre
de chaque côté de la porte. Devant, entre la maison et la rue, il y a une pelouse
verte. Derrière la maison, il y a une autre pelouse. Il n'y a pas de piscine
derrière ma maison. Mais il y a une piscine derrière la maison de mon ami
Maurice, parce que sa famille est riche.

Ma famille est à la maison, excepté mon père qui est au bureau maintenant,
parce qu'il est docteur. Ma mère est debout devant le réfrigérateur. Ma sœur
est assise avec son amie Lucie devant la télévision. Mon petit frère est dans le
jardin avec le chat. Mon petit frère est jeune, il est élève à l'école élémentaire.
Il s'appelle Pierrot. Le chat s'appelle Minet, c'est un nom ordinaire de chat,
comme *Kitty* en anglais.

Mon chien s'appelle Médor. Il est gentil avec moi, mais il est féroce avec
le reste de l'humanité. Il est comme ma sœur: elle est méchante avec tout le
monde, mais elle est toujours gentille avec un jeune homme au téléphone.

Mon père est souvent fatigué. Il est au bureau de neuf heures du matin à
cinq heures du soir. Ma mère est gentille, mais elle est très occupée.

Je ne suis pas marié, parce que je suis étudiant, et ma sœur n'est pas mariée. Il n'y a pas de beau-frère ou de belle-sœur dans notre maison.

Naturellement, il y a aussi mon grand-père et ma grand-mère, qui sont le père et la mère de ma mère. Mon grand-père n'est pas jeune, il est âgé. Mon autre grand-père est mort, et ma grand-mère est morte aussi.

Ma tante est la sœur de ma mère et c'est la femme de mon oncle. Mon autre tante est la sœur de mon père. Le mari de ma tante, c'est mon oncle. Il y a aussi mon cousin et ma cousine. Mon cousin est un garçon. C'est le fils de mon oncle et de ma tante. Ma cousine est une petite fille. C'est la fille de mon autre oncle et de mon autre tante.

Voilà notre famille. Naturellement, toute la famille n'est pas dans notre maison! Dans notre maison, il y a mon père, ma mère, ma sœur, mon frère et moi. Le reste de notre famille est à San Francisco, à New York et à Chicago.

QUESTIONS SUR LA LECTURE

1. Où est la maison du jeune homme? Est-elle dans une rue agréable? Pourquoi?

2. Qu'est-ce qu'il y a sur le toit? Qu'est-ce qu'il y a devant la maison? Entre la maison et la rue?

3. Est-ce que votre maison est au coin d'une rue ou dans une rue? Est-ce une rue tranquille ou une rue importante?

4. Qu'est-ce qu'il y a derrière la maison? Y a-t-il une piscine? Y a-t-il une piscine derrière votre maison? Pourquoi?

5. Quelle est la profession du père de Bob? Est-ce que votre père est docteur? Où est votre mère maintenant?

6. Où est la sœur de Bob? Où est son amie? Est-ce que le petit frère de Bob est à l'université? Où est-il élève?

7. Y a-t-il un chat dans la maison de Bob? Comment s'appelle-t-il? Y a-t-il un chien? Comment s'appelle-t-il? Comment est-il? Est-ce que la sœur de Bob est toujours gentille?

8. Est-ce que votre père est souvent fatigué? Etes-vous fatigué? Etes-vous marié? Pourquoi?

9. Votre grand-père est le père de votre mère. Qui est votre oncle? Votre tante? Votre cousin? Votre cousine?

10. Voilà M. Dubois, Mme Dubois, Georges et Suzanne Dubois. M. Dubois est le mari de Mme Dubois, c'est le père de Georges et de Suzanne. Qui est Mme Dubois? Georges? Suzanne?

11. Voilà ma sœur et son mari. Est-ce que son mari est mon cousin?

PRONONCIATION

il y a   il n'y a pas de

ma sœur (= seur)   la femme (= fam)   le fils (= fiss)   la fille (= fiy)
gentil / gentille.

EXPLICATIONS

I. L'adjectif possessif:

BOB.   Voilà **ma** chemise, **mon** stylo, **ma** serviette, **mon** pantalon, **ma** cravate.
BARBARA.   Voilà **ma** robe, **ma** jupe, **mon** sac, **mon** tricot.
BOB ET BARBARA.   Voilà **notre** professeur, **notre** classe, **notre** ami André, **notre** amie Carol, **notre** université.

Mon
Son } devant un nom **masculin**

Ma
Sa } devant un nom **féminin**

Notre
Votre } devant un nom **masculin** ou **féminin**

ATTENTION :

Ma sœur   mais   **mon a**utre sœur
Sa sœur   mais   **son a**utre sœur

Devant un mot qui commence par un voyelle, employez **mon** et **son** (ou **ton**) à la place de **ma** et **sa** (ou **ta**)

Une adresse	**mon a**dresse
Une enveloppe	**mon e**nveloppe
Une auto	**mon a**uto
Une amie	**mon a**mie

Quand le nom est masculin, il n'y a pas de difficulté: **mon** ami, **mon** apparte-ment. La forme ne change pas devant une voyelle.

II. Il y a ...

« **Il y a**... » est une forme très importante et invariable.

Il y a une antenne de télévision sur le toit.

Dans ma famille, **il y a** mon père, ma mère, mon frère, ma sœur et moi.

A. Question avec **Il y a**:

Deux formes possibles: **Est-ce qu'il y a**...?   **Y a-t-il**...?

Est-ce qu'il y a un chien dans   **Y a-t-il** un chien dans
la maison?   la maison?

B. Négation avec **Il y a**:

Il n'y a pas de circulation dans ma rue.

La négation de **il y a** est **il n'y a pas de.**

III. Tout le monde.

C'est une expression utile (tout le monde = *"everybody"*).

LE PROFESSEUR: Bonjour, **tout le monde!**

LA CLASSE: Bonjour monsieur!

LE PROFESSEUR: Est-ce que **tout le monde** est présent?

LA CLASSE: Non, **tout le monde** n'est pas présent. Il y a un étudiant qui est absent.

VOCABULAIRE

Noms

le coin	le grand-père
la rue	la grand-mère
la circulation	la tante
le toit	l'oncle

l'antenne
la cheminée
l'auto (la voiture)
la façade
la pelouse
la famille
le bureau
la sœur
l'ami(-e)
le frère
le jardin

le cousin
la cousine
le fils
la fille
le mari
la femme
le beau-frère
l'école
l'humanité
la belle-sœur

Adjectifs

tranquille
agréable
ordinaire
mort(-e)

riche
jeune ≠ âgé(-e)*
gentil, gentille ≠ féroce

EXERCICES

I. Mettez l'adjectif possessif correct (**mon** ou **ma**).

_ma_ blouse; _ma_ serviette; _mon_ cahier; _mon_ clé; _mon_ auto; _mon_ oncle; _ma_ cousine; _ma_ femme; _mon_ mari; _mon_ exercice; _ma_ composition; _mon_ autre composition; _ma_ carte; _mon_ chapeau; _mon_ gâteau; _mon_ étudiant; _mon_ étudiante.

Mettez l'adjectif possessif correct (**mon, ma, son, sa**).

BOB. Voilà _mon_ auto. Elle est devant la porte de _ma_ maison. C'est _sa_ bicyclette qui est à côté de _ma_ voiture. La bicyclette de _mon_ frère est dans le garage. _Ma_ tante Alice est la sœur de _mon_ père. _Son_ mari est _mon_ oncle Georges. _Son_ fils s'appelle Tony, et c'est _mon_ cousin. _Sa_ fille s'appelle Suzanne, et c'est _ma_ cousine. Le mari de _ma_ sœur, c'est _mon_ beau-frère. _Son_ autre sœur n'est pas mariée, mais elle est fiancée. _Son_ fiancé s'appelle Maurice. Il est architecte, c'est _son_ occupation ou _sa_ profession.

* *This symbol is used for " opposite of ".*

II. Faites la liste de chaque membre de votre famille, avec **mon** ou **ma** devant chaque nom.

Dans ma famille, il y a mon _____

III. Répondez à chqaue question par une phrase complète.

    Ex: Qui est votre oncle?   C'est le frère de ma mère.

Qui est votre cousin?
Qui est votre cousine?
Qui est votre belle-sœur?
Qui est votre grand-mère?
Est-ce que votre grand-mère est jeune?
Comment est-elle?
Où est votre père de neuf à cinq heures?
Comment est votre rue?

COMPOSITION

Composition écrite et orale.

Votre famille (Dans ma famille, il y a _____ , il n'y a pas de _____), avec une petite description de chaque membre de votre famille.

HUITIÈME
LEÇON

Je n'ai pas de Serpent
à Sonnettes !

LA POSSESSION (suite)

Le verbe *Avoir*   *Avez-vous un . . . ?*

Oui, j'ai un . . .   Non, je n'ai pas de . . .

Etudiez les phrases suivantes :

Déclaration et question	*Réponse*
Voilà ma famille : mon père, ma mère, ma sœur et moi. **J'ai une** sœur, mais **je n'ai pas de** frère. **Avez-vous** un frère ?	Oui, **j'ai un** frère, mais **je n'ai pas de** sœur.
Voilà Jean-Pierre. **Il a** une sœur, n'est-ce pas ?	Oui, **il a** une sœur.
A-t-il une maison ? (ou : Est-ce qu'il a une maison ?)	Non, **il n'a pas de** maison, il a un appartement.
Voilà Barbara. **Elle a** une voiture, n'est-ce pas ?	Oui, **elle a** une voiture.
A-t-elle une voiture de sport ? (ou : Est-ce qu'elle a une voiture de sport ?)	Non, **elle n'a pas de** voiture de sport.
Barbara et moi, **nous avons** une classe à huit heures. **Avons-nous** un examen aujourd'hui ?	Non, **nous n'avons pas d'**examen aujourd'hui.
Bob et André **ont** l'adresse de Carol et de Barbara. **Ont-ils** aussi le numéro de téléphone ? (ou : Est-ce qu'ils ont le numéro de téléphone ?)	Oui, **ils ont** le numéro de téléphone.

HENRI ROUSSEAU

Jungle au soleil couchant
Kunstsammlung, Basel

Une jungle imaginaire où il y a probablement beaucoup
d'animaux féroces ou exotiques. Il y a peut-être un
serpent à sonnettes…

Avez-vous **la** composition pour aujourd'hui?

Non, **je n'ai pas la** composition pour aujourd'hui.

Avez-vous **votre** serviette?

Non, **je n'ai pas ma** serviette, elle est dans ma voiture.

Avez-vous **beaucoup de travail?**

Oui, j'ai **beaucoup de travail.**

Avez-vous **beaucoup de bonnes notes?**

Non, je n'ai pas **beaucoup de bonnes notes.**

LECTURE

Je n'ai pas de serpent à sonnettes!

Nous n'avons pas de maison, dit Jean-Pierre, nous avons seulement un appartement. Mon grand-père et ma grand'mère ont une maison à la campagne, mais la campagne n'est pas pratique pour nous, parce que mon père est ingénieur et ma mère est dans la mode. Alors, nous sommes en ville.

Notre appartement est moderne et assez grand, mais il n'y a pas de place pour un animal comme un chien, par exemple. C'est dommage, n'est-ce pas? Et je n'ai pas de chat parce qu'il n'y a pas de souris dans un immeuble moderne. Mais j'ai une petite ménagerie dans ma chambre. C'est une surprise? Eh bien, regardez!

Dans le coin, il y a un petit animal avec un nez rose. Il est dans sa cage, avec une carotte. Qu'est-ce que c'est? C'est un lapin. Il a l'air content, n'est-ce pas? Quelquefois, il est sur mon lit, ou sous mon lit, ou... dans ma serviette! C'est mon ami. Il s'appelle Anatole.

A côté de la fenêtre, voilà mon aquarium. Je n'ai pas de poisson rare et exotique. Mais j'ai beaucoup de poissons rouges ordinaires. Regardez! Voilà Zozo. Il est au fond de l'aquarium maintenant. Il n'a pas l'air très intelligent, c'est un fait, mais il a si bon caractère! La discussion est impossible avec lui, mais sa compagnie est très agréable quand je suis fatigué. Le petit animal vert dans l'aquarium avec lui, c'est une grenouille. Elle n'a pas de nom. Avez-vous une bonne idée pour un joli nom de grenouille? Véronique? Ah Ah! Ce n'est pas une bonne idée, en fait, c'est une mauvaise idée. Pourquoi? Parce que Véronique, c'est le nom de ma sœur et ma sœur n'a pas bon caractère. Elle a mauvais caractère.

Dans la cage suspendue devant la fenêtre, voilà mon animal favori: C'est un perroquet. Il est vert, alors, il s'appelle Vert-Vert. Allez à côté de lui. Il a l'air méchant, mais il est gentil. Aujourd'hui, il est timide, parce que vous êtes devant sa cage, mais quand il est seul avec moi, il est bavard et il a un vocabulaire considérable.

Voilà ma ménagerie. J'ai beaucoup d'animaux, mais hélas! elle n'est pas complète. Je n'ai pas de cobaye, pas de tortue, pas de rat blanc ou de souris blanche, pas de serpent à sonnettes. Mais peut-être, un jour...

QUESTIONS SUR LA LECTURE

1. Est-ce que la famille de Jean-Pierre a une maison?
2. Est-ce que son grand-père et sa grand'mère ont un appartement? Où sont-ils?
3. La famille de Jean-Pierre est en ville. Pourquoi?
4. Quelle est la profession du père de Jean-Pierre? Et la profession de sa mère? Quelle est probablement l'occupation de Jean-Pierre? Quelle est votre occupation?
5. Jean-Pierre a-t-il un chien? Pourquoi?
6. Qu'est-ce qu'il a dans sa chambre?
7. De quelle couleur est un lapin? Est-ce qu'Anatole est toujours dans sa cage?
8. Qu'est-ce qu'il y a dans l'aquarium? Avez-vous un aquarium?
9. Petite description de Zozo: de quelle couleur est-il? Quelle est sa personnalité? Est-il seul dans l'aquarium?
10. Est-ce que Véronique est un bon nom pour la grenouille? Pourquoi?
11. Est-ce que la sœur de Jean-Pierre est toujours gentille? Pourquoi? Comment s'appelle-t-elle?
12. Est-ce que le perroquet a l'air gentil? Est-il méchant? Est-il timide quand il est seul avec Jean-Pierre? Quand êtes-vous le plus timide?
13. Avez-vous un serpent à sonnettes dans votre chambre? Est-ce un animal désirable?
14. Avez-vous un animal favori dans votre maison? Qu'est-ce que c'est? Comment est-il? Comment s'appelle-t-il?

PRONONCIATION

J'ai   Il a Elle a   Ils ont   Elles ont

Comparez la prononciation de:

Je / j'ai   Il a / elle a   Ils ont / elles ont

Il a, elle a / Il est, elle est

Ils ont, elles ont / Ils sont, elles ont

EXPLICATIONS

I. *Le verbe* **Avoir.**

Avoir est l'infinitif du verbe.

A. Conjugaison.

> **J'ai** une sœur et un perroquet.
> **Il a** l'air féroce. **Elle a** mauvais caractère.
> **Nous avons** un appartement.
> **Vous avez** une bonne idée.
> **Ils ont** une maison à la campagne. (**Elles ont** une classe à 8h.)

Le verbe **Avoir** exprime la possession. Voilà la conjugaison du verbe **Avoir:**

J'ai	Nous avons
(Tu as)	Vous avez
Il a, elle a	Ils ont, elles ont

B. Négation: Je n'ai pas de...

Jean-Pierre: **J'ai un** perroquet. **Je n'ai pas de** chien.
               Nous avons un appartement. **Nous n'avons pas de** maison.

RÈGLE:

La négation de **J'ai un...** est **Je n'ai pas de...**
(comparez avec **Il y a un...** / **Il n'y a pas de...**
Mais, la négation de: J'ai **le...** ou J'ai **mon...** est: Je n'ai pas **le...** ou: Je n'ai pas **mon.**

> Je n'ai pas **la** composition pour aujourd'hui.
> Elle n'a pas **sa** voiture.

C. Interrogation.

Il y a deux formes possibles, comme pour le verbe **être** :

Est-ce que j'ai ?		Ai-je ?
(Est-ce que tu as ?)		(As-tu ?)
Est-ce qu'il (elle) a ?	*ou*	A-t-il ? A-t-elle ?
Est-ce que nous avons ?		Avons-nous ?
Est-ce que vous avez ?		Avez-vous ?
Est-ce qu'ils (elles) ont ?		Ont-ils ? Ont-elles ?

II. *Construction de la question.*

Voilà 10 exemples de questions :

1. Avez-vous une voiture ?
2. Suzanne est-elle dans la classe ?
3. Y a-t-il un examen demain ?
4. Quand y a-t-il un examen ?
5. Pourquoi Jean-Pierre n'a-t-il pas de ménagerie ?
6. Pourquoi Jean-Pierre a-t-il une ménagerie ?
7. Le lapin a-t-il une carotte ?
8. Votre mère est-elle dans la mode ?
9. Pourquoi votre mère est-elle dans la mode ?
10. Où y a-t-il une autre classe de français ?

Maintenant, voilà la décomposition de la construction. Remarquez l'ordre fixe :

	Adverbe interrogatif	Nom de la personne ou de l'objet	Verbe interrogatif	Reste de la phrase
1.	....	....	Avez-vous	une voiture ?
2.	....	Suzanne	est-elle	dans la classe ?
3.	....	....	Y a-t-il...........	un examen demain
4.	Quand	....	y a-t-il...........	un **examen** ?
5.	Pourquoi	Jean-Pierre	a-t-il..............	une ménagerie ?
6.	Pourquoi	....	n'a-t-il pas de...	chien ?
7.		Le lapin	a-t-il..............	une carotte ?
8.		Votre mère........	est-elle	dans la mode ?
9.	Pourquoi	votre mère	est-elle	dans la mode ?
10.	Où	....	y a-t-il...........	une autre classe de français ?

REMARQUEZ:

>**Où** est le livre ?   Il est sur la table.
>**Comment** est votre robe ?   Elle est beige.

Il n'y a pas de pronom avec **Où?** et **Comment?** (La question est très simple.)

III. *L'expression:* avoir l'air.

>Vous avez l'air fatigué.
>Il a l'air gentil.
>Le gâteau a l'air bon.
>Elle a l'air content.

Avoir l'air + adjectif.

>Ma soeur a l'air d'un tigre.
>Barbara a l'air d'une star de cinéma.

Avoir l'air de + nom.

IV. Beaucoup de...

Beaucoup de est une expression de quantité.

A. Singulier (*much, a great deal*):

>J'ai beaucoup de travail.
>Il y a beaucoup d'eau dans une piscine.
>Je voudrais bien avoir beaucoup d'argent!

B. Pluriel (*many*):

>Jean-Pierre a beaucoup de poisson**s**.
>Il y a beaucoup d'étudiant**s** dans la classe.
>Nous avons beaucoup de composition**s** orale**s**.
>Jean-Pierre a beaucoup de poisson**s** rouge**s** et d'anim**aux**.

REMARQUEZ: Quand le nom est pluriel, il y a un **s** final. S'il y a un adjectif, l'adjectif a aussi un **s** final.

V. *Le pluriel d'un mot en* -al:

>Un anim**al,** beaucoup d'anim**aux**.
>Un journ**al,** beaucoup de journ**aux**.
>Un examen or**al,** beaucoup d'examens or**aux**.

Le pluriel d'un nom ou d'un adjectif en **-al** est **-aux**.

REMARQUEZ: Une composition ora**le,** beaucoup de compositions ora**les**.

VOCABULAIRE

Noms

une ménagerie	un immeuble
la campagne	une surprise
un ingénieur	une cage
la mode	une carotte
une souris	un lit
un rat	un aquarium
un cobaye	un fait
une tortue	un caractère
une grenouille	une discussion
un lapin	un perroquet
un serpent à sonnettes	

Adjectifs

moderne	suspendu(-e)
content(-e)	seul(-e)
rare	mauvais(-e) ≠ bon, bonne
exotique	méchant(-e) ≠ gentil, gentille
bavard(-e)	timide
impossible ≠ possible	complet, complète
agréable ≠ désagréable	

Expressions

beaucoup de	il a bon caractère ≠ il a mauvais
il a l'air	en fait caractère
il n'y a pas de place pour	je voudrais bien*

---

* **Je voudrais bien:** *I'd like to.*
Je voudrais bien être riche. (*I'd like to be rich.*)
Je voudrais bien avoir un chien. (*I'd like to have a dog.*)
Learn this as an expression for the time being.

EXERCICES

I. Mettez à la forme négative:

> Ex: J'ai un chat.   Je n'ai pas de chat.

J'ai un chien.
Il a un grand-père.
Elle a une jolie robe.
Nous avons l'air content.
J'ai la clé de mon appartement.
Ils ont l'adresse de la jeune fille.
Elles ont un frère.
J'ai ma chemise rouge aujourd'hui.

II. Mettez à la forme négative:

La ménagerie de Jean-Pierre est complète. Il a un serpent à sonnettes.
C'est une classe de chimie. J'ai une classe de chimie à huit heures.
Je suis à la campagne, j'ai une grande maison. Il y a un jardin et il y a une
   cheminée.
Il a sa clé. Elle est dans sa poche. Il a une poche.

III. Répondez à la question par une phrase complète négative:

> Ex: Avez-vous un perroquet?   Non, je n'ai pas de perroquet.

Avez-vous une chemise rouge?
Est-ce que le lapin est méchant?
Jean-Pierre a-t-il une belle-soeur?
Avons-nous une classe dimanche?
Y a-t-il une souris dans votre chambre?
Est-ce qu'une maison est dans un immeuble?
Est-ce un exercice de mathématiques?

IV. Voilà la réponse. Quelle est la question?

> Ex: J'ai un chien.   Avez-vous un chien?

Je suis en retard parce que ma voiture est au garage.
Le restaurant est au coin de la rue.
Ma soeur est intelligente, mais elle a mauvais caractère.
Je n'ai pas de voiture.

Il est timide, parce que vous êtes devant sa cage.
Il est bavard quand il est seul avec moi.
Ils sont à la campagne.
Il n'a pas de cobaye parce qu'il n'a pas d'autre cage.

COMPOSITIONS

Composition orale ou écrite.

A. Avez-vous un animal favori? Qu'est-ce que c'est? Comment est-il? Pourquoi est-ce votre animal favori?

B. Vous avez certainement un objet intéressant et remarquable. Qu'est-ce que c'est? Description et explication.

C. Votre personnalité. Avez-vous bon ou mauvais caractère? Expliquez avec quelques exemples.

NEUVIÈME LEÇON

Un Déjeuner au Restaurant

QUELQUES EXPRESSIONS UTILES AVEC LE VERBE
AVOIR

Quel âge avez-vous ?   J'ai 18 ans.

Avoir faim; avoir soif; avoir sommeil; avoir chaud; avoir

froid; avoir tort; avoir raison; avoir mal; avoir besoin de . . .

ETUDIEZ LES PHRASES SUIVANTES:

Déclaration et question	*Réponse*
J'ai trente ans. **Quel âge avez-vous?**	**J'ai dix-huit ans.**
Mon anniversaire est le 1er mars. Quel jour est votre anniversaire?	Mon anniversaire est le 2 avril.
Je suis né(-e) le 1er mars. Quel jour êtes-vous né(-e)?	Je suis né(-e) le 2 avril.
Je suis né(-e) à Paris. Où êtes-vous né(-e)?	Je suis né(-e) à Chicago.
A midi, **j'ai faim.** Avez-vous faim?	Oui, j'ai faim à midi. J'ai faim aussi à six heures.
Avez-vous faim pendant la classe?	Non, je n'ai pas faim pendant la classe.
J'ai soif. Je voudrais bien un verre d'eau. Avez-vous soif?	Oui, j'ai soif. Je voudrais bien un verre d'eau aussi.
A minuit, je n'ai pas faim, je n'ai pas soif. Je suis fatigué et **j'ai sommeil.** Et vous?	Moi aussi. Et j'ai souvent sommeil pendant la classe. Mais je n'ai pas sommeil maintenant.

VINCENT VAN GOGH

Terrasse de café le soir
Rijksmuseum Krüller-Müller, Otterlo

Un petit café sympathique, dans une rue de Paris...

Pourquoi avez-vous votre tricot? Avez-vous froid?

Oui, **j'ai froid** parce que la fenêtre est ouverte. Quand la fenêtre est fermée, je n'ai pas froid.

Mettez votre chaise devant le radiateur. Avez-vous chaud maintenant?

Oui, **j'ai chaud.**

Quand vous avez chaud, vous n'avez pas besoin de votre tricot. Avez-vous besoin de votre tricot?

Non, je n'ai pas besoin de mon tricot. Mais **j'ai besoin de** mon stylo et de mon cahier.

Je n'ai pas de serpent à sonnettes, parce que **j'ai peur** d'un serpent à sonnettes. Avez-vous peur d'un serpent?

Non, je n'ai pas peur d'un serpent. Mais j'ai peur du professeur le jour de l'examen.

Vous avez peur du professeur? **Vous avez tort!** Il est très gentil.

Non, je n'ai pas tort. Il est gentil, mais son examen est toujours difficile.

Vous avez raison, j'ai peur aussi d'un examen difficile.

Oui, **j'ai raison.** Mais je n'ai pas souvent raison. En fait, j'ai souvent tort.

LECTURE

Un déjeuner au restaurant

Il est midi et demi, c'est l'heure du déjeuner. Nous sommes au restaurant à côté de l'université. Carol, Barbara, Véronique, Bob et André sont assis autour d'une grande table. Par terre, à côté de la chaise de Barbara, il y a une boîte blanche.

Sur la table, il y a un plateau devant chaque personne. Sur le plateau, il y a une assiette, une serviette en papier, une fourchette, une cuillère et un couteau.

Le déjeuner est simple, mais substantiel. Il y a le choix aujourd'hui entre une assiette de soupe de légumes et un sandwich au fromage, ou un morceau de poulet avec beaucoup de frites, ou une omelette et une salade verte. Il n'y a pas de bifteck, pas de cuisses de grenouilles, mais la cuisine est bonne.

Devant chaque assiette, il y a un verre d'eau, de lait, ou de jus de fruit. Il y a une corbeille à pain au milieu de la table.

ANDRÉ.   Où est-il, notre Jean-Pierre?

VÉRONIQUE.   Il est en retard, naturellement. Où est le gâteau?

CAROL.   Il est là, par terre, à côté de Barbara, dans sa boîte. Attention! Voilà Jean-Pierre. Il est debout à la porte… Jean-Pierre! Nous sommes ici.

JEAN-PIERRE.   Bonjour tout le monde! Bon appétit!

TOUT LE MONDE.   Joyeux anniversaire! Joyeux anniversaire!

JEAN-PIERRE.   (surpris) C'est mon anniversaire? Oh, oui, vous avez raison. Je suis né le 20 mars, j'ai dix-huit ans aujourd'hui. Quelle surprise! Y a-t-il une place pour moi entre Barbara et Carol? J'ai une faim de loup. J'ai besoin de déjeuner…

.   .   .   .   .   .

BARBARA.   Et maintenant, le dessert et la surprise! Voilà un gâteau au chocolat pour votre anniversaire. C'est notre cadeau collectif. Et il y a beaucoup de bougies: dix-huit exactement!

JEAN-PIERRE.   Au chocolat? Justement, c'est mon gâteau favori. Un gros morceau pour moi, s'il vous plaît. Merci beaucoup! Mais maintenant, nous avons besoin de café avec le gâteau…

BOB.   Justement, voilà une tasse de café pour chaque personne, excepté pour Véronique. Voilà une tasse de thé pour elle. Attention! Il est chaud!

JEAN-PIERRE.   (sarcastique) Une tasse de thé! Ma sœur est impossible!

BOB.   Ah non, vous avez tort, elle n'est pas impossible, elle est difficile… *

VÉRONIQUE.   (furieuse) Je ne suis pas difficile, mais mon frère est stupide…

BARBARA.   Oh, silence, s'il vous plaît! Une dispute le jour de l'anniversaire de Jean-Pierre? Et Véronique a raison. Le café est mauvais, ici, mais le thé est toujours bon. Un tout petit morceau de gâteau, s'il vous plaît. Je suis au régime, parce que je suis trop grosse.

BOB.   (galant) Vous n'avez certainement pas besoin de régime! Vous êtes très mince. Vous avez l'air d'une star de cinéma!

JEAN-PIERRE.   Et maintenant, je voudrais bien une glace. Une glace à la vanille?… à la fraise?… non, au chocolat. C'est ma glace favorite. Je n'ai pas peur de la cholestérine! Et j'ai aussi besoin de crème et de sucre pour

---

* **Elle n'est pas difficile, elle est impossible:** *This is a pun* (**jeu de mots**) *on* «**difficile**» *which in this context means "fussy," "particular," "hard to please," as well as difficult.*

mon café. Mais... qu'est-ce que c'est? J'ai mal à l'estomac, soudain! Pourquoi?

VÉRONIQUE. Mon frère a mal à l'estomac! Quelle surprise! Regardez! C'est son quatrième morceau de gâteau! Il a probablement une indigestion. C'est bien fait!

QUESTIONS SUR LA LECTURE

1. Quelle heure est-il dans l'histoire de la lecture? Quelle heure est-il maintenant? A quelle heure est votre déjeuner? Avez-vous faim maintenant?

2. Où sont Carol, Barbara, Véronique, Bob et André? Est-ce que Jean-Pierre est avec le reste du groupe? Pourquoi?

3. Y a-t-il un animal dans la boîte? Qu'est-ce qu'il y a? Pourquoi, est-ce une occasion spéciale?

4. Qu'est-ce qu'il y a devant chaque personne? Et qu'est-ce qu'il y a sur le plateau?

5. Comment est le déjeuner? Comment est la cuisine? Comment est la cuisine de votre mère? Comment est votre cuisine?

6. Y a-t-il un choix pour le déjeuner? Qu'est-ce qu'il y a? Y a-t-il généralement un choix pour le déjeuner dans votre famille?

7. Où est le pain? Où est la corbeille à pain? Y a-t-il une corbeille à pain ou à papier dans la classe? Est-elle au milieu de la classe? Où est-elle?

8. Quelle est l'occasion spéciale aujourd'hui? Quel âge a-t-il? Quel jour est-il né? Est-ce votre anniversaire aujourd'hui? Quel jour est votre anniversaire? Quel âge avez-vous?

9. Quelle est la surprise pour Jean-Pierre? Est-ce une bonne ou une mauvaise surprise? Est-il gentil avec sa soeur? A-t-il raison?

10. Quel est le gâteau favori de Jean-Pierre? Et quelle est sa glace favorite? Est-il au régime? Etes-vous au régime? Avez-vous besoin de régime? Pourquoi?

11. Est-ce qu'il y a une tasse de café pour Véronique? Qu'est-ce qu'il y a?
Est-ce que Véronique est gentille avec son frère? A-t-elle raison? Pourquoi?

12. Où Jean-Pierre a-t-il mal? Pourquoi? Est-ce que Véronique est triste?
Quand avez-vous mal à l'estomac?
Expliquez l'expression « C'est bien fait! »

PRONONCIATION

faim   besoin   peur

Comparez la prononciation de:

faim   femme
besoin   coin
peur   soeur   heure

EXPLICATIONS

I. *Quel âge avez-vous? J'ai ... ans.*

Remarquez l'expression idiomatique en français:
J'ai 18 ans.
Il a 20 ans.
Quel jour est votre anniversaire? Mon anniversaire **est le...**
Mon anniversaire **est le 10** mai.
Son anniversaire **est le 1er** janvier.
L'anniversaire de Jean-Pierre est **au mois** de mars.

RÉVISION:

Le nom de chaque mois:
Janvier, février, mars, avril, mai, juin, juillet, août, septembre, octobre, novembre, décembre.

REMARQUEZ:

Il y a deux formes pour la date:
1. Avec le jour de la semaine:
Mardi, 15 juillet
2. Sans le jour de la semaine:
Le 15 juillet.
Noël est le 25 décembre.

II. *Comptez de 1 à l'infini.*

(Les chiffres de 1 à 30 sont dans la Leçon 2)

30 trente	40 quarante	50 cinquante	60 soixante
31 trente et un	41 quarante et un	51 cinquante et un	61 soixante et un
32 trente-deux	42 quarante-deux	52 cinquante-deux	62 soixante-deux
33 trente-trois	43 quarante-trois	53 cinquante-trois	63 soixante-trois
34 trente-quatre	44 quarante-quatre	54 cinquante-quatre	64 soixante-quatre
35 trente-cinq	45 quarante-cinq	55 cinquante-cinq	65 soixante-cinq
36 trente-six	46 quarante-six	56 cinquante-six	66 soixante-six
37 trente-sept	47 quarante-sept	57 cinquante-sept	67 soixante-sept
38 trente-huit	48 quarante-huit	58 cinquante-huit	68 soixante-huit
39 trente-neuf	49 quarante-neuf	59 cinquante-neuf	69 soixante-neuf

70 soixante-dix	80 quatre-vingts	90 quatre-vingt-dix
71 soixante et onze	81 quatre-vingt-un	91 quatre-vingt-onze
72 soixante-douze	82 quatre-vingt-deux	92 quatre-vingt-douze
73 soixante-treize	83 quatre-vingt-trois	93 quatre-vingt-treize
74 soixante-quatorze	84 quatre-vingt-quatre	94 quatre-vingt-quatorze
75 soixante-quinze	85 quatre-vingt-cinq	95 quatre-vingt-quinze
76 soixante-seize	86 quatre-vingt-six	96 quatre-vingt-seize
77 soixante-dix-sept	87 quatre-vingt-sept	97 quatre-vingt-dix-sept
78 soixante-dix-huit	88 quatre-vingt-huit	98 quatre-vingt-dix-huit
79 soixante-dix-neuf	89 quatre-vingt-neuf	99 quatre-vingt-dix-neuf

100 cent	200 deux cents	1000 mille *	2000 deux mille
101 cent un	etc.		

III. *Expressions avec* **avoir.**

J'ai faim.	J'ai chaud.	J'ai mal à...
J'ai soif.	J'ai froid.	
J'ai sommeil.	J'ai tort.	
J'ai peur.	J'ai raison.	

NÉGATION: Je n'ai pas peur, etc.

* 1000 (mille) est invariable: 2000—deux mille; 3000—trois mille; 4000—quatre mille; etc.

IV. Avoir besoin de.

J'ai besoin de mon livre de français.
Il a besoin de sucre pour son café.
Barbara n'a pas besoin de régime, parce qu'elle est mince.
J'ai besoin de = une objet (ou une personne) est nécessaire pour moi.

NÉGATION: Je **n'**ai **pas besoin de** vous.
Il **n'**a **pas besoin de** son tricot quand il a chaud.

V. *Usage idiomatique de* **au (à la), de, en.**

1. Une glace **au** chocolat, un sandwich **au** fromage, une soupe **à la** tomate.
   Au (**à la**) indique un ingrédient: (*with*).

2. Une salade **de** tomates, une soupe **de** légumes, une purée **de** pommes de terre.
   De indique la composition essentielle: (*made of*).

3. Une serviette **en** papier, une robe **en** coton, une blouse **en** nylon, une table **en** métal.
   En indique la substance.

VOCABULAIRE

Noms

le déjeuner	le poulet	le sucre
la boîte	l'omelette	le lait
le plateau	la soupe	le cadeau
l'assiette	le légume	le dessert
la serviette	la crème	le chocolat
la cuillère	le fromage	la vanille
la fourchette	le jus de fruit	le thé
le couteau	le verre	le café
le morceau	la tasse	la bougie
le choix	l'eau (*f.*)	le régime
la faim	la soif	le sommeil
la peur	l'indigestion	

Adjectifs

substantiel, substantielle   gros, grosse
collectif, collective   mince

Expressions

j'ai une faim de loup   Bon appétit!
j'ai bon appétit   Joyeux anniversaire!
je suis au régime

EXERCICES

I. Mettez au négatif.

Jean-Pierre a une indigestion. Il a mal à l'estomac.
J'ai faim parce qu'il y a un fromage français.
Véronique est difficile! Le café est bon dans le restaurant de l'université.
Il a du bifteck. C'est une spécialité de la maison.
C'est l'anniversaire de Barbara, elle a vingt ans aujourd'hui.
J'ai besoin de vous parce que j'ai un problème.

II. Complétez chaque phrase.

Ex: A midi, nous...   A midi, nous avons faim.

J'ai froid parce que...
Quand elle est à côté du radiateur, elle...
Vous avez besoin de régime parce que...
Barbara a l'air d'une star de cinéma parce qu'...
Le professeur n'a pas toujours raison...
Mon père n'est pas au bureau aujourd'hui parce qu'...

III. Répondez à chaque question par une ou deux phrases complètes.

Quand avez-vous sommeil?
Quand avez-vous peur?
Quand avez-vous soif?
Quand avez-vous chaud dans la classe?

Etes-vous au régime ? Pourquoi ?
Avez-vous peur de la ménagerie de Jean-Pierre ?
Est-ce que vous avez toujours raison ?

COMPOSITIONS

Composition orale. Vous avez le choix entre trois sujets.

A. Une journée d'étudiant. Employez les expressions de la leçon (A six heures, j'ai sommeil, etc.). Employez aussi votre imagination.

B. Un dîner mémorable avec un ami, ou avec votre famille.

C. Le déjeuner (ou le dîner) dans votre famille, ou dans votre maison d'étudiants.

Composition écrite. Vous avez le choix entre trois sujets.

Ecrivez une composition en partie narration, en partie dialogue, comme la lecture. Employez les expressions de la leçon.

A. Un déjeuner au restaurant d'étudiants.

B. Le jour de l'examen.

C. De quoi avez-vous besoin maintenant ? Pourquoi ?

DIXIÈME LEÇON

Dans un Magasin,

ou

Barbara a Besoin

d'une Robe du Soir

LA COMPARAISON

Le comparatif: **Plus . . . que; moins . . . que; aussi . . . que**

Le superlatif: **Le plus . . . de; le moins . . . de**

Bon et meilleur

ETUDIEZ LES PHRASES SUIVANTES:

Déclaration et question

Réponse

L'Amérique est grande. L'Amérique est **plus** grande **que** l'Europe. L'Amérique est-elle plus grande que la France?

Oui, l'Amérique est **plus** grande **que** la France. La France est **plus** petite **que** l'Amérique.

Le professeur a 28 ans. Vous avez 19 ans. Est-ce que le professeur est **plus** âgé **que** vous?

Oui, il est **plus** âgé **que** moi. Je suis **plus** jeune **que** lui.

Mon sac est en plastique. Il n'est pas cher. Votre sac est en crocodile. Est-il **plus** cher **que** mon sac?

Oui, il est probablement **bien plus** cher **que** le sac en plastique.

Mon père est grand, ma mère est petite. Ma mère est-elle plus grande ou **moins** grande **que** mon père?

Votre mère est **moins** grande **que** votre père.

Etes-vous **plus** âgé ou **moins** âgé **que** le professeur?

Je suis **bien moins** âgé que le professeur.

Bob est grand et Jean-Pierre est grand. Jean-Pierre est **aussi** grand **que** Bob. Etes-vous **aussi** grand **que** votre père?

Oui, je suis **aussi** grand **que** mon père.

BERTHE MORISOT

Jeune fille en robe de bal
Collection particulière, Paris, photographe Wildenstein

*Barbara dans sa robe du soir rouge? Non,
c'est une autre jeune fille, d'une autre période,
dans une autre robe. Mais la magie de la robe
du soir est éternelle!*

« B » est une bonne note. Mais « A » est une **meilleure** note **que** « B ». « A » est une **bien meilleure** note **que** « D ».

Est-ce que la cuisine du restaurant est **meilleure que** la cuisine de votre mère ?

Non ! La cuisine de ma mère est **meilleure que** la cuisine du restaurant. Elle est **bien meilleure.**

Ma maison est **la plus grande de** la rue. Est-ce que votre maison est **la plus grande de** votre rue ?

Non, au contraire ! Ma maison est **la plus petite de** ma rue. Et ma rue est **la plus tranquille de** la ville.

Ma composition est **la moins bonne de** la classe. La composition de M. Nelson est **la meilleure.** Sa note est aussi **la meilleure.** Quelle est **la meilleure** note ?

La **meilleure** note, c'est « A+ ».

Le meilleur ami de Jean-Pierre, c'est son perroquet. Qui est votre **meilleur** ami ?

Mon **meilleur** ami, c'est un autre étudiant. Il s'appelle Jacques.

LECTURE

Dans un magasin: Barbara a besoin d'une robe du soir

Véronique et Barbara ont une après-midi très occupée, aujourd'hui. Barbara a besoin d'une robe du soir pour une soirée la semaine prochaine. Naturellement, elle a besoin de l'aide de Véronique, parce que Véronique a très bon goût.

Voilà Véronique et Barbara dans un grand magasin qui est le plus cher et le plus élégant de la ville. Il s'appelle « Galeries Champs-Elysées ».

VÉRONIQUE. Est-ce pour une soirée importante ?

BARBARA. Extrêmement importante. Elle est dans un endroit très chic. Et aussi, j'ai rendez-vous avec... C'est un secret !

VÉRONIQUE.   Avec qui? Avec qui? Barbara, vous êtes impossible! Vite, vite, avec qui?

BARBARA.   Eh bien, devinez! Il est plus grand qu'André, et aussi grand que Bob. C'est le jeune homme le plus séduisant de la ville... du monde, probablement!

VÉRONIQUE.   Est-ce un acteur ou un athlète célèbre?

BARBARA.   C'est un secret! Maintenant, j'ai besoin d'une nouvelle robe. Et justement, voilà beaucoup de robes. Oh, regardez, la robe bleue sur le mannequin, là-bas. Quelle jolie couleur! Le bleu est ma couleur favorite.

VÉRONIQUE.   Je suis d'accord avec vous, la couleur est jolie, mais la robe n'est pas assez élégante pour votre type. En fait, elle est moins élégante que votre robe de satin. Et elle est de la même couleur que votre autre robe pour le mariage de Lise.

BARBARA.   Vous avez raison. Véronique, vous avez peut-être mauvais caractère, mais vous avez bon goût. En réalité vous avez bien meilleur goût que moi! Quelle est votre opinion de la robe rose, là, à gauche?

VÉRONIQUE.   Non, non, pas de rose pour vous! Vous êtes trop blonde pour le rose... Ah! voilà une vendeuse. Madame, avez-vous une robe pour mon amie?

BARBARA.   Je voudrais une robe chic, mais pas trop chère!

LA VENDEUSE.   Justement, nous avons notre nouvelle collection de Paris. Voilà!

VÉRONIQUE.   Oh, voilà exactement la robe idéale pour vous, Barbara. La robe rouge! N'est-ce pas, madame?

LA VENDEUSE.   Certainement! C'est le style le plus original. La couleur est parfaite pour une blonde, le prix est très raisonnable.... Et la robe est si bon marché!* C'est une occasion† exceptionnelle!

BARBARA.   D'accord.** Elle est chic et originale, mais... j'ai peur d'avoir l'air de Zozo, le poisson rouge de Jean-Pierre...

VÉRONIQUE.   Vous avez tort! L'air d'un poisson rouge! Quelle idée! Au contraire, vous avez l'air d'une star de cinéma! Et regardez l'étiquette! Elle est bien moins chère que ma robe en tulle blanc. Et elle est bien plus jolie. La vendeuse a raison, c'est une occasion!

BARBARA.   Mais, est-ce ma taille? Il y a 38 sur l'étiquette, et ma taille est 10.

LA VENDEUSE.   C'est un modèle original de France, mademoiselle. Et dans le système français, 38 est l'équivalent de 10, 40 est l'équivalent de 12, etc.

---

* **Bon marché** (*invariable*): synonyme de: pas cher. **Meilleur marché:** moins cher.

† **C'est une occasion:** *It is a good buy.*

** **D'accord:** à la place de «Je suis d'accord avec vous». C'est un usage fréquent dans la conversation.

BARBARA. Alors, madame, voilà un chèque et voilà mon adresse. Véronique, ai-je besoin d'autre chose?

VÉRONIQUE. Vous n'avez pas besoin de nouveau sac. Vous avez justement un petit sac en métal doré. Il est parfait. Avez-vous une paire de gants?

BARBARA. J'ai une paire de gants blancs et une paire de souliers de satin. Je n'ai pas besoin d'autre chose. Mon costume est complet. Vous êtes un ange, Véronique! Merci!

VÉRONIQUE. Alors, maintenant, avec qui avez-vous rendez-vous?

BARBARA. Eh bien, avec le garçon le plus beau, le plus séduisant, le plus galant du monde! Avec votre frère, Jean-Pierre!

VÉRONIQUE. Pauvre Barbara! Avec mon frère! Mais c'est le plus stupide, le plus impossible... Il est bien moins intéressant que son perroquet!

BARBARA. Je n'ai pas la même opinion de lui que vous. Ce n'est pas mon frère!

QUESTIONS SUR LA LECTURE

(Le professeur choisit la question convenable pour un jeune homme ou pour une jeune fille).

1. Est-ce que Barbara et Véronique sont dans le magasin le matin? Quand est la soirée de Barbara? Pourquoi Véronique est-elle avec Barbara?

2. Dans quel magasin sont-elles? Où est-il? Comment est-il? Comment s'appelle-t-il? Comment s'appelle le magasin le plus élégant de votre ville? Est-il dans une petite rue? Où est-il?

3. Pourquoi Barbara a-t-elle besoin d'une robe élégante? A-t-elle rendez-vous avec un jeune homme pour la soirée? Comment est-il? Est-ce un acteur de cinéma? Avez-vous rendez-vous samedi prochain? Avez-vous besoin de robe?

4. Dans quelle partie du magasin sont-elles? Où est la robe bleue? Est-ce que le jaune est la couleur favorite de Barbara? Quelle est sa couleur favorite? Quelle est votre couleur favorite?

5. Est-ce que Barbara a meilleur goût que Véronique? Mais, est-ce qu'elle a probablement meilleur caractère qu'elle? Avez-vous un frère ou une

sœur? Est-il (elle) plus jeune ou plus âgé (-e) que vous? A-t-il (elle) bon ou mauvais caractère?

6. Etes-vous d'accord avec Véronique: Le rose n'est pas joli pour une blonde? Est-ce que, généralement, la robe ou la voiture la plus chic est aussi la plus chère?

7. Pourquoi Barbara a-t-elle peur d'avoir l'air d'un poisson rouge? Est-ce que Véronique est d'accord avec elle? Pourquoi est-ce que la robe est une occasion?

8. Dans le système français, quel est l'équivalent de la taille 10? 12? 14? 16? Quelle est votre taille dans le système français?

9. Est-ce que la robe rouge est meilleur marché que la robe en tulle de Véronique? Est-elle moins jolie? Avez-vous une robe en tulle? Est-ce que le tulle est pratique pour l'université?

10. Est-ce que Barbara a besoin de sac? Pourquoi? A-t-elle besoin d'autre chose? Avez-vous besoin de gants pour la classe de français? De quoi avez-vous besoin?

11. Etes-vous d'accord avec la description de Jean-Pierre par Barbara? (Employez votre imagination.) Etes-vous d'accord avec la description de Jean-Pierre par Véronique? Pourquoi Barbara et Véronique ont-elles une idée très différente de lui? Avez-vous un frère ou une sœur? Quelle opinion avez-vous de lui (ou d'elle)?

EXPLICATIONS

I. *Le comparatif de l'adjectif.*

A. « J'ai 20 ans. Ma sœur a 8 ans. Vous avez 20 ans ».

Je suis **plus** âgé **que** ma sœur. Je suis **bien plus** âgé **que** ma sœur. Ma sœur est **moins** âgée **que** moi. Elle est **bien moins** âgée **que** moi. Vous êtes **aussi** âgé **que** moi.

B. Le comparatif de bon : **meilleur(-e)**.

> Le dessert est **meilleur que** la soupe.
> La glace au chocolat est **meilleure que** la glace à la vanille.
> « A » est une **meilleure** note **que** « B ». Mais « B » est une **bien meilleure** note **que** « D ».

II. *Le superlatif.*

A. « Mon père a 45 ans, ma mère a 39 ans, j'ai 20 ans, ma sœur a 15 ans ».

> Mon père est **le plus** âgé **de** la famille.
> Ma sœur est **la plus** jeune **de** la famille.

B. Avec le nom :

> C'est **le plus grand garçon** de la classe (c'est un **grand** garçon).
> C'est **la question la plus difficile** de l'examen (c'est une question **difficile**).

RÈGLE: Quand l'adjectif est devant le nom,* le superlatif est devant le nom:
> Le plus joli chapeau; la plus jeune étudiante; la plus petite classe.

Quand l'adjectif est après le nom, le superlatif est après le nom:
> La question la plus difficile; la robe la plus chère; le livre le moins intéressant.

C. Le superlatif de **bon** : **le meilleur, la meilleure**.

> C'est une **bonne** occasion; en fait, c'est **la meilleure** occasion du magasin.
> Le dimanche est **le meilleur** jour de la semaine.
> Le perroquet de Jean-Pierre est **son meilleur** ami.

III. Le (la) même... que.

> De quelle couleur est la robe? Elle est de **la même** couleur **que** ma robe de satin.
> Avez-vous **la même** opinion **que** moi? Non, je n'ai pas **la même** opinion **que** vous.
> Six est **la même** chose **qu'**une demi-douzaine.
> Nous avons **le même** âge: je suis né **le même** jour **que** vous.

---

* **beau, belle, nouveau, nouvelle, grand(-e), petit(-e), jeune, vieux, vieille** sont devant le nom.

VOCABULAIRE

Noms

l'Amérique	le monde	l'occasion
le plastique	le rendez-vous	l'étiquette
le crocodile	l'athlète	le tulle
le magasin	le rayon	le prix
l'après-midi	l'opinion	le modèle
la soirée	la section	l'équivalent
l'adresse	le satin	le système
une paire de gants	le mariage	le chèque
une paire de souliers	la collection	le métal
un ange	le style	la taille

Adjectifs

cher, chère ≠ bon marché, pas cher   séduisant(-e)
nouveau, nouvelle   parfait(-e)
chic (*invariable*)   intéressant(-e)
célèbre   doré(-e)

Expressions

Vous êtes un ange!
Vous avez bon goût ≠ Vous avez mauvais goût.
J'ai rendez-vous avec...
en réalité
au contraire
Je suis d'accord avec vous. (ou: D'accord.)

EXERCICES

I. Formez une phrase comparative.

Ex: Le poisson — le chien   (intelligent).
Le poisson est moins intelligent que le chien.
ou:
Le chien est plus intelligent que le poisson.

Le poisson—le perroquet   (bavard).
La robe rose—la robe bleue   (joli).
Une chemise de sport—une chemise blanche   (pratique).
Le crocodile—le plastique   (cher).
La cuisine de ma mère—la cuisine du restaurant   (bon).
La robe rouge—la robe verte   (nouveau).
Jean-Pierre a 18 ans—Bob a 19 ans   (âgé).
La politique—le sport   (intéressant).
Mon père—moi   (jeune).

II. Mettez au superlatif et complétez la phrase.

> Ex: C'est un grand jeune homme.
>   C'est le plus grand jeune homme de la classe.
>   ou:
>   Pierre n'est pas grand.
>   Pierre est le moins grand de la classe.

J'ai une grande maison.
La question est difficile.
J'ai une bonne note.
Ma famille n'est pas riche.
C'est un acteur célèbre.
Ce n'est pas un bon restaurant.

III. Relisez attentivement la lecture et composez cinq phrases imaginatives avec comparatifs, superlatifs, **bien plus… que, bien meilleur… que,** etc., tirées (*drawn from*) du texte, mais qui ne sont pas dans le texte.

> Ex: L'opinion de Barbara sur Jean-Pierre est bien meilleure que l'opinion de Véronique.

COMPOSITIONS

Composition orale. Au choix:

A. Description de votre famille avec une quantité de superlatifs et de comparatifs.

B. Description de votre classe de français: classe, professeurs, étudiants, avec une quantité de comparatifs et de superlatifs.

Composition écrite. Au choix :

A. Votre meilleur ami. Son portrait. Comparez son portrait avec votre portrait. Employez une quantité de comparatifs et de superlatifs.

B. Une expédition dans un magasin. Vous êtes seul(-e) ou avec... ? C'est pour l'achat d'un disque, ou d'une chemise, ou d'une voiture.
Dialogue et narration, ou seulement dialogue. Employez une quantité de comparatifs.

C. Un jeune homme ou une jeune fille « spécial(-e) ». Pourquoi est-il (elle) « spécial(-e) » pour vous ? Employez beaucoup de comparatifs et de superlatifs.

La Pensée d' ...

ANDRÉ SIEGFRIED

sur

La Géographie de la France et la Race Française

André Siegfried est un célèbre géographe-sociologue, c'est-à-dire spécialiste de la géographie humaine. Le texte suivant est une adaptation d'un passage de *L'Âme des Peuples*. Siegfried explique le caractère de la France et du peuple français par la situation et la géographie du pays.

*   *   *   *   *   *

La position géographique d'un pays comme la France est-elle la clé du caractère français? La France a trois **versants** et, par sa triple orientation, elle est occidentale, continentale, méditerranéenne. Le résultat est un équilibre original, probablement unique.

Par son «front», ou versant atlantique, elle a une fenêtre ouverte sur le grand large de l'Atlantique. C'est la France maritime, coloniale, expansionniste. C'est son aspect authentiquement occidental, le côté libéral de sa civilisation, son trait commun avec la civilisation anglaise et américaine.

Mais la France est aussi continentale: le **lien** entre la France et le reste de l'Europe est solide et éternel. Quelle différence entre la France et l'insulaire Angleterre! Là, la dominante géographique et humaine est, pour l'observateur, la ressemblance avec l'Europe centrale. C'est l'héritage de Lothaire à la mort de son grand-père Charlemagne. Par l'aspect Est, nous ne sommes pas un peuple atlantique, nous sommes au contraire un peuple continental, essentiellement européen. Il est clair, d'après l'histoire ancienne et moderne que, si la France a besoin de l'Europe, l'Europe a aussi besoin de la France. Elle est une pièce indispensable du système européen.

Par son front méditerranéen, la France est en contact immédiat avec l'Afrique, l'Asie, l'Orient, l'Extrême-Orient, c'est-à-dire, dans l'espace, avec un monde exotique et prestigieux et dans le temps, avec le passé le plus illustre de l'humanité. L'unité fondamentale de la Méditerranée est un fait: elle est la même de Marseille à Beyrouth, de Smyrne à Barcelone. Nous avons ainsi un contact mystérieux avec le monde oriental: regardez le travail patient, terrasse artificielle sur

L'Europe est un promontoire de l'énorme continent asiatique et la France un cap de ce promontoire ....

terrasse artificielle du cultivateur de la région de la **Provence.** N'y a-t-il pas là une ressemblance avec le travail du cultivateur chinois? C'est le même labeur d'une humanité éternelle, indifférente au changement et au passage du **temps.**

Le caractère unique de la psychologie française est justement le résultat de la diversité de sa géographie, diversité que le passage du temps transforme en une nouvelle unité. C'est un ensemble contradictoire: orienté vers l'occident et vers l'orient, vers le futur et vers le passé, vers la tradition et vers le progrès. La France est ainsi le pays de la conception audacieuse; c'est aussi le pays de la routine la plus obstinée. La France est souvent un objet de critique, mais elle est toujours aussi un objet d'admiration.

La race française? Il n'y a pas de race française au sens strict du mot. Germain dans le Nord, Celte dans le plateau central, Méditerranéen dans le Sud, le Français est une race mixte. Mais une sélection trop stricte n'est pas propre à développer l'intelligence et le mélange a souvent un bon résultat. Le Français est complexe: il a la lucidité

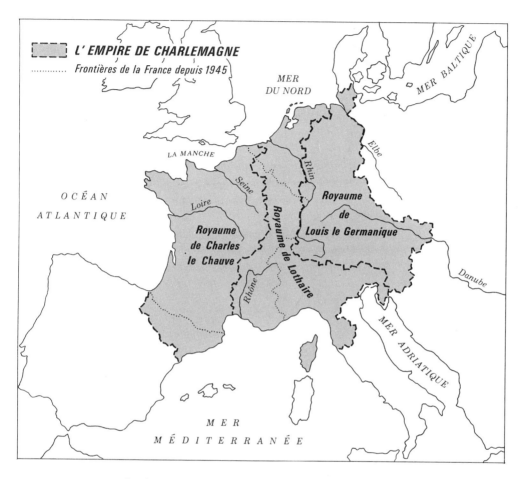

Le démembrement de l'empire de Charlemagne

Une partie du royaume de Lothaire, nommée Lotharingie, *et en français moderne* la Lorraine *(avec l'Alsace, c'est* l'Alsace-Lorraine), *est un objet historique de dissenssion et de conquête territoriale entre la France et l'Allemagne.*

intellectuelle du Latin, sa capacité d'expression, l'esprit artistique du Celte, son individualisme et souvent... son anarchie! L'élément constructif et organisateur est germain.

L'unité nationale de la France n'est pas basée sur la race. Le Français est incapable de discerner chaque élément dans son origine multiple, chaque Français est français exactement au même degré qu'un autre. L'unité nationale est le résultat d'une adaptation séculaire au terrain, d'une tradition historique, d'une culture commune. L'unité nationale est une force sociale, beaucoup plus qu'une force politique: la force de la nation n'est pas dans l'**état,** mais dans la famille et particulièrement l'individu.

André Siegfried dans *L'Âme des Peuples*, Librairie Hachette, Editeur. Paris
(Pour *Les Paroles* de Siegfried, voyez le
texte original page 627.)

un versant: (*a side—of a mountain*) une orientation, un côté.
un lien: (*a tie*) quelque chose qui attache (*ties*) deux autres objets. Il y a un **lien** de famille entre un frère et sa sœur.
la Provence: la province qui est au sud de la France, sur la Méditerranée.
le temps: (*time*) Je n'ai pas toujours **le temps** d'étudier.
vers: dans la direction de ...
l'état: le gouvernement.

QUESTIONS

1. Est-ce que la France est sur un océan? Sur une mer?
2. Y a-t-il une ressemblance entre la civilisation française et la civilisation américaine? Pourquoi?
3. Est-ce que l'Europe a besoin de la France?
4. Y a-t-il une ressemblance entre la Provence et l'Extrême-Orient?
5. Est-ce que la race française est pure? Pourquoi?
6. Nommez certains aspects du caractère français.
7. Est-ce que le Français est plus conscient de sa race ou de sa nationalité? Pourquoi?

ONZIÈME LEÇON

La Maison Idéale

Le pluriel de **un**: **des**. *L'expression de quantité*

Déclaration et question	*Réponses*
Voilà une jeune fille, et une autre jeune fille. Voilà **des** jeunes filles. Montrez-moi des jeunes filles.	Voilà **des** jeunes filles.
Voilà un jeune homme, et un autre jeune homme. Voilà **des jeunes gens.** Est-ce qu'il y a des jeunes gens dans la classe ?	Oui, il y a **des jeunes gens.**
Regardez autour de vous. Qu'est-ce qu'il y a dans la classe ?	Il y a **des** chaises, **des** portes, **des jeunes gens** et **des** jeunes filles.
Est-ce qu'il y a un professeur ou des professeurs ?	Il y a un professeur. Il y a aussi un bureau.
Est-ce qu'il y a beaucoup d'étudiants dans une université ?	Oh oui! Il y a beaucoup d'étudiants !
Avez-vous **des** animaux dans votre chambre ?	Non, je n'ai pas d'animaux dans ma chambre. Mais j'ai **des** livres. J'ai beaucoup de livres.
Qu'est-ce qu'il y a dans un zoo ?	Il y a **des** animaux féroces, **des** animaux exotiques et **des** animaux gentils.
Qu'est-ce qu'il y a dans votre jardin ?	Il y a **des*** grands arbres et **des** jolies fleurs. Il n'y a pas de plantes exotiques, mais il y a d'autres plantes.

* Des grands arbres et **des** jolies fleurs: *Although* **des** *is acceptable and is often used in everyday conversation, the rule is that* **des** *becomes* **de** *in front of an adjective.*
Il y a **de** grands arbres et **de** jolies fleurs.
However, when adjective-noun forms an inseparable group, as in **des jeunes gens, des jeunes filles,** *the rule requires* **des.**

ODILON REDON

Vase de fleurs
Collection, The Museum of Modern Art, New York
Gift of William S. Paley

Dans ma maison idéale, il y a toujours des vases de fleurs fraîches.

Qu'est-ce qu'il y a dans une maison?	Il y a **des** pièces.
De quoi avez-vous besoin dans une maison?	Nous avons besoin d'**assez de** pièces (surtout **assez de** chambres!), beaucoup de confort et **un peu de** luxe.
Est-ce qu'une maison a beaucoup d'étages?	Non, elle a généralement un ou deux étages. Mais un bâtiment a souvent 25 ou 30 étages. Quand il y a **tant d'**étages, nous avons besoin d'ascenseur.
Combien d'étages a votre maison?	Elle **n'**a **qu'**un étage.

LECTURE

La maison idéale

Un jour, je voudrais avoir une maison idéale, et ma maison idéale est au bord de la mer. J'ai des idées précises sur sa situation et sa description.

Dans la maison que je voudrais avoir, il y a des grandes pièces, avec une belle vue sur la mer. Pas de jardin, mais il y a une plage de sable doré, et des bateaux à l'horizon.

Entrez dans ma maison: Au rez-de-chaussée, à droite, voilà la salle de séjour. C'est la plus grande pièce de la maison. Un grand divan est en face de la fenêtre, avec des fauteuils assortis. Sur la table à thé et partout dans la pièce, il y a des fleurs. Ce ne sont pas des fleurs en plastique, ce sont des fleurs fraîches. Il y a tant de livres et tant de disques! La grande étagère contre le mur est pleine de livres, de disques, d'albums... Et le mur en face est couvert de tableaux. C'est un rêve, n'est-ce pas, et dans mon rêve je suis millionnaire, alors ce sont des tableaux de maîtres, des impressionnistes, probablement: une nature morte de Cézanne, un paysage de Monet, une baigneuse de Renoir et beaucoup d'autres. Il n'y a pas de bibelots, il n'y a que quelques objets d'art.

La salle à manger est en réalité une alcôve de la salle de séjour, séparée de la cuisine par un bar qui est pratique pour le petit déjeuner. La cuisine est la pièce favorite des gens qui ont faim. Il y a toujours beaucoup de bonnes choses dans le réfrigérateur ou sur le fourneau.

A gauche, un cabinet de travail qui est réservé pour le travail, la solitude, la tranquillité. Je n'ai pas peur d'un peu de solitude, au contraire ! Il n'a que quelques meubles : un bureau, un fauteuil, et des livres partout.

Voilà l'escalier : pas d'ascenseur, naturellement, parce qu'il n'y a qu'un rez-de-chaussée et un étage. Maintenant, nous sommes au premier étage : c'est l'étage des chambres. Comme c'est une maison idéale, il y a assez de chambres et assez de salles de bain. Ma chambre n'est pas immense, mais c'est une pièce claire et confortable. Il y a assez de place pour deux grands placards qui ont aussi assez de place pour beaucoup de vêtements. J'ai une ou deux commodes avec des tiroirs qui sont pleins de vêtements. J'ai aussi beaucoup d'autres choses... Mais comme c'est une chambre idéale, dans une maison idéale, elle est toujours en ordre. Il n'y a pas de vêtements par terre, mon bureau n'est pas couvert de papiers, au contraire : il est en ordre aussi. Et ma mère est enchantée parce que je suis si ordonné ! (Malheureusement, en réalité, ma chambre est souvent en désordre, et ma mère est furieuse...)

Dans la maison idéale, il y a une salle de bain pour chaque personne. Et dans la salle de bain de ma sœur, avec la baignoire et le lavabo, il y a un téléphone. Ma sœur n'est heureuse que devant le miroir ou au téléphone, alors une salle de bain personnelle avec un téléphone privé, c'est le paradis pour elle !

Comment est **votre** maison idéale ? Avez-vous des idées ?

QUESTIONS SUR LA LECTURE

1. Où est la maison idéale du jeune homme ? Où est *votre* maison idéale ?

2. Y a-t-il un jardin ? Y a-t-il des arbres ? Qu'est-ce qu'il y a devant la maison ? Qu'est-ce qu'il y a devant votre maison ?

3. Où est la salle de séjour ? Où est la salle de séjour dans votre maison ? Est-ce une petite pièce ? Comment est-elle ?

4. Qu'est-ce qu'il y a dans la salle de séjour ? Pour vous, quel est le meuble ou l'objet le plus important dans une salle de séjour ? Pourquoi ?

5. Comment est la salle à manger ? Est-ce un système pratique ? Pourquoi ?

6. Qu'est-ce qu'il y a dans un réfrigérateur ? Quand est-ce que la cuisine est une pièce intéressante ?

7. Avez-vous besoin d'un cabinet de travail? Pourquoi? Comment est votre cabinet de travail idéal?

8. Y a-t-il un ascenseur? Y a-t-il besoin d'un ascenseur? Combien d'étages a votre maison? A quel étage êtes-vous maintenant? Comment s'appelle le « *3rd floor* » en français?

9. Est-ce qu'il y a généralement assez de placards dans une maison? Avez-vous assez de placards dans votre chambre? Pourquoi?

10. Nommez des meubles des différentes pièces de la maison.

11. Comparez votre chambre avec la chambre idéale. Est-elle en ordre ou en désordre? Description d'une chambre en désordre. Quand votre chambre est en désordre, votre mère est-elle enchantée?

12. Est-ce que la sœur du jeune homme est exceptionnelle? Ou est-ce que beaucoup de jeunes filles sont commme elle? Où est-elle heureuse?

13. Qu'est-ce qu'il y a dans une nature morte? un paysage? Avez-vous des tableaux chez vous? Comment sont-ils?

PRONONCIATION

J'ai des idées.   Il y a des étagères.

EXPLICATIONS

I. *Le pluriel de* **un: des.**

A. J'ai un père et une mère: j'ai **des** parents.

> Dans une rue, il y a **des** maisons. Dans une maison, il y a **des** pièces.
> Au rez-de chaussée, il y a une salle de séjour. Au premier étage, il y a **des** chambres.

Des est le pluriel de **un** ou **une.**

B. Je n'ai **pas de** téléphone privé:

> Il n'y a **pas de** fleurs en plastique, il y a des fleurs fraîches.

Pas de est la négation de **un** ou **une.**

REMARQUEZ: Avec le verbe **être:**
C'est **un** animal féroce.   Ce n'est **pas un** animal féroce.

II. *L'expression de quantité.*

A. Avec le singulier :

Il y a **beaucoup de** place dans une grande maison.
Il y a **trop de** travail à l'université.
J'ai **tant d'**imagination !
J'ai soif. Je voudrais **un peu d'**eau, s'il vous plaît.
Combien d'argent avez-vous ? J'ai **assez d'**argent pour la semaine.

B. Avec le pluriel :

Il y a **beaucoup de** pièce**s** dans une grande maison.
Il y a **trop de** composition**s** dans la classe de français !
J'ai **tant d'**amis !
Avez-vous **assez de** vêtement**s** ?

REMARQUEZ : **Un peu de**… existe seulement au singulier. Pour exprimer le pluriel, employez **quelques :**

Je suis heureux avec **un peu d'**argent et **quelques** amis.
C'est un petit restaurant : il y a seulement **quelques** tables.

III. *L'accord de l'adjectif.*

Il y a **une** grand**e** pièce au rez-de-chaussée.
Il y a **des** grand**es** pièce**s** au rez-de-chaussée. (ou :… **de** grand**es** pièce**s**).

J'ai beaucoup d'ami**s** très gentil**s** et beaucoup d'ami**es** très gentill**es**.
Sur la table il y a **des** vase**s** plein**s** de fleur**s** blan**ches** avec **des** feuilles vert**es**.

RÈGLE : Quand le nom est masculin, l'adjectif est masculin. Quand le nom est féminin, l'adjectif est féminin. Quand le nom est pluriel, l'adjectif est pluriel.

IV. Plein de… Couvert de…

La maison d'un intellectuel est **pleine de** livres.
Mon jardin est **plein de** fleurs.
Ils ont beaucoup d'imagination. Ils sont **pleins d'**idées !
Il y a des étagères **pleines de** livres sur le mur.

Mon bureau est **couvert de** papiers.
Il y a des compositions avec tant de fautes qu'elles sont **couvertes de** corrections !

REMARQUEZ : Plein… et **couvert**… sont toujours suivis de **de.**

V. Qui et que.

Le restaurant **qui est** au coin de la rue s'appelle *La Tasse d'Or.*

Mon frère **qui a** dix-huit ans et **qui est** étudiant, a un ami **qui s'appelle** Bob.

Qui est directement devant le verbe. Pourquoi? Parce que **qui** est le sujet. Qu'est-ce qui est devant le verbe généralement? C'est le sujet.

La ménagerie **que** Jean-Pierre a dans sa chambre n'est pas complète.

La maison **que** je voudrais est au bord de la mer.

Que n'est pas directement devant le verbe. Pourquoi? Parce que **que** est le complément (*object*) et le sujet du verbe est entre **que** et le verbe.

REMARQUEZ:

La maison **qu'il** a n'est pas au bord de la mer.

(Elision de **e** devant une voyelle.)

Le gâteau **qui est** sur la table est pour l'anniversaire de Jean-Pierre.

(Pas d'élision de **i** devant une voyelle.)

VI. *Pluriel des mots en* **eau** = **eaux.**

un bateau, des bateau**x**   un tableau, des tableau**x**

un beau tableau, des beau**x** tableau**x** (ou: de beau**x** tableau**x**)

VII. *Ne... que.*

Il **n'**y a **qu'**une salle de bain et **qu'**un téléphone chez moi.

Je **n'**ai **que** deux dollars dans ma poche.

   Ne ... **que** = seulement

VOCABULAIRE

Noms

la pièce	l'étagère
la plage	le bar
le sable	la cuisine
le bateau	le réfrigérateur
le rez-de-chaussée	le fourneau
la salle de séjour	le cabinet de travail

le divan

l'escalier

le fauteuil

le premier étage

le disque

la chambre

la salle à manger

la salle de bain

le tableau

le lit

la nature morte

le placard

le paysage

la commode

la baigneuse

le tiroir

l'horizon

la baignoire

le bibelot

le lavabo

l'objet d'art

le miroir

le paradis

des jeunes gens

des gens

l'alcôve

Adjectifs

précis(-e)

enchanté(-e)

assorti(-e)

heureux, heureuse

séparé(-e)

furieux, furieuse

clair(-e)

privé(-e)

frais, fraîche

long, longue

ordonné(-e)

ancien, ancienne

Expressions

être en ordre

couvert de...

être en désordre

plein de...

assez de place

EXERCICES

I. Mettez au négatif:

C'est une salle à manger; il y a des chaises autour de la table.

Il y a des fleurs en plastique.

Nous avons besoin d'une autre salle de bain, parce que nous avons une grande famille.

J'ai assez d'argent pour un grand voyage parce que je suis riche.

Il y a un premier étage alors nous avons besoin d'ascenseur.

Je voudrais un téléphone privé parce que j'ai des conversations importantes.

Il y a beaucoup de maisons dans ma rue. C'est une longue rue.

J'ai faim, j'ai soif, je suis fatigué et j'ai sommeil. C'est une situation normale, n'est-ce pas?

II. Mettez au pluriel:

Voilà **un grand bateau.** Comme **il est beau!**

Il y a **un jeune homme** qui **est** très **intelligent** et qui **est assis** devant moi.

Nous avons **un animal** qui **est** très **gentil: c'est un chien.**

Dans **un grand magasin,** il y a probablement **une robe** qui **est** moins **chère** que dans **une petite boutique.**

Vous avez besoin **d'un autre tricot** (*attention! pluriel d' un autre?*), mais vous n'avez pas besoin **d'une autre chemise.**

III. Complétez par **qui** ou **que** (*attention! il y a peut-être une élision*):

Le gâteau... est dans la boîte est pour l'anniversaire de Jean-Pierre.

Il y a beaucoup de choses... je voudrais avoir!

En France, il y a des monuments... sont très anciens.

Véronique... a mauvais caractère et... est l'amie de Barbara est dans un magasin... est au centre de la ville et où il y a des robes... ne sont pas très chères.

Barbara a rendez-vous, et le rendez-vous... elle a est important.

COMPOSITIONS

Composition orale.

Vous n'avez probablement pas exactement le nécessaire pour être heureux. Vous avez sans doute trop de..., beaucoup de..., assez de..., tant de... (ou: pas trop de..., pas beaucoup de..., pas assez de...). Vous avez aussi un peu de... et quelques... et des... Avec imagination, composez un paragraphe où vous employez des expressions de quantité.

Ex: Pour être heureux, je n'ai pas besoin de beaucoup de... mais je voudrais avoir assez de... Hélas, il n'y a pas trop de..., etc.

Composition écrite: Vous avez le choix entre trois sujets.

A. Votre maison idéale. Où est-elle? Comment est-elle? Description de chaque pièce.

B. Votre maison. Description générale, de l'extérieur et de l'intérieur.

C. Votre chambre. Comparez votre chambre avec la chambre que vous voudriez avoir.

DOUZIÈME LEÇON

Au Supermarché

*Le pluriel de **le** et **la**: **les**. Le partitif: **du, de la, de l'***

*L'adjectif démonstratif: **ce, cette, ces***

*L'adjectif possessif: **mes, ses, nos, vos, leur, leurs, ton, ta, tes***

Etudiez les phrases suivantes:

Déclaration et question	*Réponse*
Voilà le supermarché. La viande est à droite. Où sont **les** légumes frais? Y a-t-il des légumes congelés?	Ils sont à droite avec **les** fruits. Naturellement. **Les** légumes congelés sont à gauche.
Est-ce que **les** fruits sont chers dans ce marché?	Non. Ils ne sont pas chers dans ce marché.
. . .	. . .
Regardez **cette** dame et **ce** monsieur avec **ces** provisions: **Est-ce** les Sernin?	Oui, **ce sont** les Sernin.
Il n'y a pas assez de place dans cet appartement parce que **ces gens** ont trop de meubles. Est-ce que **cet** autre appartement est plus grand?	Il n'y a pas de plus grands appartements dans **cet** immeuble. Ces gens ont besoin d'une maison!
. . .	. . .
Qu'est-ce qu'il y a pour déjeuner?	Il y a **de la** viande ou **du** poisson et **des** légumes. Il y a **de l'**eau, **du** thé ou **du** café. Comme dessert, il y a **de la** glace à la vanille.

119

ANDRÉ DERAIN

Geneviève à la pomme
Collection of Madame Alice Derain,
photograph Hirschl & Adler Galleries, New York

*Les fruits sont un des sujets favoris des peintres. Admirez
aussi ici l'harmonie décorative du geste de la jeune femme.*

Je n'ai pas d'argent. Avez-vous **de l'**argent?

Oui, j'ai **de l'**argent. Je ne suis pas riche, mais j'ai toujours **un peu d'**argent.

Mon père et ma mère sont **mes** parents. Voilà votre sœur et **ses** amies. Voilà **vos** livres, **votre** serviette, votre sac etc. Ce sont **vos** affaires. * Où sont vos affaires et mes affaires?

Nos affaires sont sur nos chaises par terre et autour de nous dans la classe.

Mes parents ont une voiture. C'est **leur** voiture. Est-ce que vos parents ont une voiture?

Ils ont deux voitures. Ce sont **leurs** voitures.

LECTURE

Au supermarché

Monsieur et Madame Sernin sont un jeune ménage. Cet après-midi, ils sont dans leur voiture dans le parking du «Super Self», le nouveau supermarché de leur quartier.

M. SERNIN.   Qu'est-ce qu'il nous faut? As-tu la liste?

MME SERNIN.   J'ai la liste dans mon sac. Il nous faut des quantités de choses: des légumes, des fruits, de la viande, du pain, de l'épicerie, du lait.

. . . . . .

(*Dans le supermarché*)

M. SERNIN.   Oh, les belles pommes rouges! Et ces pêches! Et ces raisins! Et ces poires! Les fruits sont vraiment superbes dans ce marché.

* **Vos affaires, mes affaires:** *Your things, my things, in the sense of belongings.*

MME SERNIN. C'est le meilleur endroit du quartier pour les fruits et les légumes. Il nous faut de la laitue pour la salade, des radis roses, des oignons et des tomates. Pour les autres légumes, comme les petits pois, les haricots verts et les épinards, les légumes congelés sont si pratiques!

M. SERNIN. Tu es* une maîtresse de maison moderne... Ah! la cuisine de ma mère! C'est une autre histoire... Enfin! Alors, maintenant, de la viande. J'ai envie de bifteck pour ce soir. Et voilà un rôti de bœuf magnifique, et ce gigot...!

MME SERNIN. C'est une bonne idée. Voilà mes menus: le bifteck pour ce soir, avec des frites et des haricots verts et une salade de fruits. Le rôti? Justement, nous avons tes parents à dîner samedi et je voudrais impressionner ta mère. Alors pour samedi, le rôti de bœuf avec une purée de pommes de terre et un soufflé aux épinards. Comme dessert? Un gâteau au chocolat, j'ai justement une nouvelle recette. Et pour dimanche soir, nous avons nos amis les Lavergne à dîner, le gigot est parfait. Avec des haricots, naturellement et une belle salade verte, bien fraîche; comme dessert, une tarte aux fruits, spécialité de la maison.

M. SERNIN. (enthousiasmé) Chérie, tu es une cuisinière formidable. J'ai de la chance. Maintenant, voilà les produits laitiers. Il nous faut du lait, n'est-ce pas? Et de la crème? du beurre aussi, et du fromage? Justement, voilà un camembert qui a l'air délicieux.

MME SERNIN. Oui. Du lait, de la crème, du beurre, du fromage. Ils sont sur ma liste. Et des œufs? Je voudrais une douzaine d'œufs.

M. SERNIN. Voilà des œufs. Bon. L'épicerie, maintenant. Avons-nous besoin de café? de sucre? de pâtes? Dis donc! Un plat de spaghetti à l'italienne, avec de la sauce tomate et du fromage, beaucoup de fromage... Mmmm!

MME SERNIN. Oh, chéri! Tu es la voix de la tentation! Et mon régime?

M. SERNIN. Si nous avons un plat qui a beaucoup de calories un jour, alors il nous faut un dîner léger un autre jour pour ton régime. Voilà! C'est une question d'organisation. Avons-nous tout, maintenant?

MME SERNIN. Oui, nous avons assez de provisions pour une semaine. Et maintenant, vite à la maison! J'ai un nouveau livre de cuisine qui a l'air d'avoir des recettes formidables.

---

*Tu as, tu es: *Monsieur and Madame Sernin are using the familiar form of address, "tutoiement" most often reserved for family relationship or among intimate friends. It is the opinion of the author (a native of France), that elementary French students do not need, at this point in their studies, to concentrate on learning how to use this form. It will be shown from time to time, for recognition and familiarization. And to the often asked question, "When should I use the* tutoiement"? *The author's answer is, "Don't ever take the initiative of using it when addressing a French person". If and when the French native feels it is appropriate, he will use it and you may follow suit and learn from him. The "vous" form can never be improper, while improperly used, the "tutoiement" can be shocking and even insulting.*

QUESTIONS SUR LA LECTURE

1. Qui sont les Sernin? Où sont ils? Est-ce le matin?

2. Qu'est-ce qu'il y a sur la liste de Mme Sernin?

3. Quel est le meilleur endroit de leur quartier pour les légumes? Nommez des légumes.

4. Est-ce que les légumes congelés sont pratiques? Ont-ils besoin de beaucoup de préparation?

5. Est-ce que M. Sernin a envie de soupe pour son dîner? De quoi a-t-il envie? Quel est le menu de son dîner? Avez-vous envie de bifteck pour votre dîner?

6. Qu'est ce qu'il y a pour votre déjeuner aujourd'hui?

7. Quel est le menu de Mme Sernin pour le dîner avec les parents de M. Sernin? Qu'est-ce qu'il lui faut pour un gâteau au chocolat?

8. Quel est le menu de Mme Sernin pour le dîner avec les Lavergne? Est-ce que M. Sernin est content des idées de sa femme? Quelle est sa réponse?

9. Qu'est-ce qu'un camembert? Y a-t-il d'autres fromages français?

10. Quel est un de vos menus favoris?

11. Qu'est-ce qu'il y a dans la section des produits laitiers?

12. Qu'est-ce qu'il y a dans la section de l'épicerie?

13. Quels sont vos fruits favoris? Et vos légumes favoris?

14. Quel est votre plat favori? Quel est votre dessert favori?

15. Etes-vous bonne cuisinière? (ou bon cuisinier). Qui est la meilleure cuisinière chez vous?

16. Qu'est-ce qu'il y a dans un réfrigérateur?

PRONONCIATION

des   de   du

des/haricots (Il n'y pas de liaison parce que le **h** est aspiré.)

ce   cette   ces   cet ami   ces enfants

nous   nos   nos amis

vous   vos   vos amis

leur   sœur   peur   beurre

EXPLICATIONS

I. *Le pluriel de* le, la: les.

Les parents de mon ami Maurice sont riches.
Dans **la** vie moderne, **les** mathématiques et **les** sciences sont importantes.
Les voitures de sport sont chères!

NÉGATIF:

Dans une phrase négative, **les** ne change pas:

Avez-vous **les** résultats de l'examen? Non, je n'ai pas **les** résultats de l'examen.

II. *Le partitif:* du, de la, de l'.

Pour le dîner, il y a **de la** soupe, **du** bifteck, **de la** glace à la vanille. Il n'y a pas de pâtes parce que nous sommes au régime.
J'ai **de la** chance! J'ai **de l'**argent, **du** travail, **des** amis et **une** maison.

Le partitif est composé de **de + le, la, l'.** La contraction de **de + le** est **du.**
Le sens du partitif est *"some,"* *"any,"* qui est quelquefois exprimé en anglais, mais pas toujours.

NÉGATIF:

Je n'ai **pas de** chance! Je n'ai **pas de** travail, **pas d'**argent, **pas d'**amis, **pas de** maison.

La négation du partitif est **pas de** (c'est une construction familière) qui est aussi la négation de **un:**
J'ai **une** maison, je n'ai **pas de** maison.
Et c'est aussi la négation de **des:**
J'ai des amis, je n'ai **pas d'**amis.

III. Ce, cette, ces.

Bonjour! Comment allez-vous **ce** matin?
J'ai beaucoup d'examens **cette** semaine!
Ces légumes congelés sont très pratiques!
Ce (cet), cette, ces sont des adjectifs démonstratifs.

Ce est masculin, avec un nom masculin:
Ce matin, **ce** monsieur, **ce** magasin, **ce** soir, **ce** jardin, etc.

Cet est masculin aussi, mais il est employé **devant une voyelle**:

cet après-midi, **cet a**ppartement, **cet a**scenseur, **cet e**scalier, **cet i**mmeuble, **cet e**nfant, **cet o**ncle, etc.

Cette est féminin, avec un nom féminin:

cette année, **cette** histoire, **cette** dame, **cette** jeune fille, **cette** semaine, **cette** famille, etc.

Ces est pluriel, avec un nom pluriel, masculin ou féminin:

ces gens, **ces** messieurs, **ces** dames, **ces** jeunes filles, **ces** jeunes gens, **ces** animaux, **ces** produits, etc.

IV. *Le pluriel des adjectifs possessifs:*

Le pluriel de **ma, mon: mes.**

Mon père et ma mère sont **mes** parents.

Le pluriel de **sa, son: ses.**

Ma sœur n'est pas ordonnée: **ses** affaires sont toujours en désordre.

Le pluriel de **notre: nos.**

Nous sommes contents quand nous avons notre famille et **nos** amis.

Le pluriel de **votre: vos.**

Vos parents sont très gentils avec moi.

Leur et **leurs.**

Mon oncle a une voiture: c'est **sa** voiture.

Ce monsieur a deux voitures: ce sont **ses** voitures.

Mes parents ont une voiture: c'est **leur** voiture.

Mes parents ont deux voitures: ce sont **leurs** voitures.

Ton, ta est l'adjectif possessif qui correspond à **tu** (2ème personne singulier).

Le pluriel de **ton, ta: tes.**

Ton frère et **ta** sœur sont à la maison avec **tes** parents.

V. Il me faut.

Il me faut du sucre, du beurre et de la farine pour mon gâteau.

Avez-vous le livre qu'**il vous faut?** Non, je n'ai pas le livre qu'**il me faut.**

Il me faut un livre avec les réponses!

J'ai de la chance! Voilà exactement la maison qu'**il me faut.**

Il me faut: (*I must have, or I have to have*) est un peu différent de **j'ai besoin de** (*I need*). **Il me (vous) faut** est impersonnel, il n'a pas de conjugaison. C'est toujours **il.**

VOCABULAIRE

Noms

un ménage, un jeune ménage
un supermarché
une liste
un endroit
un quartier
un repas
un déjeuner
un dîner
un plat

une maîtresse de maison
une cuisinière
la cuisine
les affaires
les provisions
une recette
une spécialité
un soufflé

de la viande: un bifteck, un rôti, un gigot, un poulet et... du poisson.

de l'épicerie: du café, du sucre, du thé, des pâtes.

des légumes: des pommes de terre, des haricots et des haricots verts, des oignons, des radis, des épinards, des tomates, de la laitue.

des fruits: des pommes, des pêches, des raisins, des fraises, des bananes, des oranges, des abricots.

des produits laitiers: du lait, de la crème, du beurre, du fromage et... des oeufs.

Adjectifs

léger, légère

congelé(-e)

Expressions

J'ai de la chance!
Je n'ai pas de chance!

J'ai envie de... (café, glace au chocolat).

Exclamation

Dis donc! (*familiar: say!*)

Dites donc! (*général: say!*)

EXERCICES

I. Complétez par l'adjectif possessif correct (mon, ma, mes, son, sa, ses, notre, votre, nos, vos, leur, leurs):

Mon oncle et ma tante sont riches. _____ maison est au bord de la mer et _____ meubles sont magnifiques.

Voilà une maîtresse de maison dans _____ cuisine, avec _____ provisions et _____ livre de cuisine!

Jean-Pierre et André ont de l'imagination: _____ idées sont amusantes. Hélas! _____ travail n'est pas toujours très bon.

J'ai _____ affaires: _____ cahier, _____ livres, _____ serviette, _____ jaquette. Avez-vous _____ affaires? Et avez-vous aussi _____ clé?

Je ne suis pas ordonné. _____ vêtements sont par terre, sous _____ lit, sous _____ fauteuil, sur _____ meubles et _____ papiers sont sur _____ bureau. _____ parents sont différents: _____ affaires sont toujours en ordre.

II. Complétez par: un/des; le, la/les; du, de la, de l'; pas de:

Il nous faut _____ pain, parce qu'il n'y a pas _____ pain pour dîner.

Dans un sandwich, il y a _____ pain, _____ fromage ou _____ viande.

_____ légumes congelés sont pratiques, surtout quand il n'y a pas _____ légumes frais.

Avez-vous _____ argent? Oui, j'ai _____ argent. _____ argent est important quand vous n'êtes pas riche.

Sur _____ plage, il y a _____ sable. En fait, il y a beaucoup _____ sable.

Le réfrigérateur est plein _____ provisions: _____ lait, _____ laitue, _____ tomates, _____ oeufs, _____ crème pour _____ café. Il y a aussi _____ viande, _____ rôti et _____ poulet.

_____ restaurants de mon quartier ne sont pas trop chers. Il y a _____ petit restaurant au coin de ma rue qui a _____ spécialités françaises: mon plat favori, c'est _____ gigot aux haricots.

III. Mettez au pluriel:

Mon frère a un bateau.

Ma soeur est toujours dans sa salle de bain.

Votre recette est excellente! C'est la meilleure pour un plat léger et substantiel.

Ce jeune homme a sa chambre au premier étage de cet immeuble.

L'animal du zoo est dans sa cage.

Mon oncle a un tableau qui est par un peintre célèbre.

Voilà la maison de mon rêve!

COMPOSITIONS

Composition orale (deux sujets au choix) :

A. Une description de votre supermarché favori.

B. De quoi avez-vous envie pour votre dîner ce soir ? Pourquoi ?

Composition écrite (deux sujets au choix) :

A. Vous êtes responsable de la liste des provisions pour la semaine. De quoi votre famille a-t-elle besoin ? envie ? Pas envie ? Pourquoi ?

B. Vous avez un invité (ou une invitée) très spécial(-e) pour dîner ce soir (ou un autre soir). Qui est-ce ? Pourquoi est-il (elle) invité(-e) ? Quel est votre menu ? La liste de vos provisions ? Comment est votre dîner ? Conclusion.

TREIZIÈME
LEÇON

Les Saisons
de l'Année et leurs Occupations

INTRODUCTION A LA LANGUE DE L'ACTION:
Les verbes *Faire; Dire; Aller; Écrire; Lire; Venir*

On fait; on dit; on va; on écrit; on lit; on vient

Quel temps fait-il ?

Etudiez les phrases suivantes:

Déclaration et question	*Réponse*
J'ai beaucoup d'occupations, c'est-à-dire que **je fais** beaucoup de choses. **Je fais** mon lit le matin, **je fais** mes devoirs le soir. Et vous, que **faites-vous**?	**Je fais** la cuisine quelquefois. Ou bien, mon frère et moi, **nous faisons** du sport. Au mois d'août, **nous faisons** un voyage.
Que **fait-on** quand on a une mauvaise note?	**On fait** une explication très compliquée des raisons de cette note au professeur.
Je dis « Bonjour » le matin et « Bonsoir » le soir. Et vous, que **dites-vous**?	**Je dis** la même chose, naturellement. **Nous disons** tous « Bonjour » et « Bonsoir ».
Comment **dit-on** *Good afternoon* en français?	**On ne dit pas** *Good afternoon*. **On** ne **dit** que « Bonjour » et « Bonsoir ».
Chaque matin, **je vais** à l'école. **Je vais** à l'école à pied. Comment **allez-vous** à l'école?	**Je vais** à l'école en voiture.

131

ANDRÉ DERAIN

Les Vignes au printemps
Kunstsammlung, Basel

Chaque saison et chaque région a ses occupations. Ici,
c'est le travail dans les vignes. En France, on dit que si
le printemps est en retard, c'est un bon signe pour le vin :
Un printemps froid, un vin de roi.

Comment **va-t-on** en Europe, généralement?

Ma famille et moi, **nous allons** en Europe pendant les vacances. Si on est pressé, **on va** en Europe en avion. Sinon, en bateau.

J'écris souvent des lettres à mes amis. Et vous, **écrivez-vous** souvent des lettres?

Non, **je n'écris pas** souvent de lettres. Mes amis et moi, **nous n'écrivons** que quand il y a des nouvelles importantes.

Quand **écrit-on** à tous ses amis?

A Noël, **on écrit** au moins une carte à tous ses amis.

Je lis le journal tous les jours. Et vous, **lisez-vous** le journal tous les jours?

Non, mais quand j'ai le temps, **je lis** une revue toutes les semaines. Chez moi, **nous lisons** aussi beaucoup de romans.

Quel journal **lit-on** dans votre ville?

Ça dépend. **On lit** beaucoup le *Journal Indépendant*.

Je ne **viens** pas à l'école le samedi. Et vous, **venez-vous** le samedi?

Non, **je** ne **viens** pas le samedi. **Nous** ne **venons** pas le samedi.

LECTURE

Les saisons de l'année et leurs occupations

Les quatre saisons de l'année sont: le printemps, l'été, l'automne et l'hiver.

Quel temps fait-il au printemps? Il fait souvent beau, mais il pleut aussi quelquefois. La pluie est nécessaire pour les plantes. Au printemps, il ne fait pas chaud, il ne fait pas froid, il fait frais. Les arbres sont couverts de feuilles et les oiseaux font leurs nids. Au printemps, je vais souvent à la campagne, parce que les fleurs, sur les arbres, les buissons et dans les champs, sont si belles!

Malheureusement, nous venons à l'école tous les jours, et c'est la saison des examens... Mais quand il fait une belle journée de printemps nous ne faisons pas attention aux explications des professeurs: il y a quelque chose dans l'air... nous avons l'air de lire, d'écrire, mais en réalité, dans nos rêves, nous sommes déjà en vacances...

En été, il fait chaud. Il fait souvent très chaud. Le soleil est haut dans le ciel. Les journées sont longues et les nuits sont courtes. L'été est une saison agréable: en été, nous sommes en vacances! Pendant les vacances, on fait des voyages: on va au bord de la mer ou à la campagne.

Au bord de la mer, les gens vont à la plage. Là, ils sont allongés sur le sable toute la journée et les plus sportifs font de la natation pendant que les enfants font des châteaux de sable. A la campagne, on fait des promenades dans les bois, dans les petits chemins... La plage et la campagne sont excellentes quand on a besoin de repos.

Quand je suis en vacances, je fais souvent du camping avec Bob qui a une voiture. Quelquefois, je fais de l'auto-stop. Quand je suis en vacances, j'écris des quantités de cartes postales qui disent: « *Je pense à vous, Jean-Pierre* ». Ce n'est pas un message très original, mais les gens qui lisent ces cartes sont contents.

En automne, il fait encore beau, mais les nuits sont déjà plus longues et les soirées plus fraîches. Les vacances sont finies! Vers le quinze septembre, tous les écoliers et tous les étudiants de quatre à vingt-cinq ans vont à l'école parce que c'est le commencement d'une année scolaire. Le spectacle de la nature est splendide en automne. Mais nous n'avons pas le temps de faire beaucoup d'excursions. Il faut lire des quantités de livres, il faut écrire des essais, des dissertations et... des compositions françaises! Tous les ans, en automne, je fais des projets pour être un étudiant modèle et tous les ans... bref, c'est une autre histoire.

Enfin c'est l'hiver. En hiver, il fait froid. Le ciel est couvert de nuages, il fait mauvais. Il nous faut des vêtements chauds, en laine, pour ne pas avoir froid. Il pleut souvent. Quand il pleut, il nous faut des imperméables et des parapluies. Il neige aussi quelquefois. Quand il y a de la neige par terre, c'est un spectacle merveilleux et après l'école, les enfants font des boules de neige. Le meilleur moment de l'hiver, c'est la période de Noël. On est en vacances et on va à la montagne. On fait des sports d'hiver. Moi, je fais du ski tous les ans pendant les vacances de Noël. La vie dans une station de sports d'hiver est formidable! Toute la journée, nous sommes sur les pentes. Le soir, nous sommes fatigués et tous les jeunes gens et jeunes filles sont autour d'un grand feu. C'est le moment de la conversation, des chansons, des grandes tasses de chocolat chaud, de la bonne camaraderie et aussi peut-être, de quelques petits flirts...

Il est difficile de dire si l'hiver est plus agréable que l'été, ou si c'est le contraire. Toutes les saisons ont leurs charmes.

QUESTIONS SUR LA LECTURE

1. Combien y a-t-il de saisons dans l'année? Quelles sont les saisons de l'année?

2. Quel temps fait-il aujourd'hui? En quelle saison sommes-nous? Fait-il un temps normal pour la saison?

3. Quel temps fait-il le plus souvent au printemps? Description de la nature au printemps.

4. Est-ce que les étudiants sont en vacances au printemps? Que font-ils en classe quand il fait une belle journée de printemps?

5. Lisez-vous un livre intéressant cette semaine? Avez-vous le temps de lire beaucoup? Pourquoi? Quels livres lisez-vous généralement avec le plus de plaisir?

6. Quel temps fait-il en été dans votre ville? Où allez-vous généralement quand vous êtes en vacances?

7. Que fait-on au bord de la mer? Que fait-on à la campagne?

8. Faites-vous du camping? Faites vous de l'auto-stop? Pourquoi?

9. En anglais on écrit sur une carte postale: «*Having wonderful time. Wish you were here*». Qu'est-ce qu'on écrit sur une carte postale en français? Quand écrivez-vous des cartes postales? Des cartes de Noël?

10. Que faites-vous vers le quinze septembre? Est-ce vous seulement ou est-ce que tous les étudiants font la même chose?

11. Quel temps fait-il en automne? Comment sont les arbres et les buissons en automne?

12. Quel temps fait-il en hiver, dans votre ville? Pleut-il souvent? Pleut-il aujourd'hui? Faut-il des vêtements en laine ou en coton? Pourquoi? Venez-vous en classe quand il fait mauvais?

13. Faites-vous des sports d'hiver? Où fait-on des sports d'hiver?

14. Qu'est-ce qu'on fait dans une station de sports d'hiver? Où est-on toute la journée? Où est-on le soir? Est-ce le moment de lire et d'écrire?

PRONONCIATION

je fais, il fait	je dis, il dit	ils font	ils disent
je vais	je lis, il lit	ils vont	ils lisent
	j'écris, il écrit		ils écrivent

EXPLICATIONS

I. *Les verbes.* Voilà maintenant six verbes irréguliers:

A. **Faire** (*to do, to make*).

Voilà la conjugaison de **faire:**

Je fais	Nous faisons
(Tu fais)	Vous faites*
Il fait, elle fait, on fait	Ils font

Qu'est-ce que **vous faites?** Je lis un livre.
Je fais mon lit tous les matins.

Le verbe **faire** est aussi employé dans beaucoup d'expressions idiomatiques.
Voilà quelques expressions idiomatiques avec **faire:**

Quel temps fait-il? Il fait beau, il fait chaud, il fait froid, il fait gris, il fait soleil.
Je fais attention aux explications du professeur.
Je fais un voyage. Je vais à... (On ne dit pas: Je fais un voyage à...)
Je fais une promenade.

---

* *There are three verbs with* **-tes** *ending for the* **vous** *form:* **vous êtes** (**Être**): **vous dites** (**Dire**); *and* **vous faites** (**Faire**).
All other verbs have an **-ez** *ending for the* **vous** *form:* **vous avez, vous lisez, vous allez, etc.** ....

Je fais du sport: de la natation, du camping, du ski, de l'auto stop, etc.

Je fais des projets.

Je fais la cuisine.

B. **Aller** (*to go*).

Voilà la conjugaison du verbe **aller:**

Je vais	Nous allons
(Tu vas)	Vous allez
Il va, elle va, on va	Ils vont

Je vais à la maison, à la campagne, en ville, au bord de la mer, à la montagne.

ATTENTION: Il faut toujours dire **où** vous allez quand vous employez le verbe **aller.**

C. **Dire** (*to say, to tell*).

Voilà la conjugaison du verbe **dire:**

Je dis	Nous disons
(Tu dis)	Vous dites
Il dit, elle dit, on dit	Ils disent

Qu'est-ce que **vous dites? Je dis** qu'il fait beau aujourd'hui.

D. **Venir** (*to come*).

Voilà la conjugaison du verbe **venir:**

Je viens	Nous venons
(Tu viens)	Vous venez
Il vient, elle vient, on vient	Ils viennent

Je viens à l'école tous les jours.

Mes amis **viennent** souvent chez moi.

E. Écrire (*to write*) **et Lire** (*to read*).

Voilà la conjugaison du verbe **écrire:**

J'écris	Nous écrivons
(Tu écris)	Vous écrivez
Il écrit, elle écrit, on écrit	Ils écrivent

Voilà la conjugaison du verbe **lire:**

Je lis	Nous lisons
(Tu lis)	Vous lisez
Il lit, elle lit, on lit	Ils lisent

J'écris des devoirs et **je lis** des livres de textes. Quelquefois, **je lis** un roman. Beaucoup de gens ne **lisent** pas de romans.

II. On fait, on dit, on va, on écrit, on lit, on vient *et* **on est, on a.** *

Je suis étudiant, je vais à l'université: quand **on est** étudiant **on va** à l'université. Quand **on est** enfant, **on va** à l'école élémentaire.

On ne dit pas «OK» en français. Qu'est-ce qu'**on dit**? **On dit** «D'accord».

Si **on fait** attention, **on ne fait pas** de fautes.

En hiver, **on a** besoin de vêtements chauds. **On a** froid si **on a** des vêtements de coton.

Qu'est-ce qu'**on fait** quand **on est** en vacances? **On écrit** des lettres, **on lit** des romans, **on fait** des promenades.

Employez **on fait, on dit,** etc., pour exprimer: *You, we, they* (*when used in the sense of "people"*).

III. *L'impératif:* **Faites; dites; allez; écrivez; lisez; venez.**

L'impératif est la forme du verbe employée pour **un ordre.** Il y a trois personnes à l'impératif et l'impératif est la forme ordinaire du verbe au présent, sans le pronom.

---

* On fait, on dit, etc.: *This is literally "one does, one says, etc." but, while in English the "one..." construction is rather literary, the "on..." construction in French is of very general use.*

Faire
Fais
Faisons
Faites

Faites vos devoirs.
Faisons un voyage ensemble.
Ne **faites** pas attention.

Aller
Va*
Allons
Allez

Allez au tableau:
Allons à la plage.
N'**allez** pas dans la neige sans manteau.

Ecrire
Ecris
Ecrivons
Ecrivez

Ecrivez au tableau
N'**écrivez** pas vos compositions au crayon.

Dire
Dis
Disons
Dites

Dites bonjour à vos parents pour moi.
Ne **dites** pas «ok» en français.
Dites «d'accord».

Lire
Lis
Lisons
Lisez

Lisez attentivement les instructions.
Ne **lisez** pas les lettres adressées aux autres.

Venir
Viens
Venons
Venez

Venez à la campagne avec moi, mais ne **venez** pas s'il pleut.

IV. *L'adjectif* **tout**.

Tout le monde est présent. (masc. sing.)
Toute l'année, il fait beau sur la Côte d'Azur. (fem. sing.)
Tous mes amis font du ski. (masc. plur.)
Toutes les saisons ont leurs charmes. (fem. plur.)

L'adjectif **tout** a quatre formes: **tout, toute**
tous, toutes

ATTENTION: La forme *touts* n'existe pas.

* **Va:** *Notice the* **s** *of the regular conjugation is dropped.*

VOCABULAIRE

Noms

l'été   en été   une saison
l'hiver   en hiver   une plante
l'automne   en automne   une feuille
le printemps   au printemps   un nid
une journée   un buisson
des vacances   le camping
la natation   l'auto-stop
une promenade   une carte postale
un bois   un commencement
un chemin   un spectacle
une pente   une excursion
un feu   des projets
une chanson   le ciel
un flirt   le soleil
un charme   un nuage
la laine   une boule de neige
le repos

Adjectifs

court(-e)   allongé(-e)
haut(-e)   merveilleux, merveilleuse

Verbes

aller   écrire
dire   lire
faire   venir

Expressions

il fait beau (chaud, froid,   je fais du camping
  frais, gris, soleil)   je fais des projets
je fais la cuisine   je fais de l'auto-stop
je fais du sport   je fais attention
je fais un voyage

au moins...
chez moi, chez toi, chez lui, chez elle, chez
  nous, chez vous, chez eux, chez elles

EXERCICES

I. Donnez la forme du verbe qui correspond à la question.

Ex: Etes-vous?   Je suis.

Ecrivez-vous?
Dites-vous?
Faisons-nous?
Est-ce que je fais?
Sommes-nous?
Est-on?
Etes-vous?

Allez-vous?
Lisez-vous?
Dites-vous?
Fait-on?
A-t-on?
Suis-je?
Venez-vous?

II. Répondez aux question suivantes par une phrase complète.

Ex: Comment allez-vous à l'université? Je vais à l'université en
voiture.

Comment va-t-on en Europe?
Que faites-vous maintenant?
Où allez-vous après la classe de français?
Comment venez-vous à l'école?
Est-ce que vous faites des fautes?
Quand faites-vous des fautes?
Avec quoi écrivez-vous?
Qu'est-ce que vous lisez tous les jours?
Je suis professeur. Est-ce que je fais des fautes de français?
Quand fait-on du ski?
Où fait-on de la natation?

III. Employez chacune des expressions suivantes dans une phrase.

Ex: Quand je ne fais pas attention, je fais **tout le temps** des fautes.

toute la journée
toute la nuit
toutes les vacances
tous les gens
tous les ans

tout le monde
tous mes amis
toute l'année
toute la soirée
tous les jours

COMPOSITIONS

Composition orale.

Votre saison favorite. Quel temps fait-il ? Description de la nature, de la ville, des gens. Quelles sont vos occupations pendant cette saison ?

Composition écrite.

Une année typique dans votre vie d'étudiant. Chaque saison et vos occupations.

La Pensée de . . .

JEAN PAULHAN

sur

La Peinture Moderne

Le passage suivant est extrait d'un livre sur le peintre Braque, par Jean Paulhan, poète et critique contemporain.

Dans ce passage, Paulhan considère les qualités et les défauts de la peinture moderne et expose son opinion sur le rôle du peintre dans la représentation de la nature.

* * * * * *

Les critiques dirigées contre la **peinture** moderne sont souvent ridicules: le monsieur qui considère que les cubes, les **vaches** vertes et les femmes à **pinces** de crabes n'ont pas de place dans la peinture parce qu'il n'y a pas de cubes ou de vaches vertes dans la nature et que les femmes ont de jolies petites mains, ce monsieur n'a pas besoin d'une réponse sérieuse. Il y a des anges dans les tableaux de Fra Angelico et la Liberté est un thème favori de Delacroix. Certainement, il n'y a pas d'anges dans la nature et il n'y a pas de Liberté... Mais il y a dans la nature, des **événements** si étranges, que, sans l'existence des anges ou de la Liberté, leur compréhension est impossible. Et la peinture existe, précisément, pour présenter une image des réalités qui n'ont pas d'image tangible dans la nature.

Et **pourtant,** il y a un peu de **vérité** dans ces reproches absurdes. Il est vrai que la peinture moderne a son danger et son défaut. Elle a raison de représenter des vaches vertes ou des cubes. Mais elle a tort d'être satisfaite de cette représentation. Les **peintres** d'aujourd'hui sont trop souvent **fiers** parce que leurs tableaux sont bizarres et ils ont ce trait en commun avec leurs ennemis: ils ont l'air enchanté de peindre des cubes et des pinces de crabes et ils ont l'air de penser que c'est extraordinaire...

Les peintres modernes sont responsables d'une grande découverte. C'est la découverte du secret de la peinture. Mais ils exposent ce secret dans leurs tableaux, et un secret exposé n'est plus un secret. Quel est-il? C'est le calcul minutieux, invisible au profane, qui forme la structure d'une bonne peinture. Mais est-ce que le calcul des peintres modernes est invisible? Non! Il n'y a souvent que ce calcul dans leurs tableaux. Fernand Léger remarque qu'un beau tableau est plein

FERNAND LÉGER

The City (*Study*)
Collection, The Museum of Modern Art, New York
Acquired through the Lillie P. Bliss Bequest

Le peintre est-il obligé de représenter la réalité?

d'allusions délicates à des sphères et à des cubes. **Malheureusement,** Fernand Léger, s'il a le sens de la couleur, n'a certainement pas le sens de l'allusion délicate! En un mot, la découverte de la peinture et des peintres entre 1900 et 1930, c'est le secret de la bonne peinture. Mais leur première action c'est, hélas! la révélation de ce secret.

Une ombre violette et une vache verte ont leur charme et probablement leur raison d'être. Mais cette raison n'est sûrement pas la raison des peintres du XIXème siècle, des impressionnistes comme Monet ou Signac par exemple: leur théorie est que, si les ombres sont violettes en réalité et les vaches vertes dans une certaine lumière, alors le peintre n'est pas libre, parce qu'il est obligé de représenter la réalité. Un tableau n'est pas honnête s'il n'est pas conforme à la réalité apparente. Mais il est clair que ce n'est pas une bonne raison: les peintres ont le privilège de changer la nature pour nous; après les **nuages** de Turner, les vrais nuages sont différents pour nous, et après les **citrons** de Braque, les vrais citrons ne sont plus les mêmes. La responsabilité du peintre, c'est le choix, le choix d'une attitude esthétique. Ce n'est pas la représentation exacte de la nature. Le peintre n'est pas objectif. Il est, au contraire, l'interprète de toute réalité concrète ou abstraite.

Jean Paulhan dans *Braque Le Patron* © Editions Gallimard 1952.
(Pour *Les Paroles* de Paulhan, voyez le texte original page 629.)

---

la peinture: c'est le travail, l'art du peintre.

un peintre: un artiste qui fait des tableaux. Rembrandt, Cézanne, Renoir, Picasso sont des peintres. Ce texte est tiré d'un livre sur le peintre Braque.

une vache: un animal de la ferme qui donne le lait.

une pince (de crabe): le crabe est un animal dans la mer. Il n'a pas de mains, il a deux pinces.

un événement: un jour est important quand il y a un événement. Si vous avez un A+, c'est un événement! Une révolution est un événement dans l'histoire d'un pays.

pourtant: ce mot indique l'opposition entre deux idées. Son sens n'est pas très différent de **mais.** «Je suis fatigué, pourtant je suis en classe aujourd'hui».

la vérité: la réalité, une expression qui est conforme avec les faits. L'adjectif qui correspond à vérité est **vrai.** Si on est sincère, on dit la vérité; alors, la chose que vous dites est **vraie.**

fier, fière: c'est une manière spéciale d'être content. On est fier quand on a fait (*when you have done*) une chose remarquable: vous êtes fier quand vous avez une très bonne note.

malheureusement: Hélas!

un nuage: quand il fait mauvais, le ciel est gris, parce qu'il y a des **nuages.**

un citron: c'est un fruit, comme l'orange. Mais l'orange est ... orange! et le citron est jaune.

QUESTIONS

1. Pourquoi est-il ridicule de critiquer la peinture parce qu'elle ne représente pas la nature?

2. Quelle est la différence entre la peinture et la photographie?

3. Faut-il peindre des cubes? Des vaches vertes? Des anges? La Liberté? Pourquoi?

4. Quel est le secret de la peinture?

5. Quel est le rôle du peintre?

QUATORZIÈME LEÇON

Plaisirs et Distractions

Les verbes du 1er groupe :

Aimer ; Arriver ; Espérer ; Déjeuner ; Dîner ; Donner ;

Habiter ; Parler ; Préférer ; Rester ; Trouver

L'emploi de deux verbes ensemble :

J'aime déjeuner au restaurant.   J'espère aller en vacances.

Etudiez les phrases suivantes :

Déclaration et question	*Réponse*
J'habite à Paris. Où habitez-vous ?	J'habite à Los Angeles.
J'aime la musique. Et vous, aimez-vous la musique ?	Oui, j'aime aussi la musique. Mais je n'aime pas le jazz.
Jean-Pierre, aime-t-il la musique ?	Jean-Pierre aime le jazz.
Préférez-vous le théâtre ou le cinéma ?	**Je préfère** le cinéma.
A quelle heure arrivez-vous en classe ?	**J'arrive** à huit heures. Tous les étudiants arrivent à huit heures.
Je déjeune au restaurant. Et vous, où déjeunez-vous ?	Je déjeune chez moi aujourd'hui. Mais **je dîne** en ville avec des amis. Nous dînons à *La Tasse d'Or*.
Je parle bien français. Et vous ?	Moi aussi, je parle français. Je parle assez bien français. Mes camarades et moi, nous parlons souvent français.
Je reste chez moi ce week-end. Et vous, restez-vous chez vous ?	Non, je ne reste pas chez moi. Je vais à la montagne. Mais mes parents restent chez nous.

149

FERNAND LÉGER

Les Loisirs
Le Musée d'Art Moderne, Paris

*Faire de la bicyclette est un des sports favoris en France.
L'intérêt populaire pour le célèbre Tour de France à bicyclette
est comparable à l'intérêt en Amérique pour les "World Series".*

*Dans cette composition de Fernand Léger, remarquez l'harmonie
circulaire des bicyclettes et des courbes sinueuses des branches,
des nuages et des personnages.*

Je trouve cette classe intéressante. Et vous, quelle classe trouvez-vous intéressante?

Je trouve cette classe difficile. Mais je trouve la classe d'histoire passionnante.

Je donne souvent aux pauvres. Et vous, donnez-vous aux pauvres?

Je donne quelquefois aux pauvres.

. . . .

J'aime aller au concert. Mais je n'aime pas aller au cinéma. Et vous?

Moi, j'aime surtout aller au théâtre. Et **j'adore aller danser.**

Je préfère rester chez moi et regarder la télévision quand il y a un bon programme. Et vous, que préférez-vous faire?

J'aime aussi **rester** chez moi. Mais alors **je préfère lire** un bon livre ou **écrire** des lettres. **Je n'aime pas regarder** la TV, **je préfère écouter** des disques.

Je voudrais être célèbre un jour. Et vous?

Je voudrais écrire un livre important, mais beaucoup de gens célèbres ne sont pas heureux. Alors **je préfère** sans doute **rester** obscur...

LECTURE

Plaisirs et distractions

Samedi soir. Il est tard, c'est après une soirée. Jean-Pierre et Barbara sont assis devant une tasse de café (froid...), au restaurant *La Tasse d'Or*. Ils parlent de leurs goûts, de leurs préférences, de leurs plaisirs et de leurs distractions.

JEAN-PIERRE. Je suis sûr que vous aimez la musique, vous dansez si bien!
BARBARA. Vous êtes gentil,* mais je danse mal. C'est vous qui êtes un

---

*Vous êtes gentil (vous êtes gentille): *In French, you do not answer "Thank you" to a compliment. There are several appropriate answers. "Vous êtes gentil" is one of them, "Vous êtes aimable" is another, slightly more formal one.*

excellent danseur! Mais j'adore la musique, surtout la musique baroque et la musique impressionniste. Je vais au concert toutes les fois qu'il y a du Brahms ou du Debussy. C'est ma distraction favorite.

JEAN-PIERRE.   Tiens! Vous préférez cette musique? Pas moi. Je vais généralement écouter du jazz. Allons ensemble écouter du jazz un soir. Il y a un endroit formidable.

BARBARA.   Je trouve le jazz difficile. Il faut être initié... Que faites-vous demain?

JEAN-PIERRE.   Demain? C'est vrai, c'est dimanche. Oh, je vais sans doute rester à la maison et écrire cette dissertation pour la classe de sciences politiques. Et vous, qu'allez-vous faire?

BARBARA.   Je vais sans doute aller chez Carol. Nous étudions souvent ensemble. J'aime beaucoup étudier avec elle, elle est si intelligente; ou avec Véronique. J'espère passer mes examens ce printemps.

JEAN-PIERRE.   Vous trouvez Véronique intelligente? Ma sœur? Barbara, vous êtes folle! Moi, je trouve ma sœur idiote.

BARBARA.   Elle dit la même chose de vous, « Mon frère est idiot » ou bien « Mon frère est fou »... Moi, j'aime bien Véronique. Et je parle* souvent français avec elle.

JEAN-PIERRE.   Il faut parler français avec moi, je suis bien plus intéressant qu'elle. Aimez-vous faire du sport?

BARBARA.   Ça dépend de quel sport. Vous faites du football, du basket ball. Ce sont des sports masculins. J'aime faire du cheval, faire de la bicyclette, faire des promenades à pied, faire du tennis; j'aime surtout faire du ski. C'est mon sport favori.

JEAN-PIERRE.   Alors, j'ai une idée! Allons faire du ski pendant les vacances de Pâques, s'il y a assez de neige. Je vais inviter Bob, Carol et quelques autres et s'ils disent oui, voilà des vacances organisées. J'aime bien l'organisation et je déteste le désordre. Par exemple, j'aime jouer aux échecs. Et vous? Jouez-vous aux échecs?

BARBARA.   Pas très bien. Je joue aux cartes, mais je n'ai pas le temps de jouer souvent. Jean-Pierre, vous aimez les animaux, n'est-ce pas? Je voudrais visiter un zoò avec vous. Je trouve les animaux plus sympathiques que les gens.

JEAN-PIERRE.   Vous avez bien raison! J'espère être vétérinaire un jour, parce que j'aime tant les animaux. J'espère avoir des quantités d'animaux autour

---

* Je parle français, je parle anglais, je parle italien, je parle espagnol. *Notice that after the verb* **parler** *and before the name of a language there is* no *article.*

Répondez en français, écrivez en anglais, téléphonez en italien: *After the preposition* **en** *there is no article either.*

de moi et faire tout mon possible pour eux. Allons au zoo la semaine prochaine. Et au cinéma? Aimez-vous aller au cinéma?

BARBARA. Oui, j'aime aller au cinéma quand il y a un bon film. Je préfère généralement les films européens. J'aime arriver au commencement du film. Je déteste arriver au milieu. Mais quand le film est vraiment très mauvais, je ne reste pas.

JEAN-PIERRE. C'est exactement ma philosophie! Je déteste rester simplement à cause du prix du billet. Je trouve deux heures de ma journée ou de ma soirée bien plus importantes que le prix du billet. Barbara, aimez-vous faire la cuisine?

BARBARA. Justement, c'est sans doute ce que j'aime le mieux faire! J'aime mieux faire la cuisine que dîner au restaurant en général! Je fais des plats formidables: ma spécialité, c'est le poulet aux champignons. Je fais aussi un gâteau que tout le monde aime beaucoup...

JEAN-PIERRE. (*de plus en plus enthousiasmé*) Sans blague? J'adore le poulet aux champignons, et je suis expert en bonne cuisine. J'adore manger. Je mange toujours trop quand la cuisine est bonne.

BARBARA. Venez déjeuner chez moi demain. J'ai une autre idée. Je ne vais pas étudier avec Carol. Je vais rester chez moi, je vais préparer un bon repas, et nous allons déjeuner ensemble. Et après, qu'est-ce que nous allons faire?

JEAN-PIERRE. Ecoutez, Barbara. Moi aussi. J'ai une idée. Vous avez envie d'aller au zoo. Eh bien, déjeunons de bonne heure, à midi par exemple, et ensuite, allons au zoo. Et pour vous remercier de votre invitation, je vous invite à dîner. Dînons dans un petit bistro pas cher et puis, allons écouter du jazz.

BARBARA. Jean-Pierre, vous êtes unique, formidable, épatant, sensationnel! Je vous adore! Nous aimons les mêmes choses...

JEAN-PIERRE. (*modeste*) Barbara, je trouve que vous exagérez un peu... Je ne suis pas unique! Je suis seulement un type très rare. Mais il faut dire aussi que je suis assez remarquable!

QUESTIONS SUR LA LECTURE

1. Où sont Jean-Pierre et Barbara? Que font-ils?

2. Comment Barbara danse-t-elle? Est-ce que Jean-Pierre danse mieux qu'elle? Dansez-vous bien ou mal? Aimez-vous danser?

3. Est-ce que Barbara aime la musique? Aimez-vous la musique? Où va-t-on quand on aime la musique? Quelle musique préférez-vous?

4. Comment trouvez-vous le jazz? Et la musique classique? Y a-t-il un bon endroit pour le jazz dans votre ville? Allez-vous souvent au concert?

5. Qu'est-ce que Barbara va faire demain? Et vous, qu'allez-vous faire demain?

6. Etudie-t-on mieux quand on étudie avec une autre personne? Préférez-vous étudier seul ou avec un camarade? Etudiez-vous souvent le dimanche après-midi?

7. Aimez-vous faire du sport? Quel sport aimez-vous faire?

8. Aimez-vous faire des promenades? Aimez-vous aller dans les magasins? Préférez-vous aller à la bibliothèque ou regarder la télévision?

9. Parlez-vous français avec vos amis? Parlez-vous aussi une autre langue? Quelle langue parlez-vous le mieux?

10. Aimez-vous aller au cinéma? Quels films aimez-vous le mieux? Aimez-vous mieux un film d'aventures ou un film philosophique?

11. Jouez-vous aux échec. Jouez-vous aux cartes? Aimez-vous mieux jouer aux cartes ou faire du sport?

12. Est-ce que Jean-Pierre aime ou déteste le désordre? Et vous, aimez-vous mieux l'organisation ou l'impromptu? Quelle qualité préférez-vous dans la personnalité de vos amis: l'imagination, l'originalité ou au contraire l'organisation, l'ordre, la méthode?

13. Comment Barbara trouve-t-elle les animaux? Qu'est-ce qu'elle voudrait visiter? Est-ce que Jean-Pierre aime aussi les animaux? Aimez-vous les animaux?

14. Faites-vous du ski? En quelle saison fait-on du ski? Où? Y a-t-il de la neige maintenant dans votre ville? Quelle saison préférez-vous? Pourquoi?

15. Aimez-vous faire la cuisine? Préférez-vous faire la cuisine ou dîner au restaurant? Déjeunez-vous chez vous aujourd'hui?

16. Qu'est-ce que Barbara et Jean-Pierre vont faire dimanche? Racontez leur journée. Qu'est-ce que vous allez faire dimanche?

PRONONCIATION

Il pense	Il déjeune	Il dîne	Il trouve
Ils pensent	Ils déjeunent	Ils dînent	Ils trouvent

La prononciation du singulier est exactement la même que la prononciation du pluriel.

Il espère	Il aime	Il adore
Ils espèrent	Ils aiment	Ils adorent

Quand le verbe commence par une voyelle, la liaison est obligatoire.

Aim**ez**-vous?	J'aim**e**.	Trouv**ez**-vous?	Je trouv**e**.
Déjeun**ez**-vous?	Je déjeun**e**.	Mang**ez**-vous?	Je mang**e**.

Attention à la prononciation du **e** muet. Marquez bien la différence entre **ez** et **e**.

Vous all**ez** = all**er**   déjeun**ez** = déjeun**er**

Il n'y a pas de différence de prononciation entre **er** et **ez**.

EXPLICATIONS

I. *Les verbes du premier groupe ou les verbes en* **-er**.

Dans cette leçon, il y a beaucoup de verbes en **-er**: aim**er**, arriv**er**, écout**er**, déjeun**er**, dîn**er**, rest**er**, trouv**er**, préfér**er**, étudi**er**, invit**er**, espér**er**, détest**er**, mang**er**, remerci**er**, exagér**er**.

La majorité des verbes sont dans ce groupe (approximativement 3.000, et approximativement 400 verbes sont irréguliers ou dans les autres groupes).

Les nouveaux verbes comme téléphon**er**, télévis**er**, radiographi**er**, etc., sont formés sur la conjugaison de ces verbes (on dit aussi parker une voiture, mais beaucoup de Français disent que c'est un anglicisme. Stationner la voiture est préférable).

Tous les verbes en **-er** sont réguliers, excepté **all**er et **envoy**er.

A. Conjugaison des verbes en **-er**.

Je déjeune à midi	**-e**
(Tu déjeunes)	**-es**
Il déjeune, elle déjeune, on déjeune	**-e**
Nous déjeunons	**-ons**
Vous déjeunez	**-ez**
Ils déjeunent, elles déjeunent	**-ent**

B. La forme interrogative.

Il y a deux formes interrogatives (excepté pour la 1ère personne):

avec **Est-ce que**	avec **inversion**
Est-ce que je déjeune à midi?	
Est-ce que tu déjeunes à midi?	Déjeunes-tu à midi?
Est-ce qu'il (elle, on) déjeune à midi?	Déjeune-t-il (elle, on) a midi?
Est-ce que nous déjeunons à midi?	Déjeunons-nous à midi?
Est-ce que vous déjeunez à midi?	Déjeunez-vous à midi?
Est-ce qu'ils (elles) déjeunent à midi?	Déjeunent-ils (elles) à midi?

REMARQUEZ: Le **-t-*** à la 3ème personne: Déjeune-t-il? Déjeune-t-elle? Déjeune-t-on? Ce **-t-** est toujours placé à la forme interrogative quand la dernière lettre du verbe est une voyelle (c'est **a** ou **e**).

Ex.: Il va:	Va-**t**-il?	Ex.: Il a:	A-**t**-il?
	Va-**t**-elle?		A-**t**-elle?
	Va-**t**-on?		A-**t**-on?

C. Je n'aime pas **la** musique.

Après le verbe **aimer** n'employez pas **de**. C'est toujours: J'aime **le** sport, J'aime **les** animaux, Je n'aime pas **le** désordre, Il n'aime pas **le** café.

D. Préf**ér**er: Je préf**è**re; exag**ér**er: il exag**è**re; esp**ér**er: j'esp**è**re.

En français, il y a une règle absolue:

$$\boxed{\text{è} + \text{consonne} + \text{e muet}}$$

(Père, mère, frère, pièce, pèse, élève, pèle)

c'est-à-dire, quand la fin d'un mot est **-ère, -èce, -ève, -èse, -èle** etc., il y a toujours un **accent grave** sur le e devant la consonne. Donc, voilà la conjugaison des verbes avec la terminaison **-érer**

J' esp **è**re	J' exag **è**re
Tu esp **è**res	Tu exag **è**res
Il esp **è**re	Il exag **è**re
Nous esp **é**rons	Nous exag **é**rons
Vous esp **é**rez	Vous exag **é**rez
Ils esp **è**rent	Ils exag **è**rent

---

* **-t-il -t-elle, -t-on:** *This* **-t-** *is found in the interrogative form of all verbs of the 1st group (verbs in* **-er***) and also in the interrogative form of* **Il a**: *a-t-il; and* **Il va**: *va-t-il. Although it is often called an euphonious* **t**, *the real reason for its existence is probably the following: In Latin, all verbs had a* **t** *ending in the 3rd person. In*

Le **-s** de la forme **tu** et le **-nt** de la forme **ils** sont muets. Donc, il y a un accent grave à toutes les personnes, excepté à la forme **nous** et **vous** parce que leur terminaison **n'est pas** en **e muet.**

II. *La place de l'adverbe.*

L'adjectif va avec le nom, il est, comme le nom, masculin ou féminin, singulier ou pluriel.
L'adverbe va avec le verbe. Il est **invariable.** L'adverbe est généralement placé **directement après** le verbe.

> Je parle **bien** français.
> Jean-Pierre aime **beaucoup** la musique.
> Nous allons **souvent** au cinéma.
> Je fais **toujours** des fautes d'orthographe.
> Je lis **vite,** mais je n'écris pas **aussi vite.**

ATTENTION : Le comparatif de **bien** est **mieux,** et le superlatif est **le mieux.**
> Je parle **bien** français, mais Jean-Pierre parle **mieux** que moi.
> Qui parle **le mieux** français de la classe?

III. *La construction de deux verbes:* **J'aime aller; j'aime rester; je préfère faire; j'adore écouter;** *etc.*

A. **J'aime aller** au théâtre.
> Nous **aimons rester** chez nous.
> **Préférez-vous dîner** au restaurant?
> Barbara **adore faire** la cuisine.
> Je **voudrais avoir** un chien.

Quand il y a deux verbes employés ensemble, **le deuxième verbe est toujours à l'infinitif.**

> J'aime **beaucoup** aller au théâtre.
> J'aime **mieux** rester chez moi.
> Mon père préfère **souvent** écouter ma mère que discuter avec elle.

Quand il y a deux verbes ensemble, l'adverbe est après le verbe qu'il modifie. C'est généralement le premier verbe. Donc, **l'adverbe est généralement après le premier verbe.**

Vulgar Latin, from which French is derived, pronouns were used more often, and the 3rd person became: Dicit ille? (dit-il?) *Amat ille?* (aime-t-il?). *In other words, the French never lost the habit of pronouncing* -t- *and have to add it now that it has disappeared from the verb itself. All other French verbs, as you will see, have a* **t** *or a* **d** *(sounded as* **t***) at the end of the 3rd person form:* Fait-il? Vend-il?

B. Le futur proche : Je **vais aller** en vacances.

Le verbe **aller** + **un autre verbe infinitif** indique une action future
(*like the English construction : I am going to…*)
Je **vais faire** un voyage au mois de juillet.
Jean-Pierre **va aller** au concert samedi.

C'est une construction très importante et très utile. Vous avez, avec cette construction, le moyen d'exprimer (*the means to express*) **le futur.**

IV. **J'écoute** *la radio;* **je regarde** *la télévision.*

Remarquez la construction de ces deux verbes. (En anglais, ils ont une construction différente.) En français, ils ont un objet direct:

J'écoute la musique de Brahms.
Je regarde le film au cinéma.

ATTENTION: On ne dit pas: *J'écoute à…, je regarde à…*

VOCABULAIRE

Noms

le théâtre	un endroit
le disque	le vétérinaire
le goût	le champignon
la préférence	le bistro
le danseur	un type

Adjectifs

célèbre	idiot(-e)
passionnant(-e)	européen, européenne
obscur(-e)	épatant
formidable	sensationnel, sensationnelle
fou, folle	

Expressions

en ville	sans blague!
chez moi (chez nous, chez vous)	

EXERCICES

I. Quelle est la forme de réponse qui correspond à la question:

Ex: Aimez-vous…? J'aime

Faites-vous?

Préférez-vous?

Aime-t-il mieux?

Passons-nous?

Etudiez-vous...?

Exagérez-vous...?

Parle-t-elle...?

Va-t-on...?

A-t-on...?

Espèrent-ils...?

Remerciez-vous...?

II. Mettez au pluriel. (*Le sens de la phrase indique les mots qui restent au singulier*).

Il aime le sport. Il va souvent à la plage avec ses amis, parce qu'il adore la natation.

Mon camarade regarde le programme de télévision qu'il aime le mieux.

Je (pl. *nous*) fais la cuisine, mais je préfère dîner au restaurant avec une jolie jeune fille.

Il étudie, il passe toute sa soirée à la bibliothèque. Mais quand l'examen arrive, il est fatigué et il dit que la question est trop difficile et que le professeur est fou.

III. Mettez au négatif:

J'aime les mathématiques parce que c'est un sujet passionnant.

Il fait du sport parce qu'il est robuste.

J'aime aller au concert.

Je vais en vacances cet été. J'ai de l'argent et je vais aller visiter des endroits célèbres.

IV. Placez l'adverbe:

Nous ne faisons pas nos devoirs.	(toujours)
Il écoute le professeur.	(bien)
Je fais la cuisine.	(souvent)
Il n'aime pas jouer aux échecs.	(beaucoup)
Je parle français maintenant.	(mieux)
J'espère aller en vacances.	(bien)

V. Complétez les phrases: avec un autre verbe à l'infinitif:

   Ex: Quand on est bon élève, on aime aller au laboratoire.

Quand on n'a pas d'argent, il faut...

J'aime la bonne cuisine; j'adore...

Il n'aime pas la campagne, il préfère…
Quand il fait chaud, on n'a pas besoin…
En hiver, on va souvent…
Je reste à la bibliothèque ce soir parce que je vais…
Aimez-vous mieux jouer aux échecs ou aller…

COMPOSITIONS

Composition orale: un sujet au choix.

A Qu'est-ce que vous aimez faire? Qu'est-ce que vous n'aimez pas faire? Qu'est-ce que vous détestez vraiment faire?

B. Quelle sorte de gens aimez-vous? (J'aime les gens qui…) Quelle sorte de gens détestez-vous?

C. Qu'est-ce que vous faites pendant une journée ordinaire d'université?

D. Le menu de Barbara pour Jean-Pierre.

Composition écrite: un sujet au choix.

A. Imaginez la journée de Jean-Pierre et de Barbara (déjeuner, zoo, dîner, etc.). Ecrivez l'histoire en partie au style de narration, en partie sous forme de dialogue.

B. Quelles sont vos distractions favorites? Quand? Pourquoi?

C. Qu'est-ce que vous allez faire pendant les vacances?

QUINZIÈME LEÇON

Mieux que Christophe Colomb!

LE PRONOM OBJET

Le pronom objet:
Le, la les   Me, nous, vous   Lui, leur

La construction de deux verbes avec le pronom :
Je vais le faire. Je vais lui parler.

Etudiez les phrases suivantes :

Déclaration et question	*Réponse*
Je lis **le journal.** Et vous, **le** lisez-vous ?	Oui, je **le** lis aussi.
Je regarde **la télévision.** Je **la** regarde le soir. Et vous, **la** regardez-vous ?	Je ne **la** regarde pas parce que j'ai du travail.
J'aime **les animaux. Les** aimez-vous ?	Je **les** aime aussi.
Je donne un chèque **à la vendeuse.** Je **lui** donne un chèque. Et vous, **lui** donnez-vous un chèque ?	Non, je ne **lui** donne pas de chèque. Je **lui** donne de l'argent.
Ecrivez-vous **à vos parents ?**	Oui, je **leur** écris. Ma sœur et moi, nous **leur** écrivons souvent.
« Je **vous** aime », dit le jeune homme à la jeune fille. Qu'est-ce qu'elle **lui** dit ?	Si elle **l'**aime, elle **lui** dit: « Je vous aime aussi ».
Parlez-vous **à ces gens ?** Moi, je ne **leur** parle pas parce que je ne **les** trouve pas sympathiques. Et vous, **leur** parlez-vous ?	Oui, je **leur** parle, je **les** trouve très sympathiques et je **les** aime bien.

163

Affiche publicitaire de la Compagnie
Générale Transatlantique
French Line

Bien mieux que Christophe Colomb!

Est-ce que le professeur **nous** trouve intelligents?

Oui, il **nous** trouve intelligents et il **nous** donne de bonnes notes.

Aimez-vous faire **la cuisine**?

Oui, j'aime **la** faire. Mais je préfère **la** manger.

Préférez-vous écrire **à vos amis** ou **leur** téléphoner?

Je préfère **leur** téléphoner (ou: j'aime mieux **leur** téléphoner). Je n'aime pas beaucoup **leur** écrire.

Allez-vous visiter **le zoo** demain?

Oui, je vais **le** visiter avec Jean-Pierre.

Allez-vous faire **vos devoirs** ce soir?

Non, je ne vais pas **les** faire. Je vais **les** faire demain.

Pensez-vous téléphoner **à vos parents** ce week-end?

Non, je ne pense pas **leur** téléphoner.

LECTURE

Mieux que Christophe Colomb!

Ma famille et moi, nous aimons les voyages. Nous les aimons parce que, quand on fait un voyage, on a l'occasion de rencontrer des gens intéressants, de visiter des endroits pittoresques ou des monuments célèbres.

Avant le départ, il faut faire beaucoup de préparatifs. Il faut faire les projets de voyage; nous les faisons ensemble, c'est très amusant. Il faut décider la date du départ. C'est mon père qui la décide. Il faut faire les bagages, c'est ma mère qui les fait.

Cette année, nous allons en Europe, parce que c'est le vingtième anniversaire de mariage de mes parents et que l'Europe est le choix de ma mère. Alors, aujourd'hui, me voilà dans une agence de voyages avec ma mère. C'est l'agence *Voyages Illimités* et ma mère demande des renseignements à l'agent de voyages.

MA MÈRE. Monsieur, je voudrais des renseignements, s'il vous plaît. Me recommandez-vous le bateau ou l'avion pour aller à Paris? Mon mari et moi, nous allons en Europe et nous emmenons nos deux fils.

L'AGENT DE VOYAGES. Ça dépend, madame. L'avion est rapide et je vous le recommande si vous êtes pressée. Le bateau est lent, mais agréable si vous avez le temps.

MA MÈRE.   Le temps? Oh, nous l'avons...

MOI.   Mais il est ridicule de passer une semaine sur le bateau quand on a la possibilité de faire le même voyage en dix heures! Je préfère l'avion!

MA MÈRE.   Mais moi, je ne l'aime pas. J'ai le mal de l'air.

L'AGENT.   Tiens!* Et vous n'avez pas le mal de mer?

MA MÈRE.   Non, je ne l'ai pas. Mon mari me dit que c'est psychologique. Il faut vous dire que j'ai peur en avion, mais que je n'ai pas peur en bateau. Et j'adore passer quelques jours sur un bateau! C'est la meilleure partie de mes vacances. La cuisine est délicieuse, et je n'ai pas besoin de la faire. Et quel service! Ah, monsieur, quand on est maîtresse de maison, on l'apprécie!

L'AGENT.   Alors, je vais vous réserver des places sur le paquebot *France*. C'est le meilleur bateau de la Compagnie Générale Transatlantique et je le recommande à tous mes clients.

MOI.   J'aime mieux faire le voyage en avion, et mon frère aussi. Voyons,† maman, tu ne le trouves pas plus moderne, plus pratique et plus intéressant que ce bateau? Nous ne sommes pas Christophe Colomb!

MA MÈRE.   Quelle ingratitude! Je vous emmène en Europe, sur un bateau de luxe, et ton frère et toi, vous n'êtes pas contents? Nous faisons ce voyage pour célébrer notre 20ème anniversaire de mariage; nous allons l'organiser à notre goût, ton père et moi. Si tu n'es pas content, reste à la maison. Tu as le choix: bateau, ou pas de voyage.

MOI.   Alors, dans ce cas, je vais avec vous, bateau, canoë ou... radeau!

MA MÈRE.   Ah, les enfants! Il ne faut pas les écouter. Monsieur, avez-vous des renseignements sur les hôtels? Y a-t-il un bon hôtel assez central?

L'AGENT.   Je vais vous réserver des chambres à l'Hôtel du Louvre. Je le recommande aussi beaucoup. Les prix sont raisonnables et mes clients le trouvent excellent.

MA MÈRE.   Très bien. J'ai confiance en votre jugement. Préparez, s'il vous plaît, les billets et les réservations. Faut-il emporter beaucoup de bagages? J'ai besoin de vêtements. Faut-il les acheter ici ou en Europe?

L'AGENT.   Beaucoup de gens les achètent en Europe. Ils disent qu'on trouve mieux, surtout à Paris. Ils sont un peu plus chers, mais ils sont chic et différents des vêtements qu'on trouve ici.

MA MÈRE.   Alors, je ne vais pas les acheter ici, je vais les acheter en Europe. Je n'ai pas besoin d'emporter tant de bagages. Je les déteste.

L'AGENT.   Madame, je suis à votre service, et je vais faire tout mon possible pour vous préparer un voyage absolument merveilleux. Et pour vous,

---

* **Tiens!** Exclamation de surprise.

† **Voyons!** Exclamation de remontrance.

monsieur, j'ai une petite surprise pour améliorer votre voyage en bateau: justement, un groupe de jeunes filles qui vont en Europe pour le concours de Miss Beauté Mondiale vont être sur le *France*. Il n'y a que quelques jeunes gens sur la liste des passagers, alors je vous réserve une place à leur table dans la salle à manger ... si j'ai votre permission.

Moi. Vous l'avez, vous l'avez, je vous la donne! Et je vous remercie, monsieur, vous êtes un homme de génie! J'adore le bateau et je le préfère à tous les moyens de transport. Je le dis toujours et on ne m'écoute pas! Je vais faire un voyage formidable! Mieux que Christophe Colomb!

QUESTIONS SUR LA LECTURE

(Employez un pronom — le, la, les, lui, leur, nous, vous, me — chaque fois qu'il est possible de le faire.)

1. Quels sont les membres de cette famille? Aiment-ils les voyages? Pourquoi les aiment-ils? Les aimez-vous?

2. Qui fait les projets? Qui décide la date du départ? Qui fait les bagages?

3. Où vont les membres de cette famille cette année? Pourquoi?

4. Est-ce que la mère du jeune homme parle à l'agent de voyage? Qu'est-ce qu'elle lui demande?

5. Est-ce que l'agent de voyage lui recommande un moyen de transport? Quel est le meilleur moyen de transport si on est pressé? Si on a le temps?

7. A-t-elle le mal de l'air? Et le mal de mer, l'a-t-elle? Pourquoi? Est-ce que son mari a raison? Avez-vous le mal de mer? Et le mal de l'air?

8. Aimez-vous mieux le bateau ou l'avion pour un long voyage? Voudriez-vous faire un voyage en avion?

9. La dame apprécie le service sur le bateau. Son fils ne l'apprécie pas. Pourquoi? Pourquoi préfère-t-il l'avion?

10. Quel paquebot l'agent de voyage recommande-t-il à ses clients? Pourquoi? Recommandez-vous quelquefois votre magasin favori?
Quel programme de télévision me recommandez-vous?

11. Est-ce que le jeune homme est content du choix de sa mère ? Pourquoi ? Comment trouve-t-il l'avion ? Et le bateau ?

12. Quand la mère dit à son fils qu'il a le choix : bateau ou rester à la maison, qu'est-ce qu'il lui dit ? Est-ce que la mère a raison ou tort ? Est-ce qu'il faut toujours écouter les enfants ?

13. Quel hôtel l'agent de voyage recommande-t-il à la dame ? Comment ses clients le trouvent-ils ?

14. Expliquez la différence entre **emporter** et **emmener**. Qu'est-ce que cette dame **emporte** ? Qui **emmène**-t-elle ? Qu'est-ce que vous emportez le matin ? Emmenez-vous quelqu'un ?

15. Comment sont les vêtements en Europe ? Est-ce que cette dame va acheter ses vêtements aux Etats-Unis ou en Europe. Quel est l'avantage ?

16. Est-ce qu'il y a une surprise pour le jeune homme à la fin de la conversation, Est-ce une bonne ou une mauvaise surprise ? Quelle est cette surprise ?

17. Le jeune homme aime-t-il le bateau maintenant ? Pourquoi ? Qu'est-ce qu'il aime aussi surtout probablement ?

PRONONCIATION

nous aimons	nous avons	avez-vous ?
nous l'aimons	nous l'avons	l'avez-vous ?
nous les aimons	nous les avons	les avez-vous ?

je vais acheter	je le dis
je vais l'acheter	je lui dis
je vais les acheter	je leur dis

EXPLICATIONS

I. *Les pronoms objets.*

A. Le pronom **objet direct** qui remplace un objet sans préposition :

    J'aime **le** bateau — je **l'**aime.

    Il regarde **la** télévision — il **la** regarde.

    J'aime **mes** parents — je **les** aime.

Nos parents **nous** aiment.

Le jeune homme dit à sa fiancée: « Je **vous** aime ».

Le professeur **me** trouve intelligent.

Le, la, les, me, te, nous, vous sont les pronoms objet direct, c'est-à-dire qu'ils remplacent le complément d'objet direct.*

B. Le pronom **objet indirect** qui remplace **à** + objet.

Je parle **à ma mère** — je **lui** parle.

Il recommande un hôtel **à ses clients** — il **leur** recommande un hôtel. Donnez-vous votre adresse **à la vendeuse**? Oui, je **lui** donne mon adresse. **Lui** donnez-vous un chèque? Non, je ne **lui** donne pas de chèque. Je **lui** donne de l'argent.

Pour les autres personnes **me, te, nous** et **vous**, le pronom indirect est le même que le pronom direct:

Le professeur **nous** parle.

« Je **vous** recommande cet hôtel » dit l'agent de voyage.

Les pronoms objets remplacent une chose ou une personne.

C. La place des pronoms objets.

J'aime la télévision—je **l'**aime.

J'aime regarder la télévision—j'aime **la** regarder.

Je n'aime pas la télévision—je ne **l'**aime pas.

Je n'aime pas regarder la télévision—je n'aime pas **la** regarder.

J'aime la télévision. **L'**aimez-vous?

J'aime regarder la télévision. Aimez-vous **la** regarder?

Le pronom objet est placé directement devant le verbe.

Quand il y a deux verbes, il est placé devant le verbe dont (of which) **il est l'objet.**

* To recognize a direct object pronoun and an indirect one, you may use the trick taught in French grammar schools. Ask yourself the question, "What"? or "Whom"? If you have an answer to that question it is the direct object:

J'aime ma mère. Qui? « ma mère » is the direct object.

Je regarde la télévision. Quoi? "La télévision" is the direct object.

If you cannot answer the question, "What"? or "Whom"? but need instead to ask, "To whom"? or "Of whom"? or "To what"? or "Of what"? in other words, if you need a preposition to word your question, then you are dealing with an indirect object.

Je parle à ma mère. A qui? (to whom) A ma mère. "A ma mère" is an indirect object.

"Je **lui** parle".

Il demande les renseignements à l'agent. Quoi? (what?) "les renseignements", "Les renseignements" is direct. A qui? (of whom?) A l'agent "A l'agent" is indirect. "Il *les* demande à l'agent" or "Il **lui** demande les renseignements" or "Il **les lui** demande" (see Lesson 17).

II. Emmener *et* **emporter.**

Cette dame **emmène** ses fils et **emporte** ses bagages.

To take (*along*) *a thing:* **Emporter: j'emporte** mes livres le matin.
To take (*along*) *a person:* **Emmener: j'emmène** mon petit frère au zoo.

Quand il pleut, **j'emporte** mon parapluie et **j'emmène** Véronique qui n'a pas de voiture.

III. Il est préférable de... Je suis content de... J'ai le temps de...

Je suis content **d'**aller en Europe.
Nous avons le temps **de** faire un long voyage.
Je suis enchanté **de** faire votre connaissance.
J'ai le temps **d'**étudier.
J'ai peur **de** faire une faute.
Cette dame a l'intention **de** faire un voyage.

En général, après un adjectif ou un nom, il y a **de** devant un infinitif.

IV. Lent *et* **rapide** *(adjectifs).* **Lentement** *et* **vite** *(adverbes).*

L'avion est **rapide. Le bateau** est **lent.**
J'ai dix minutes pour déjeuner: **je déjeune vite.**
J'ai une heure pour dîner: **je dîne lentement.**

Un **adjectif** qualifie un **nom.**
Un **adverbe** qualifie un **verbe** (pour un adverbe, on dit **modifie**).

VOCABULAIRE

Noms

un endroit	un choix
un monument	une agence de voyages
un départ	des renseignements
des préparatifs	un paquebot
des bagages	un avion
le centre	le mal de l'air
la confiance	le mal de mer
un billet	le service
une réservation	la place
un groupe	un client

un concours,   un concours de beauté   un hôtel
une liste   un canoë
une permission   un radeau
un moyen de transport

Verbes

visiter (un endroit, un monument,   apprécier
     une ville)   écouter (une personne, la radio: *avec*
téléphoner   *object direct*)
manger   donner
décider   réserver
recommander   acheter
passer (les vacances, une semaine,   emporter
     le temps)   emmener

Adjectifs

pittoresque   raisonnable
célèbre   psychologique
rapide ≠ lent(-e)   chic (*invariable*)
satisfait(-e)

Expressions

demander des renseignements   avoir confiance en

EXERCICES

I. Remplacez les mots en caractères gras (*boldface*) par un pronom: **le, la, les, lui, leur, me, nous, vous.**

Jean-Pierre invite **Barbara** à visiter le zoo.
Elle dit **à Jean-Pierre** qu'elle aime les animaux.
L'agent recommande **l'Hôtel du Louvre** à M. et Mme Martin.
L'agent recommande l'Hôtel du Louvre **à M. et Mme Martin.**
Je préfère lire **le journal** le soir.
Il aime **le jazz.**
Il aime écouter **le jazz.**
Nous allons faire **la cuisine.** Aujourd'hui, ce n'est pas ma mère qui fait **la cuisine.**
Avez-vous **la réponse?** Moi, je n'ai pas **la réponse.**
Ecrivez-vous **à vos parents?**

II. Répondez aux questions par une phrase avec un pronom objet.

> Ex: Regardez-vous **la télévision?** Oui, je **la** regarde.
>
> Non, je ne **la** regarde pas.

Dites-vous toujours **la vérité?**
Demande-t-on des renseignements **à l'agent de voyage?**
Qu'est-ce qu'il recommande **à ses clients?**
Pourquoi préférez-vous **l'avion?**
Aimez-vous parler **français?**
Pourquoi trouvez-vous **ce monsieur** sympathique?
Donne-t-on son numéro de téléphone **à ses amis?**
Apprécie-t-on **le service** quand on est maîtresse de maison?
Aimez-vous écouter **la radio?**
Trouvez-vous **les mathématiques** faciles?
Qu'est-ce que le jeune homme dit **à l'agent de voyage** à la fin de la lecture?

III. Complétez les phrases suivantes (**lent, rapide, lentement, vite**):

Les avions à réaction (*jets*) sont plus _____ que les avions à hélice.
Lisez le texte suivant _____ et faites attention à chaque mot.
Si on est pressé, on déjeune _____ . Si on a le temps, on déjeune

_____ .

Cet étudiant est _____ . Il a besoin de beaucoup de temps pour
    faire son travail.
Quand le professeur parle français trop _____ , nous lui disons
    «Parlez plus _____ , monsieur, s'il vous plaît».
Le temps passe _____ pendant les vacances. Mais quand je suis au
    tableau, il passe _____ .
Une voiture de sport est _____ . Une bicyclette est plus_____ .

IV. Complétez les phrases suivantes:

> Ex: J'aime écrire des compositions parce que j'ai beaucoup d'imagination.

J'aime faire _____ parce que _____ .
Il est préférable _____ quand _____ .
Je n'ai pas le temps _____ parce que _____ .
Ce jeune homme préfère _____ parce que _____ .
Il est content _____ quand _____ .
Vous avez le mal de mer? Moi, je _____ .

Je trouve cette classe _____ surtout quand _____ .
J'emporte toujours _____ et j'emmène quelquefois _____
  quand _____ .

COMPOSITIONS

Composition orale.

A. Résumez brièvement la lecture.

B. Est-ce qu'il faut écouter les enfants? Est-ce que vos parents vous écoutent
    toujours? Pourquoi? Ont-ils raison?

C. Imaginez une petite conversation du jeune homme de la lecture avec les
    jeunes filles qui sont à sa table pendant le voyage.

D. Imaginez une conversation entre la dame de la lecture et son mari.
    Employez les verbes « trouver », « acheter », « emporter », « emmener ».

Composition écrite.

A. Comparez un voyage en avion et un voyage en bateau. Quel moyen de
    transport préférez-vous? Pourquoi le préférez-vous?

B. Qu'est-ce que vous n'aimez pas faire? Pourquoi n'aimez-vous pas le faire?
    Qu'est-ce que vous voudriez faire? Pourquoi voudriez-vous le faire?

SEIZIÈME
LEÇON

A la Banque

Le pronom indirect **en** et le pronom **y**

Leur place

Déclaration et question	*Réponse*
Avez-vous **du travail?** Moi, j'**en ai.**	Moi aussi, j'**en** ai. J'**en** ai beaucoup.
Avez-vous **de l'argent?** Moi, j'**en** ai.	Hélas, je n'**en** ai pas. Mais j'**en** voudrais.
Avez-vous **une voiture?**	Non, je n'**en** ai pas. Mais mon père **en** a une.
Je gagne **de l'argent**. Et vous, **en** gagnez-vous?	J'**en** gagne un peu.
. . .	. . .
Mon livre est **sur la table.** Il **y** est. Est-ce que ma serviette est **sur la table** aussi?	Oui, elle **y** est. Mais votre cahier n'**y** est pas.
Etes-vous **dans la classe? Y** êtes-vous?	Oui, j'**y** suis. Mais quand je suis absent, je n'**y** suis pas.
Est-ce que mon sac est **par terre?**	Oui, il **y** est.
Je vais **à la banque. J'y** vais le samedi. **Y** allez-vous?	Oui, j'**y** vais. J'**y** vais le lundi généralement. En fait, j'**y** vais aujourd'hui.
Déjeunez-vous **au restaurant?**	Non, je n'**y** déjeune pas.

Un billet de dix francs orné du portrait de Voltaire.

Il y a **une porte dans la classe.** Il y **en** a une. Y a-t-il aussi **des fenêtres ?**

Oui, il y **en** a quatre.

Y a-t-il **des fautes** dans votre composition ?

Non, il n'**y** en a pas. Elle est entièrement correcte.

Aimez-vous avoir **de l'argent** dans votre poche ?

Oui, j'aime **en** avoir. Mais je n'aime pas **en** avoir beaucoup.

Préférez-vous avoir **un compte en banque ?**

Certainement, je préfère **en** avoir un.

Allez-vous déposer votre chèque **à la banque ?**

Oui, je vais **y** déposer mon chèque cet après-midi.

Avez-vous l'intention de déposer tout votre argent **à la banque** ou de dépenser **une partie de votre argent ?**

J'ai l'intention d'**y** déposer tout mon argent. Je n'ai pas l'intention d'**en** dépenser.

LECTURE

A la banque

Pendant le semestre, je ne travaille pas, mais pendant les vacances, je travaille dans un bureau, trente heures par semaine.

Je gagne de l'argent. Je n'en gagne pas beaucoup, mais quand je touche mon chèque le vendredi, je suis très fier. Je vais à la banque. J'y vais tout de suite. J'écris mon nom et le numéro de mon compte en banque sur une fiche spéciale. Je signe mon chèque, et je le donne, avec la fiche, à l'employé qui est derrière le guichet.

Cet employé est un jeune homme de mon âge, et je le trouve sympathique. Nous avons souvent une petite conversation et aujourd'hui, je lui demande:

MOI.   Travaillez-vous toujours à cette banque, ou êtes-vous étudiant pendant l'année, comme moi?

L'EMPLOYÉ DE BANQUE.   J'y travaille seulement pendant les vacances. Je suis étudiant le reste du temps. Et vous, où travaillez-vous?

MOI.   Je suis employé de bureau, dans une grande affaire qui s'appelle *Art International*. C'est une maison d'importation. J'y travaille seulement pendant les vacances, mais j'aime bien mon travail. Je l'aime parce que je rencontre beaucoup de gens intéressants. Il y en a de tous les pays du monde et je leur parle français. Beaucoup de gens le parlent, même si ce n'est pas leur langue maternelle.

L'EMPLOYÉ DE BANQUE.   Dans une banque aussi, on rencontre des gens intéressants... Déposez-vous votre chèque, ou avez-vous besoin d'argent comptant?

MOI.   Non, je n'en ai pas besoin. Voilà mon chèque. Je le dépose à mon compte. J'ai un peu d'argent de poche, c'est assez pour la semaine.

L'EMPLOYÉ DE BANQUE.   Avez-vous besoin d'un carnet de chèques?

MOI.   Non, merci. Si j'ai un carnet de chèques dans ma poche, ou de l'argent comptant, la tentation est trop forte, et je dépense tout mon argent. Après, je le regrette, parce que je travaille pour faire des économies pour le reste de l'année. Et si j'ai un carnet de chèques, je n'en fais pas.

L'EMPLOYÉ DE BANQUE.   Tiens, je ne suis pas comme vous. J'aime faire des économies et j'en fais beaucoup. Si je n'en fais pas, je n'ai pas les moyens d'aller à l'université.

MOI.   Avez-vous l'intention de rester dans une banque après vos études?

L'EMPLOYÉ DE BANQUE.   Oui, j'ai l'intention d'y rester et d'y faire ma carrière. J'aime y travailler et j'espère y faire une situation intéressante.

MOI.   Vous avez de la chance! Je n'ai pas de projets d'avenir. Mes parents me demandent souvent si j'en ai, mais je leur répète que je n'en ai pas.

Je voudrais aller en Europe, y passer quelques années, y étudier l'art...
Mais je n'ai pas les moyens de le faire... Je ne suis pas très réaliste!

L'EMPLOYÉ DE BANQUE.   Je vous trouve très réaliste, au contraire! Vous déposez
votre chèque à la banque et vous faites des économies. Les gens qui ne
sont pas réalistes le dépensent!

MOI.   Hélas, non. Je suis rêveur... J'admire les gens qui ont des idées précises
et déterminées. Je n'en ai pas. Un jour j'adore la musique, une semaine plus
tard, je la déteste. Un autre jour je voudrais étudier les sciences. Une
semaine plus tard, je les déteste aussi. Mais... il est midi. Avez-vous le temps
de déjeuner avec moi?

L'EMPLOYÉ DE BANQUE.   Oui, la banque est fermée de midi à une heure. J'ai
une heure pour le déjeuner. Allons au petit restaurant au coin de la rue,
La Tasse d'Or. J'y vais souvent. Il n'est pas cher, et nous sommes tous les
deux pauvres et économes. Mais, à propos, je m'appelle Richard Murphy...

MOI.   Je m'appelle André Ancelin et je suis enchanté de faire votre connaissance. Je suis content d'avoir mon argent dans une banque où le personnel
est si sympathique!

QUESTIONS SUR LA LECTURE

Employez tous les pronoms qu'il est possible d'employer.

1. Travaillez-vous pendant le semestre? Et pendant les vacances? Gagnez-
   vous de l'argent?

2. Quand le jeune homme de l'histoire va-t-il à la banque?
   Allez-vous quelquefois à la banque? Quand y allez-vous?

3. Est-il embarrassé quand il va à la banque avec son chèque? Qu'est-ce
   qu'il faut écrire sur la fiche spéciale quand vous déposez votre chèque?
   Faut-il signer le chèque?

4. Avez-vous un compte en banque? Y avez-vous beaucoup d'argent?
   Pourquoi?

5. Est-ce que le jeune employé de banque est aussi étudiant? Quand?
   Comment André le trouve-t-il?

6. Est-ce qu'André travaille dans un garage pendant les vacances? Où
   travaille-t-il? Comment trouve-t-il son travail? Pourquoi?

7. Est-ce qu'André a besoin d'argent? Est-ce qu'il dépose tout son chèque ou seulement une partie?

8. A-t-il besoin d'un carnet de chèques? Emploie-t-il des chèques? Avez-vous besoin d'un carnet de chèques? Pourquoi?

9. Quelle tentation a-t-on, si on a un carnet de chèques dans sa poche? (On a la tentation de...) Avez-vous la même tentation si vous avez beaucoup d'argent sur vous? Alors, qu'est-ce qu'il faut faire?

10. Est-ce que le jeune employé de banque a l'intention de rester à la banque après ses études? Pourquoi?

11. Et André, qu'est-ce qu'il voudrait faire? A-t-il des projets d'avenir? En avez-vous? Qu'est-ce que vous avez l'intention de faire? Est-ce une vocation?

12. Si un jeune homme travaille, dépose son argent à la banque et fait des économies, est-ce probablement un rêveur ou un réaliste? Etes-vous rêveur ou réaliste? Pourquoi?

13. Faites-vous des économies? Pourquoi?

14. André est fier quand il va à la banque avec son chèque. Quand êtes-vous fier?

15. Est-ce que les goûts d'André changent? De quelle manière? Aimez-vous toujours les mêmes choses?

16. Quelle est la fin de la conversation entre les deux jeunes gens? Et quelle est la conclusion d'André?

PRONONCIATION

J'en ai   Je n'en ai pas
Il y en a   Y en a-t-il?
Il n'y en a pas

Je suis fier.   la mer   cher—chère   le fer

-er final est prononcé **é** excepté dans les mots d'une syllabe (monosyllabiques) où il est prononcé comme **ère.**

Quand **-er** est la terminaison d'un verbe il est toujours prononcé **é.**

aimer   créer   déposer

EXPLICATIONS

I. *Le pronom* **en.**

> Avez-vous **de l'argent?** Oui, j'**en** ai. Non, je n'**en** ai pas.
> Y a-t-il **des fautes** dans cet exercice? Oui, il y **en** a. Non, il n'y **en** a pas.
> Avez-vous **un téléphone?** Oui, j'**en** ai **un.**
> Avez-vous **des frères?** Oui, j'**en** ai **deux.**
> Avez-vous **des livres?** Oui, j'**en** ai **beaucoup.**

En est un pronom objet indirect qui remplace un complément précédé par **de** ou par **un.** Dans les exemples précédents, **en** remplace **une expression de quantité** ou **de nombre: de l'**argent, **des** fautes, **des** frères, **des** livres, **un** téléphone, etc.

L'usage de **en** n'est pas limité à l'expression de quantité ou de nombre. Regardez les exemples suivants:

> J'arrive **de Paris.** J'**en** arrive par avion.
> Etes-vous fatigué **de la cuisine** de ce restaurant? Oui, j'**en** suis fatigué, elle n'est pas variée!
> Parlez-vous **de vos classes** avec vos camarades? Oui, nous **en** parlons beaucoup; c'est notre principal sujet de conversation, nous n'**en** avons pas de plus important.

En remplace tout complément précédé par **de*** quel que soit (*whatever may be*) le sens de ce **de.**

II. *Le pronom* **y.**

> Allez-vous **à la banque?** Oui, j'**y** vais. Non, je n'**y** vais pas.
> Est-ce que mon sac est **sur la table?** Oui, il **y** est. Non, il n'**y** est pas.
> Déjeunez-vous **au restaurant?** Oui, j'**y** déjeune. Non, je n'**y** déjeune pas.
> Le lion est-il **dans sa cage?** Oui il **y** est.

Y est un pronom objet indirect qui remplace un complément précédé par une préposition autre que **de: à, sur, dans, sous, entre, devant, derrière,** etc., c'est-à-dire généralement **une préposition de situation.**

L'usage de **y** n'est pas limité à l'expression de situation. Regardez l'exemple suivant:

> Je joue **au tennis.** Et vous, **y** jouez-vous? Non, je n'**y** joue pas.

---

* *Grammar books will state that* **en** *should be used to replace* **things** *only:*
> Parlez-vous de vos classes? J'en parle.

To replace names of **persons** *the disjunctive pronoun should be used:*
> Parlez-vous de moi? Oui, je parle de vous.

But this rule is seldom followed in modern informal French.

Y remplace tout complément **d'objet** précédé par une préposition autre que **de** (le plus souvent **à**) même si cette préposition n'indique pas la situation ou la location.

ATTENTION: J'écris **à mes parents.** Je **leur** écris.

Je parle **à ma soeur** (ou **à mon frère**). Je **lui** parle.

N'employez pas **y** pour remplacer un nom de personne. Pour remplacer un nom de personne précédé par **à** (**au** professeur, **à** un ami, **à** une dame, **à** cette jeune fille, **à** mes parents, etc.) employez **lui** ou **leur.**

III. La place de en et de y.

A. Avec un verbe:

Déclaration	Question	Réponse
Je vais **à la banque.**	**Y** allez-vous?	J'**y** vais.
		Je n'**y** vais pas.
J'ai **de l'argent.**	**En** avez-vous?	J'**en** ai.
		Je n'**en** ai pas.

Dans la déclaration, la question et la réponse, **y** et **en** sont placés avant le verbe.

B. Avec deux verbes:

Je vais rester **à la maison.**	Allez-vous **y rester?**	Je vais **y rester.** Je ne vais pas **y rester.**
J'aime écrire **des lettres.**	Aimez-vous **en écrire?**	J'aime **en écrire.** Je n'aime pas **en écrire.**

Quand il y a deux verbes, **y** et **en** sont placés avant le verbe dont (*of which*) ils sont l'objet, dans la déclaration, la question et la réponse.

C. Il y en a.*

Il y a **des fautes**	**Y en** a-t-il?	Il **y en** a.
		Il n'**y en** a pas.

Dans les phrases **il y en a, il n'y en a pas, y en a-t-il?** **y** est toujours devant **en** et ils sont ensemble, devant le verbe.

** Here is a mnemotechnic aid used in French elementary schools. To remind children that **y** always goes before* **en** (**Y en** a-t-il? Il **y en** a, Il n'**y en** a pas), *they are told to remember that it goes like the donkey: the donkey in French says "hi han", which sounds just like "y en".*

VOCABULAIRE

Noms

l'argent, l'argent comptant

la banque

un chèque

un carnet de chèques

un compte en banque

des économies

un guichet

un bureau

un numéro

l'avenir

une situation

une affaire

un employé, une employée

un employé de bureau

un employé de banque

le personnel

un pays

une langue (maternelle, étrangère)

la tentation

les études

la vocation

Adjectifs

maternel, maternelle

fort(-e)

riche ≠ pauvre

enchanté(-e)

réaliste

rêveur, rêveuse

économe ≠ dépensier, dépensière

sympathique ≠ antipathique

Verbes

travailler

gagner

toucher (un chèque)

étudier

détester

demander

déposer

dépenser

rester

admirer

regretter

jouer

Expressions

par semaine, par jour

faire des économies

faire la connaissance de quelqu'un

avoir l'intention de

EXERCICES

I. Remplacez les mots en caractères gras (*boldface*) par **en** ou **y:**

Il va souvent **à la plage.**

J'ai besoin **de temps.**

Il a toujours **des idées.**

Jean-Pierre a **une soeur.**
Vous allez **au tableau.**
Mes affaires sont **sur mon lit.**
Les poissons sont **dans l'aquarium.**
Je ne passe pas mes vacances **en ville.**
Y a-t-il **des questions?**
Jouez-vous **aux échecs?**
Déposez-vous votre argent **à la banque?**
J'aime faire **des économies.** Et vous, aimez-vous faire **des économies?**
Ma soeur adore parler **au téléphone!** Aimez-vous aussi parler **au téléphone?**
Je voudrais déjeuner **à ce restaurant.** Voulez-vous déjeuner **à ce restaurant**
   avec moi?

II. Remplacez les mots en caractères gras (*boldface*) par un pronom: **le, la, les,**
   lui, leur, y ou **en.**

Aimez-vous **les animaux?** Oui, j'aime beaucoup **les animaux.**
Nous avons besoin **d'imagination.** Avez-vous **de l'imagination?** Moi, je
   n'ai pas beaucoup **d'imagination.**
Il y a **des gens** qui sont riches parce qu'ils sont économes et il y a **des gens**
   qui sont riches parce que leur père est économe!
Aimez-vous la musique? Non, je déteste **la musique!** Je préfère le tennis.
   Nous jouons souvent **au tennis.**
Ecrivez-vous **à vos parents?** Oui, j'écris **à mes parents** une fois par semaine.
   Je dis **à mes parents** que tout va bien.
Quand les clients vont **dans une agence de voyages,** l'employé qui est **dans**
   l'agence donne des renseignements **aux clients.**

III. Répondez aux questions en employant un pronom.

   Ex: Avez-vous des amis? Oui, j'en ai. Non, je n'en ai pas.

La maison de mes rêves, est-elle **au bord de la mer?** Non, elle... Oui, elle...
Y a-t-il des légumes congelés **dans ce marché?**
Parlez-vous **anglais?** Et **français?**
Avez-vous **des projets d'avenir?**
Aimez-vous regarder **la télévision?**
Jean-Pierre adore-t-il **les animaux?**
Barbara fait-elle **de la bonne cuisine?**
Parlez-vous quelquefois **de votre professeur de français?**
Allez-vous dîner **au restaurant** ce soir?

A-t-on besoin d'**une voiture dans votre ville?**
Y a-t-il **des élèves qui parlent chinois dans la classe?**
Avez-vous beaucoup **d'argent?**

IV. Exercice de vocabulaire.

Expliquez en français les mots en caractères gras (*boldface*) (votre explication peut être une paraphrase, ou en exemple, ou une définition. Mais c'est une phrase complète qui explique le sens du mot) :

Ce monsieur est **économe.**

Sa femme est **dépensière.**

J'ai des **projets d'avenir.**

Nous sommes **tous les deux** pauvres.

Le personnel de ce bureau est **sympathique.**

COMPOSITIONS

Composition orale.

Un paragraphe, et employez tous les pronoms : **le, la, les, lui, leur,** mais particulièrement **y** et **en** :

A. Avez-vous un compte en banque? Pourquoi? Quelle est votre opinion des gens qui ont un compte en banque? Ont-ils raison? Pourquoi?

B. Travaillez-vous? Gagnez-vous de l'argent? Pourquoi?

C. Est-il préférable de dépenser tout son argent ou au contraire de faire des économies? En faites-vous? Pourquoi?

Composition écrite.

Vous êtes devant la banque, avec votre chèque de la semaine dans votre poche, et vous êtes très fier. Vous rencontrez un camarade qui ne gagne pas d'argent. Il vous demande où vous allez. Imaginez votre conversation.

DIX-SEPTIÈME LEÇON

Le Château de Sable

Les verbes du 2ème groupe : **Finir ; Choisir ; Brunir ;** *etc.*

Les verbes comme : **Partir**

La construction de deux verbes avec une préposition :
Je finis de travailler. Je commence à brunir.

Etudiez les phrases suivantes :

Déclaration et question

Réponse

La classe de français commence à 9 heures et **elle finit** à 10 heures. A quelle heure finit votre classe précédente ?

Elle finit à 9 heures moins 10.

Finissez-vous toujours votre travail le soir ?

Malheureusement, non. **Nous** le **finissons** quelquefois le matin, quelques minutes avant la première classe. Les étudiants qui le **finissent** le soir ont de bien meilleures notes en général.

Quand **réfléchissez-vous ?**

Je réfléchis quand j'ai un problème difficile. Les jeunes gens **réfléchissent** beaucoup avant de faire des projets d'avenir.

Les gens qui sont blonds **rougissent** au soleil. Et vous, y **rougissez-vous ?**

Non, **je** n'y **rougis** pas. Je suis brun et je **brunis.**

. . . . . .

Je **pars** de chez moi à 8 heures. A quelle heure **partez-vous ?**

Je pars à 8 heures aussi. Nous **partons** à la même heure.

187

EDGAR DEGAS

Bains de Mer ; Petite fille peignée par sa bonne
The National Gallery, London

Une petite fille, sous une ombrelle, à la plage. C'est une
scène de plage d'un autre âge, mais la nature reste la même.

Je ne **sors** pas souvent le soir. Et vous, **sortez-vous** souvent?

Je ne **dors** pas en classe. Et vous, **dormez-vous** en classe?

Quand je suis en retard, **je cours. Courez-vous** aussi?

. . . .

J'oublie quelquefois **de faire** un devoir important. Qu'est-ce que vous oubliez de faire?

Vous travaillez dans un bureau après la classe, n'est-ce pas? A quelle heure **finissez-vous de travailler?**

Au mois de novembre, **il commence à faire froid.** Quand commence-t-il à neiger dans votre ville?

Je ne **sors** pas souvent pendant la semaine. Mais **nous sortons** quelquefois pendant le week-end.

Ça dépend. Si la classe est monotone, **nous dormons.**

Nous courons d'une classe à l'autre, parce que nous n'avons que dix minutes entre les classes.

. . . .

J'oublie souvent **de remonter** ma montre. Et quand **j'oublie de la remonter,** je suis en retard. Mais je n'oublie jamais mes livres.

Je **finis de travailler** à 7 heures du soir. Quand je finis mon travail, je vais dîner.

Il commence à y **neiger** au mois de décembre. Quand il neige, nous commençons vraiment notre hiver.

LECTURE

Le château de sable

Les classes finissent au mois de juin et pendant tout l'été, la plage est un endroit merveilleux: il y fait si bon! Des quantités de jeunes gens et de jeunes filles y vont et ils y passent l'après-midi assis à l'ombre de leur ombrelle de plage ou allongés au soleil...

Naturellement, nos amis Jean-Pierre, sa sœur Véronique, Barbara, Carol, Bob et André y sont. Les voilà, là-bas, qui brunissent au soleil; c'est-à-dire, excepté Carol qui est assise à l'ombre de son ombrelle de plage. La pauvre Carol est rousse et elle obligée de faire attention parce qu'elle rougit au soleil.

CAROL. Vous avez de la chance, Véronique! Vous brunissez si vite au soleil! Moi, je rougis, c'est terrible...

VÉRONIQUE. C'est parce que vous êtes rousse. Les blondes et les rousses ne brunissent pas vite. Mais moi, je pâlis en hiver aussi vite que je brunis en été.

JEAN-PIERRE. Je suis fatigué de rester allongé et de dormir. J'ai une idée! Nous allons bâtir un château de sable!

BOB. (dédaigneux) C'est pour les enfants! Nous n'avons pas six ans! Nous ne sommes pas des bébés!

LES AUTRES. (enthousiasmés) Si, si, justement, c'est une bonne idée.

BARBARA. Il faut choisir un endroit où le sable est humide. Mais si nous en choisissons un trop près de l'eau, la marée va le démolir. Elle commence à monter...

ANDRÉ. Mais c'est amusant, au contraire! Nous bâtissons un château, et les vagues le démolissent. En fait, c'est très symbolique de l'inutilité des efforts humains...

CAROL. Bâtissons-nous notre château, ou écoutons-nous une conférence de philosophie par le célèbre professeur André?

JEAN-PIERRE. Silence! Je suis l'architecte. Vous êtes les ouvriers. L'architecte donne des instructions et les ouvriers obéissent. Eh bien, Véronique, où vas-tu?

VÉRONIQUE. Sous l'ombrelle de Carol. J'ai un maillot neuf; je ne voudrais pas le salir. Et aussi, j'ai une manucure toute fraîche et j'ai peur de la salir.

JEAN-PIERRE. Si nous réussissons à bâtir ce château, je propose d'y avoir un donjon pour la Princesse Véronique! (lyrique) La Princesse à la Manucure, assise à sa fenêtre, regarde la mer... Hélas! Hélas! Pas de bateau à l'horizon, pas de Prince... Mais la consolation de la Princesse, c'est son maillot neuf et sa manucure impeccable...

VÉRONIQUE. Jean-Pierre, je te déteste! Si tu continues, je vais partir.

BOB. Et notre architecte, alors, qu'est-ce qu'il fait? Oublie-t-il de faire des plans?

JEAN-PIERRE. Non, non! Les voilà! Ici, nous bâtissons un mur circulaire, avec un fossé autour. A l'intérieur de ce mur, il faut avoir le château, avec des tours. Très bien, oui, voilà le mur qui grandit. C'est parfait! Plus haut, plus haut! Il faut beaucoup de sable humide. Barbara, choisissez des coquillages et des algues pour décorer la grande tour. Et il ne faut pas oublier le drapeau! Véronique! Où vas-tu?

VÉRONIQUE. (*exaspérée*) Je n'obéis pas à l'architecte. Je commence à être fatiguée, et je lui dis zut, zut et zut! Bâtissez votre château sans moi.

JEAN-PIERRE. Oh, Princesse, quel langage! Eh bien, tant pis, Princesse, nous n'avons pas besoin de vous... Très bien, Barbara, ces coquillages sont jolis, vous avez du goût. Et ce drapeau sur la grande tour... Mais c'est un drapeau noir avec une tête de mort! C'est un château de pirates! Bravo! Vous avez de l'imagination! Je vais être le capitaine des pirates.

ANDRÉ. Attention, voilà une vague! Finissons vite ce mur!

JEAN-PIERRE. Il faut du sable! du sable! Si nous réussissons à finir le mur avant la prochaine vague, nous sommes victorieux! Vite, vite, les ouvriers!

.   .   .   .   .   .

Mais la deuxième vague arrive trop vite, et la troisième vague fait un trou dans les fortifications et à la cinquième, le beau château n'est qu'une masse de sable informe que la vague suivante emporte complètement. Les jeunes gens pendant ce temps, sont comme des enfants: animés, les pieds dans l'eau, ils renforcent leur construction... Mais c'est fini: la marée réussit toujours contre les châteaux de sable. Et les voilà de nouveau assis sur le sable.

ANDRÉ. (*toujours philosophique*) Les hommes ne réfléchissent pas assez à l'inutilité de leurs efforts...

BOB. Oui, André, oui. Maintenant, j'ai faim. Barbara, avons-nous des sandwichs?

BARBARA. Oui, les voilà. Je pense toujours aux sandwichs.

JEAN-PIERRE. J'ai soif. Où est ma sœur?

CAROL. Elle est au petit café, sur la promenade... La voilà, avec des bouteilles de limonade,* parce que son frère oublie toujours de les emporter.

JEAN-PIERRE. (*contrit*) Oh, je regrette! Véronique, ma petite Véronique, je suis désolé. Je suis un type impossible! Vas-tu me punir?

VÉRONIQUE. (*magnanime*) Oh non, je ne vais pas te punir. Jean-Pierre, mon petit Jean-Pierre, je regrette, je suis désolée! Mais je n'ai que cinq bouteilles de limonade. Et nous sommes six... Comme c'est dommage!

---

* **Des bouteilles de limonade:** La limonade *is the general term equivalent to* "*soda pop.*" "*Lemonade*" *is* citronnade. *You may also order* "un citron pressé", *in which case the waiter brings you a lemon, a squeezer, water, and sugar.*

QUESTIONS SUR LA LECTURE

1. Quand commence le semestre de printemps? Quand finit-il? A quelle heure finissent vos classes aujourd'hui?

2. Comment est la plage au mois de juillet? Y allez-vous quelquefois? Votre ville est-elle au bord de la mer? D'un lac? D'une rivière?

3. Quand on est sur la plage, est-on à l'ombre ou au soleil? Préférez-vous être allongé à l'ombre ou au soleil? Pourquoi?

4. Quand rougissez-vous? Quand pâlissez-vous? Est-ce que les feuilles jaunissent en automne ou au printemps? Grandissez-vous maintenant?

5. Si on mange trop, on grossit. Quand on grossit, de quoi a-t-on besoin?

6. Si on veut bâtir un château de sable, quel endroit faut-il choisir? Si on le bâtit près de l'eau, que fait la marée?

7. Que font les ouvriers? Est-ce que les ouvriers obéissent à l'architecte? Obéissez-vous à quelqu'un?

8. Véronique n'a pas envie de bâtir le château avec les autres. Pourquoi? Sur quel adjectif est formé le verbe **salir?** Est-ce que le sable de la mer est sale? Qu'est-ce qui est sale?

9. Jean-Pierre est-il gentil avec sa sœur? Les frères sont-ils souvent méchants avec leur sœur? Pourquoi?

10. Faites une description du château que les jeunes gens bâtissent. Que faut-il choisir pour le décorer?

11. Véronique obéit-elle à l'architecte? Pourquoi? Est-il très poli de dire « Zut » à quelqu'un? Le dites-vous? Pourquoi?

12. Quand le château est fini, que font les vagues? Est-ce extraordinaire? Est-ce que la marée réussit toujours contre les châteaux de sable?

13. Qu'est-ce que Jean-Pierre oublie toujours? Barbara pense-t-elle aux sandwichs?

14. Quelle est la vengeance (*revenge*) de Véronique? A-t-elle raison ou tort?

PRONONCIATION

choisir   réussir

nous choi**s**i**ss**ons   nous réu**ss**i**ss**ons

Un **s** entre deux voyelles est prononcé **z**. Un **s** qui n'est pas entre deux voyelles ou qui est double **ss** est prononcé **s**.

Ex: nous sai**s**i**ss**ons   nous sali**ss**ons   vous choi**s**i**ss**ez
ils réu**ss**i**ss**ent

EXPLICATIONS

I. *Les verbes en* **-ir,** *ou verbes du 2ème group:* **finir.**

A. Les verbes du 2ème groupe ont la terminaison de leur infinitif en **-ir:**

fin**ir**, chois**ir**, obé**ir**, réuss**ir**, bât**ir**, démol**ir**, réfléch**ir**.

Voilà la conjugaison de ces verbes:

Finir		**Choisir**	
Je fin	is	Je chois	is
Tu fin	is	Tu chois	is
Il fin	it	Il chois	it
Nous fin **iss** ons		Nous chois **iss** ons	
Vous fin **iss** ez		Vous chois **iss** ez	
Ils fin **iss** ent		Ils chois **iss** ent	

REMARQUEZ: -iss dans: nous fin**iss**ons, vous fin**iss**ez, ils fin**iss**ent. Ce **-iss** s'appelle un infixe.*

---

* *This* –iss– *which appears in the plural persons of verbs of the second conjugation is called the* **inchoative infix** *(l'infixe inchoatif). It derives etymologically from the* –esc– *infix found in Latin verbs which indicate passage from one state to another, like for instance:* senescere, *to grow old,* adulescere, *to grow up or become an adult,* florescere, *to bloom. This* –esc– *infix remains unchanged in many English and French words, for instance:* adolescent, convalescent, obsolescent, *the meaning of which always includes the idea of a process of transformation.*

Once this is clear, it is easy to understand why French verbs formed on adjectives (and sometimes on nouns, like fleurir*) will take this infix. To become red is* rougir, *to become tall is* grandir, *for instance, and they are conjugated like* finir.

B. Le verbes formés sur des adjectifs.

Beaucoup de verbes sont formés sur des adjectifs. Par exemple: **brun, brunir; rouge, rougir.** Ces verbes sont conjugués comme **finir.** Voilà quelques adjectifs et les verbes qui en dérivent:

Adjectifs de couleur	Verbe	Autres adjectifs	Verbe
blanc	blanchir	grand*	grandir
noir	noircir	pâle	pâlir
vert	verdir	sale	salir
rouge	rougir	beau / belle	embellir
brun	brunir		
jaune	jaunir	vieux / vieille	vieillir
bleu	bleuir		
blond	blondir	jeune	rajeunir

II. *Les verbes en* -ir *du 2ème groupe qui n'ont pas l'infixe:* **partir, sortir, courir, dormir.**

Voilà la conjugaison de ces verbes:

Partir	**Sortir**
Je par s	Je sor s
Tu par s	Tu sor s
Il par t	Il sor t
Nous part ons	Nous sort ons
Vous part ez	Vous sort ez
Ils part ent	Ils sort ent

Ex: Je **pars** de la maison à huit heures.

L'avion **part** de l'aérodrome et le bateau **part** du port.

Je ne **sors** pas souvent pendant la semaine.

Ne **sortez** pas de la classe pendant l'examen.

*Although it would be very tempting to form a similar verb on petit, *the verb "to grow small" or "to make small," is* rapetisser:

La maison a l'air de **rapetisser** quand la famille grandit.

But even in the case of this exception to the rule, note the presence of the –iss– *infix.*

Courir	Dormir
Je cour s	Je dor s
Tu cour s	Tu dor s
Il cour t	Il dor t
Nous cour ons	Nous dor mons
Vous cour ez	Vous dor mez
Ils cour ent	Ils dor ment

Ex: Je **cours** quand je suis pressé.
Ne **dormez** pas pendant la classe!

III. *La construction de deux verbes avec une préposition (**à** ou **de***):

J'oublie de... Je finis de... Je commence à...

Dans la Leçon 15, il y a l'explication de la construction de deux verbes **sans** préposition: **J'aime faire** la cuisine; **je préfère rester** chez moi; **je voudrais** vous **parler; je pense aller** en vacances.

Quand deux verbes sont employés ensemble, le deuxième est infinitif.

A. Quelques verbes ont besoin d'une préposition (**à** ou **de**) devant un autre verbe:

> J'**oublie de remonter** ma montre.
> Il **finit de faire** sa composition.
> Il **commence à faire** chaud.

Naturellement, la préposition est nécessaire seulement devant un autre verbe. S'il n'y a pas d'autre verbe, il n'y a pas de préposition:

> J'**oublie ma montre** quand je suis pressé.
> Il **finit sa composition.**
> Je **commence un livre** intéressant.

B. La place du pronom objet:

> J'oublie **ma montre. L'**oubliez-vous? Oui, je **l'**oublie.
> J'oublie **de** remonter *ma montre*. Oubliez-vous **de** *la* remonter? Oui, j'oublie **de** *la* remonter.

Je finis **ma composition. La** finissez-vous? Oui, je **la** finis.

Je finis **de** faire *ma composition.* Finissez-vous **de** *la* faire? Oui, je finis **de** *la* faire.

Ma sœur commence **à** faire *la cuisine.* Commence-t-elle **à** *la* faire? Oui, elle commence **à** *la* faire.

Révisez la Leçon 15. La place du pronom objet est toujours devant le verbe dont (*of which*) il est l'objet. Si le pronom est l'objet du deuxième verbe, il va devant le deuxième verbe.

VOCABULAIRE

Noms

une montre	un pirate
l'ombre (à l'ombre)	une conférence
le soleil (au soleil)	un architecte
une ombrelle	un ouvrier, une ouvrière
un château de sable	un maillot
la marée	une manucure
une vague	un donjon
l'inutilité ≠ l'utilité	une princesse, un prince
un effort	une consolation
un fossé	des plans
une tour	une masse
un coquillage	une bouteille
des algues	une bouteille de limonade
un drapeau	le langage

Verbes

finir	obéir
brunir	réfléchir
rougir	réussir
pâlir	punir
choisir	partir
bâtir ≠ démolir	sortir
dormir	courir
salir	
	décorer

Adjectifs

assis(-e) $\neq$ allongé(-e) $\neq$ debout (*invariable*)   informe

symbolique   animé(-e)

neuf, neuve   désolé(-e)

vieux, vieille   humide

dédaigneux, dédaigneuse   exaspéré(-e)

victorieux, victorieuse   impeccable

Expressions

tant pis $\neq$ tant mieux   à l'intérieur de $\neq$ à l'extérieur de

EXERCICES

I. Quelle est la forme correcte du verbe?

Finir: je _____   Bâtir: ils _____   Sortir: je _____
    vous _____   elle _____   ils _____

Réussir: il _____   Lire: vous _____   Préférer: je _____
    vous _____   il _____   nous_____

Aller: je _____   Faire: vous _____   Penser: vous _____
    vous _____   nous _____   je _____

Partir: je _____   Dormir: je _____   Démolir: je _____
    vous _____   vous _____   vous _____

Courir: je _____
    vous _____

II. Complétez la phrase en employant un verbe du groupe de **finir:**

Les ouvriers _____ des maisons.

Les enfants gentils _____ à leurs parents.

Hélas! La marée _____ les châteaux de sable.

On _____ ses vêtements si on ne fait pas attention.

Quand j'ai peur, je _____ . Au soleil, les blondes _____ .

   Mais moi, je ne rougis pas, je _____ .

Les feuilles des arbres sont vertes. Mais en automne elles _____ .

Quand vous avez deux jolies robes pour une soirée, vous êtes obligée de _____ la plus jolie.

Si un enfant n'est pas obéissant, sa mère le _____ .

Je n'aime pas les décisions rapides. Je préfère _____ à la question.

Les villes de Californie _____ très vite, parce que beaucoup de gens arrivent chaque jour en Californie.

La classe commence à 10 heures. A quelle heure _____ ?

III. Répondez à la question avec un pronom:

> Ex: Pensez-vous aller **à Paris** cet été? Oui, je pense **y** aller.
> (Ou: Non, je ne pense pas **y** aller).

Faites-vous **votre travail** le soir?

Réfléchissez-vous **à vos problèmes?** Aimez-vous réfléchir **à vos problèmes?**

Allez-vous rester **à la maison** pendant les vacances?

Oubliez-vous quelquefois **vos affaires?**

Oubliez-vous quelquefois de préparer **votre leçon?**

Aimez-vous aller **au restaurant?**

Les gens demandent-ils **des renseignements dans une agence de voyages?**

Pensez-vous **à l'examen de français?**

Pensez-vous avoir **de bonnes notes?**

Ecrivez-vous souvent **à vos parents?**

Y a-t-il **des légumes congelés au supermarché?**

Commencez-vous à parler **français?**

IV. Répondez aux questions suivantes. Employez des pronoms quand il est possible de le faire.

> Ex: Qu'est-ce que vous oubliez quelquefois de faire? J'oublie quelque-fois d'emporter mes livres. Je les oublie à la maison.

Qu'est-ce que vous oubliez quelquefois de faire?

Qu'est-ce que vous pensez faire ce soir?

Quand les parents punissent-ils leurs enfants?

A quelle heure partez-vous de chez vous?

Qu'est-ce que vous aimez faire en hiver? En été?

A quel moment de l'année commence-t-il à faire froid dans votre ville?

Préférez-vous déjeuner au restaurant ou emporter votre déjeuner dans un sac en papier? Pourquoi?

Qui aime bâtir des châteaux de sable? Où? Quand?

Est-ce que les parents aiment leurs enfants, généralement? Aiment-ils les punir?

Quand les parents sont-ils obligés de punir leurs enfants?

COMPOSITIONS

Composition orale.

A. Faites un bref résumé de la lecture.

B. Description de la personnalité, des goûts (qu'est-ce qu'il aime faire? Préfère faire? Oublie de faire? etc.) d'un des jeunes gens de la lecture, ou d'un de vos amis.

C. Qu'est-ce qu'on fait à la plage?

Composition écrite.

A. Parlez de ce que vous aimez faire, où vous aimez aller, pourquoi, avec qui, pendant le week-end ou pendant les vacances.

B. Chez l'architecte: vous êtes architecte et vous faites les plans d'une maison idéale (ou: vous êtes le client de l'architecte et vous imaginez votre conversation).

C. Votre personnalité: qu'est-ce que vous faites? Oubliez de faire? Quels sont vos goûts? Avez-vous bon ou mauvais caractère? Faites une petite analyse de votre personnalité.

DIX-HUITIÈME LEÇON

LEÇON

Un Départ Mouvementé

*Les verbes du 3ème groupe : **Attendre***

*Les verbes irréguliers : **Prendre** et **Mettre***

*Le verbe : **Savoir** et la construction : **Savoir faire quelque chose***

Etudiez les phrases suivantes :

Déclaration et question

Si on arrive à un rendez-vous avant l'autre personne, **on attend. Attendez-vous** souvent vos amis ?

Si vous écoutez attentivement, **vous entendez. Entendez-vous** un bruit, maintenant ?

Dans un magasin, **on vend** des objets. Est-ce que les clients **vendent** ou achètent ?

Répondez-vous toujours aux questions ?

L'ascenseur monte et **descend. Descendez-vous** à votre classe de français ?

Si vous achetez un journal, et vous donnez un dollar, le marchand vous **rend** la monnaie. Combien vous rend-il ?

Réponse

Je les **attends** quelquefois, mais **ils** m'**attendent** souvent aussi.

J'**entends** un bruit de moteur.

Les clients ne **vendent** pas. Les marchands (ou vendeurs) vendent.

Oui, **j'**y **réponds** quand elles ne sont pas difficiles.

Non, elle est au 2ème étage. Nous n'y **descendons** pas, nous y montons.

Il me **rend** la monnaie d'un dollar, c'est-à-dire probablement 90 cents.

201

JACQUES VILLON

Orly
Galerie Louis Carré, Paris

*Une suggestion d'avions, de lumières géométriques, de son,
de mouvement mécanique ... c'est la vision de l'aérodrome d'Orly
de Jacques Villon.*

Quand une personne parle, est-ce qu'on l'**interrompt?**

Non, on ne l'**interrompt** pas. Il n'est pas poli d'**interrompre** les gens.

. . . .

Je prends un imperméable parce qu'il pleut. Et vous, en **prenez-**vous?

Non, je n'en **prends** pas. Je préfère **prendre** un parapluie.

Qu'est-ce que **vous apprenez** dans cette classe?

J'apprends le français. **Nous apprenons à comprendre**, à parler, à lire et à écrire le français.

Quelles langues étrangères **comprenez-vous?**

Je **comprends** le français et l'espagnol.

. . . .

Je mets mon livre dans ma serviette. Où **mettez-vous** votre serviette?

Je ne la **mets** pas par terre. **Je** la **mets** sur le bureau.

Savez-vous jouer du piano?

Non, **je** ne **sais** pas **jouer** du piano. Mais **je sais nager, je sais faire** du ski, **je sais danser** et j'**apprends à jouer** au golf parce que je voudrais savoir y jouer.

LECTURE

Un départ mouvementé

Nous sommes à l'aérodrome d'Orly. C'est le grand aérodrome, près de Paris, qui est l'endroit d'arrivée et de départ des avions à destination d'outremer. Chaque ligne aérienne y a son comptoir. Il y a des lignes américaines, anglaises, la ligne russe *Aeroflot*, la ligne française *Air France*, et beaucoup d'autres. Si les voyageurs ont déjà leur billet, les employés de la ligne aérienne le vérifient. Sinon, les voyageurs prennent leur billet au comptoir, ils paient et l'employé leur rend la monnaie.

Il y a toujours une foule pittoresque et polyglotte : des voyageurs qui arrivent de tous les pays du monde, ou qui attendent l'heure de leur départ, des gens qui attendent des passagers, des hôtesses de l'air dans l'uniforme de leur ligne, des pilotes, et on entend parler toutes les langues. Souvent, la voix d'un haut-parleur interrompt les conversations et on entend, répété en français, en anglais et souvent dans une ou deux autres langues, un renseignement pour les passagers : « L'avion de Londres est en retard. On annonce son arrivée pour 15h au lieu de 14h 45 » par exemple. Mais la voix du haut-parleur n'est pas claire, et beaucoup de gens ne comprennent pas. Alors ils demandent aux employés qui répondent toujours poliment, dans une langue ou dans une autre. Ils en savent tous plusieurs.

Voilà une dame qui descend d'un taxi. Elle a l'air nerveuse. Elle a un petit chien (un caniche, naturellement), six valises, une boîte à chapeaux et… un mari qui n'a pas l'air nerveux. Au contraire, il a l'air très calme.

LA DAME.   Mon dieu, mon dieu, c'est toujours la même chose… Je perds toujours une valise. Où est ma petite valise en crocodile ? Et les billets, les as-tu ? Tu oublies toujours quelque chose ! J'ai peur de manquer l'avion.

LE MONSIEUR.   (*très calme*) Nous n'allons pas le manquer. La petite valise est là, avec les autres et les billets sont dans mon porte-feuille. Nous avons toutes nos affaires et nous ne sommes pas en retard.

LA DAME.   Je ne sais pas où est le comptoir de TWA. Ah, le voilà ! Monsieur, est-ce que l'avion pour New York est à l'heure ? Et à quelle heure est le départ ?

L'EMPLOYÉ.   Le départ est à 16 heures, madame. Avez-vous vos billets ? Ah, vous les avez, monsieur… Bien. Et vos bagages ? Bien. Mettez les valises ici. Maintenant, vous avez une heure avant votre départ. Si vous aimez mieux attendre ici, la grande salle d'attente est à gauche, mais si vous préférez prendre quelque chose, le bar est au sous-sol. La salle à manger est au…

LA DAME.   (*elle interrompt*) Je n'ai pas faim avant un voyage, monsieur, je suis bien trop nerveuse… Qu'est-ce qu'il faut prendre contre le mal de l'air ?

LE MONSIEUR.   (*à sa femme*) Nous avons un assortiment de médicaments dans le petit sac bleu. Descendons au bar. Nous avons le temps de prendre une tasse de café avant le départ. Tout est en ordre : billets, bagages…

LA DAME.   Et si nous n'entendons pas le haut-parleur ? (*A l'employé*) Monsieur, j'ai peur de ne pas entendre le haut-parleur, dans le bar, ou, si je l'entends, j'ai peur de ne pas le comprendre ! Entend-on bien le haut-parleur dans le bar ?

L'EMPLOYÉ.   On l'entend très bien madame.

LA DAME.   (*elle descend au bar avec son mari, mais elle a besoin d'une bonne raison d'être nerveuse*) Ah, Albert ! Qu'est-ce que nous allons faire à New York ! Je ne sais pas parler anglais, et toi, tu sais un peu parler mais tu ne comprends pas quand les gens te disent quelque chose... Je déteste aller dans des pays étrangers.

LE MONSIEUR. Moi, j'aime y aller. Nous allons apprendre à parler et à comprendre l'anglais... Nos enfants l'apprennent à l'école. Ils disent que ce n'est pas difficile. Je voudrais le parler et le comprendre assez bien pour discuter avec les gens.

LA DAME. Ah, toi! A t'entendre, tout est simple! (*Au caniche*) Et si nous sommes obligés d'habiter dans un gratte-ciel, au... au... je ne sais pas, moi, au centième étage! Est-ce que le pauvre Toutou va descendre tout seul deux fois par jour faire sa petite promenade?

On entend la voix du haut-parleur qui annonce: «Les voyageurs pour New York, vol direct numéro cent vingt-cinq, à bord s'il vous plaît. Le départ est dans vingt minutes».

LE MONSIEUR. Ah, c'est notre avion. Prends tes affaires. Je vais payer notre consommation. Il ne faut pas être nerveuse! Tu ne sais pas voyager! Il faut apprendre à voyager... Nous avons le temps de finir notre café. (*A la serveuse*) Avez-vous la monnaie de dix mille francs?

LA SERVEUSE. Non, monsieur, mais je vais la demander à la caissière. Attendez un moment. Je ne rends pas souvent la monnaie de dix mille francs.

LA DAME. Je suis sûre que nous allons manquer l'avion. Il n'attend pas les passagers! Je vais perdre la tête!

LE MONSIEUR. Du calme, du calme! Voilà la serveuse avec la monnaie. Merci mademoiselle. Eh bien, maintenant, nous sommes prêts, l'avion est à l'heure et nous aussi. Tout va bien. C'est un bon voyage qui commence.

QUESTIONS SUR LA LECTURE

1. Qu'est-ce qu'un aérodrome? Y a-t-il un aérodrome près de votre ville?

2. Qu'est-ce qu'il y a dans un aérodrome? Quelles sortes de gens sont dans un aérodrome?

3. Entend-on parler beaucoup de langues étrangères dans un aérodrome? Pourquoi?

4. Aimez-vous voyager? Pourquoi? Où voudriez-vous (*would you like to*) aller? Voyagez-vous souvent?

5. Entend-on un haut-parleur dans un aérodrome? Le comprend-on toujours? Qu'est-ce que le haut-parleur dit? (Imitez la voix du haut-parleur).

6. Description de la dame qui descend du taxi. Pourquoi est-elle nerveuse? Etes-vous nerveux quand vous voyagez? Pourquoi?

7. Pensez-vous que le chien aime voyager? Qu'est-ce qu'il préfère probablement?

8. Qu'est-ce que la dame a peur de perdre? Perdez-vous quelquefois vos affaires? Quelles affaires perdez-vous? Perd-on plus facilement ses affaires si on est ordonné ou désordonné?

9. Est-ce que l'avion pour New York est à l'heure? L'employé est-il poli? Est-ce que le monsieur et la dame sont à l'heure ou en avance?

10. Si vous êtes au rez-de-chaussée et si le bar est au sous-sol, montez-vous ou descendez-vous au bar? Montez-vous ou descendez-vous à votre classe de français? Si votre chambre est au premier étage, montez-vous ou descendez-vous pour le petit déjeuner?

11. Est-ce que cette dame sait parler anglais? Et vous, savez-vous parler anglais? Quelle autre langue étrangère savez-vous parler? Lire?

12. Est-ce que la dame a envie de prendre quelque chose? Pourquoi? A-t-elle besoin de médicament? Pourquoi?

13. On sait faire quelque chose. Savez-vous chanter? Savez-vous nager? Danser? Jouer du piano? Faire du ski? Savez-vous faire autre chose?

14. Comparez l'attitude du monsieur et de la dame! Est-il calme ou nerveux? Pensez-vous que le monsieur sait probablement voyager? Et le dame, sait-elle voyager? Aime-t-elle aller dans les pays étrangers?

15. Avez-vous envie d'aller dans des pays étrangers? Avez-vous peur de voyager?

16. Qu'est-ce que le monsieur a l'intention de faire à New York?

17. Est-ce que beaucoup de gens habitent dans des «gratte-ciels», au centième étage? Est-ce que la dame pense y habiter?

18. Expliquez: «J'ai peur de **manquer** l'avion». Quand manque-t-on un avion ou un train, ou un autobus? Quand manquez-vous la classe?

PRONONCIATION

attendre/**en**tendre   j'**a**ttends/j'**en**tends
ils attendent/ils entendent
je pr**en**ds/ils pr**en**nent
répond-il? attend-il? interrompt-il? prend-il? comprend-il?

EXPLICATIONS

I. *Les verbes en* **-re,** *ou verbes du 3ème groupe.*

Les verbes du 3ème groupe ont la terminaison de leur infinitif en **-re:**
**attendre, entendre, descendre, répondre, rendre, perdre, vendre,
interrompre.** Voilà la conjugaison de ces verbes:

Attendre

J'attend s   Nous attend ons
Tu attend s   Vous attend ez
Il attend   Ils attend ent

Perdre

Je perd s   Nous perd ons
Tu perd s   Vous perd ez
Il perd   Ils perd ent

Le verbe **interrompre** a un **-t** à la 3ème personne: il interromp**t.**

REMARQUEZ:

1. La prononciation de ces verbes: j'attends; je perds; il interrompt.
2. Forme interrogative:
    Est-ce que j'attends?
    Attends-tu?
    Attend-il? etc.
3. La prononciation de la 3ème personne. Attend-il? **d** a le son **t** dans
   une liaison.

II. *Le verbe* **prendre** (*to take*) *et ses composés :* **apprendre, comprendre.**

Le verbe **prendre** est irrégulier. Voilà la conjugaison:

Je prends	Nous prenons	Remarquez qu'il
Tu prends	Vous prenez	n'y a pas de **d.**
Il prend	Ils prennent	

Ex: On **prend** l'autobus, le train, l'avion, sa voiture.

Vous **prenez** un manteau si vous avez froid.

On **prend** quelque chose (*in the sense of "to have something to eat or drink"*). On **prend** une tasse de café, un sandwich.

On **prend** un billet (*You buy a ticket*).

Apprendre (*to learn*):

Le verbe **apprendre** est conjugué comme **prendre.**

J'apprends le français.

On lit le journal pour **apprendre** les nouvelles.

A l'école, un enfant **apprend à** lire et à écrire.

Nous apprenons à contrôler nos émotions.

Comprendre (*to understand*):

Le verbe **comprendre** est conjugué comme **prendre** et **apprendre.**

Comprenez-vous le français?

Je comprends le français, mais **je comprends** bien mieux l'anglais.

Les gens ne **comprennent** pas toujours le haut-parleur.

III. *Le verbe* **mettre** (*to put, to place*).

Je mets	Nous mettons
Tu mets	Vous mettez
Il met	Ils mettent

Ex: A Noël, les enfants **mettent** leurs souliers devant la cheminée.

On **met** des assiettes, des fourchettes, etc., sur la table.

Ne **mettez** pas votre parapluie là-bas! Vous allez l'oublier.

IV. *Le verbe* **savoir** (*to know a fact, to be aware, to be informed, to know how to do something.*)

Je sais	Nous savons
Tu sais	Vous savez
Il sait	Ils savent

A. On sait quelque chose.

Je sais le français, mais je sais bien mieux l'anglais
Savez-vous où est ma valise? Non, je ne sais pas où elle est.
Savez-vous si l'avion est à l'heure? Oui, je sais qu'il est à l'heure.

B. On sait faire quelque chose.

Savez-vous nager? Non, je ne sais pas nager, mais je sais faire du ski.
Qu'est-ce que vous savez faire? Je sais lire et écrire.

Remarquez la construction de **savoir** + **verbe infinitif** (*to know how to do something*).

C. Savoir jouer du... (de la...) pour un instrument de musique.

Je sais **jouer de la** trompette; je sais **jouer du** piano et du violon.

D. Savoir jouer au... pour un sport ou un jeu (*game*).

Je sais **jouer au** football, je sais **jouer au** volley ball.
Savez-vous **jouer aux** cartes? Oui, mais je ne sais pas **jouer au** bridge.
Ce monsieur sait très bien **jouer aux** échecs (*chess*).

V. *J'ai peur de* **manquer** *le train...*

A. Manquer

Est employé dans cette phrase au sens de *"to miss"*.

Si on est en retard, **on manque** le commencement du spectacle. Il ne faut pas **manquer** la classe, et en particulier, il ne faut pas la **manquer** le jour de l'examen.

B. **Manquer** a aussi le sens de *to lack*.

Je **manque d**'argent pour faire ce voyage.
Cet acteur **manque** complètement **de** talent.

Remarquez aussi: **Vous me manquez** (*I miss you*); littéralement: *You are lacking to me.*

VOCABULAIRE

Noms

un aérodrome	un haut-parleur
l'arrivée	un caniche
le départ	une valise
la destination	des bagages
une ligne aérienne	une boîte à chapeaux
un billet	un porte-feuille
un comptoir	la salle d'attente
une foule	le sous-sol
la monnaie	une langue étrangère
le calme	un pays étranger
un voyageur	la serveuse
un passager	la caissière
une hôtesse de l'air	une consommation
le bruit	un vol
le gratte-ciel	

Adjectifs

bref, brève	étranger, étrangère
polyglotte	seul(-e); ou: tout seul, toute seule
nerveux, nerveuse	prêt(-e) à
incapable	poli(-e)

Verbes

Réguliers du 3ème groupe   Irréguliers du 3ème groupe

attendre	prendre
entendre	apprendre
perdre	comprendre
interrompre	
descendre	Autres verbes
vendre	manquer
rendre	savoir

Expressions ou constructions idiomatiques:

Je manque l'avion (ou le train, ou l'autobus, ou le commencement, ou la classe).

J'apprends à faire quelque chose (à faire la cuisine, du ski, à jouer d'un instrument, à jouer à un jeu ou à un sport).

Je sais faire quelque chose (parler une langue étrangère, faire la cuisine, jouer d'un instrument, jouer à un jeu ou à un sport).

Prendre quelque chose (to have something, food or drink).

Je vais prendre quelque chose, je voudrais prendre quelque chose.

A t'entendre (à vous entendre).

A bord.

EXERCICES

I. Donnez la forme correcte du verbe:

Faire: Prendre: Perdre:

   je _____   je _____   je _____

   vous _____   vous _____   vous _____

   ils _____   ils _____   ils _____

Répondre: Descendre: Savoir:

   je _____   je _____   je _____

   vous _____   vous _____   vous _____

   ils _____   ils _____   ils _____

Finir:	Préférer:	Attendre:
je ———————	je ———————	je ———————
vous ———————	vous ———————	vous ———————
ils ———————	ils ———————	ils ———————

II. Répondez à la question par la forme correcte du verbe.

   Ex: Etes-vous? Je suis   A-t-il? Il a.

Savez-vous?	Sommes-nous?	Sait-il?
Faites-vous?	Ont-ils?	Apprenez-vous?
Comprenez-vous?	Va-t-il?	Réfléchissez-vous?
Allez-vous?	Répond-il?	Réussissons-nous?
A-t-elle?	Perd-il?	Prenez-vous?

Voilà le verbe à la forme affirmative. Quelle est la forme interrogative?

   Ex: Je ne sais pas.   Savez-vous?

Il ne comprend pas.	Je comprends	Je lis
Je ne vais pas	Je réponds	Il écrit
Je déjeune	J'attends	Je réfléchis
Il brunit	Elle a	Elle pâlit
Je choisis	Je dis	Je sais

III. Répondez aux questions suivantes par une ou quelques phrases complètes
   et imaginatives:

   Ex: Quand êtes-vous calme? Je suis calme quand mon travail est bien
       organisé et quand mes affaires sont en ordre.

Quand êtes-vous nerveux?
Quand manquez-vous la classe?
Comprenez-vous une langue étrangère?
Que fait un employé de ligne aérienne?
Qu'est-ce que vous savez faire? Qu'est-ce que vous ne savez pas faire?
Qu'est-ce que vous apprenez à l'école?
Apprenez-vous à faire quelque chose? Quoi?
Je voudrais prendre quelque chose. Y a-t-il un endroit pratique? Expliquez
où il est et ce qu'on peut y prendre.

COMPOSITIONS

Composition orale.

Préparez une brève composition orale sur un des sujets suivants:

A. Description de l'aérodrome. Portrait d'un voyageur (ou d'une voyageuse) nerveux(-se). Comment est-il? Que fait-il? Que dit-il?

B. Que pense le caniche de la dame? Imaginez le monologue intérieur du petit chien pendant la scène de l'aérodrome racontée dans la lecture.

C. Ou choisissez un autre sujet convenable si vous avez beaucoup d'imagination.

Composition écrite.

Choisissez un des sujets suivants et écrivez une composition. Employez beaucoup de verbes variés, employez aussi des pronoms chaque fois que c'est possible, employez des constructions avec deux verbes. Montrez au professeur que vous savez employer toutes les constructions verbales des leçons précédentes.

A. Quand votre famille fait un voyage. Racontez la discussion, les préparatifs, le départ. Quelle est l'attitude de chaque personne? Est-ce que quelqu'un perd la tête? Pourquoi? etc.

B. Vous êtes employé de ligne aérienne, ou employé de banque, ou employé d'agence de voyages. Imaginez une de vos journées. Quelles sont vos occupations, vos responsabilités? Imaginez aussi certains clients difficiles ou amusants, certains « types » peut-être et votre conversation avec ces gens.

Charles Cros

Charles Cros (1842–1888) n'est jamais allé à l'école. Son père, professeur, écrivain et philosophe, fait toute son éducation. Il étudie dans les bibliothèques, ou écoute les conférences de l'Université de Paris derrière un pilier. C'est un poète, mais c'est aussi un homme de science qui présente à l'Académie des Sciences en 1877 un «paléophone», machine semblable au «gramophone» que va inventer Edison neuf mois plus tard. Il fonde une société poétique, les «Zutistes» (parce qu'ils disent: Zut! aux bourgeois) qui a pour devise: Rien pour l'Utile, Tout pour l'Agréable. C'est essentiellement un surréaliste, longtemps avant le Surréalisme.

* * * * * *

LE HARENG SAUR

Il était un grand mur — nu, nu, nu,
Et contre le mur une échelle — haute, haute, haute,
Et par terre un hareng saur — sec, sec, sec,

Il vient, tenant dans ses mains — sales, sales, sales,
Un marteau lourd, un grand clou — pointu, pointu, pointu,
Un peloton de ficelle — gros, gros, gros.

Alors, il monte à l'échelle — haute, haute, haute,
Et il plante le clou pointu — toc, toc, toc,
Tout en haut du grand mur blanc — nu, nu, nu.

Il laisse aller le marteau — qui tombe, qui tombe, qui tombe,
Attache au clou la ficelle — longue, longue, longue,
Et au bout, le hareng saur — sec, sec, sec.

Il redescend de l'échelle — haute, haute, haute,
L'emporte avec le marteau — lourd, lourd, lourd,
Et puis, il s'en va ailleurs — loin, loin, loin.

Et, depuis, le hareng saur — sec, sec, sec,
Au bout de la ficelle — longue, longue, longue,
Très lentement se balance — toujours, toujours, toujours.

J'ai composé cette histoire — simple, simple, simple,
Pour mettre en fureur les gens — graves, graves, graves,
Et amuser les enfants — petits, petits, petits.

Le Coffret de Santal

DIX-NEUVIÈME LEÇON

Le Français a Mille Voix

*Les verbes irréguliers : **Voir; Croire; Vouloir; Pouvoir***

*La place de deux pronoms : **Je le lui donne; il me le donne***

Etudiez les phrases suivantes:

Déclaration et question	*Réponse*
Je regarde par la fenêtre. **Je vois** des arbres, un bâtiment. Regardez par l'autre fenêtre. Que **voyez-vous?**	**Je vois** la rue. **Nous voyons** l'extérieur de l'école.
J'entends souvent des nouvelles, mais **je** ne **crois** pas tout ce que j'entends. Et vous, **croyez-vous** tout ce que vous entendez?	Non. **Je** ne **crois** pas tout ce que j'entends. Mais **nous croyons** tout ce que le professeur nous dit.
Je veux être médecin. Et vous, que **voulez-vous** être?	**Je veux** être artiste. Jean-Pierre **veut** être vétérinaire. Mais **nous voulons** tous être heureux et utiles.
Peut-on aller dans une île en voiture?	Non, **on** ne **peut** pas. Il faut y aller en bateau ou en avion. Mais **vous pouvez** mettre votre voiture sur le bateau.
Pouvez-vous me donner des renseignements?	Oui, **je peux** vous en donner.

. . .   . . .

Je donne un livre à Jean-Pierre. Je **le lui** donne. **Le lui** donnez-vous?	Oui, je **le lui** donne. Non, je ne **le lui** donne pas.

217

PAUL GAUGUIN
Femmes aux mangos
The Metropolitan Museum of Art, New York
Gift of William Church Osborn, 1949

Beaucoup de gens ne connaissent que le Tahiti peint par Gauguin :
les activités paisibles du village, un peuple primitif, mais noble
et innocent dans le décor d'une nature luxuriante.

Vous demandez le numéro de téléphone de Carol. Elle **vous le** donne.
Vous le donne-t-elle?

Oui, elle **me le** donne; non, elle ne
me le donne pas.

Je mets mes livres dans ma serviette.
Je **les y** mets. **Les y** mettez-vous?

Oui, je **les y** mets; non, je ne **les y**
mets pas.

Je demande de l'argent à mon père.
Je **lui en** demande. **Lui en** demandez-vous?

Oui, je **lui en** demande; non, je
ne **lui en** demande pas.

Vous en donne-t-il?

Oui, il **m'en** donne; non, il ne **m'en**
donne pas.

LECTURE

Les mille voix du français

Le français a mille voix. Il y a le français de France, que tous les Français
parlent. Ils le parlent avec des accents régionaux divers, et avec des expressions idiomatiques qui varient. Dans le Midi, ou sud de la France, si un
voyageur demande un renseignement, on le lui donne avec volubilité, et avec
le célèbre accent du midi qui ressemble un peu à l'accent italien. Mais la
France n'est pas le seul pays où on parle français. Dans beaucoup d'autres
pays, on l'y parle comme langue officielle, ou comme une des deux langues
officielles.

C'est sans doute un paradoxe de voir qu'un grand pays, comme les Etats
Unis, n'a qu'une langue, l'anglais, mais que de petits pays, comme la Suisse
et la Belgique, en ont deux. Pourquoi ces pays sont-ils bilingues? Les raisons
sont surtout d'ordre historique. En Suisse, par exemple, le français est la
langue de la région de Genève, l'allemand, de la région de Zurich. En Belgique,
la population est divisée en Wallons, qui parlent français, et en Flamands,
qui parlent flamand, langue qui ressemble au hollandais. La Belgique, comme
la Suisse, a deux langues officielles, et les écoles, les inscriptions, les textes
officiels sont bilingues. Les Belges parlent un français assez pur, mais on les

Le français dans le monde

Le français est une des langues essentielles du monde. Cette carte montre les régions où on parle français :
Belgique, en Suisse, dans une grande partie de l'Afrique, dans les provinces atlantiques du Canada, au

EUROPE

ASIE

ALGÉRIE

AFRIQUE

Djibouti

CONGO

Hanoï

Saïgon

SEYCHELLES

ARCHIPEL DES COMORES

OCÉAN

RÉPUBLIQUE
MALGACHE

INDIEN

AUSTRALIE

La France

Régions de langue française

...m et au Laos, et dans de nombreuses îles. L'usage du français n'est certes pas limité à ces pays, puisque ...que partout dans le monde, il est aussi la deuxième langue de beaucoup de gens cultivés.

reconnaît, parce qu'ils ont tendance à employer « savoir » pour « pouvoir ». Si un Belge vous dit: « Savez-vous venir chez moi ? » il ne vous demande pas si vous connaissez la manière d'arriver chez lui. Il veut savoir si vous êtes libre, et si vous pouvez venir chez lui. Les Belges disent aussi: *septante, octante, nonante* au lieu de soixante-dix, quatre-vingts et quatre-vingt dix. Beaucoup de gens croient qu'ils ont raison, mais les Français sont indignés !

Dans les provinces françaises du Canada, le français est la langue universelle. On l'y entend partout, parlé avec un accent pittoresque. On peut y voir, aussi, l'influence de l'anglais: « Je vais chécker votre réservoir » dit l'employé d'une station d'essence. Mais les Canadiens sont les descendants des colons qui ont suivi Jacques Cartier. Ils sont fiers de leur héritage et veulent le conserver dans leur langue et dans leurs coutumes.

L'Afrique, continent massif, longtemps colonisé par les deux grandes puissances coloniales, la France et l'Angleterre, est maintenant en train d'achever et de consolider son indépendance. Parmi les jeunes nations d'Afrique, à peu près la moitié sont francophones, l'autre moitié anglophone. Chaque Africain parle la langue de sa région ou de son groupe ethnique, mais le français et l'anglais sont les langues universelles de l'Afrique et chaque jeune Africain cultivé veut les savoir. Beaucoup viennent étudier dans les universités américaines, et, s'ils y apprennent l'anglais, on les y entend aussi parler français entre eux. Il y a une littérature africaine en français et de grands poètes africains, comme Léopold Senghor.

Faites un voyage atlantique, et vous voilà à Haïti, à la Guadeloupe et à la Martinique. Ce sont les îles des Antilles françaises. On y voit de bien jolies créoles, les *doudou*, et le français y perd ses *r* et ressemble à l'anglais des *calypso*.

Faites un voyage loin dans le Pacifique, et vous voilà à Tahiti. Ce sont les îles d'où viennent les Hawaiiens, et c'est le merveilleux pays d'adoption du peintre Gauguin. A Tahiti, les jolies filles — et il y en a beaucoup — s'appellent les *vahinés*. Et le français qu'on y parle est doux et archaïque.

Et, ne le parle-t-on pas aussi en Amérique ? Evidemment, il y a beaucoup de gens d'origine française. Mais pensez aussi à tous les étudiants, qui, comme vous, apprennent à le parler ! Voilà une autre voix, qu'il faut compter parmi les mille voix du français.

QUESTIONS SUR LA LECTURE

Répondez par des phrases complètes, et employez tous les pronoms que vous pouvez.

1. Parle-t-on français en France? Le parle-t-on toujours avec le même accent?

2. Le parle-t-on aussi dans d'autres pays d'Europe? Dans quels pays? Y parle-t-on aussi une autre langue?

3. Si vous allez en Suisse, quelle autre langue pouvez-vous y entendre? Et en Belgique, quelle autre langue y parle-t-on?

4. Si vous êtes au Canada, vous voyez des inscriptions en deux langues. Quelles sont ces langues? Les comprenez-vous?

5. Pourquoi les Canadiens parlent-ils français? Comment est le français qu'on parle au Canada?

6. Quelles langues entend-on en Afrique? Si vous allez en Afrique, pouvez-vous converser en swahili? Pourquoi? Dans quelles langues pouvez-vous parler avec les gens?

7. Entend-on des Africains parler français dans les universités américaines? Pourquoi ces jeunes gens viennent-ils en Amérique?

8. Y a-t-il des îles dans l'Atlantique où on parle français? Comment est le français dans ces îles?

9. Voudriez-vous (*would you like*) aller à Tahiti? Est-ce le pays d'adoption d'un peintre célèbre? Pouvez-vous imaginer pourquoi un peintre veut aller à Tahiti?

10. Y a-t-il une littérature africaine? Qui est Léopold Senghor? Y a-t-il des poèmes dans ce livre? Lisez-vous ces poèmes? Les aimez-vous? Pourquoi?

11. D'où viennent les Hawaiiens? Parle-t-on français à Hawaii? Qu'est-ce qu'on y parle?

PRONONCIATION

un Américain/une Américaine
un Africain/une Africaine
un Français/une Française
un Irlandais/une Irlandaise

un Canadien/une Canadienne
un Tahitien/une Tahitienne
un Belge/une Belge
un Espagnol/une Espagnole

EXPLICATIONS

I. *Le verbe* **croire** (*to believe*)

Je crois	Nous croyons
Tu crois	Vous croyez
Il croit	Ils croient

Ex: Je **crois** qu'il va pleuvoir.

Croyez-vous que le français est important?

Je crois savoir parler français (*remarquez les trois verbes*).

Je ne **crois** pas tout ce que j'entends!

REMARQUEZ: On emploie souvent le verbe **croire** au sens de *to think:*

Je crois qu'il est malade.

II. *Le verbe* **voir** (*to see*).

Je vois	Nous voyons
Tu vois	Vous voyez
Il voit	Ils voient

Ex: Je cherche ma clé, mais **je** ne la **vois** pas.

Voyez-vous cet oiseau, là-bas?

J'aime aller **voir** mes amis.

Nous allons **voir** un film au cinéma.

REMARQUEZ: On dit «Je vais voir mes amis» (*visit my friends*), mais on dit «Je visite une ville, un pays, un monument».

On ne dit pas « Je visite mes amis ».

III. *Le verbe* **vouloir** (*to want*)

Vous savez employer la forme **Je voudrais** (*I would like*) et **Voudriez-vous?** (*Would you like?*). Cette forme est, en réalité, le conditionnel du verbe **Vouloir.** On emploie cette forme pour exprimer un désir.

Voilà la conjugaison du verbe au présent:

Je veux	Nous voulons
Tu veux	Vous voulez
Il veut	Ils veulent

Ex: Le professeur dit: « **Je veux** votre composition demain ».

Voulez-vous faire un voyage? Je vous invite.

Je voudrais prendre la voiture de mes parents, mais **ils** ne **veulent** pas.

REMARQUEZ: Il y a une différence entre **je veux** (*I want*) et **je voudrais** (*I would like*).

Je voudrais voir un bon film, mais **je** ne **veux** pas voir de film étranger.

IV. *Le verbe* **pouvoir** (*can, to be able to, may*)

Je peux (ou: je puis [plus rare])	Nous pouvons
Tu peux	Vous pouvez
Il peut	Ils peuvent

Ex: Est-ce que **je peux** sortir ce soir?

Non, **vous** ne **pouvez** pas sortir ce soir, parce que vous avez un examen demain.

Peut-on prendre l'avion Air France pour aller à Tahiti? Oui, **on peut** le prendre.

REMARQUEZ: La différence de sens entre:

Je peux faire quelque chose (*I am able to...*):
Je peux jouer du piano, parce que j'ai un piano.
      et:
Je sais faire quelque chose (*I know how...*):
Je sais jouer du piano parce que je prends des leçons.

V. *La place de deux pronoms.*

A. Quand deux pronoms sont de la même personne, ils sont de la 3ème:
(le, la, les, lui, leur). Placez ces pronoms par ordre alphabétique.

Ex: Je **le lui** donne.
Il **la lui** donne.
Nous **les leur** donnons.

B. Quand deux pronoms sont de personnes différentes (le, la, les, lui leur et me, te, nous, vous) *vous les placez par ordre de personne* (il y a trois personnes):

1ère:	me, nous
2ème:	te, vous
3ème:	le, la, les, lui, leur

Ex: Il **me le** donne.
Je **vous le** dis.
Nous **nous les** donnons.
Il **nous la** rend.

C. Y et **en** sont toujours les derniers:

Ex: Je **vous en** donne.
Il **vous y** voit.
Nous **t'en** donnons.
Elle **lui en** montre.
Il **y en** a

VOCABULAIRE

Noms

un peintre	une nation
un accent	une région
la voix	l'inscription
la coutume	la littérature
un(e) artiste	

Verbes

pouvoir	croire
vouloir	voir

Adjectifs

bilingue

régional, régionaux

officiel, officielle

pur(-e)

libre

cultivé(-e)

universel, universelle

doux, douce

Autres

parmi (préposition)

avoir tendance à...

être en train de...

EXERCICES

I. Donnez la forme des verbes :

Voir :

je _____

ils _____

Savoir :

il _____

nous _____

Croire :

je _____

vous _____

Perdre :

je _____

vous _____

Rougir :

je _____

ils _____

Pouvoir :

je _____

vous _____

Réfléchir :

nous _____

ils _____

Prendre :

je _____

vous _____

Mettre :

je _____

il _____

Vouloir :

je _____

vous _____

Faire :

je _____

vous_____

Aller :

je _____

vous_____

Attendre :

je _____

nous_____

Dormir :

je _____

vous _____

II. Répondez à la question par la forme correcte du verbe, affirmative et négative.

Le voyez-vous ?

Y allez-vous ?

Savez-vous le faire ?

Voulez-vous me voir ?

Pouvez-vous me le dire ?

Le croyez-vous ?

Aimez-vous en manger ?

Préférez-vous y rester ?

L'avez-vous?	En avez-vous?
Les y mettez-vous?	En voulez-vous?
Veut-il vous voir?	Apprenez-vous à le faire?

III. Remplacez les mots en caractères gras par **un** ou **des** pronoms.

Ex: J'aime aller **au cinéma.** J'aime **y** aller.

Je voudrais parler **à ce monsieur.**
On entend parler **français au Canada.**
Les Africains vinenent étudier **l'anglais en Amérique.**
Savez-vous **la nouvelle?**
Je ne demande pas **d'argent à mon père.**
Nous mettons **nos livres dans nos serviettes.**
Nous savons jouer **du piano.**
Elle sait faire **la cuisine.**
Je vais souvent dîner **au restaurant.**

IV. Répondez aux questions par une phrase complète et employez tous les pronoms possibles.

Savez-vous faire du ski?
Les voyageurs prennent-ils leurs billets au guichet?
Demandez-vous des renseignements à l'employé de la ligne aérienne?
Allez-vous faire du ski à la montagne?
Voit-on des animaux féroces dans un zoo?
Donnez-vous de l'argent aux pauvres?

V. Complétez chaque phrase.

Ex: J'aime entendre la mer quand je suis allongé au soleil sur la plage.

On entend parler français si _____ .
Vous pouvez parler avec des Africains si _____ .
Quand on ne sait pas faire de ski _____ .
Je crois que vous avez tort parce que _____ .
Pouvez-vous m'attendre? Je _____ .
Si vous répondez sans réfléchir, _____ .
Ecoutez! Entendez-vous _____ ?
Si je regarde par la fenêtre, je _____ .
Je regrette, mais je ne peux pas _____ .
J'apprends à _____ , mais je ne sais pas _____ .

COMPOSITIONS

Composition orale.

A. Imaginez un petit voyage dans un pays où on parle français. Comment y allez-vous? Qu'est-ce que vous y voyez? Comment sont les gens? etc. (Il faut que les autres étudiants devinent de quel pays vous parlez.)

B. Qu'est-ce que vous voulez faire? Qu'est-ce que vous pouvez faire? Qu'est-ce que vous ne voulez pas faire? Qu'est-ce que vous ne pouvez pas faire?

C. Il y a des gens qui croient seulement ce qu'ils voient. Donnez un exemple célèbre. Que pensez-vous de ces gens? Ont-ils tort? Ont-ils raison? Pourquoi?

Composition écrite.

A. Si c'est possible, interviewez une personne qui parle français, mais qui ne vient pas de France. Demandez-lui d'où il (elle) vient, comment est son pays, pourquoi il (elle) parle français, comment on apprend à parler français dans son pays, etc.

B. Pensez-vous que le français est une langue utile, importante? Pourquoi? Pouvez-vous, un jour, avoir besoin de parler français? Imaginez une ou deux situations où vous pouvez avoir besoin de parler français.

VINCENT VAN GOGH

Les Toits
Collection Heinz Berggruen, **Paris**

*Ce dessin de Van Gogh contient tous les éléments du poème de
Verlaine : le toit, l'arbre et le clocher où la cloche "doucement
tinte". C'est à vous d'imaginer la "paisible rumeur" qui vient
de la ville.*

Paul Verlaine

Ecrit pendant que Verlaine était à la prison de Mons, en Belgique, pour avoir essayé de tuer son ami le poète Rimbaud. De sa cellule, le prisonnier voit le ciel par-dessus le toit, une branche d'arbre... Il entend la paisible rumeur de la ville et s'interroge «Qu'as-tu fait de ta jeunesse»? Et sa question nous touche, car c'est une question que nous nous posons tous parfois, «Qu'ai-je fait de ma jeunesse»?

LE CIEL EST, PAR-DESSUS LE TOIT ...

* * * * * *

Le ciel est, par-dessus le toit
Si bleu, si calme
Un arbre, par-dessus le toit
Berce sa palme.

La cloche, dans le ciel qu'on voit
Doucement tinte.
Un oiseau dans l'arbre qu'on voit
Chante sa plainte.

Mon Dieu, mon Dieu, la vie est là
Simple et tranquille
Cette paisible rumeur-là
Vient de la ville.

Qu'as-tu fait, ô! toi que voilà
Pleurant sans cesse,
Dis, qu'as-tu fait, toi que voilà
De ta jeunesse?

VINGTIÈME LEÇON

J'ai Regardé par la Fenêtre...

PREMIÈRE PARTIE

Le passé : Passé composé et Imparfait

Concept fondamental d'action et de description

Etudiez les phrases suivantes :

Présent	*Passé*

Aujourd'hui :

C'est mardi.
Je suis à l'école.
Etes-vous à la maison ? Moi, **je ne suis pas** à la maison.

Sommes-nous dans la classe ? Oui, **nous sommes** dans la classe.

Le professeur **est-il** en retard ? Non, **il n'est** pas en retard.

Les élèves **sont-ils** présents ? Oui, **ils sont** présents.

Aujourd'hui :

Il y a du soleil.
J'ai un examen à 11 heures. Il est difficile.

Avons-nous une classe de français ? Oui, **nous en avons** une.

Avez-vous besoin de votre manteau ? Non, je n'en ai pas besoin, parce qu'il fait chaud.

Les élèves **ont-ils** leurs livres ? Oui, **ils** les **ont**.

Hier :

C'était lundi.
J'étais à l'école.
Etiez-vous à la maison ? Moi, **je n'étais pas** à la maison.

Etions-nous dans la classe ? Oui, **nous étions** dans la classe.

Le professeur **était-il** en retard ? Non, **il n'était** pas en retard.

Les élèves **étaient-ils** présents ? Oui, **ils étaient** présents.

Hier :

Il y avait du soleil.
J'avais un examen à 11 heures. Il était difficile.

Avions-nous une classe de français ? Oui, **nous** en **avions** une.

Aviez-vous besoin de votre manteau ? Non je n'en avais pas besoin parce qu'il **faisait** chaud.

Les élèves **avaient-ils** leurs livres ? Oui, **ils** les **avaient**.

233

ANDRÉ DERAIN *Fenêtre sur le parc*
Collection, The Museum of Modern Art, New York
Abby Aldrich Rockefeller Fund, purchased in memory of
Mrs. Cornelius J. Sullivan

J'ai regardé par la fenêtre: il faisait beau, le ciel était bleu.

Aujourd'hui :

Je parle français dans la classe. C'est une classe très intéressante.

A midi, j'ai faim. **J'achète** un sandwich et **je** le **mange.** Il est bon.

Je téléphone à André. Il est chez lui et **nous parlons** longtemps. Ma mère est furieuse.

J'étudie de 10 heures à 11 heures parce que j'ai un examen à 11 heures.

Hier :

J'ai parlé français dans la classe. C'était une classe très intéressante.

A midi, j'avais faim. **J'ai acheté** un sandwich et **je** l'**ai mangé.** Il était bon.

J'ai téléphoné à André. Il était chez lui et **nous avons parlé** longtemps. Ma mère était furieuse.

J'ai étudié de 10 heures à 11 heures parce que j'avais un examen à 11 heures.

ÉTUDIEZ LE TEXTE SUIVANT :

J'ai regardé par la fenêtre...

Présent

Ce matin, à 7 heures, je regarde par la fenêtre. Il y a du soleil. Le ciel est bleu, il fait beau.

Je déjeune avec ma famille et après le petit déjeuner, je téléphone à mon ami André. Pas de chance! Il n'est pas chez lui.

Alors, je cherche le numéro de Carol dans l'annuaire du téléphone. Je lui demande si elle a sa voiture aujourd'hui, et sa réponse est oui.

Une heure plus tard, Carol est devant chez moi. A 8 h et demie, nous sommes à l'école et nous trouvons facilement un endroit pour stationner la voiture.

Passé

L'autre matin, à 7 heures, j'ai regardé par la fenêtre. Il y avait du soleil. Le ciel était bleu, il faisait beau.

J'ai déjeuné avec ma famille et après le petit déjeuner, j'ai téléphoné à mon ami André. Pas de chance! Il n'était pas chez lui.

Alors, j'ai cherché le numéro de Carol dans l'annuaire du téléphone. Je lui ai demandé si elle avait sa voiture aujourd'hui, et sa réponse était oui.

Une heure plus tard, Carol était devant chez moi. A 8 h et demie, nous étions à l'école et nous avons facilement trouvé un endroit pour stationner la voiture.

Quand la cloche sonne, à 9 h, je suis à ma place, et je suis prêt à commencer ma journée.

Quand la cloche a sonné à 9 h, j'étais à ma place et j'étais prêt à commencer ma journée.

QUESTIONS

Attention! Quand la question est au présent, il faut répondre au présent. Quand la question est au passé, il faut répondre au passé.

1. Quelle est la date aujourd'hui? Quelle était la date hier?

2. Etes-vous à l'école aujourd'hui? Etiez-vous à l'école hier?

3. Sommes-nous dans le jardin maintenant? Etions-nous dans la classe à midi?

4. Le professeur est-il en retard généralement? Etait-il à l'heure aujourd'hui?

5. Vos parents sont-ils à la maison? Etaient-ils à la maison hier? Etiez-vous à la maison hier soir?

6. Y a-t-il du soleil aujourd'hui? Y avait-il du soleil hier?

7. Avez-vous un examen aujourd'hui? Aviez-vous un examen hier? (ou: En aviez-vous un hier?) Quand était votre dernier examen? Comment était-il? En aviez-vous peur?

8. Avez-vous téléphoné à un ami (ou une amie) hier? Etait-il (elle) chez lui (chez elle)?

10. Avez-vous regardé la télévision hier? Y avait-il un programme intéressant? Quel jour est votre programme favori?

11. A quelle heure déjeunez-vous généralement? Avez-vous déjeuné à la maison hier? Dînez-vous souvent au restaurant? A quel restaurant aimez-vous dîner?

12. Cherchez-vous souvent un livre à la bibliothèque? Le trouvez-vous facilement? En avez-vous cherché un cette semaine? L'avez-vous trouvé?

13. Quel temps fait-il aujourd'hui? Quel temps faisait-il hier? Comment est le ciel aujourd'hui? Avez-vous chaud? Aviez-vous besoin de votre tricot hier? Pourquoi?

14. Avez-vous écouté la radio hier soir? Y avait-il des nouvelles importantes?

15. Etes-vous souvent en retard? Etiez-vous en retard aujourd'hui? Le professeur est-il souvent en retard? Etait-il en retard aujourd'hui?

16. Avez-vous acheté une robe (ou une chemise) cette semaine? Pourquoi?

17. Avez-vous faim pendant la classe? Aviez-vous faim hier à midi? Avez-vous acheté un sandwich? Comment était-il?

PRONONCIATION

Je suis / J'étais   J'ai / J'avais
Vous êtes / Vous étiez   Vous avez / Vous aviez
Je regarde / J'ai regardé Je parle / J'ai parlé
            J'achète / J'ai acheté

EXPLICATIONS

LE PASSÉ:

Il y a deux temps (*tenses*) pour le passé ordinaire.
Ces temps sont le **passé composé** et l'**imparfait.**

I. *L'imparfait est le temps de la description.*

Employez l'imparfait pour une description, pour dire comment étaient les choses (*how things were, what was going on*).

Le verbe **Être** et le verbe **Avoir** sont très souvent à l'imparfait.

L'imparfait de

il y a = il y avait
c'est = c'était

Hier, **c'etait** lundi. **Il y avait** du soleil, **il** n'y **avait** pas de nuages dans le ciel. **C'était** une belle journée.

A. Conjugaison de l'imparfait.

Être	**Avoir**
J'étais	J'avais
Tu étais	Tu avais
Il était	Il avait
Nous étions	Nous avions
Vous étiez	Vous aviez
Ils étaient	Ils avaient

Quand **j'avais** six ans, **j'avais** un chien. **Il était** noir, et **il était** très gentil.

Etiez-vous à l'heure pour la classe? Oui, **j'étais** à l'heure.

Aviez-vous une classe de français hier? Oui, **j'avais** une classe de français hier (ou: Oui, **j'en avais** une). Mais **je** n'en **avais** pas dimanche.

Où **étaient** les élèves pendant le week-end? **Ils étaient** chez eux parce qu'**ils** n'**avaient** pas besoin d'être à l'école.

II. *Le **passé composé** est le temps de l'action.*

Employez le passé composé pour exprimer une action, ce que quelqu'un a fait (*what someone did or has done*).

J'ai étudié ma leçon et après, **j'ai regardé** la télévision.
Avez-vous déjeuné au restaurant? Non, **je** n'y **ai** pas **déjeuné.**
J'ai mangé un sandwich, assis sur la pelouse.

A. Conjugaison du passé composé.

Déjeuner	**Regarder**
J'ai déjeuné	J'ai regardé
Tu as déjeuné	Tu as regardé
Il a déjeuné	Il a regardé
Nous avons déjeuné	Nous avons regardé
Vous avez déjeuné	Vous avez regardé
Ils ont déjeuné	Ils ont regardé

B. Forme interrogative du passé composé.

Déjeuner

Ai-je déjeuné?   Avons-nous déjeuné?
As-tu déjeuné?   Avez-vous déjeuné?
A-t-il déjeuné? (a-t-elle)   Ont-ils déjeuné? (ont-elles)

C. Forme négative du passé composé.

Déjeuner

Je n'ai pas déjeuné   Nous n'avons pas déjeuné
Tu n'as pas déjeuné   Vous n'avez pas déjeuné
Il n'a pas déjeuné   Ils n'ont pas déjeuné

REMARQUE IMPORTANTE: Dans la forme: **je déjeune, je regarde,** le verbe est **déjeune, regarde.** Mais dans la forme: **j'ai déjeuné, j'ai regardé,** le verbe est **ai** et le mot **déjeuné, regardé** s'appelle le participe passé. Le participe passé est une forme verbale, mais ce n'est pas un verbe.

III. *Le passé composé et l'imparfait. Leur usage:*

On emploie souvent le passé composé et l'imparfait dans des phrases consécutives ou dans la même phrase. Par exemple:

Hier, à midi **j'avais** faim. **J'ai acheté** un sandwich et **je l'ai mangé.**
C'était un sandwich au fromage. **Il était** très bon.

J'ai cherché un livre à la bibliothèque, mais **je** ne l'**ai** pas **trouvé** parce qu'**il** n'y **était** pas.

Elle a téléphoné à son amie Carol. Mais Carol n'**était** pas à la maison.

EXERCICES

I. Donnez la forme du verbe au passé.

Ex: J'ai—j'avais. Il parle—il a parlé.

Je regarde	Il écoute	Nous dînons
Vous avez	Il regarde	Vous parlez
Ils sont	Je téléphone	Est-ce?
Vous êtes	Je cherche	Je trouve
Nous demandons	Vous achetez	Y a-t-il?
Nous étudions	Vous avez	Êtes-vous?

II. Donnez la forme du verbe pour la réponse.

    Ex: A-t-il?   Il a.   Etiez-vous?   J'étais.

Est-elle?   Y avait-il?   Avaient-ils?
Etiez-vous?   Etait-ce?   Etaient-ils?
Avions-nous?   Ai-je téléphoné?   Avez-vous écouté?
Avez-vous parlé?   Ont-ils regardé?   A-t-elle cherché?

III. Donnez la forme négative.

    Ex: J'avais un chien.   Je n'avais pas de chien
        C'était ma sœur.   Ce n'était pas ma sœur.

Il a regardé par la fenêtre.   Nous avons déjeuné à midi.
J'avais une voiture.   Il y avait une assiette de soupe.
La classe était intéressante.   Nous avions une classe dimanche.
Véronique avait une bouteille de limonade pour son frère.
Ces étudiants étaient absents hier.

IV. Répondez aux questions suivantes:

Avez-vous un chien?
Aviez-vous peur des chiens quand vous aviez cinq ans?
Etes-vous étudiant?
Etiez-vous absent hier?
Vos parents ont-ils une voiture?
Vos parents étaient-ils à la maison hier soir?
Y avait-il un bon programme à la télévision hier soir?
Quel est votre programme favori? L'avez-vous regardé cette semaine?
    Comment était-il?
Où avez-vous dîné hier? Comment était votre dîner?
Etiez-vous en retard aujourd'hui? Etes-vous souvent en retard?

DEUXIÈME PARTIE

J'ai Fait un Rêve

*Le passé composé des verbes réguliers
et de quelques verbes irréguliers*

L'imparfait des verbes d'état d'esprit

Etudiez les phrases suivantes:

Présent	*Passé*
Je parle avec mes amies et **nous avons** beaucoup de choses à dire.	**J'ai parlé** avec mes amies et **nous avions** beaucoup de choses à dire.
La soirée **commence** à huit heures et **finit** à minuit.	La soirée **a commencé** à huit heures et **a fini** à minuit.
Je réponds aux questions du professeur.	**J'ai répondu** aux questions du professeur.
. . .	. . .
Je réponds à la question parce que **je sais** la réponse.	**J'ai répondu** à la question parce que **je savais** la réponse.
Je crois qu'aujourd'hui **c'est** mercredi.	**Je croyais** qu'aujourd'hui **c'était** mercredi.
Je veux vous parler parce que **j'ai** un problème.	**Je voulais** vous parler parce que **j'avais** un problème.

Il pense que tout le monde **est** aussi intelligent que lui.

J'aime beaucoup la robe que vous **avez.**

Il pensait que tout le monde **était** aussi intelligent que lui.

J'aimais beaucoup la robe que vous **aviez** hier.

Déclaration et Question

Réponse

Saviez-vous parler français avant ce semestre ?

Non, **je** ne **savais** pas le **parler.**

Vouliez-vous aller dîner au restaurant dimanche dernier ?

Oui, **je voulais aller** y **dîner,** mais c'était impossible.

Pensiez-vous avoir un « A » à votre dernier examen ?

Non, **je** ne **pensais** pas **avoir** d'« A », mais **je pensais** avoir un « B ». **Je croyais** savoir toutes les réponses.

Aimiez-vous jouer avec les autres enfants quand vous étiez petit ?

Non, **je** n'**aimais** pas beaucoup jouer avec les autres enfants. **Je préférais** rester à la maison et **j'adorais** regarder des images dans des livres.

Espériez-vous être un jour un grand auteur ou un acteur célèbre de cinéma ?

Quand j'étais très jeune, **j'espérais** être célèbre un jour.

LECTURE

J'ai fait un rêve

Dans la maison d'étudiants où j'habite, le diner hier soir était magnifique. Il y avait du caviar et du champagne! C'était merveilleux. L'orchestre était derrière de grandes plantes tropicales. Nous avons chanté et dansé. J'étais en smoking* et j'ai parlé avec une jeune fille qui avait une robe du soir très

* **Un smoking:** *a dinner jacket.*

BERNARD LAMOTTE

La Valse, de Ravel
Capehart Corporation

*L'orchestre était derrière de grandes plantes. Il y avait
du caviar et du champagne. J'ai dansé avec une jeune fille
qui était en robe du soir... . C'était merveilleux!*

élégante. Elle était charmante et nous avons un peu flirté. Elle avait l'air de penser que j'étais remarquable aussi. La soirée a fini à minuit. Alors, le directeur a dit : « Vous n'avez pas besoin de faire vos devoirs aujourd'hui ». Naturellement, nous ne les avons pas faits.

Ce matin, il y avait une surprise pour nous. Les professeurs ont téléphoné et ils ont dit : « Informez les étudiants qu'il n'y a pas de classes aujourd'hui ». Je pensais que c'était le paradis ! Mais à ce moment, j'ai entendu quelque chose. J'ai ouvert les yeux et j'ai vu mon camarade de chambre. Il était debout devant mon lit et il avait un verre d'eau à la main. Je pensais pouvoir dormir encore deux heures et j'ai dit : « Non, merci, je n'ai pas soif ». Il a répondu qu'il ne pensait certainement pas que j'avais soif, mais qu'il était sept heures et demie et qu'il savait que ma première classe était à huit heures. Moi, je voulais rester dans mon lit qui était chaud et confortable. Mais c'était l'heure du petit déjeuner. J'avais faim, et puis je n'aime pas avoir un grand verre d'eau froide sur la figure...

Quand j'ai vu que tous les étudiants étaient assis dans la grande salle à manger, avec leurs tasses de café et leurs verres de lait, j'ai compris ! Il n'y avait pas d'orchestre hier soir, pas de champagne, pas de caviar. Ce n'était que le rêve d'un pauvre étudiant fatigué ! Hier soir était un soir ordinaire, maintenant, j'étais obligé de courir parce que j'étais en retard et j'espérais que les professeurs étaient en retard aussi.

QUESTIONS SUR LA LECTURE

Attention ! Quand la question est au présent, la réponse est au présent. Quand la question est au passé, la réponse est au passé.

1. Est-ce que ce jeune homme habite avec sa famille ? Où habite-il ?

2. Y avait-il une soirée hier soir dans sa maison d'étudiants ? Y avait-il aussi une soirée dans votre école ?

3. Etait-il en chemise de sport, pour cette soirée ? Et la jeune fille ? Qu'est-ce qu'ils ont fait ?

4. Comment était la soirée ? (Description). A quelle heure a-t-elle fini ? A quelle heure a fini votre dernière classe ? A quelle heure votre première classe a-t-elle commencé aujourd'hui ?

5. Ce jeune homme a-t-il fait ses devoirs après la soirée ? Pourquoi ?

6. Quand il a ouvert les yeux le matin, il y avait une autre surprise. Etait-ce une bonne ou une mauvaise surprise? Qui a-t-il vu debout devant son lit? Qu'est-ce qu'il avait à la main?

7. Pourquoi le camarade de chambre avait-il un verre d'eau à la main? Pensait-il que l'autre avait soif?

8. Est-ce que le jeune homme de l'histoire voulait aller en classe? Où voulait-il rester?

9. Qu'est-ce qu'il a vu dans la grande salle à manger? Qu'est-ce qu'il a compris?

10. Y avait-il vraiment une soirée hier soir? Est-ce que le jeune homme a fait un rêve?

11. Le pauvre jeune homme! A-t-il déjeuné avec les autres étudiants? Etait-il obligé de courir? Pourquoi?

12. Etait-ce un beau rêve? Pensez-vous qu'il était en retard? Pensez-vous qu'il savait ses leçons pour sa première classe?

13. Quand vous avez commencé la lecture, saviez-vous que la soirée était un rêve? Avez-vous remarqué le titre? Quel est le titre? Imaginez un autre titre.

PRONONCIATION

Je finis / J'ai fini   J'entends / J'ai entendu

J'aime / J'aimais   Je veux / Je voulais

EXPLICATIONS

I. *Le passé composé, temps de l'action.*

Verbes en **-er: -é.**

J'ai parl**é,** j'ai regard**é,** j'ai mang**é,** j'ai téléphon**é,** etc.

REMARQUEZ: Tous les verbes en **-er** sont réguliers excepté **aller** et **envoyer.**

Verbes en **-ir: -i.**

J'ai fin**i,** j'ai réfléch**i,** j'ai chois**i,** j'ai bât**i,** j'ai dorm**i,** etc.

Verbes en **-re: -u.**
J'ai répond**u,** j'ai entend**u,** j'ai perd**u,** j'ai interromp**u,** etc.

Voilà quelques **passés composés irréguliers.**

Faire:	j'ai fait
Dire:	j'ai dit
Écrire:	j'ai écrit
Voir:	j'ai vu
Lire:	j'ai lu
Ouvrir:	j'ai ouvert
Mettre:	j'ai mis (aussi: promettre: j'ai promis et: permettre: j'ai permis)
Prendre:	j'ai pris (aussi: comprendre: j'ai compris et: apprendre: j'ai appris).

II. *L'imparfait, temps de la description.*

Voilà la conjugaison de l'imparfait. L'imparfait est toujours régulier.

Savoir		**Croire**
je sav**ais**	-ais	je croy**ais**
tu sav**ais**	-ais	tu croy**ais**
il sav**ait**	-ait	il croy**ait**
nous sav**ions**	-ions	nous croy**ions**
vous sav**iez**	-iez	vous croy**iez**
ils sav**aient**	-aient	ils croy**aient**

Certains verbes expriment généralement un état d'esprit (*a state of mind*). Un état d'esprit, c'est, comme un état de choses, une description. Les verbes d'état d'esprit sont généralement à l'imparfait.

Voilà les principaux verbes d'état d'esprit:

Savoir: je savais	**Croire:** je croyais	**Espérer:** j'espérais
Vouloir: je voulais	**Penser:** je pensais	**Aimer:** j'aimais

III. *L'emploi de deux verbes.*

A. La construction de deux verbes (voir Leçon 15) :

> Il **aime étudier** à la bibliothèque.
> J'**espère avoir** des bonnes notes.
> Il **veut voir** sa famille à New York.

Nous avons vu comment placer les pronoms dans cette construction :

> Aime-t-il étudier à la bibliothèque ? Oui, **il aime y étudier.**
> Espérez-vous avoir des bonnes notes ? Oui, **j'espère en avoir.**
> Veut-il voir sa famille à New York ? Oui, **il veut l'y voir.**

Maintenant, vous voyez cette construction avec le premier verbe au passé:

> Il **aimait étudier** à la bibliothèque. **Il aimait y étudier.**
> J'**espérais avoir** de bonnes notes. **J'espérais en avoir.**
> Il **voulait voir** sa famille à New York. **Il voulait l'y voir.**

B. Construction de deux verbes avec préposition :

> J'ai oublié de prendre mon billet. **J'ai oublié de le prendre.**
> Nous avons commencé à étudier le passé. **Nous avons commencé à l'étudier.**
> Nous n'avons pas fini de lire le livre. **Nous n'avons pas fini de le lire.**

REMARQUEZ: La construction de deux verbes, avec ou sans préposition, est la même au présent et au passé.

Quand le 1er verbe est au passé composé, construisez toujours la négation autour de l'auxiliaire.

EXERCICES

I. Donnez le passé composé des verbes suivants:

> Ex: Je fais — J'ai fait.   Je dors bien — j'ai bien dormi.

Il regarde la télévision.
Elle n'oublie pas ses affaires.
Il achète une voiture.
Nous réfléchissons à nos problèmes.
Ils ne disent pas la vérité.
L'architecte bâtit une maison.

Parlez-vous dans la classe ?
Répondez-vous bien à la question ?
Apprenez-vous quelque chose ?
Je ne comprends pas bien.
Nous faisons la cuisine.
Je vois souvent ce monsieur à la bibliothèque.

II. Mettez les phrases suivantes au passé (passé composé ou imparfait).

> Ex: Je dîne au restaurant le jour où ma mère n'est pas à la maison.
> J'ai dîné au restaurant le jour où ma mère n'était pas à la maison.

J'achète un livre parce que le professeur dit que ce livre est nécessaire.

Nous regardons la télévision parce qu'il y a un programme intéressant.

Je prends l'autobus à huit heures. Mais il est en retard et j'attends pendant quelques minutes. Je pense être en retard pour ma première classe mais je suis à ma place quand la cloche sonne.

Les voyageurs demandent des renseignements à l'employé. Il sait la réponse et il répond dans trois langues, parce qu'il sait parler français, anglais et allemand.

Quand je suis petit, j'adore passer mes vacances chez mon grand-père. C'est à la campagne, il a une vieille maison et j'aime explorer le grand jardin.

COMPOSITIONS

Composition orale.

Racontez ce que vous avez fait hier soir. Employez les verbes suivants: être, avoir, vouloir, penser, savoir, regarder, faire, dire, finir, parler, attendre, lire, écrire, prendre, mettre.

Composition écrite.

Racontez un rêve que vous avez fait.

Jacques Prévert (né en 1900)

Voici un petit poème de Prévert, si simple et si expressif. Vous voyez la succession d'actions, exprimées par la succession de verbes au passé composé. Et vous voyez comme ces actions sont importantes pour la jeune femme qui regarde l'homme qu'elle aime et qui attend en vain un mot de lui, un regard, un mouvement d'affection.

* * * * * *

DÉJEUNER DU MATIN

Il a mis le café
Dans la tasse
Il a mis le lait
Dans la tasse de café
Il a mis le sucre
Dans le café au lait
Avec la petite cuiller
Il a tourné
Il a bu le café au lait
Et il a reposé la tasse
Sans me parler
Il a allumé une cigarette
Il a fait des ronds
Avec la fumée
Il a mis les cendres
Dans le cendrier
Sans me parler
Sans me regarder
Il s'est levé
Il a mis
Son chapeau sur sa tête
Il a mis
Son manteau de pluie
Parce qu'il pleuvait
Et il est parti
Sous la pluie
Sans une parole
Sans me regarder
Et moi j'ai pris
Ma tête dans ma main
Et j'ai pleuré

Paroles © Editions Gallimard

TROISIÈME PARTIE

UNE ÉMISSION RADIOPHONIQUE :
LE JOURNAL PARLÉ DE RADIO-FRANCE
Le passé composé des verbes de mouvement

Les verbes de communication

ETUDIEZ LES PHRASES SUIVANTES :

Présent	*Passé*
Je vais à la campagne.	**Je suis allé** à la campagne.
J'arrive à l'école à l'heure.	**Je suis arrivé** à l'école à l'heure.
Quand **j'entre** dans la classe, le professeur est déjà assis derrière le bureau.	Quand **je suis entré** dans la classe, le professeur était déjà assis derrière le bureau.
Je pars de chez moi le matin et **je rentre** l'après-midi.	**Je suis parti** de chez moi le matin et **je suis rentré** l'après-midi.
Je monte au premier étage et **je descends** au rez-de-chaussée.	**Je suis monté au** premier étage et **je suis descendu** au rez-de-chaussée.
Mon livre est sur le bord de la table. Soudain, **il tombe!** Quel bruit !	Mon livre était sur le bord de la table. Soudain, **il est tombé.** Quel bruit !
Sortez-vous ce soir? Moi, **je ne sors pas, je reste** chez moi.	**Etes-vous sorti** hier soir? Moi, **je** ne **suis** pas **sorti. Je suis resté** chez moi.

Le président **vient** faire un discours dans notre ville et **il retourne** à la capitale.

Le président **est venu** faire un discours dans notre ville et **il est retourné** à la capitale.

. . . .

Discours direct présent

« Entrez », **dit** le directeur **au jeune homme,** « et prenez une chaise ».

« Je suis heureux de vous voir », **a répondu** le jeune homme.

J'écris à mes parents « J'ai besoin d'argent. Envoyez-moi vingt dollars, s'il vous plaît ».

Mes parents ne répondent pas. Alors je **leur téléphone:** « Envoyez-moi un chèque tout de suite ».

« Faites attention! » **dit** le professeur **aux élèves tous les jours.**

Carol **demande à son amie,** « Restez avec moi ce soir, je suis seule ».

Discours indirect passé

Le directeur **lui** a dit **d'**entrer et **de** prendre une chaise.

Le jeune homme **lui** a répondu qu'il était heureux **de** le voir.

Je **leur** ai écrit **que** j'avais besoin d'argent et **de** m'envoyer vingt dollars.

Ils n'ont pas répondu. Alors je **leur** ai téléphoné **de** m'envoyer un chèque tout de suite.

Il **leur** a répété **de** faire attention.

Elle **lui** a demandé **de** rester avec elle parce qu'elle était seule.

LECTURE

Une émission radiophonique: « Le Journal Parlé de Radio-France »

Mes chers auditeurs,

La grande nouvelle de ce soir, c'est la visite du Président des Etats-Unis dans notre capitale. Il est arrivé à Orly à 10 heures du matin, accompagné de sa femme. Le Président de la République était à l'aérodrome, accompagné du chef du Protocole et de nombreux membres du gouvernement.

Quand l'avion est arrivé, la musique de la Garde d'Honneur a joué les hymnes nationaux des deux pays: La Marseillaise et La Bannière Etoilée. C'était un moment solennel. Après, les deux Présidents ont accordé une brève

ROBERT DELAUNAY

Disques
Collection, The Museum of Modern Art, New York
Gift of Judge and Mrs. Henry Epstein

La peinture abstraite suggère, elle parle à l'imagination, elle transforme une impression en image, une image en impression. (Voir le texte de Paulhan, page 143.)

Les Disques *de Delaunay vous suggèrent peut-être des disques de phono, ou des bandes magnétiques, ou le mouvement concentrique du disque ou de la bande…. Evoquez alors un studio de radiodiffusion où souvent, musique et voix humaine sont fonction de ce mouvement circulaire interminable.*

interview à la presse. En français, le Président Smith a déclaré: «Je suis heureux d'être de nouveau dans ce beau pays, ancien ami et allié des Etats-Unis». Le Président Le Gaulois a dit : « Cette visite marque l'apogée de rapports amicaux entre nos pays et inaugure une ère nouvelle de collaboration ». Puis, le cortège officiel est parti pour le Palais de l'Elysée. Ce soir, il y a une représentation de gala à l'Opéra, suivie d'un bal.

Sur le plan international, toutes les nouvelles ne sont pas aussi bonnes, hélas! La guerre continue dans l'île de Saint-Dominique entre les forces du gouvernement et des bandes de guerillas. On compte ce soir 10 morts et plus de 30 blessés. Et Radio Saint-Dominique rapporte que les forces rebelles ont pris un village à l'ouest de la capitale. Les Nations-Unies ont demandé une séance extraordinaire. Vous entendez maintenant la voix du délégué de Saint-Dominique aux Nations-Unies et sa traduction en français... « La situation est dangereuse et mon gouvernement déclare qu'il va prendre des mesures sévères en vue de rétablir l'ordre ».

Un autre succès astronautique aujourd'hui: la station de Villan annonce que la fusée Terre-Lune est arrivée à proximité de la lune! Va-t-elle entrer en orbite et commencer à faire une série de photographies de la face sombre de la lune ? Nous allons le savoir demain. Si le système fonctionne, la télévision nationale va transmettre pour le public cette série de photos uniques et sensationnelles.

L'agence de police internationale, Interpol, en collaboration avec le Deuxième Bureau et l'agence américaine CIA, annonce ce soir l'arrestation d'un suspect dans la célèbre affaire d'espionnage. Le suspect, Vladimir Nastroiev, est venu de Bruxelles à Paris où il a rencontré un autre espion, qui était en réalité un agent d'Interpol. On attend le résultat de l'interrogatoire.

La grève est terminée et le travail a recommencé ce matin dans les mines de charbon de la compagnie France-Mines. Les représentants du Syndicat Minier ont déclaré que les ouvriers étaient satisfaits du résultat des négociations avec les directeurs: amélioration des conditions de travail et augmentation des salaires.

Par contre, la grève des étudiants de la Sorbonne continue. Les étudiants ont organisé cette grève pour protester contre l'insuffisance des bâtiments où, disent-ils, les salles de classe sont trop petites et pas assez nombreuses. En effet, le nombre d'étudiants inscrits à la Sorbonne a triplé en dix ans, mais les salles de classes restent les mêmes. En ce moment, environ trois mille étudiants sont assis au milieu du Boulevard Saint Michel et refusent de circuler. Le

Préfet de Police a dit aux agents de maintenir l'ordre. Mais la circulation automobile est obligée de faire un détour, une foule de gens curieux sont venus voir, et il y a un embouteillage général dans le Quartier Latin. Le Recteur de la Faculté de Paris a demandé le retour à l'ordre.

Et maintenant, mes chers auditeurs, parmi les nouvelles plus gaies: nous apprenons que la célèbre actrice Jolie Belle a obtenu son premier divorce de l'année. Notre envoyé spécial sur la Côte d'Azur a interviewé Mademoiselle Belle, qui lui a demandé de dire à ses nombreux admirateurs que son ex-mari et elle avaient l'intention de rester excellents amis. Mademoiselle Belle reste en excellents termes avec tous ses ex-maris.

Et maintenant, mes chers auditeurs, je termine notre journal parlé par les prédictions météorologiques: Température pour demain: plus chaude, maximum 24 degrés centigrades à Paris, 30 degrés centigrades à Marseille. Temps beau et clair.

Bonsoir, mes chers auditeurs. Ne quittez pas l'écoute. Vous allez entendre dans quelques instants l'orchestre symphonique de Radio-France.

QUESTIONS SUR LA LECTURE

1. Il y a 7 nouvelles importantes dans le journal parlé de Radio-France. Quelles sont ces nouvelles?

2. Qui est arrivé à Orly? Etait-il seul? Qui est allé l'attendre? Etait-il seul?

3. Qu'est-ce que la musique de la Garde d'Honneur a joué? Comment s'appelle l'hymne national français? Et comment s'appelle l'hymne national américain en français?

4. Où est allé le cortège officiel après la réception à l'aérodrome? Quel est le programme de ce soir, pour les deux présidents et les membres de leur groupe?

5. Quelle est la situation à Saint Dominique? Qu'est-ce que les rebelles ont fait? Qu'est-ce que les Nations-Unies ont fait? Qu'est-ce que le gouvernement de Saint Dominique a l'intention de faire?

6. Est-ce que la station aéronautique a réussi à lancer une fusée dans la direction de la lune? Où la fusée est-elle arrivée? Est-elle entrée en orbite? Qu'est-ce que la fusée va faire si le système fonctionne?

7. Qu'est-ce que c'est, Interpol? Qu'est-ce qu'Interpol a fait? Seul, ou en collaboration avec d'autres agecnes? Comment ces agences ont-elle fait l'arrestation du suspect?

8. Dans une grève, est-ce que les ouvriers refusent de travailler ou est-ce qu'ils veulent travailler? Qu'est-ce que les ouvriers demandent généralement quand ils font la grève?

9. Est-ce que les ouvriers des mines ont recommencé le travail? Pourquoi? Qui a fait les négociations avec les directeurs?

10. Est-ce que les étudiants de la Sorbonne font aussi la grève? Est-ce pour avoir une augmentation de salaire? Pourquoi font-ils la grève? Comment la font-ils? Quelles sont les conséquences de cette grève pour la circulation dans le Quartier Latin? Expliquez le mot « embouteillage ».

11. Qu'est-ce que l'actrice célèbre a obtenu? Est-ce la première fois? Qu'est-ce qu'elle a dit au reporter?

12. Quel est le temps pour demain, d'après la météorologie? Y a-t-il une différence entre les degrés centigrades et les degrés Fahrenheit?

13. Qu'est-ce que le Président des Etats-Unis a dit quand il est arrivé à l'aérodrome? Est-ce une remarque originale? Qu'est-ce que le Président de la France a dit? Est-ce une remarque originale ou banale?

PRONONCIATION

Des Etats-Unis
Les Etats-Unis   } Zéta-Zuni
Aux Etats-Unis

Le mot **Etats-Unis** est toujours précédé d'un autre mot comme **aux, des, les** qui forme une liaison **z**. Donc, le mot **Etats-Unis** est toujours prononcé **Zéta-Zuni.**

EXPLICATIONS

I. *Les verbes de mouvement.*

Un petit groupe de verbes sont, en français des **verbes de mouvement.** Les verbes de mouvement forment leur passé composé avec **Être.**

Voilà les verbes de mouvement:

| **Aller** | **Arriver** | **Entrer** | **Venir** | **Rentrer** | **Retourner** |
| **Partir** | **Sortir** | **Monter** | **Descendre** | **Tomber** | **Rester*** |

A. Conjugaison des verbes de mouvement:

Aller	**Venir**
Je suis allé(e)	Je suis venu(e)
Tu es allé(e)	Tu es venu(e)
Il est allé, elle est allée	Il est venu, elle est venue
Nous sommes allés (allées)	Nous sommes venus (venues)
Vous êtes allé(s) [allée(s)]	Vous êtes venu(s) [venue(s)]
Ils sont allés, elles sont allées	Ils sont venus, elles sont venues

B. Le participe passé de ces verbes.

(Vous savez déjà que le participe passé de tous les verbes en **-er** est régulier: **-é.** Il n'y pas d'exceptions.)

Arriver:	je suis arrivé(e)	Retourner:	je suis retourné(e)
Aller:	je suis allé(e)	Monter:	je suis monté(e)
Entrer:	je suis entré(e) dans...	Tomber:	je suis tombé(e)
Rentrer:	je suis rentré(e)	Sortir:	je suis sorti(e)
Venir:	je suis venu(e)	Partir:	je suis parti(e)
Descendre:	je suis descendu(e)		

C. L'accord du participe passé.

Le monsieur est arriv**é.**

La dame est arriv**ée.**

Ma sœur est part**ie** de la maison à cinq heures et elle est rentr**ée** à sept heures.

Les deux Présidents sont all**és** au gala de l'Opéra.

Quand le verbe forme son passé composé avec **être,** le participe passé s'accorde avec le sujet, exactement comme un adjectif.

---

* *Remember that these verbs mean "to come and go," "to go back and forth," "up and down." To come:* **venir;** *to arrive:* **arriver;** *to enter:* **entrer;** *to go or come back home:* **rentrer;** *to go back somewhere:* **retourner;** *to leave:* **partir;** *to go out:* **sortir;** *to go up:* **monter;** *to go down:* **descendre;** *to fall:* **tomber;** *and negative movement:* **rester.**

Verbs like **marcher:** *to walk;* **nager:** *to swim;* **courir:** *to run;* **conduire:** *to drive, etc. are* not *verbs of* movement—*they indicate only* action.

D. L'emploi des verbes de mouvement.

Le cortège officiel **est allé, en voiture,** de l'Elysée à l'Opéra. (*The official motorcade drove from the Elysée to the Opera.*)

Je **vais** à l'école **à pied.** (*I walk to school.*)

Il est **rentré** de New York **en avion.** Il y **retourne** demain **en avion.** (*He flew back home from New York. He is flying back there to-morrow.*)

On va (arrive, rentre, retourne, etc.):

à pied:	**Je vais à l'école à pied,** c'est un excellent exercice.
en voiture:	Mon père **va à son bureau en voiture.**
en avion:	Le président **est arrivé en France en avion.**
en bateau:	Nous **sommes allés en Europe en bateau.**
en autobus:	Ma mère **est partie en autobus** pour aller en ville.

NOTE: Quand il n'y pas de doute possible, il n'est pas nécessaire d'indiquer **comment** vous êtes allé à un certain endroit. Par exemple, "*I walked out of the room*" est en français: «Je suis sorti de la pièce».

II. *Les verbes de communication.*

Les verbes **dire, demander** (et beaucoup d'autres comme **répéter, répondre, écrire, téléphoner,** etc.) sont des verbes de **communication.**

Ces verbes expriment une communication entre deux (ou plusieurs) personnes.

Quand on communique avec une autre personne, on communique, fondamentalement, deux choses:

A. Une information:

Je dis **au professeur que** je n'ai pas compris la question.

Je **lui** dis **que** je n'ai pas compris sa question.

On dit **à quelqu'un que**... (information)
On **lui** dit **que**...

B. Un ordre (ou un désir, ou une requête):

Je dis **au professeur de** répéter sa question.

Je **lui** dis **de** répéter la question.

On dit **à quelqu'un de**... (ordre, désir)
On **lui** dit **de**...

C. Une information et un ordre. Dans ce cas, on emploie les deux constructions en succession :

Je dis **au professeur que** je n'ai pas compris et **de** répéter sa question.

Elle écrit **à son père qu'**elle n'a pas d'argent et elle **lui** demande **d'**en envoyer.

VOCABULAIRE

Noms

une visite
une capitale
le Chef (du Protocole)
un membre
le gouvernement
un hymne national
une interview
la presse
la météorologie
la guerre
les forces (du gouvernement, rebelles)
le délégué
a situation
un mort
un succès
un centre astronautique
une série (de photographies)
une agence (de police)
une affaire (d'espionnage)
un agent (secret)
une grève (faire la grève)
un allié
des rapports (amicaux)
une ère (nouvelle)
la collaboration

le cortège
la représentation
le bal
le plan (national, local, régional, international)
le discours
les Nations-Unies
des mesures (sévères)
un blessé
une fusée
une orbite
le système
l'arrestation
un espion
un interrogatoire
les négociations
l'augmentation (des salaires)
l'amélioration (des conditions)
l'insuffisance (des bâtiments, des salaires, etc.)
la circulation
le divorce
un admirateur, une admiratrice
l'embouteillage
un envoyé spécial
une prédiction

Verbes

accorder	fonctionner
déclarer	terminer
marquer	recommencer
inaugurer	organiser
continuer	protester
compter	divorcer
annoncer	interviewer

Tous ces verbes sont réguliers, premier groupe, et leur participe passé est en **-é.**

transmettre (composé de **mettre**)	il a transmis
prendre	il a pris
maintenir	il a maintenu

Adjectifs

solennel, solennelle	curieux, curieuse
accompagné de…	heureux, heureuse
suivi de…	satisfait(-e)
amical, amicaux	nombreux, nombreuse
amicale, amicales	

Expressions

faire la grève (ou: être en grève)	de nouveau
être terminé(-e) [*to be over*]	à mon tour
avoir l'intention de…	

EXERCICES

I. Donnez le passé composé des verbes suivants.

Ex: Je commence.   J'ai commencé.

Il va	Je rentre	Elle n'entre pas
Elle va	Vous ne descendez pas	Vous déclarez
Ils partent	Tombez-vous?	Je sors
Nous arrivons	Arrive-t-elle?	Il organise
Je prends	Je ne comprends pas	Je ne pars pas

Il transmet	Il monte	J'y vais
Y allez-vous?	Sort-elle?	La prenez-vous?
Il le fait	Elle ne divorce pas	Vous y retournez

II. Mettez les textes suivants au passé (passé composé et imparfait).

L'avion du Président arrive à Orly. Le Président Smith descend. Il est accompagné de sa femme. Il accorde une interview à la presse et il déclare qu'il est heureux d'être de nouveau en France. La Président de la République Française, à son tour, parle au microphone. Après, le cortège officiel va à l'Elysée, résidence du Président. Les photographes prennent de nombreuses photos.

L'agence France-Presse transmet cette nouvelle: La guerre commence à Saint-Dominique. Les forces du gouvernement arrivent au village de Las Casitas et le prennent. On entend la voix du délégué de Saint-Dominique qui déclare que la situation est dangereuse.

Les ouvriers font la grève parce qu'ils veulent une augmentation de salaire et qu'ils pensent que la grève est la meilleure manière de l'avoir. Ce matin, le travail recommence et les ouvriers descendent dans les mines. Ils disent qu'ils sont satisfaits du résultat des négociations.

COMPOSITIONS

Composition orale au choix.

A. Racontez ce que vous avez fait hier et expliquez vos actions. (Ex: Je suis allé à la bibliothèque parce que j'avais besoin d'un livre, etc. ...)

B. Racontez un voyage que vous avez fait.

Composition écrite au choix.

A. Ecrivez une émission de journal parlé avec les nouvelles de cette semaine (visites officielles, guerres, succès astronautiques, etc.).

B. Sujet libre. Ecrivez une composition **au passé,** et employez beaucoup de verbes de mouvement.

MARC CHAGALL   *Les Amoureux dans les fleurs*
                                Parke-Bernet Galleries, New York

Dans le rêve, les lois de la gravité n'existent pas. Les
Amoureux *de Chagall flottent dans leur rêve au milieu*
de fleurs.

Jacques Prévert

La poésie de Jacques Prévert (né en 1900) va de la plus simple à la plus riche. C'est un virtuose de la langue et vous voyez l'effet qu'il obtient de quatre verbes au passé composé.

* * * * *

POUR TOI MON AMOUR. . .

Je suis allé au marché aux oiseaux
Et j'ai acheté des oiseaux
Pour toi
mon amour

Je suis allé au marché aux fleurs
Et j'ai acheté des fleurs
Pour toi
mon amour

Je suis allé au marché à la ferraille
Et j'ai acheté des chaînes
De lourdes chaînes
Pour toi
mon amour

Et puis je suis allé au marché aux esclaves
Et je t'ai cherchée
Mais je ne t'ai pas trouvée
mon amour

Paroles © Editions Gallimard

VINGT
ET UNIÈME
LEÇON

Chez la Tireuse de Cartes

LE FUTUR

Avant de . . .   Après avoir . . .

Maintenant **je suis** pressé parce que **j'ai** beaucoup de travail.

Pendant les vacances, **je** ne **serai** pas pressé parce que **je** n'**aurai** pas beaucoup de travail. Où **serez-vous** pendant les vacances? Je serai sans doute à la plage. **Mon frère sera** à la campagne. Après, **nous serons** à la maison en septembre. **Mes parents** n'y **seront** pas. **Ils seront** en Europe.

Je fais un voyage en Europe.

L'année prochaine, **je ferai** un voyage en Europe. Et vous, que **ferez-vous?** Avec mes amis, **nous ferons** un voyage en Amérique du Sud.

Je vais en France, en Allemagne, en Italie.

J'irai en France, en Allemagne, en Italie. Et Jacques, où **ira-t-il?** Il dit qu'**il ira** en Amérique du Sud.

Je ne **vois** pas souvent de pièces de théâtre.

Quand j'irai en Europe, je **verrai** des pièces de théâtre.

Je sais un peu parler français.

Après mon voyage, **je saurai** très bien parler français. **Vous saurez** sans doute parler espagnol.

Je viens à l'université à pied.

Quand j'**aurai** une voiture, **je** ne **viendrai** pas à l'université à pied. Avec mon frère, **nous viendrons** en voiture tous les matins.

Le futur régulier

L'avion arrive à huit heures.

L'avion arrivera en retard. Il arrivera à huit heures trente.

MARC CHAGALL

L'Anniversaire
Collection, The Museum of Modern Art, New York
Acquired through the Lillian P. Bliss Bequest

*Une autre prédiction de Madame Zéphyra: "Je vois un personnage
étrange dans votre avenir...."*

Je **finis** toujours ma composition le soir.

Je ne **finirai** pas ma composition ce soir.
Je la finirai demain matin.

Je vous **attends** au coin de la rue si vous êtes en retard.

Je vous **attendrai** au coin de la rue si vous êtes en retard.

.　　.　　.　　.　　.　　.　　.

Déclaration et question

Réponse

Que faut-il faire **avant d'**aller en classe?

Avant d'aller en classe, il faut étudier. Si on n'étudie pas, on aura sans doute une mauvaise note.

Que ferez-vous **après avoir** fini vos études?

Après avoir fini mes études, je serai probablement médecin, ou professeur, ou avocat. Mais **avant d'**avoir une profession, il **faudra** étudier longtemps.

LECTURE

Chez la tireuse de cartes

Tout le monde a envie de savoir ce que l'avenir lui réserve. Mais comment le savoir? Eh bien, il y a la tireuse de cartes... Elle consultera les cartes ou bien elle regardera les lignes de votre main, ou elle étudiera votre horoscope et elle vous dira ce que l'avenir vous réserve. Vous ne croyez pas aux tireuses de cartes? C'est exactement le cas de nos amis Jean-Pierre, Bob, Véronique et Barbara. Ils ne croient pas du tout aux tireuses de cartes. Et où sont-ils maintenant? Vous avez deviné! Ils sont assis dans le salon de Madame Zéphyra, Tireuse de Cartes de Première Classe, Diplômée de l'Institut des Sciences Occultes.

BOB.　Je ne sais pas pourquoi je suis venu... C'est complètement ridicule.
JEAN-PIERRE.　Moi, je suis venu parce que je voudrais voir la figure de ma sœur quand Madame Zéphyra lui dira qu'elle restera vieille fille...
BARBARA.　Rira bien qui rira le dernier.* Voilà Madame Zéphyra... Bonjour

___

* **Rira bien qui rira le dernier:** c'est un proverbe. L'équivalent anglais est "*He who laughs last laughs best*". ("*Will laugh best who will laugh last*", littéralement.)

madame. Mon amie et moi, nous sommes venues pour savoir l'avenir. Et ces deux jeunes gens nous accompagnent.

MME ZÉPHYRA. (*Elle porte une longue jupe, des châles bariolés, de longues boucles d'oreilles, c'est tout à fait le type de la gitane.**) Entrez, mesdemoiselles, messieurs, entrez dans le salon de consultation. Asseyez-vous. Je vous dirai tout ce que l'avenir vous réserve. Avant de commencer, la consultation est vingt francs.

VÉRONIQUE. En voilà quarante, pour mon amie et moi. Barbara, vous êtes la première.

MME ZÉPHYRA. Voilà les cartes. Coupez avec la main gauche, c'est la main du cœur... Un, deux, trois, voilà un jeune homme blond; quatre, cinq, six, il vous aimera; sept, huit, neuf, vous l'aimerez aussi; dix, onze, douze, attention, il y aura une femme brune... Mais vous triompherez et vous serez heureuse. Vous aurez une maison au bord d'un lac... ou au bord de la mer... non, au bord d'une rivière... Je vois de l'eau, beaucoup d'eau... Je vois ce jeune homme brun avec un uniforme. Est-ce l'armée? Je ne sais pas. Mais ce sera votre mari.

VÉRONIQUE. C'est merveilleux, Barbara! Vous épouserez un officier de marine, probablement.

MME ZÉPHYRA. Donnez-moi votre main. Oh, je vois des choses très intéressantes. Votre ligne de cœur est longue, vous êtes stable et fidèle. Votre ligne de vie est longue aussi, vous aurez une vie longue et prospère. Ah, je vois une maladie grave, mais dans le passé...

BARBARA. C'est vrai. J'avais dix ans.

MME ZÉPHYRA. Il faudra faire attention à l'avenir aux chevaux, aux animaux sauvages. Je vois un danger dans votre ligne de chance. Il y aura un danger causé par un cheval, ou un autre animal...

BARBARA. Aurai-je des enfants?

MME ZÉPHYRA. Oui, mademoiselle, vous en aurez trois. Un garçon qui sera très intelligent et deux filles qui vous ressembleront. Elles seront très jolies.

JEAN-PIERRE. (*galant*) Il n'y a pas besoin d'être tireuse de cartes pour voir que, si elles ressemblent à Barbara, elles seront jolies... Maintenant, c'est le tour de ma sœur.

MME ZÉPHYRA. Coupez les cartes, mademoiselle. Un, deux, trois, vous ferez un grand voyage, vous irez... attendez... je vois le ciel... un avion... la mer... vous partirez sans doute bientôt. Quatre, cinq, six, je vois une ombre dans votre vie... Un jeune homme de votre famille qui est la cause de grands

---

* **une gitane:** *a gypsy.*

problèmes... Sept, huit, neuf, est-ce un frère? Un cousin? Un oncle? Je ne sais pas...

VÉRONIQUE. Ne cherchez pas, Madame Zéphyra, je sais qui c'est! C'est mon frère. Fera-t-il ce voyage avec moi?

MME ZÉPHYRA. Non... Je le vois debout... il regarde le ciel. Et vous êtes dans l'avion. Non, mademoiselle, quand vous partirez, il restera.

JEAN-PIERRE. Ah, zut, alors! Je croyais que toute la famille partait. Et pourquoi est-ce que ce jeune homme ne partira pas?

MME ZÉPHYRA. Je vois des papiers... un monsieur avec une moustache— c'est le père du jeune homme—est furieux. Il y a des choses sur les papiers... Je ne vois pas très bien... Pour vingt francs, je ne vois pas très bien les détails... Pour vingt francs de plus, je verrai bien mieux.

JEAN-PIERRE. (*très intrigué*) Voilà vingt francs de plus. Qu'est-ce qu'il y a sur ces papiers?

MME ZÉPHYRA. Ah, je vois mieux! Ce sont des papiers officiels. Je vois... le résultat d'un examen... Ce n'est pas un bon résultat. Ce jeune homme est refusé à l'examen. Je vois un F... Il reste à la maison et je le vois, assis à un bureau, avec beaucoup de livres...

VÉRONIQUE. Madame Zéphyra, vous êtes extraordinaire! Sensationnelle! Continuez, je vous prie. Le jeune homme brun restera. Et moi? Après être partie pour l'Europe, qu'est-ce que je ferai?

MME ZÉPHYRA. Vous aurez des aventures merveilleuses. Vous verrez des pays nouveaux... des gens... Ah! Vous rencontrerez un jeune homme quand vous serez en Espagne. C'est un toréador! Il vous emmènera voir la course de taureaux. Mais vous n'épouserez pas ce jeune homme, parce que vous ne l'aimerez pas. Montrez-moi votre main. Oh, voilà votre ligne de cœur. Après être rentrée aux Etats-Unis vous tomberez amoureuse d'un très beau jeune homme, très riche... Il vous adorera et vous l'épouserez. Vous serez heureuse et vous aurez beaucoup d'enfants...

JEAN-PIERRE. (*furieux*) Je ne retournerai jamais chez une tireuse de cartes!

QUESTIONS SUR LA LECTURE

1. Que fait une tireuse de cartes?

2. Etes-vous allé chez une tireuse de cartes? Irez-vous peut-être?

3. Qu'est-ce qu'on a envie de savoir quand on va chez une tireuse de cartes? Croyez-vous aux tireuses de cartes?

4. Est-ce que Bob, Jean-Pierre, Véronique et Barbara croient aux tireuses de cartes ? Mais... où sont-ils ? Est-ce que beaucoup de gens font la même chose ? Par exemple, est-ce qu'il y a des gens qui disent, «Je ne suis pas superstitieux», mais qui refusent d'être treize à table ?

5. Pourquoi Bob et Jean-Pierre sont-ils venus ? Est-ce qu'ils ont envie de savoir leur avenir ?

6. Comment est Madame Zéphyra ? Est-ce que le diplôme de Madame Zéphyra est un diplôme d'université ?

7. Qu'est-ce qu'il faut donner à Madame Zéphyra avant de commencer ? Qui paie les deux consultations ?

8. Y aura-t-il un jeune homme dans l'avenir de Barbara ? Comment sera-t-il ? L'aimera-t-il ? Aura-t-elle une rivale ? Qui triomphera et épousera le jeune homme ? Où habitera-t-elle ? Quelle sera la profession de son mari ?

9. Est-ce que Barbara sera gravement malade ? Y a-t-il un danger dans son avenir ?

10. Aura-t-elle des enfants ? Combien en aura-t-elle ? Comment seront-ils ? A qui ressembleront-ils ?

11. Est-ce que Véronique fera un voyage ? Qui est ce jeune homme de sa famille qui est la cause de problèmes ? Est-il difficile de deviner que c'est son frère ?

12. Est-ce que ce jeune homme ira avec elle ? Pourquoi ? Passera-t-il son examen ou sera-t-il refusé ?

13. Pourquoi est-ce que Madame Zéphyra ne voit pas bien les détails ? Qui lui a donné les autres vingt francs ? Est ce une situation ironique ?

14. Comment Jean-Pierre passera-t-il ses vacances ? Est-ce que la prédiction de Madame Zéphyra est amusante pour Véronique ? Est-ce une bonne leçon pour Jean-Pierre qui est si désagréable avec sa sœur ?

15. Qu'est-ce que l'avenir réserve à Véronique ? Qui rencontrera-t-elle en Espagne ? L'épousera-t-elle ? Pourquoi ?

16. Est-ce que Barbara restera vieille fille? Qui épousera-t-elle? Sera-t-elle heureuse?

17. Que dit Jean-Pierre après avoir entendu les prédictions de Madame Zéphyra?

PRONONCIATION

Je serai / Je saurai   Je verrai / Je ferai

Il sera / Il saura   Il verra / Il fera

EXPLICATIONS

I. *Le futur.*

A. On emploie le futur pour une action dans l'avenir:

Quand j'**aurai** vingt ans, je **ferai** un grand voyage.

« L'année prochaine, j'**irai** dans l'armée », dit le jeune homme.

Il y a quelques futurs irréguliers. Voilà les plus communs:

Aller:	J'irai	**Venir:**	Je viendrai
Avoir:	J'aurai	**Voir:**	Je verrai
Être:	Je serai	**Savoir:**	Je saurai
Faire:	Je ferai	**Il faut:**	Il faudra

Le majorité des verbes ont un futur régulier. Le futur est formé:

infinitif + terminaison du verbe Avoir.

Arriver	Finir	Vendre	Avoir
J'arriver**ai**	Je finir**ai**	Je vendr**ai**	J'aur**ai**
Tu arriver**as**	Tu finir**as**	Tu vendr**as**	Tu aur**as**
Il arriver**a**	Il finir**a**	Il vendr**a**	Il aur**a**
Nous arriver**ons**	Nous finir**ons**	Nous vendr**ons**	Nous aur**ons**
Vous arriver**ez**	Vous finir**ez**	Vous vendr**ez**	Vous aur**ez**
Ils arriver**ont**	Ils finir**ont**	Ils vendr**ont**	Ils aur**ont**

Tous les verbes, réguliers et irréguliers, ont les mêmes terminaisons pour la conjugaison du futur.

B. Le futur après **quand.**

En anglais, on n'emploie pas le futur après *when.* Mais cette règle n'existe pas en français, et en français, on emploie le futur après **quand** si le sens le demande et quand le verbe de la proposition principale (*main clause*) est au futur.

> **Quand je serai en Europe,** je visiterai des endroits célèbres.
> J'irai vous attendre à l'aérodrome **quand vous arriverez.**

C. Pas de futur après **si.**

> **Si vous rencontrez** un toréador, **l'épouserez-vous?**
> Jean-Pierre **ira-t-il** en Europe **s'il ne passe pas** son examen?

C'est **l'autre verbe** qui est au futur.

II. Après avoir... Avant de...

> **Après avoir déjeuné,** il est parti pour son bureau.
> **Après être arrivés,** nous sommes allés à l'hôtel.

> Après + l'infinitif passé = *after having ...*

REMARQUEZ: L'infinitif passé est formé, comme le passé composé, avec l'auxiliaire **Avoir** ou **Être.** Les verbes qui forment leur passé composé avec **Être,** ont aussi **Être** à l'infinitif passé.

> Après avoir parlé; après avoir chanté; après avoir écouté; après avoir travaillé; après avoir fini; après avoir réfléchi; après avoir dormi; après avoir attendu; après avoir répondu; après avoir vu; après avoir pris; après avoir mis.

mais:

> Après être arrivé; après être sorti; après être entré; après être retourné; après être parti.

> **Avant de répondre,** il faut réflechir.
> Je préfère lire le livre **avant de voir** le film.

> Avant de + l'infinitif présent = *before doing something.*

III. *Le verbe* **Rire** (*to laugh*) *et* **Sourire** (*to smile*)

« Allons chez Madame Zéphyra, nous allons bien **rire** », dit Bob.*

Ce film était drôle! **J'ai ri** pendant deux heures!

Cette jeune fille a un joli sourire. Quand **elle sourit,** on a l'impression qu'elle est très belle.

Conjugaison du verbe **Rire** et du verbe **Sourire.**

Je ris	Je souris
Tu ris	Tu souris
Il rit	Il sourit
Nous rions	Nous sourions
Vous riez	Vous souriez
Ils rient	Ils sourient

Passé composé: J'ai ri; j'ai souri.

Futur: Je rirai; je sourirai.

IV. *Le verbe* **Rencontrer** (*to meet*)

Je **rencontre** toujours les mêmes personnes dans les couloirs de l'école.

Véronique **rencontrera** un jeune homme très riche.

Le verbe **Rencontrer** est régulier, naturellement, puisque c'est un verbe en **-er.** Il n'est pas difficile, mais il faut faire attention à son orthographe: ren/con/trer.

Passé composé: J'ai rencontré

Futur: Je rencontrerai

VOCABULAIRE

Noms

une tireuse de cartes (autre terme: une diseuse de bonne aventure)

les cartes

une vieille fille (être, ou rester vieille fille)

un châle

---

* **Nous allons bien rire:** *we'll have a good laugh.*

Nous avons bien ri: *we had a good laugh.*

les lignes (de la main)

l'avenir (à l'avenir)

l'horoscope

un officier de marine (*navy*)

une maladie

une course de taureaux

les oreilles

des boucles d'oreilles

le cœur

un uniforme

des aventures

Adjectifs

ridicule

bariolé(-e)

stable

prospère

grave

fidèle

constant(-e)

superstitieux, superstitieuse

Verbes

réserver (quelque chose à quelqu'un)

consulter

triompher (de quelqu'un ou de quelque chose)

épouser (on épouse quelqu'un)

ressembler (à quelqu'un)

être refusé à un examen

deviner

rire

tomber } amoureux / amoureuse de quelqu'un

passer un examen

(Tout le monde **passe** l'examen. Certains étudiants sont **reçus,** d'autres sont **refusés.**)

EXERCICES

I. Donnez le futur des verbes suivants:

Il arrive	J'ai	Vous réfléchissez
Elle rencontre	Je sais	Ils prennent
Nous sommes	Il va	Elles attendent
Je perds	Je fais	Répondez-vous?
Je rougis	Vous aurez	Retournez-vous?
Il déjeune	Ils savent	Riez-vous?
Elle sourit		

II. Mettez les phrases suivantes au futur.

Mes enfants sont intelligents, comme leur père. Ils font des études brillantes, ils passent leurs examens et ils ont tous des carrières intéressantes: l'un est médecin, l'autre entre dans les affaires. Mes filles sont jolies, naturellement, comme leur mère. Elles ne restent pas vieilles filles. L'une épouse un homme riche et séduisant, l'autre rencontre l'homme de sa vie à l'université, quand elle va, un jour, écouter une conférence. Après avoir fini la conférence, il lui parle, tombe amoureux d'elle, et bientôt, ma fille est la femme d'un monsieur qui gagne le Prix Nobel de littérature!

Mais c'est un rêve (*reste au présent*). Je suis heureuse même si mes enfants sont ordinaires.

III. Complétez les phrases suivantes.

Ex: Après avoir déjeuné, je retournerai à mes classes.

Après avoir fini ma composition _____ .
Avant de partir en vacances _____ .
Barbara fera attention quand _____ .
Après avoir entendu la tireuse de cartes _____ .
Jean-Pierre sera triste quand _____ .
Après avoir entendu les nouvelles à la radio _____ .
Je serai heureux si _____ .
Avant de rentrer chez moi _____ .
Après être sorti de chez lui _____ .
Je parlerai français quand _____ .

COMPOSITIONS

Composition orale.

A. Racontez votre journée de demain, au futur, naturellement, et en employant plusieurs fois: **avant de**... et **après avoir** (être)...
Ex: Avant de partir, je déjeunerai, et après avoir déjeuné, je prendrai mes affaires, etc.

B. Résumez l'avenir de Barbara ou de Véronique, ou imaginez l'avenir de Bob, ou de Jean-Pierre (à la manière de la tireuse de cartes), ou de votre professeur, ou de qui vous voulez.

Composition écrite.

A. Racontez une visite chez une tireuse de cartes.

B. Vos projets d'avenir.

HENRI ROUSSEAU   *La Noce*
                                          Collection particulière, Paris

*N'y a-t-il pas une correspondance touchante entre l'amour pur
et si simplement exprimé du jeune homme qui pense au jour de son
mariage, et cette Noce, attendrissante comme une vieille photo de famille?*

Paul Verlaine

Paul Verlaine (1844–1896) est probablement le plus grand et le mieux connu des poètes symbolistes. Sa poésie est spontanée, souvent d'une grande simplicité, c'est, comme il dit lui-même dans son Art Poétique, "de la musique avant toute chose…"

Le poème qui suit fait partie de *La Bonne Chanson* qui trace la période du mariage de Verlaine, la seule période calme et heureuse de sa vie. Le jeune homme pense au jour de son mariage qui aura lieu bientôt.

DONC, CE SERA…

Donc, ce sera par un clair jour d'été:
Le grand soleil, complice de ma joie,
Fera, parmi le satin et la soie,
Plus belle encore votre chère beauté;

Le ciel tout bleu, comme une haute tente,
Frissonnera somptueux à longs plis
Sur nos deux fronts heureux qu'auront pâlis
L'émotion du bonheur et l'attente;

Et quand le soir viendra, l'air sera doux
Qui se jouera, caressant, dans vos voiles,
Et les regards paisibles des étoiles
Bienveillamment souriront aux époux.

A. Messein, Editeur

DEUXIÈME PARTIE

* * * * * * *

UN HORIZON PLUS LARGE

PREMIÈRE LEÇON

Retour de Vacances

Révision du passé composé et de l'imparfait

Elaboration du concept initial d'action et de description

ETUDIEZ LE TEXTE SUIVANT:

BOB. Allô, Jean-Pierre? Vous êtes de retour? Avez-vous passé de bonnes vacances? Qu'est-ce que vous avez fait?

JEAN-PIERRE. Oh, bonjour, mon vieux. Oui, je suis de retour. J'ai passé de très bonnes vacances. Je n'ai pas fait grand'chose. Et vous, quand êtes-vous rentré?

BOB. Je suis rentré hier. Et vous savez, je n'avais pas de projets spéciaux pour ces vacances. Tout ce que je voulais, d'abord, c'étaient quelques jours de liberté complète. J'ai dormi tard le matin, j'ai lu des romans, j'ai écrit des lettres et j'ait fait de longues promenades. J'avais besoin d'un peu de solitude; pendant le semestre, il y a toujours des gens autour de vous.

JEAN-PIERRE. Avez-vous travaillé après?

BOB. Oui, après quelque temps, j'ai cherché du travail. Je voulais travailler pendant un mois, faire des économies et ensuite, faire un voyage. J'ai fini par trouver un emploi dans une pharmacie. C'était très agréable: je travaillais tous les jours de neuf à cinq. Naturellement, je ne préparais pas les médicaments! Non. Je vendais des produits inoffensifs comme l'aspirine et les remèdes contre le rhume. La plupart du temps, j'étais à la caisse, les clients payaient et je leur rendais la monnaie.

JEAN-PIERRE. Avez-vous gagné beaucoup d'argent?

BOB. Eh bien, calculez vous-même: je gagnais un dollar cinquante de l'heure. Je travaillais huit heures par jour.

JEAN-PIERRE. Alors, vous gagniez douze dollars par jour. C'est une fortune! Et vous avez travaillé pendant quatre semaines? Alors... voyons... vous avez gagné au moins deux cents dollars net. C'est formidable! Les avez-vous dépensés?

BOB. Malheureusement, j'en ai dépensé une partie. Je vous ai dit que je voulais faire un voyage. Michel, André et moi, nous avons mis chacun cent dollars et nous sommes allés au Canada.

JEAN-PIERRE. Avez-vous invité des jeunes filles?

BOB. Eh bien, il me semblait que c'était une bonne idée d'inviter Barbara,

MAURICE DENNIS

L'Arrivée à New York
Parke-Bernet Galleries, New York

*Pour beaucoup d'Américains de retour d'un voyage
en Europe, comme pour beaucoup de voyageurs
qui arrivent aux Etats-Unis pour la première
fois, voilà le spectacle inoubliable de* l'Arrivée
à New York.

Carol et Véronique. Mais Michel ne voulait pas. Il trouvait que c'était une complication inutile...

JEAN-PIERRE. Il avait bien raison. Quelle idée d'inviter ma sœur! Une fille comme Barbara, qui est intelligente et raffinée, c'est autre chose!

BOB. Donc, nous avons pris ma voiture qui marche bien maintenant et nous sommes partis. La voiture a très bien marché, nous avons visité New York, et nous sommes allés voir mon frère et ma belle-sœur à Québec. C'était un voyage épatant! A New York, nous sommes montés en haut de la statue de la Liberté, nous sommes descendus dans les couloirs du métro, nous avons visité tous les endroits célèbres. Et vous, qu'avez-vous fait?

JEAN-PIERRE. Oh, moi, je suis resté chez mes grand-parents à la campagne. Vous savez que j'aime beaucoup la campagne et les animaux. Alors, j'étais heureux, parce qu'il y avait toutes sortes d'animaux. Et j'ai pris une grande décision: j'ai décidé de devenir vétérinaire.

BOB. En effet, c'est une décision. Comment l'avez-vous prise?

JEAN-PIERRE. Un jour, pendant les vacances, j'**ai eu** une conversation avec un vétérinaire qui était venu à la ferme. Il m'a permis de travailler avec lui quelques heures par jour. Eh bien, j'**ai été** si heureux chaque fois que j'ai pu faire quelque chose pour un animal, que j'ai compris que c'était ma vocation. Vous connaissez la petite ménagerie que j'avais dans ma chambre? Eh bien, j'ai eu de la chance: le vétérinaire m'a donné un petit chien, un petit chat et une vipère absolument charmante. Elle s'appelle Véronique et ma sœur est furieuse. Je ne sais pas pourquoi. J'espère que vous viendrez me voir...

BOB. C'est possible, mais vous savez, je suis si occupé! (*A part:*) Une vipère dans sa chambre! Eh bien! Je n'irai pas le voir de si tôt, Jean-Pierre!

QUESTIONS SUR LA LECTURE

1. Pourquoi Bob téléphone-t-il à Jean-Pierre? Qu'est-ce qu'il veut savoir?

2. Est-ce que Jean-Pierre a passé de bonnes vacances? Qu'est-ce qu'il a fait?

3. De quoi Jean-Pierre avait-il besoin? Et Bob, de quoi avait-il besoin?

4. Est-ce que Jean-Pierre avait des projets pour ses vacances? Qu'est-ce qu'il a fait? A-t-il des projets d'avenir, maintenant? Quels projets? Pourquoi?

5. Qu'est-ce que Bob voulait faire pendant ses vacances? A-t-il travaillé? Comment était son travail? Combien gagnait-il? Combien a-t-il gagné net?

6. Ont-ils invité des jeunes filles? Pourquoi? Pourquoi Jean-Pierre trouvait-il Barbara plus intéressante que Véronique?

7. Où sont-ils allés? Comment? Qu'est-ce qu'ils ont visité? Qui sont-ils allés voir?

8. Pourquoi Jean-Pierre était-il heureux chez ses grands-parents? Avec qui a-t-il eu une conversation un jour? Quelle est la vocation de Jean-Pierre? Qu'est-ce que le vétérinaire lui a donné?

9. Comment s'appelle la vipère de Jean-Pierre? Savez-vous pourquoi sa sœur est furieuse? Etait-ce gentil de donner le nom de sa sœur à une vipère? Pensez-vous que Bob viendra voir Jean-Pierre? Pourquoi?

10. Avez-vous travaillé pendant les vacances? Comment était votre travail: monotone, intéressant, difficile? Avez-vous gagné beaucoup d'argent? Gagniez-vous plus ou moins que Jean-Pierre?

11. Quand avez-vous fait votre dernier voyage? Où êtes-vous allé? Comment y êtes-vous allé? Avez-vous visité quelque chose? Etes-vous allé voir quelqu'un?

12. Aimez-vous les animaux? En avez-vous peur? En avez-vous chez vous? Pourquoi? Jean-Pierre en avait-il avant les vacances? En a-t-il encore?

EXPLICATIONS

PASSÉ COMPOSÉ ET IMPARFAIT

I. Idée générale

Le **passé composé** indique une action, ce qu'on a fait:

    J'ai travaillé, j'ai fait un voyage, **j'ai écrit** des lettres.
    Il m'a donné un chien, **nous sommes allés** à New York.

L'imparfait indique une description:*

Mon travail n'**était** pas difficile.
J'avais deux cents dollars.
Il y avait des animaux à la ferme.
C'était une grande ferme.

II. *Usage de l'imparfait*

Révisons d'abord la conjugaison de l'imparfait:

Être		**Avoir**
J' ét ais		J' av ais
Tu ét ais		Tu av ais
Il ét ait		Il av ait
Nous ét ions		Nous av ions
Vous ét iez		Vous av iez
Ils ét aient		Ils av aient

Parler	**Finir**	**Vendre**
Je parl ais	Je fin iss ais	Je vend ais
Tu parl ais	Tu fin iss ais	Tu vend ais
etc.	etc.	etc.

A. Certains verbes sont généralement employés a l'imparfait. Voilà les verbes qui sont **souvent** à l'imparfait:

Être:	J'étais, c'était
Avoir:	J'avais, il y avait
Savoir:	Je savais
Vouloir:	Je voulais
Croire:	Je croyais
Pouvoir:	Je pouvais
	et aussi
S'appeler:	Je m'appelais (il s'appelait)

* **une description:** *a state of things* (état de choses), *the way things were, or what was going on, often what was going on when another action occurred:* "**Il déjeunait** quand je suis entré." *It can also be a state of mind* (état d'esprit): "**Je savais** que vous étiez dans votre bureau et **je voulais** vous parler."

Ces verbes expriment généralement une description, un état de choses ou un état d'esprit:

Il était debout à la porte. **Il avait** une chemise bleue. **Je savais** qu'**il m'attendait.*** **Il voulait** me voir et il a dit qu'**il croyait** que **je pouvais** faire quelque chose pour lui. **J'allais** sortir, et **j'avais** ma clé à la main, mais je suis rentré et nous avons parlé longtemps.

(Dans le doute, employez ces verbes à l'imparfait.)

B. Tous les verbes ont un imparfait et un passé composé. On emploie l'imparfait quand il y a une idée de description:

Comment **était** votre travail? Il **était** monotone, mais facile.
Travailliez-vous toute la journée? Oui, **je travaillais** toute la journée.
Prépariez-vous les médicaments? Non, **je** ne **préparais** pas les médicaments.

C. On emploie généralement le même temps du verbe dans la réponse que dans la question.

Dans la conversation, écoutez attentivement parce que le temps du verbe dans la question indique le temps du verbe dans votre réponse.

Aviez-vous besoin de vacances? Oui, **j'avais** besoin de vacances (oui, j'en **avais** besoin).
Etiez-vous fatigué? Oui, **j'étais** fatigué.
Ecoutiez-vous quand **je** vous **ai posé** cette question? Non, je n'**écoutais** pas quand **vous** m'**avez posé** cette question.

III. Usage du passé composé

A. Le passé composé est «composé» du verbe **avoir** + le participe passé du verbe:

Le participe passé des verbes réguliers:

Verbes en **-er:** **-é**   J'ai parl**é,** j'ai regard**é,** j'ai écout**é,** etc.
Verbes en **-ir:** **-i**   J'ai fin**i,** j'ai réfléch**i,** j'ai pâl**i,** etc.
Verbes en **-re:** **-u**   J'ai vend**u,** j'ai attend**u,** j'ai entend**u,** etc.

---

* *Here is another clue which will help you in using the imperfect: if, in English, you used or could use the past progressive form "I was going, he was waiting," then in French you will use the* imparfait.

This rule is far from covering all cases, since the imparfait *is used very often when English would not use a progressive form: "I was glad" = "J'étais content." But it is useful, as a rule of thumb, for those cases it does cover.*

Voilà le passé composé de quelques verbes très communs:

Faire:	J'ai fait	**Dire:**	J'ai dit
Ecrire:	J'ai écrit	**Lire:**	J'ai lu
Voir:	J'ai vu	**Recevoir:**	J'ai reçu
Prendre:	J'ai pris	**Mettre:**	J'ai mis
Comprendre:	J'ai appris	**Promettre:**	J'ai promis
Apprendre:	J'ai appris	**Permettre:**	J'ai permis

B. Le passé composé est le temps de l'action.

Jules César a dit: «**Je suis venu, j'ai vu** et **j'ai vaincu**».

Je n'ai pas fait grand'chose; **je suis resté** à la ferme et **j'ai aidé** le vétérinaire.

C. **Être, avoir, vouloir, croire, pouvoir** au passé composé.

Ces verbes sont **quelquefois** au **passé composé.** Ils sont au passé composé quand ils expriment **une action** et non pas un état. Il y a toujours, alors, l'idée de quelque chose de **soudain,** à un moment précis:

Hier, j'étais à l'école. Je n'étais pas malade. Mais quand j'ai vu l'examen, **j'ai été** malade!

J'avais dix-huit ans. Mais hier c'était mon anniversaire, et **j'ai eu** dix-neuf ans. Maintenant, j'ai dix-neuf ans.

Nous étions en vacances à la ferme. Soudain, **Jean-Pierre a voulu** aller à New York.

Quand on m'a dit que le Président Kennedy était mort, **je** ne l'**ai** pas **cru.** Je croyais que c'était une plaisanterie de mauvais goût.

J'ai essayé d'aller au laboratoire à deux heures. Mais **je** n'**ai** pas **pu.** Il était fermé et je ne pouvais pas attendre.

Voilà le passé composé de ces verbes:

Être:	J'ai été
Avoir:	J'ai eu
Vouloir:	J'ai voulu
Croire:	J'ai cru
Pouvoir:	J'ai pu

D. Accord du participe passé avec l'auxiliaire **Avoir.**

Lisez attentivement les phrases suivantes:

J'ai vendu des remèdes inoffensifs.

Les remèdes que j'ai vendu**s** étaient inoffensifs.

Il a acheté une voiture qui était très chère.
La voiture qu'il a achet**e** était très chère.

Vous avez fait des fautes idiotes!
Les fautes que vous avez fait**es** étaient idiotes!

Avez-vous compris mon explication?
Je l'ai écout**ée** mais je ne l'ai pas compris**e**.

RÈGLE: Accordez le participe passé avec le complément d'**objet direct,** si ce complément d'**objet direct** précède. Si le complément d'**objet direct** est placé après (ou s'il n'y en a pas), le participe passé reste invariable.

IV. *Le passé composé des verbes avec* **Être.**

A. Il y a quelques verbes qui prennent l'auxiliaire **Être** pour former le passé composé. Voilà ces verbes:

Arriver:	Je suis arrivé(-e)
Partir:	Je suis parti(-e)
Rester:	Je suis resté(-e)
Aller:	Je suis allé(-e)
Venir:	Je suis venu(-e)
Retourner:	Je suis retourné(-e)
Entrer:	Je suis entré(-e)
(et **Rentrer:**	Je suis rentré[-e])
Sortir:	Je suis sorti(-e)
Monter:	Je suis monté(-e)
Descendre:	Je suis descendu(-e)
Devenir:	Je suis devenu(-e)
Tomber:	Je suis tombé(-e)

Le verbe **Rentrer:**
«Allô, madame, Jean-Pierre **est-il rentré?**»
«Non, **il** n'**est** pas **rentré. Il rentrera** (ou: il sera de retour) à six heures».

Employez le verbe **Rentrer** au sens de: Retourner à la maison:
Je pars à huit heures et **je rentre** à six heures.

B. Accord du participe passé avec l'auxiliaire **Être.**

Ce n'est pas difficile: Accordez le participe passé **exactement** comme un adjectif:

«Je suis all**ée** au restaurant», dit Véronique.
M. et Mme Bertrand sont sorti**s.**
Véronique et Barbara sont rest**ées** en ville pendant les vacances.

EXPRESSIONS IMPORTANTES

On **va voir** une personne.
On **visite** une ville ou un monument.

VOCABULAIRE

Noms

le repos	le remède
les projets (m.)	le rhume
la liberté	la caisse
les économies (f.)	la monnaie
le roman	l'endroit
la promenade	le couloir
la solitude	le vétérinaire
l'emploi	la vocation
la pharmacie	la vipère
le médicament	le client
le produit	la cliente

Adjectifs

inoffensif, inoffensive	raffiné(-e)

Verbes

gagner	dépenser

Expressions

être de retour	faire un voyage
faire des projets	finir par...
faire des économies	

EXERCICES

I. Mettez les phrases suivantes au passé:

1. Je crois qu'aujourd'hui c'est mercredi.
2. Savez-vous le français quand vous entrez à l'université?
3. Je ne fais pas de projets. Je reste à la maison mais je passe quand même de bonnes vacances.
4. Je suis dans ma chambre et j'étudie. Tout d'un coup, j'ai faim. Alors je prends mon tricot, je descends au restaurant et j'achète un sandwich.

5. Mes parents ont un chien. Il s'appelle Azor, il est noir, il garde la maison. Il n'est pas méchant.

6. Quand ma sœur a quinze ans, elle adore le téléphone. Elle y passe des heures… Un jour, elle téléphone à une amie et elles parlent pendant deux heures. Quand la note du téléphone arrive, ma mère est furieuse!

7. Je gagne un dollar de l'heure quand je travaille à la bibliothèque. Je travaille 12 heures par semaine. Combien est-ce que je gagne par semaine?

COMPOSITIONS

Composition orale, au choix:

Ce que vous avez fait hier.
Ce que vous avez fait pendant les vacances.
Un film (ou un programme de télévision) que vous avez vu.

Composition écrite:

Racontez un voyage que vous avez fait.

LOUIS PAUWELS

sur

Reste-t-il Quelque Chose à Découvrir?

Dans le passage suivant, Pauwels considère l'attitude du XIXème siècle envers la science: positiviste, rationaliste et ennemi de ceux qui cherchent **au-delà** des frontières du **connu.** Le texte se termine par le cri de joie de la science libérée et un appel à la jeune génération.

* * * * * *

L'histoire n'a pas retenu son nom, et c'est dommage. Il était directeur du Patent Office américain et en 1875, il a envoyé sa démission au Secrétaire d'État au Commerce. Pourquoi rester? disait-il en substance, il n'y a plus rien à inventer.

Douze ans après, le grand chimiste Berthelot écrivait: « L'univers est maintenant sans mystère ». Pour obtenir du monde une image cohérente, la science avait fait la perfection par l'omission. La matière était constituée par un certain nombre d'éléments impossibles à transformer les uns dans les autres. Mais, pendant que Berthelot réfutait dans ses publications savantes le rêve des alchimistes, les éléments, qui ne le savaient pas, continuaient à se transmuter sous l'effet de la radio-activité naturelle.

Un Allemand, nommé Zeppelin, a essayé d'intéresser des industriels à la direction des ballons: « Malheureux! Ne savez-vous pas que l'Académie des Sciences n'accepte plus de communications sur ces trois sujets: la quadrature du cercle, le tunnel sous **la Manche** et la direction des ballons? ». Un autre Allemand, Herman Gaswindt, proposait de construire des machines **volantes** plus lourdes que l'air, propulsées par des **fusées.** Sur le cinquième manuscrit, le Ministre de la Guerre allemand, après consultation avec les techniciens, écrit: « Quand donc ce misérable oiseau sera-t-il mort? » Les Russes, eux, **s'étaient débarrassés** d'un autre oiseau de la même espèce, Kibaltchich, lui aussi partisan des machines volantes: **Peloton** d'exécution. Il est vrai que Kibaltchich avait employé ses qualités de technicien pour fabriquer une bombe qui venait de découper en petits morceaux l'empereur Alexandre II. Mais il n'y avait pas de raison d'exécuter le

RENÉ MAGRITTE

The False Mirror
Collection, The Museum of Modern Art, New York

Les seules limites de la découverte sont les limites de l'imagination humaine.

professeur Langley, du Smithsonian Institute américain qui proposait, lui, des machines volantes actionnées par les moteurs à explosion de fabrication récente. Pourtant, on l'a ruiné, déshonoré, expulsé du Smithsonian, et le professeur Newcomb a démontré mathématiquement l'impossibilité du plus lourd que l'air.

Inutile de chercher plus loin: les merveilles du siècle étaient la machine à vapeur et la lampe à gaz, jamais l'humanité ne ferait une plus grande invention. L'électricité? Simple curiosité technique. L'Allemand Clausius démontrait qu'il n'y avait pas d'autre source d'énergie que le feu. L'homme était au sommet définitif de l'évolution. La biologie, elle aussi était finie. M. Claude Bernard avait épuisé ses possibilités et l'on avait conclu que le **cerveau** secrète la pensée comme le **foie** secrète la bile.

Dans cet univers organisé, compréhensible et d'ailleurs condamné, pas d'utopie et pas d'espoir. Jamais l'homme ne volera, jamais il ne voyagera dans l'espace. Jamais non plus il ne visitera le fond des mers. Etrange interdiction! C'est l'époque des inventeurs isolés, révoltés, **traqués.** Les experts de Napoléon III prouvent que la dynamo de Gramme ne tournera jamais. Pour les premières automobiles, pour le sous-marin, pour le dirigeable, les doctes académies ne montrent pas d'intérêt.

Tel est l'esprit dans les sciences, et cet esprit s'étend à tout, crée le climat qui conditionne toute l'intelligence du XIXème siècle. Siècle petit? Non. Grand, mais étroit.

Brusquement, les portes bien fermées par le XIXème siècle sur les infinies possibilités de l'homme, de l'énergie, de l'espace et du temps, vont **voler en éclats.** Les sciences et les techniques vont faire un **bond** formidable et la nature même de la connaissance va être remise en question. Aujourd'hui, dans tous les domaines, toutes les formes de l'imagination sont en mouvement. Jeunesse, Jeunesse! Allez dire à tout le monde que les ouvertures sont faites et que déjà, le Dehors est entré!

Louis Pauwels dans *Le Matin des Magiciens* © Editions Gallimard 1960.
(Pour *Les Paroles* de Pauwels voyez le texte original page 631.)

au-delà: de l'autre côté.
le connu: ce que les gens connaissent, ce qui est accepté, prouvé (participe passé du verbe **connaître** employé ici comme nom).
la Manche: la mer qui sépare la France de l'Angleterre.
fusée: (*rocket*).

s'étaient débarrassés: ils avaient supprimé une personne ou un objet qui leur causait des difficultés.

peloton: le peloton d'exécution, c'est le groupe de 12 soldats qui exécute un condamné.

le cerveau: l'organe gris, qui est dans la tête.

le foie: un autre organe, rouge sombre, très important dans la digestion et la régénération du sang.

traqués: persécutés.

voler en éclats: voler en morceaux dans toutes les directions (comme une porte fermée **vole en éclats** quand une force irrésistible l'attaque).

un bond: un saut, un grand pas, une distance considérable (le kangourou avance par **bonds**).

QUESTIONS

1. Est-ce que le titre est ironique? Pourquoi?

2. Que pensez-vous de l'action du monsieur qui a donné sa démission du Patent Office?

3. Quelle était la déclaration de Berthelot? Avait-il raison? Pourquoi? Quel était le rêve des alchimistes?

4. Pourquoi l'Académie des Sciences n'acceptait-elle plus de communications sur ces trois questions? Est-ce qu'on s'intéresse maintenant au tunnel sous la Manche? Est-il possible?

5. Vous avez sûrement entendu le nom de Zeppelin. Qu'est-ce qu'il a inventé? Qu'est-ce que sa découverte prouve?

6. Est-il possible de construire des « machines volantes » propulsées par des fusées? Par un moteur à explosion? Quels sont les précurseurs de ces machines? Comment ont-ils été traités par leurs contemporains?

7. Le Russe Kibaltchich avait plusieurs talents. Lesquels? Comment a-t-il fini?

8. Pensez-vous que les théories du Professeur Newcomb ont beaucoup de valeur aujourd'hui? Pourquoi?

9. Quelle était la vue du XIXème siècle sur l'évolution? La biologie? L'électricité? L'énergie? Quelle est la conséquence d'une telle attitude?

10. Quels sont les changements apportés par le monde moderne à cette vue du monde? Qu'en pensez-vous?

SUJETS DE COMPOSITION OU DE DISCUSSION

1. Quel est ce «Dehors» que Pauwels mentionne dans la dernière ligne du texte?

2. Est-ce que la vie de l'homme est plus heureuse, sa situation plus claire, sa définition plus facile dans le monde du XIXème siècle ou dans celui où nous vivons? Expliquez et dites quelle époque vous préférez. Donnez vos raisons de ce choix.

3. Quel était le rêve des alchimistes? A votre avis, est-ce que la science moderne prouve que le rêve des alchimistes ne sera jamais réalisé ou le contraire? Pourquoi?

DEUXIÈME LEÇON

Dans le Monde, cette Semaine

Le pronom interrogatif : **Lequel ?**
Le pronom possessif : **Le mien**
Le pronom démonstratif : **Celui** ou **Celui-ci (-là)**

Le verbe **Connaître**

Etudiez les phrases suivantes :

Déclaration et question	*Réponse*
Il y a un mot dans ce texte que je ne comprends pas. Quel mot ? **Lequel ?**	Le mot qui est en italiques. **Celui qui** est en italiques.
Ne prenez pas cet autobus. Quel autobus ? **Lequel ?**	**Celui qui** passe maintenant. C'est **celui de** la ville. Vous voulez **celui de** l'université.
Voilà une belle maison ! Quelle maison ? **Laquelle ?**	**Celle-ci. Celle qui** est à droite. C'est **celle du** directeur.
J'ai acheté une voiture. Quelle voiture ? **Laquelle ?**	**Celle que** nous avons admirée ensemble. Regardez, la voilà. Non, non, ce n'est pas **celle que** vous regardez. **Celle-là** n'est pas jolie. C'est **celle-ci, celle qui** est parquée devant nous.
Je ne vois pas laquelle vous voulez dire. Est-ce **celle qui** est bleue ?	Oui, c'est **celle-là.**
Vous avez beaucoup d'amis. **Lesquels** préférez-vous ?	**Ceux qui** ont les mêmes goûts que moi et **ceux de** mon âge. J'ai plus de choses en commun avec **ceux-là.**
Vous avez six classes ? **Lesquelles** avez-vous ?	Eh bien, **celles de** science, c'est-à-dire **celle** de physique et **celle** de chimie, **celles** de langues, c'est-à-dire **celle** de français et celle d'espagnol, et aussi **celle** de musique et **celle** d'anglais.

J'aime beaucoup ce sac. Est-ce **le vôtre?**

Non, ce n'est pas **le mien.** C'est celui de ma sœur. La robe que j'ai est **la mienne.** Je prends souvent ses affaires et elle prend aussi **les miennes.**

Est-ce la voiture de votre père?

Oui, c'est **la sienne.** Ce n'est pas celle de ma mère. Elle a **la sienne,** c'est une Renault.

Montrez-moi la maison de vos parents.

Voilà **la leur.** Celle de mon oncle est à côté; les belles plantes que vous voyez sont **les siennes,** ce ne sont pas **les nôtres.** Son jardin est plus beau que **le nôtre.**

Connaissez-vous ce monsieur qui passe? Lequel? Celui qui a un costume gris.

Je ne le **connais** pas très bien. Mais je sais qu'il est professeur à l'université.

Est-ce le vôtre?

Non, ce n'est pas le mien, mais je **connais** plusieurs de ses élèves, et je sais aussi qu'il est très bon professeur.

LECTURE

Dans le monde, cette semaine

Chronique mondaine de la Baronne de Saint-Saytout dans le journal Paris-Parisien.*

La Baronne de Saint-Saytout non seulement sait tout, mais elle connaît tout le monde. Lisez sa chronique pour savoir vous aussi, tout ce qui a lieu dans le monde et pour connaître les célébrités du Tout-Paris.

* * * * * *

L'évènement mondain de la semaine, mes chers lecteurs et lectrices, c'est le Grand Bal de la Renaissance qui a eu lieu samedi dernier. C'est un bal

---

* "Dans le monde" = *In or inside society.* "Le monde" *here, means society.* "Entrer dans le monde" *means to make a debut.* "Être mondain(-e)" *means to belong to society.* "La Chronique Mondaine" *is a society column.*

La Baronne de Saint-Saytout ressemble probablement à Madame Amédée *de* Modigliani. *Ajoutez seulement, dans votre imagination, un chapeau absolument fantastique....*

AMEDEO MODIGLIANI

Madame Amédée
National Gallery of Art, Washington, D.C.
Chester Dale Collection

annuel, donné au profit des orphelins. Celui de l'année dernière était splendide, mais celui-ci était encore mieux réussi, si c'est possible!

Le thème de celui de l'année dernière, c'était «Fantaisies Vénitiennes» et il y avait même, dans un décor de canaux et de palais, une gondole! Celle-ci était authentique, importée de Venise pour la circonstance.

Le thème de celui-ci, c'était «Portraits de la Renaissance». Quelle idée merveilleuse! La présidente, mon excellente amie la Duchesse de Hautevie m'a déclaré que c'était la sienne! Chaque invité portait le costume d'un personnage ou d'un portrait célèbre de la Renaissance. Certains avaient copié le leur exactement sur celui d'un portrait: par exemple, celui de M. Merlin, ministre des finances était une admirable reproduction de celui de François Premier, sur son fameux portrait. Madame Fiat, femme du fabricant d'automobiles italien, était en Lucrèce Borgia, costume particulièrement approprié puisque Mme Fiat était Présidente du Comité du Buffet et des Rafraîchissements!

La romancière, Françoise Argan, a eu beaucoup de succès en Marguerite de Valois. Mlle Argan a déclaré aux reporters: «Je voulais venir dans le costume d'une femme de lettres de la Renaissance. Mais laquelle? J'ai choisi Marguerite de Valois, sœur de François Premier parce que j'admire ses idées même si les miennes sont différentes des siennes».

Parmi les autres costumes très admirés: celui de Mlle Jolie Belle, actrice de cinéma bien connue. Celle-ci est venue en Diane de Poitiers, dans une simple draperie antique, d'un goût exquis, modèle exclusif de Christian Doré.

Passons aux autres événements de la semaine: le mariage de Mlle Dacier, fille du Docteur Dacier et de Madame, née Lapurée, avec le lieutenant Harcourt, a eu lieu jeudi, à l'église Saint-Honoré. Celle-ci était décorée de lis et de lilas blancs. On a beaucoup admiré la toilette de la mariée et celles des demoiselles d'honneur. La robe de celles-ci était d'organdi vert pâle et elles portaient des bouquets de lilas blanc. Celle de la mariée était de satin et dentelle et elle portait des lis. Le garçon d'honneur était le lieutenant Daguerre, ami de régiment du marié. La réception qui a suivi la cérémonie religieuse a eu lieu à la résidence des parents de la mariée. Les jeunes mariés sont partis, le soir même, passer leur lune de miel dans un endroit qui reste secret.

On annonce les fiançailles de Mlle Jacqueline Dubord et de M. Mercier. Celui-ci est, à présent, ingénieur à la compagnie de Pétroles, Europétrol. Le mariage aura lieu à son retour du Sahara où il est actuellement en mission de prospection. La bague de fiançailles de Mlle Dubord, un diamant entouré de saphirs, est un bijou de famille, porté avant elle par la mère de son fiancé.

Le banquet de l'Association Internationale des Journalistes a eu lieu dimanche, dans la salle de gala de l'Hôtel Ritz. On y comptait des représentants de tous les grands journaux du monde: le *New York Times* avait le sien, le célèbre reporter Jim Scoop. La *Pravda* avait la sienne, Tania Nitchevkaya, amicalement surnommée Miss Nyet-Nyet par ses collègues à cause de son attitude rébarbative. La presse française était représentée par Maurice Laplume-Agile, reporter spécial de *Paris-Minuit*. Le président de l'Association a prononcé un discours: «Notre association a un but—Lequel? Celui de la coopération et de l'amitié entre les représentants de la Presse des divers pays. Nous promettons de contribuer à l'amélioration des rapports internationaux par un reportage honnête et impartial des nouvelles». On a beaucoup applaudi ces paroles.

Dans le monde des arts: l'exposition des Peintres de la Réalité a commencé samedi, à la Galerie Beaux-Arts. Dix jeunes peintres y ont contribué, et… quelle surprise! Chaque toile (il y en a plus de cinquante au catalogue) représente un objet bien déterminé! Incroyable! Il y a des paysages avec des maisons, des arbres; il y a des natures-mortes avec des fruits et des légumes, on y voit même des portraits qui ont un seul nez et deux yeux. Les connaisseurs sont déconcertés. Les critiques réservent leur opinion. Pourtant, l'un d'eux, qui préfère rester anonyme, a donné la sienne: «Cette peinture est vraiment trop bizarre, a-t-il dit, le public n'est pas dupe, c'est un truc* qui manque de sincérité».

La présentation de printemps des collections de modes que tout le monde attend depuis plusieurs semaines aura lieu cette semaine. Mais on murmure depuis quelques jours qu'il faut attendre une sensation: la ligne «A» est finie, la ligne «H» est passée. On dit en grand secret que la ligne de ce printemps sera la ligne… «Z»! Ne manquez pas ma prochaine chronique pour un reportage complet.

Mes chers lecteurs et lectrices, je vous dis «A la semaine prochaine» où je vous apporterai de nouveau, comme chaque lundi, l'écho de ce qui a lieu «Dans le Monde…»

---

* **un truc:** *a gimmick.*

QUESTIONS SUR LA LECTURE

1. Comment dit-on, en français, *a society column*? Quels événements y trouve-t-on?

2. Quel est le grand événement mondain de la semaine dans cette chronique? Quand a-t-il eu lieu? A-t-il lieu souvent?

3. Quel était le thème du bal de l'année dernière? Est-ce que celui de cette année a le même? Quel est le sien?

4. Est-ce que les invités sont venus en costume ordinaire? Pourquoi? La Baronne parle de certains invités. Lesquels?

5. Est-il amusant de voir Lucrèce Borgia, Présidente du Comité des Rafraîchissements et du Buffet? (Lucrèce Borgia est célèbre comme: auteur? empoisonneuse? actrice?) Pourquoi? Qu'est-ce qu'elle peut faire?

6. Quels sont les différents événements que la chronique mentionne? Où ont-ils lieu? Lequel est le plus important pour la Baronne?

7. Quand et où a eu lieu le mariage de Mlle Dacier? Quelle est la profession de son mari? Expliquez la différence entre **la mariée** et **la femme** et entre **le marié** et **le mari?**

8. Faites une petite description du costume de la mariée et de celui des demoiselles d'honneur. Quel était (probablement) celui du Capitaine Harcourt et de son garçon d'honneur? Comment était décorée l'église? Etait-ce les mêmes fleurs que celles de la mariée et des demoiselles d'honneur?

9. Comment s'appelle la période après un mariage? Où sont partis les jeunes mariés? Quand?

10. Qui Mlle Dubord va-t-elle épouser? Comment s'appellent les promesses de mariage entre un jeune homme et une jeune fille? L'objet qui symbolise cette promesse?

    Est-ce que le mariage a eu lieu, a lieu ou aura lieu? Où est le fiancé actuellement? Comment est la bague? Est-ce un bijou moderne? Portez-vous une bague aujourd'hui? La vôtre est-elle un bijou de famille?

11. Quels étaient (probablement) les invités au banquet de l'Association Internationale des Journalistes? Nommez quelques-un de ceux-ci. La journaliste russe est «surnommée», c'est-à-dire qu'elle a un *surnom.**
Jim est un *surnom* pour James. Avez-vous un surnom? L'aimez-vous?

12. Est-ce que le surnom de la journaliste russe est ironique? Est-ce que «rébarbatif» est synonyme d'aimable, gentil, agréable, ou en est-ce le contraire?

13. Chaque association a un but. Quel est le but de l'Association des Journalistes? Quel est le but du Bal de la Renaissance? (Est-ce le profit ou la charité?) Etes-vous membre d'une association? Si oui, quel est le but de celle-ci?

14. Est-ce qu'un romancier écrit des chroniques ou des romans? Pourquoi Mlle Argan a-t-elle choisi le personnage de Marguerite de Valois? Est-ce que les idées de Mlle Argan et celles de Marguerite de Valois sont les mêmes? Qui est Marguerite de Valois?

15. Qu'est-ce que les Peintres de la Réalité représentent sur leurs tableaux? Pourquoi est-ce «incroyable»? Un critique a une opinion. Laquelle? Est-elle favorable? Quelle est la vôtre?

16. Quelle est votre opinion des chroniques mondaines comme celle que vous venez de lire? Les trouvez-vous importantes ou intéressantes? Pourquoi?

PRONONCIATION

votre/le vôtre	notre/le nôtre
a eu lieu	le mari/le marié
fiançailles (fi/an/ça/illes)	

---

* **un surnom:** *a nickname.* "Jacqueline Dubord": "Jacqueline" est le **prénom**, "Dubord" est le **nom de famille**. Si Jacqueline a un surnom, c'est "Jaja" ou "Jackie" ou "Line" ou "Linette" ou …?

"Dubord", c'est le **nom de jeune fille** de Jacqueline. Quand elle épousera M. Mercier, elle prendra le nom de son mari. Mme Mercier sera son **nom de femme**.

EXPLICATIONS

I. *Lequel?*

Lequel est un pronom interrogatif qui correspond à l'adjectif interrogatif **quel:**

Je lis un journal. **Lequel** (= quel journal) lisez-vous?

Lequel remplace **quel + nom.** Quand le nom est masculin singulier, comme **le journal,** la forme du pronom est masculin singulier. Voilà les autres formes du pronom **lequel:**

Je lis **des journaux.**	M.pl.	**Quels** journaux?	**Lesquels** lisez-vous?
Il étudie **une leçon.**	F.s.	**Quelle** leçon?	**Laquelle** étudie-t-il?
Ecoutez **les nouvelles!**	F.pl.	**Quelles** nouvelles?	**Lesquelles?**

II. *Celui de (celui qui, celui que)*

Celui est un pronom démonstratif qui correspond à l'adjectif démonstratif **ce** [*the one*]:

Vous voyez **ce bâtiment?** C'est **celui de** sciences.
Ce livre, c'est **celui que** j'ai trouvé à la bibliothèque.
Le bal, celui qui a eu lieu samedi, était très réussi.

Celui est suivi de (*followed by*) **de** ou **qui** ou **que.**
Celui remplace un nom masculin singulier (ce bâtiment, ce bal, ce livre).
Voilà les autres formes du pronom **celui:**

M.pl.	**Ces** peintres	Les peintures de la Réalité sont **ceux qui** représentent la nature.
F.s.	**Cette** voiture	Je n'ai pas de voiture. Je prends **celle de** mon père.
F.pl.	**Ces** affaires	Est-ce que ce sont vos affaires? Non, ce sont **celles d'**un autre étudiant.

III. *Celui-ci (celui-là)*

A. **Celui-ci** (ou **celui-là**) est une autre forme du pronom démonstratif.

On emploie **celui-ci** (ou **celui-là**) quand le pronom n'est pas suivi de (*is not followed by*) **de** ou **qui** ou **que** [*this or that one*].

Nous sommes à l'aérodrome. **Cet avion** va à New York, **celui-ci** va à Rome, **celui-là,** là-bas, va à Paris.*

Les formes de **celui-ci** sont les mêmes que celles de **celui:**

M.pl.	**Ces** tableaux	Je n'aime pas **ceux-ci.** Je préfère ceux qui sont abstraits.
F.s.	**Cette** voiture	J'ai acheté **celle-ci** parce qu'elle était dans mes moyens.
F.pl.	**Ces** maisons	Mon père est architecte, il a bâti ces maisons. Mais il n'a pas bâti **celles-là.**

B. Autre emploi de **celui-ci.**

La jeune fille portait une bague; **celle-ci** était un bijou de famille.

Mlle Argan était dans le costume de Marguerite de Valois. Elle a dit aux reporters que **celle-ci** était une femme de lettres de la Renaissance.

La mariée était accompagnée de ses demoiselles d'honneur. Elle était en blanc, et **celles-ci** étaient en vert.

Pour remplacer **le sujet** d'une phrase précédente, employez naturellement **il, elle.** Pour remplacer **le complément d'objet,** employez **celui-ci.** Votre phrase sera claire et élégante.

IV. *Le mien; le tien; le sien; le nôtre; le vôtre; le leur*

Le mien est un pronom possessif qui correspond à l'adjectif possessif **mon:**

Ce sac n'est pas **le mien** (= mon sac). C'est celui de ma soeur.

Le mien remplace **mon + nom.** Quand le nom est masculin singulier, comme **le sac,** la forme du pronom possessif est masculin singulier. Voilà les formes du pronom possessif:

Singulier		*Pluriel*	
Mon frère:	**le mien**	**Mes** frères:	**les miens**
Ma soeur:	**la mienne**	**Mes** soeurs:	**les miennes**
Ton frère:	**le tien**	**Tes** frères:	**les tiens**
Ta soeur:	**la tienne**	**Tes** soeurs:	**les tiennes**
Son frère:	**le sien**	**Ses** frères:	**les siens**
Sa soeur:	**la sienne**	**Ses** soeurs:	**les siennes**

* Théoriquement, **celui-ci** désigne l'objet qui est plus près de vous, et **celui-là,** l'objet qui est plus loin (celui-ci = *this one;* celui-là = *that one*). Dans la réalité de la conversation courante, les Français n'observent pas toujours cette distinction et emploient souvent **celui-ci** ou **celui-là** indifféremment.

Notre frère:	**le nôtre**	**Nos** frères:	**les nôtres**
Notre sœur:	**la nôtre**	**Nos** sœurs:	**les nôtres**
Votre frère:	**le vôtre**	**Vos** frères:	**les vôtres**
Votre sœur:	**la vôtre**	**Vos** sœurs:	**les vôtres**
Leur frère:	**le leur**	**Leurs** frères:	**les leurs**
Leur sœur:	**la leur**	**Leurs** sœurs:	**les leurs**

Exemples:

Votre mère est américaine? **La mienne** est française.

Vous parlez anglais dans votre classe de français? Dans **la nôtre,** nous ne parlons que français.

Je voudrais bien savoir mon avenir! Voulez-vous savoir **le vôtre?**

Nous avons une grande maison: j'ai ma chambre, mon frère a **la sienne,** mes parents ont **la leur,** mes sœurs ont **les leurs.**

V. Le verbe *Connaître*

Vous savez déjà le verbe **Savoir** (Savoir quelque chose = *to know something*). On l'emploie généralement pour parler d'une chose.

Le verbe **Connaître** (*to be acquainted with*) est généralement employé pour parler d'une personne:

Connaissez-vous ce monsieur? Oui, **je le connais** très bien.

Il y avait une dame que **je ne connaissais pas;** mais elle m'a parlé et elle m'a dit qu'**elle connaissait** mes parents. Nous avons fait connaissance.

On emploie quelquefois le verbe **connaître** pour parler d'un objet (*to be familiar with*):

Connaissez-vous Paris? Non, je ne le **connais** pas. (Mais **je sais** que c'est la capitale de la France!)

REMARQUEZ: Au passé, **Connaître** est généralement à l'imparfait.

VI. *Avoir lieu*

La classe **a lieu** tous les jours de 11 h. à midi.

Le banquet de l'Association des Etudiants **a eu lieu** samedi.

Le journal annonce que l'exposition **aura lieu** à la Galerie des Beaux-Arts.

NOTE: Quand vous écrivez une composition, il est important de dire où l'action **a lieu** si votre histoire est au présent, où elle **a eu lieu** si celle-ci est au passé, où elle **aura lieu** si celle-ci est au futur.

Au passé, **avoir lieu** est généralement au passé composé.

VOCABULAIRE

Noms

une chronique

le monde

un événement

un bal

un orphelin (une orpheline)

une fantaisie

un canal (des canaux)

un personnage

un lis

le président du Conseil

des rafraîchissements

un romancier (une romancière)

un homme de lettres, une femme
de lettres

une draperie

une église

du lilas

de l'organdi

de la dentelle

la mariée

le marié

la demoiselle d'honneur

le garçon d'honneur

une toilette

les fiançailles

un fiancé, une fiancée

une bague (de fiançailles)

un bijou

un diamant

un saphir

la mode

un discours

un reportage

des paroles (une parole)

une exposition

les Beaux-Arts

un peintre

une toile

un catalogue

un paysage

une nature-morte

un truc

Adjectifs

mondain(-e)

annuel, annuelle

réussi(-e)

fameux, fameuse

approprié(-e)

admiré(-e)

exquis(-e)

religieux, religieuse

déconcerté(-e)

incroyable

déterminé(-e)

détaillé(-e)

Verbes et expressions verbales

avoir du succès

avoir lieu

admirer

décorer

contribuer

importer

porter

passer

copier	applaudir (comme **finir**) :
représenter	j'ai applaudi
	promettre (comme **mettre**) :
	j'ai promis

Remarquez : la quantité de verbes réguliers du premier groupe, qui ressemblent à l'anglais.

Adverbe

amicalement

EXERCICES

I. Formulez une question sur le modèle suivant (pronom interrogatif) :

Je cherche un livre. Lequel cherchez-vous ?

1. Il demande des renseignements. _____ ?
2. Vous avez des difficultés.
3. Elle a acheté une robe.
4. Les voyageurs ont pris l'avion.
5. Barbara a consulté une tireuse de cartes.
6. Je connaissais ce monsieur.
7. Il a appris ses leçons.
8. L'architecte bâtit des maisons.
9. Nous regardons un film.
10. Le président a prononcé un discours.
11. On a applaudi ses paroles.

II. Remplacez les tirets par un pronom démonstratif (**celui** ou **celui-ci, celui-là**) dans une de ses formes au masculin, féminin, singulier ou pluriel.

Ex : Je lis un livre ; c'est celui que tout le monde lit maintenant.

1. Cette voiture, c'est _____ mon père.
2. Il y a des restaurants très chers. Mais nous ne dînons pas dans _____ .
   Nous dînons dans _____ sont dans nos moyens.
3. Le discours du Président de l'Association était bref. Hélas, _____
   de l'invité d'honneur était interminable !

4. Les toilettes, à ce mariage, étaient élégantes : _____ la mariée, _____ demoiselles d'honneur, _____ de la mère de la mariée étaient des modèles exclusifs. Le marié était en uniforme. Il portait _____ l'armée. Pourquoi _____ ? Parce qu'il est officier d'Infanterie.

5. Ma maison n'est pas dans cette rue. Mais elle est dans une rue parallèle à _____ . Et comme _____ , la rue où j'habite est tranquille et agréable.

6. Nous avons des voisins très différents : _____ habitent à droite sont des artistes, et nous ne les voyons pas souvent. _____ je préfère, c'est une famille en face de chez nous. Je vois _____ chaque jour.

III. Le pronom possessif : **le mien,** etc.

Complétez la phrase sur le modèle suivant :

Il a son livre. A-t-elle le sien ?

1. J'ai ma clé. Avez-vous _____ ?
2. Il a pris son billet. Ont-ils pris _____ ?
3. Jean-Pierre a son tricot. Bob a-t-il _____ ?
4. J'ai mes affaires. Avez-vous _____ ?
5. Il sait sa leçon. Est-ce que je sais _____ ?
6. J'ai mes responsabilités. Mes parents ont _____ .
7. Tout le monde a des difficultés. Un étudiant a _____ ?
8. J'ai passé mes examens. Avez-vous passé _____ ?
9. Nous n'avons qu'un téléphone, et ma soeur voudrait bien avoir _____ .
10. Chaque personne a ses opinions. J'ai _____ , vous avez _____ , une autre personne aura _____ et d'autres auront _____ .

IV. Complétez les phrases suivantes avec imagination.

Employez un pronom possessif ou démonstratif chaque fois que c'est possible.

Ce n'est pas l'avion de New York, celui-là va à Paris.

1. Je n'ai pas acheté la voiture que nous avons vue _____ .
2. Vous lisez ce livre ? _____ .
3. Mes parents ne connaissent pas tous mes amis, _____ .
4. J'ai mis mes affaires sur une chaise, _____ .

5. Ce bal a eu lieu la semaine dernière _____ .
6. Nous sommes allés au mariage d'une amie de ma soeur _____ .
7. Elle a épousé un ingénieur? Lequel? _____ .
8. Ce monsieur travaille pour une ligne aérienne _____ .

COMPOSITIONS

Composition orale.

A. Quels événements intéressants ont eu lieu cette semaine dans votre ville ou dans votre école?

B. Etes-vous membre d'une association? Quel est le but de cette association? Racontez brièvement une réunion de cette association.

Composition écrite:

A. Vous avez assisté à un mariage. Racontez. Quand a-t-il eu lieu? Où? Qui étaient les mariés? Description des toilettes, de la réception.

B. Ecrivez une chronique mondaine (avec un peu d'humour, pourquoi pas?) où vous racontez les événements mondains de votre école, du cercle de vos amis: bal, réunion de club, mariages, fiançailles, nouvelles artistiques...

C. Quelle est la personne la plus intéressante que vous connaissez? Où l'avez-vous rencontré(-e)? Comment? Pourquoi est-il (elle) intéressant(-e)?

La Pensée de . . .

JEAN DUTOURD

sur

Le Quatorze Juillet, Fête Nationale

Le Quatorze juillet 1789 le peuple de Paris a pris la Bastille, prison traditionnelle où les rois de France gardaient les prisonniers victimes de l'arbitraire « lettre de
cachet ». C'était un geste symbolique contre le despotisme, mais c'était aussi, comme
le dit Dutourd qui connaît bien les Français, un jour où « le peuple français s'est
bien amusé ». La fête nationale du Quatorze Juillet garde ce caractère. On la
célèbre, naturellement, par une grande revue militaire, et le soir, on danse, à des bals
improvisés, dans les rues. Et dans chaque ville, il y a un magnifique feu d'artifice.

* * * * * *

Une chose bien remarquable, c'est le caractère populaire que la
fête du Quatorze Juillet a toujours pris en France. Cette commémoration officielle n'a rien de **poussiéreux,** ni d'**embaumé,** comme la
majorité des commémorations.

Même lorsque la nation est très divisée, et n'a pas, malgré le
suffrage universel, le gouvernement qu'elle désire, on dirait qu'il y a,
ce jour-là, comme une **trêve** spéciale. Tout le monde est content sans
trop savoir pourquoi. Est-ce que cette joie est causée par la prise de la
Bastille ? Je ne le crois pas. Cet événement a eu lieu il y a **cent soixante-
huit ans,** et... l'on en a un peu oublié les détails ! De même le plaisir
d'avoir détruit l'Ancien Régime et de l'avoir remplacé par « Les
Temps Modernes » a considérablement diminué. Non: il s'agit de
quelque chose de plus profond et de plus vague. **Le Quatorze Juillet,
c'est l'anniversaire d'un jour où le peuple français s'est bien
amusé.** Cela se situe très bien dans l'année: au cœur de l'été; ordinairement, il fait beau, le soleil brille, les femmes portent des robes
légères, les hommes vont à leurs occupations **en bras de chemise.**
Le mot « juillet » lui-même a quelque chose de plaisant, d'heureux.
Le Quatorze Juillet 1789, le peuple français est, si l'on peut dire,
devenu **majeur.** Il ne se fatigue jamais de célébrer cette maturité.

Les Quatorze Juillet de mon enfance m'ont laissé des souvenirs
magnifiques. On voyait le général **Gouraud** galoper sur un cheval
blanc. Comme il n'avait qu'un bras, la manche vide de son uniforme
flottait derrière lui, ce qui était incroyablement héroïque. Il avait un
sourire très gentil, et quand il passait, la foule criait: « Vive Gouraud ! »
Etait-ce parce que j'avais cinq ans ? Il me semble que les revues

CLAUDE MONET

Le 14 juillet rue Montorgueil
Musée de Rouen, France

Une rue de Paris pavoisée d'innombrables drapeaux
tricolores qui illustre bien l'idée que " ... le
14 juillet, c'est l'anniversaire d'un jour où le
peuple de Paris s'est bien amusé."

militaires de 1925 étaient immenses. Mon père m'installait sur ses épaules et je voyais des océans de soldats bleus passer devant moi. Je rentrais à la maison absolument **ivre** de musique militaire, dans un état de bonheur et d'exaltation: j'avais applaudi des régiments qui n'avaient rien à envier à la garde impériale de Napoléon, ni aux cavaliers de **Condé.** Les petits garçons de cinq ans, aujourd'hui, n'ont plus de ces merveilles.

La nuit du Quatorze Juillet, tout est permis. Les garçons invitent à danser des filles qu'ils ne connaissent pas, et qui ne sont descendues dans la rue que pour eux. Vers minuit, un peu de tendresse s'insinue dans la joie populaire, et la fête nationale devient une fête sentimentale. Il serait intéressant de savoir combien de mariages se font, en France, chaque année, à cause du Quatorze Juillet. Voilà le type de statistique passionnante et que l'on ne trouve jamais nulle part!

Jean Dutourd, dans *Le Fond et la Forme* © Editions Gallimard 1958
(Pour *Les Paroles* de J. Dutourd voyez le texte original page 633.)

poussiéreux: couvert de poussière. Un objet poussiéreux est probablement celui qu'on laisse longtemps dans un coin, sans l'employer. Ici, le mot est pris dans son sens figuré, et voudrait dire « artificiellement traditionnel ».

embaumé: on embaume un corps mort pour le préserver. De même, on « embaume », au figuré, une tradition pour la préserver si elle ne peut pas survivre par elle-même. Les deux mots **poussiéreux** et **embaumé** indiquent la même idée: il s'agit là d'une tradition spontanée, dont les célébrations n'ont rien d'artificiel.

Il y a cent soixante-huit ans: ce passage est écrit en 1957.

en bras de chemise: sans veston.

majeur: une personne devient majeure à 21 ans. Cette occasion est « la majorité ». Après 21 ans, on est responsable de sa propre vie, on peut voter, on a acquis une existence légale. C'est en effet ce que la Révolution a apporté au peuple français.

Gouraud: célèbre général français, mort en 1946.

ivre: celui qui est ivre, est celui qui a bu trop d'alcool. Ici, le mot a un sens figuré: Intoxiqué.

Condé: le prince de Condé, célèbre chef militaire du XVIIème siècle.

une trêve: un arrêt dans une bataille, un armistice.

QUESTIONS

1. Qu'est-ce qu'on célèbre officiellement, le Quatorze Juillet? Et en réalité?

2. Quel jour est la Fête Nationale des Etats-Unis? Qu'est-ce qu'on célèbre? Comment le célèbre-t-on?

3. Quelle est l'atmosphère, le jour du Quatorze Juillet? Est-elle très différente, le jour de la Fête Nationale des Etats-Unis? Pourquoi?

4. Si vous êtes à Paris le jour du Quatorze Juillet, que ferez-vous?

5. Que pensez-vous de cette coutume qui consiste à descendre dans la rue, et à danser avec des gens qu'on ne connaît pas? Voudriez-vous participer à ces bals improvisés aux coins des rues? Pourquoi?

6. Pensez-vous, d'après ce que dit Dutourd, que beaucoup de gens ont d'autres raisons de célébrer le Quatorze Juillet que celle de la Fête Nationale? Que se passe-t-il, la nuit du Quatorze Juillet? Quelle est la conséquence?

7. Comment Dutourd, petit garçon, célébrait-il le Quatorze Juillet?

SUJETS DE DISCUSSION OU DE COMPOSITION

1. Est-ce qu'on peut comparer la célébration du Quatorze Juillet et celle du Quatre Juillet aux Etats-Unis? Montrez les différences et les ressemblances.

2. Pourquoi est-il significatif que la France célèbre dans sa Fête Nationale, l'anniversaire d'un jour «où le peuple français s'est bien amusé». Est-ce que cela correspond à ce que vous savez déjà du caractère français? De quelle manière?

TROISIÈME LEÇON

La Leçon d'Arithmétique

LE DISCOURS (OU STYLE) DIRECT ET INDIRECT

<small>Etudiez les phrases suivantes:</small>

Déclaration et question (discours direct)	*Réponse* (discours indirect passé)
Bob. « **Je suis** de retour et **je suis** vraiment content de vous revoir ». Qu'est-ce qu'**il a dit**?	**Il a dit qu'il était** de retour et **qu'il était** vraiment content de me revoir.
« **J'étudie** le français et la chimie ce semestre ». Qu'est-ce qu'**il a dit**?	Il a dit qu'**il étudiait** le français et la chimie ce semestre.
« **Je** les **étudie** parce qu'**ils sont** nécessaires pour mon diplôme ». Qu'est-ce qu'**il a dit**?	**Il a dit qu'il** les **étudiait** parce qu'**ils étaient** nécessaires pour son diplôme.
Jean-Pierre. « **J'ai passé** de bonnes vacances ». Qu'est-ce qu'**il a dit**?	**Il a dit qu'il avait passé** de bonnes vacances.
« **J'ai rencontré** un monsieur très gentil. **Je** lui **ai demandé** des conseils pour mon avenir » Qu'est-ce qu'**il a dit**?	**Il a dit qu'il avait rencontré** un monsieur très gentil et qu'**il** lui **avait demandé** des conseils pour son avenir.

·   ·   ·   ·   ·   ·

<small>Etudiez le petit dialogue suivant (au discours direct):</small>

L'Agent de Police.   **Vous alliez** beaucoup trop vite! **Allez-vous** toujours aussi vite?

Le Jeune Homme.   Non. Quand **je sais** qu'**il y a** un agent de police derrière moi, **je conduis** très lentement. Mais **je ne vous avais pas vu!**

L'Agent de Police.   Au moins, **vous n'êtes pas** comme tous les autres jeunes

PIET MONDRIAN   *Composition*
                    Collection, The Museum of Modern Art, New York

"C'est une chose qu'on ne peut pas expliquer. On peut
seulement la comprendre par un … un … un raisonnement
mathématique intérieur: on a le sens des mathématiques, ou
on ne l'a pas …"

gens, et **vous ne me dites pas** que **j'ai** besoin de lunettes. Eh bien, **je vais** faire une exception et, pour cette fois, **je ne vous donne pas** de P.V.* Mais **il faut faire** attention à l'avenir.

ETUDIEZ, MAINTENANT, LA MÊME CONVERSATION EXPRIMÉE AU DISCOURS INDIRECT:

L'agent de police *a commencé par* dire au jeune homme *qu'***il allait** beaucoup trop vite. *Il lui a demandé* d'un air sarcastique *s'***il allait** toujours aussi vite.

Le jeune homme *a répondu que non; qu'***il conduisait** très lentement quand *il savait* qu'*il y avait* un agent de police derrière lui. *Il a ajouté qu'il n'avait pas vu* l'agent.

Celui-ci, *touché par cette sincérité, a répliqué* qu'au moins, ce jeune homme n'**était** pas comme tous les autres et *qu'***il** ne lui **disait** pas qu'**il avait** besoin de lunettes. *Il a décidé de* faire une exception, et pour cette fois, *de* ne pas lui donner de P.V. Mais *il lui a recommandé de* faire attention à l'avenir.

LECTURE

La leçon

Le texte suivant est une adaptation d'une scène de la célèbre pièce de Ionesco, *La Leçon*. Ionesco est un dramaturge contemporain. On appelle son théâtre «théâtre de l'absurde» mais l'absurde est souvent en réalité un déguisement comique de la vérité.

Les personnages sont le professeur et l'élève à qui le professeur donne une leçon.

LE PROFESSEUR. Quel examen préparez-vous, mademoiselle? Voulez-vous le doctorat de sciences ou le doctorat de lettres?

L'ÉLÈVE. J'espère bien passer le doctorat total si je suis assez bonne. Mais il est difficile!

LE PROFESSEUR. Nous allons commencer par l'arithmétique. Combien font un et un?

L'ÉLÈVE. Deux!

LE PROFESSEUR. Mais c'est très bien! Vous êtes forte en arithmétique. Vous allez avoir votre doctorat total sans difficultés. Deux et un?

L'ÉLÈVE. Trois!

---

* **un P.V.** = abréviation de «Procès Verbal», le petit papier que vous donne l'agent de police quand vous ne respectez pas le code de la route.

LE PROFESSEUR.   Trois et un?

L'ÉLÈVE.   Quatre!

LE PROFESSEUR.   Vous êtes magnifique! Je vous félicite! Pour l'addition vous êtes magistrale... Maintenant, je vais vous poser quelques questions sur la soustraction. Combien font quatre moins trois?

L'ÉLÈVE.   (*elle hésite*) Je ne sais pas... Quatre moins trois font sept, peut-être?

LE PROFESSEUR.   Je regrette d'être obligé de vous contredire! Quatre moins trois ne font pas sept! Il faut réfléchir...

L'ÉLÈVE.   (*elle essaie de comprendre*) Je ne vois pas très bien... Est-ce que quatre moins trois font quatre... Ou dix, peut-être, mais je ne crois pas...

LE PROFESSEUR.   Vous essayez de deviner. Non! Il faut réfléchir! Je vais vous aider. Vous savez compter, n'est-ce pas? Jusqu'où savez-vous compter?

L'ÉLÈVE.   Jusqu'à l'infini...

LE PROFESSEUR.   (*sévère*) C'est impossible, mademoiselle, l'infini n'existe pas.

L'ÉLÈVE.   Alors... jusqu'à seize.

LE PROFESSEUR.   C'est assez. Il faut savoir se limiter. Alors, comptez, s'il vous plaît.

L'ÉLÈVE.   Un, deux... et puis après deux, il y a trois et quatre...

LE PROFESSEUR.   Bien. Quel nombre est le plus grand, trois ou quatre?

L'ÉLÈVE.   Le plus grand? Dans quel sens?

LE PROFESSEUR.   Il y a des nombres plus grands et d'autres plus petits. Dans les nombres plus grands, il y a plus d'unités que dans les petits nombres, excepté quand les petits nombres ont des unités plus petites. Si les unités sont très petites il y a peut-être plus d'unités dans les petits nombres que dans les grands...

L'ÉLÈVE.   Alors, les petits nombres sont souvent plus grands que les grands nombres?

LE PROFESSEUR.   (*déconcerté*) Ce n'est pas du tout la question... Il n'y a pas seulement des nombres. Il y a aussi des sommes, des groupes, des quantités, des tas, des tas de choses, des tas de gens, des tas de... Mais pour le moment, supposons que nous n'avons que des nombres égaux. Les plus grands sont les nombres qui ont le plus d'unités de qualité égale.

L'ÉLÈVE.   Ah, je comprends! Vous identifiez la qualité et la quantité!

LE PROFESSEUR.   Euh!... dans la théorie, peut-être. Mais nous sommes dans la pratique, mademoiselle. Voyons. Est-ce que quatre est plus grand ou plus petit que trois?

L'ÉLÈVE.   Plus petit... non! Moins petit!

LE PROFESSEUR.   C'est une excellente réponse. Combien d'unités entre trois et quatre?

L'ÉLÈVE. Il n'y a pas d'unité, monsieur, entre trois et quatre. Quatre vient tout de suite après trois Il n'y a rien du tout entre trois et quatre.

LE PROFESSEUR. Vous avez tort, mais c'est ma faute! Mon explication n'est pas assez claire. Nous allons prendre un autre exemple. Voilà trois allumettes. En voilà une autre. Regardez bien! Vous en avez quatre. Maintenant j'en mets une dans ma poche. Combien en avez-vous?

L'ÉLÈVE. Cinq! Si trois et un font quatre, quatre et un font cinq!

LE PROFESSEUR. Ce n'est pas correct du tout! Vous avez toujours tendance à additionner! Il faut aussi savoir soustraire! Il ne faut pas uniquement intégrer, il faut aussi désintégrer! C'est ça la vie, la science, le progrès, la civilisation!

L'ÉLÈVE. (docile) Oui, monsieur!

LE PROFESSEUR. Ce n'est pas facile, je l'admets! Voilà un autre exemple. Je dessine des bâtons au tableau. Un, deux, trois, quatre, cinq bâtons. Un, deux, trois, quatre, cinq, ce sont des nombres, mademoiselle. Quand on compte des bâtons, chaque bâton est une unité (exaspéré). Qu'est-ce que je viens de dire, mademoiselle?

L'ÉLÈVE. «Est une unité. Qu'est-ce que je viens de dire, mademoiselle?»

LE PROFESSEUR. Une unité, c'est un nombre, c'est un chiffre, c'est un des éléments de la numération.

L'ÉLÈVE. Est-ce aussi un bâton, monsieur? Des éléments, des bâtons, des nombres, des chiffres, des quantités... C'est très clair maintenant, monsieur. Merci, monsieur!

LE PROFESSEUR. Alors, maintenant, faites votre soustraction.

L'ÉLÈVE. (elle murmure, pour imprimer dans sa mémoire) Les bâtons sont des chiffres et les nombres sont des unités.

LE PROFESSEUR. Hum... Si vous voulez. Alors?

L'ÉLÈVE. On peut soustraire deux unités de trois unités, mais peut-on soustraire deux deux de trois trois? et deux chiffres de quatre nombres? Et trois nombres d'une unité?

LE PROFESSEUR. Non, mademoiselle!

L'ÉLÈVE. Pourquoi, monsieur?

LE PROFESSEUR. Parce que, mademoiselle.

L'ÉLÈVE. Parce que quoi, monsieur? Si les uns sont les autres?

LE PROFESSEUR. C'est une chose qu'on ne peut pas expliquer. On peut seulement la comprendre par un... un... un raisonnement mathématique intérieur; on a le sens des mathématiques ou on ne l'a pas. Ecoutez, mademoiselle, il faut, pour le doctorat total comprendre ces archétypes arithmétiques. Pour l'École Polytechnique aussi et même pour l'École Maternelle

Supérieure. Comment pouvez-vous (et c'est un problème très ordinaire pour un ingénieur) faire la multiplication de trois milliards sept cent cinquante-cinq millions neuf cent quatre-vingt-dix-huit mille deux cent cinquante et un par cinq milliards cent soixante-deux millions trois cent trois mille cinq cent huit ?

L'ÉLÈVE.   (*très vite*) Ça fait dix-neuf quintillions trois cent quatre-vingt-dix quatrillions deux trillions huit cent quarante-quatre milliards* deux cent dix-neuf millions cent soixante-quatre mille cinq cent huit...†

LE PROFESSEUR.   (*surpris*) Non... Je ne crois pas... Attendez... Voyons... cinq cent **neuf**...

L'ÉLÈVE.   Non. Cinq cent **huit.**

LE PROFESSEUR.   (*il calcule mentalement*) Vous avez raison ! (*stupéfait*) Mais comment le savez-vous ?

L'ÉLÈVE.   C'est simple. Comme mon raisonnement n'est pas bon, j'ai appris par cœur tous les résultats possibles de toutes les multiplications possibles.

QUESTIONS SUR LA LECTURE

1. Quelle question le professeur a-t-il commencé par poser à l'élève ?

2. Qu'est-ce qu'elle a répondu à cette question ? Par quel sujet le professeur a-t-il décidé de commencer ?

3. Qu'est-ce que l'élève a répondu au professeur quand celui-ci lui a demandé combien faisaient quatre moins trois ?

4. Le professeur dit : « Je regrette d'être obligé de vous contredire ! Quatre moins trois ne font pas sept. Il faut réfléchir ! » Qu'est-ce qu'il a dit ?

5. Qu'est-ce que l'élève a répondu quand le professeur lui a demandé jusqu'où elle savait compter ?

6. Qu'est-ce que le professeur a répliqué ?

7. Qu'est-ce que l'élève a répondu quand le professeur lui a demandé combien d'unités il y avait entre trois et quatre ? Comment a-t-elle expliqué sa réponse ?

---

* **Milliard:** mille millions (*a billion*)
† $3755998251 \times 516233508 = 193902844219164508$

8. Comment le professeur a-t-il expliqué le concept d'unité? Son explication était-elle claire? Est-ce que l'élève l'a comprise? Mais qu'est-ce qu'elle a dit?

EXPLICATIONS

I. *Passage du discours direct au discours indirect:*

L'élève: «**Je comprends**». C'est le discours **direct.**
L'élève *a dit qu'***elle comprenait.** C'est le discours **indirect.**

Vous employez le **discours direct** quand vous citez (*quote*) exactement les paroles d'une personne. Un dialogue est au discours direct, une pièce de théâtre est au discours direct.

Vous employez le discours indirect quand vous racontez ce qu'une personne a dit, une remarque, une conversation en forme de narration.

A. Changement de temps des verbes:

Voilà quelques exemples:

L'élève: «**Je comprends.**»
L'élève *a dit* qu'**elle comprenait.**

L'élève: «**J'ai compris,** monsieur. Votre explication **était** très claire.»

L'élève a dit qu'**elle avait compris,** que l'explication du professeur **était** très claire.

Bob. **Je suis** fatigué parce qu'**il fait** chaud et que **j'ai travaillé** au soleil. **J'avais** un rendez-vous important, mais ma voiture ne **marche** pas et **je** n'**ai** pas d'argent pour payer la réparation.

Bob *a dit qu'***il était fatigué** parce qu'**il faisait** chaud et qu'**il avait travaillé** au soleil. *Il a expliqué qu'***il avait** un rendez-vous important mais *que* sa voiture ne **marchait** pas et *qu'***il** n'**avait** pas d'argent pour payer la réparation.

Vous remarquez que le temps des verbes change quand vous passez du discours direct au discours indirect. La règle qui gouverne le changement de temps des verbes s'appelle la **concordance des temps.**

Voilà la règle générale:

Le présent	devient	**imparfait**
Le passé composé	devient	**plus-que-parfait**
L'imparfait	reste	**imparfait**

B. Changements de style:

Relisez le petit dialogue entre le jeune homme et l'agent de police. Vous remarquez que, quand le dialogue est raconté au discours indirect, il est nécessaire d'ajouter certains verbes, certaines expressions qui donnent la cohérence à votre narration.

L'agent: Allez-vous toujours aussi vite?
L'agent lui **a demandé** s'il allait toujours aussi vite.

Le jeune homme: Non. Quand je sais qu'il y a un agent derrière moi, je conduis très lentement.

Le jeune homme **a répondu** (ou: **a répliqué**) **que** non; **il a expliqué que** quand il savait qu'il y avait un agent derrière lui, il conduisait très lentement.

Voilà certains verbes qui sont utiles pour le discours indirect:

Dire   Demander   Répondre   Ajouter   Continuer   Répliquer Expliquer   Interrompre   Conclure   etc.

Le professeur **a demandé** à l'élève quel examen elle voulait passer. Elle **a répondu** qu'elle voulait essayer de passer le doctorat total mais elle **a ajouté** que celui-ci était difficile.

Le professeur l'**a interrompue** en disant qu'il allait lui poser des questions d'arithmétique. Il **a expliqué** que l'arithmétique était fondamentale et il **a conclu en disant** que, si elle n'était pas capable de faire une soustraction, elle ne pouvait sans doute pas passer le doctorat total (ou même partiel).

C. **Qu'est-ce que** et **qu'est-ce qui** devient **ce que** et **ce qui** au discours indirect:

« **Qu'est-ce que** vous dites » ?
Il m'a demandé **ce que** je disais.

« **Qu'est-ce qui** est arrivé pendant mon absence » ?

Il voulait savoir **ce qui** était arrivé pendant son absence.

D. Employez **celui-ci**:

« J'ai rencontré un monsieur très gentil. **Celui-ci** m'a donné des conseils ».

Il a dit qu'il avait rencontré un monsieur très gentil et que **celui-ci** lui avait donné des conseils.

E. Ajoutez des éléments personnels:

Le professeur: Non, non, vous êtes stupide, mademoiselle!

Le professeur, **furieux**, lui a dit qu'elle était stupide.

L'agent, **touché par la sincérité** (ou la naïveté) du jeune homme a décidé de ne pas lui donner de P.V.

Le professeur lui a demandé **avec surprise** comment elle savait la réponse.

Quand vous avez l'impression de rendre ainsi votre narration plus vivante, plus pittoresque, vous pouvez indiquer, par une notation personnelle, **comment** la personne en question a dit cette chose.

F. Comment exprimer **aujourd'hui, hier, demain** au passé:*

Bob: **Aujourd'hui,** je reste à la maison, parce que je suis sorti **hier** et que je vais sortir **demain**.

Bob a dit que **ce jour-là** il restait à la maison parce qu'il était sorti **la veille** et qu'il allait sortir **le lendemain**.

Voilà comment les termes de temps changent quand on passe du présent au passé:

LE TERME:	DEVIENT AU PASSÉ:
Aujourd'hui	Ce jour-là (ou: Un jour)
Hier	La veille
Demain	Le lendemain
Ce matin	Ce matin-là (ou: Un matin)
Ce soir	Ce soir-là (ou: Un soir)
Cette année	Cette année-là (ou: Une année)

* **Ce jour-là, la veille** et **le lendemain** expriment aussi le futur: « Le jour où je serai millionnaire? Ah, ce jour-là, je serai heureux! J'achèterai une voiture de sport le lendemain! »

VOCABULAIRE

Noms

l'agent de police	la satire
un conseil	le doctorat
des lunettes	le bâton
la sincérité	l'allumette
la naïveté	l'arithmétique
le raisonnement	l'infini
l'ingénieur	le nombre
la pièce	l'unité
l'auteur	la somme
le déguisement	le tas

Adjectifs

comique	sévère
magistral(-e)	

Verbes

limiter	intégrer
additionner	désintégrer
soustraire	

Expressions

avoir tendance à...	apprendre par cœur

EXERCICES

I. Mettez les phrases suivantes au discours indirect passé (ajoutez les verbes **dire, demander, ajouter, expliquer,** etc.) :

LA DAME. Monsieur l'agent, je crois que vous avez besoin de lunettes ! Avez-vous vu un psychiâtre, récemment ? Je suis absolument certaine que je n'allais pas à plus de cinquante à l'heure !

LE PROFESSEUR. (*à l'élève*) Non, monsieur, vous avez tort ! Vous ne savez pas la réponse parce que vous n'avez pas étudié. C'était la même chose le jour de l'examen.

Un étudiant. (*à ses parents*) J'ai vu une voiture épatante et pas chère. Si vous me donnez l'argent pour l'acheter, je vous promets d'avoir de bonnes notes.

II. Mettez la conversation suivante au discours indirect passé et changez les termes de temps (aujourd'hui, hier, demain, etc.) comme il sera nécessaire.

Véronique. Allô, Barbara? Qu'est-ce que vous faites aujourd'hui? Moi, je pense rester à la maison, parce que je suis sortie hier et que je vais sortir demain. J'ai passé deux heures à la bibliothèque ce matin mais je n'ai pas trouvé ce que je cherchais.

Barbara. J'ai des projets pour ce soir. Une amie de ma mère m'a invitée à dîner chez elle pour faire la connaissance de son neveu qui est arrivé d'Europe hier. Alors, cet après-midi, je vais aller chez le coiffeur... Je regrette d'y aller aujourd'hui, parce que demain je vais nager à la piscine et c'est toujours un désastre pour la coiffure!

COMPOSITIONS

Composition orale, au choix:

A. Résumez brièvement la scène de *La Leçon* au style indirect.

B. Racontez une conversation que vous avez eue récemment avec un ou une camarade (c'est peut-être une dispute!)

Composition écrite, au choix:

A. Une journée mémorable de votre vie (employez **ce jour-là, la veille, le lendemain,** etc.) et racontez ce que vous avez dit, ou les conversations qui ont eu lieu au discours indirect.

B. Vous avez certainement entendu récemment une conférence intéressante. Résumez les idées principales de cette conférence en employant le discours indirect. (Le conférencier a dit que... etc.) au passé.

C. Une conversation avec un agent de police.

QUATRIÈME LEÇON

LEÇON

Pendant une Représentation

PREMIÈRE PARTIE

Les termes de cohérence. Les expressions de temps.

Etudiez le texte suivant. Faites particulièrement attention aux mots en caractères gras.

D'abord, pendant les premiers jours de ce cours, **j'ai commencé par** penser que le professeur avait tort de parler toujours français en classe. **Ensuite,** j'ai commencé à comprendre ce qu'il disait, **et puis** j'ai répondu à quelques questions, **et puis** à toutes les questions, **et puis** j'ai ri quand il faisait une plaisanterie. **Bientôt,** j'attendais chaque jour la classe avec impatience. **Enfin,** une nuit, j'ai fait un rêve, et dans ce rêve, je parlais français!

Pourtant, ce n'était pas la fin de mes difficultés. Je faisais souvent des fautes, **alors** j'avais de mauvaises notes. **Mais** c'étaient des fautes d'inattention, pas des fautes d'ignorance, et **malgré** celles-ci, je voyais bien que je faisais des progrès. **D'ailleurs,** les notes qu'on a ne reflètent pas toujours exactement les progrès qu'on fait, **car,** apprendre quelque chose représente un procédé d'incubation lente. **Enfin,** un jour, **grâce à** mes efforts et à la patience du professeur, **j'ai fini par** avoir la conviction que je savais le français. C'est **à cause de** cette conviction que j'ai décidé de continuer mes études et de me spécialiser dans les langues. Un jour, **je finirai** peut-être **par** être un critique célèbre, ou... qui sait? un auteur connu!

EXPLICATIONS

D'abord   Indique le commencement, la première action:

D'abord on réfléchit, et ensuite on écrit.

Ensuite   Indique ce qui suit:

Nous avons dîné; **ensuite,** nous sommes allés faire une promenade.

Puis   Le sens est semblable à celui de **ensuite**: Employez **puis** (ou **et puis**) quand il y a une succession de faits ou d'actions:

D'abord il y a le printemps, ensuite l'été, **puis** l'automne, **et puis** l'hiver.

Alors   Indique le résultat, la conséquence:*

Je n'ai pas assez dormi, **alors** j'ai mal à la tête ce matin.

Commencer par, Finir par   Ces deux expressions indiquent le commencement et la fin:

J'ai commencé par penser que le professeur avait tort mais **j'ai fini par** penser qu'il avait raison.

Ces expressions ont une valeur idiomatique. Elles font partie des expressions qu'il faut employer pour parler le « vrai » français.

Pourtant   (*yet, however*):

Beaucoup de gens vont voir ce film. **Pourtant,** les critiques sont mauvaises.

D'ailleurs   (*besides, at any rate, anyway*). Indique la corrélation entre un fait spécifique et une réalité générale:

Il fait chaud aujourd'hui. **D'ailleurs,** il fait souvent chaud ici en cette saison.

Car, Parce que   (*for, because*). Le sens de **car** n'est pas très différent de celui de **parce que,** mais employez-le pour varier. **Car** est un peu plus littéraire que **parce que** et a l'avantage d'être court:

Le peuple était triste de la mort d'Henri IV, **car** c'était un bon roi.

Nous n'attendons pas votre père pour dîner, **parce qu'**il a téléphoné qu'il ne rentrait pas.

Parce que et **car** sont toujours suivis d'un verbe (d'une proposition—*clause*—avec un verbe).

A cause de   (*because of... on account of...*). **A cause de** est suivi d'un nom:

Il reste chez lui **à cause de** la pluie.

Dans *L'Etranger* de Camus, le héros est condamné à mort **à cause de** son caractère et non pas **à cause de** son crime.

---

* **Alors** a aussi un autre sens. C'est le sens de "*then*" au sens de "*at that time*". Employé dans ce sens, **alors** est l'opposé de **maintenant.**

Grâce à (*thanks to*) et son contraire **Malgré** (*in spite of*):

Grâce à vos efforts, et **malgré** l'adversité, vous avez réussi!

Enfin (*at last, finally*).* Cet adverbe est souvent interchangeable avec l'expression **finir par,** comme **d'abord** est parfois interchangeable avec l'expression **commencer par:**

J'ai écouté, réfléchi, posé des questions et j'ai **enfin** compris. (ou: J'ai **fini par** comprendre)

EXERCICES

I. Complétez les phrases suivantes par un terme de cohérence:

1. Il est midi, _____ j'ai faim.
2. _____ j'entre en classe, _____ je prends une chaise, _____ je mets mes affaires sur mon pupitre; le professeur entre, _____ la classe commence.
3. J'adore les voitures de sport! _____ j'ai une vieille Ford.
4. Ce jeune homme conduit beaucoup trop vite et très mal. _____ il a souvent des accidents.
5. Avec du talent, du travail et de la patience, on _____ apprendre à jouer du violoncelle.
6. Je n'ai pas pu finir tout ce que j'avais à faire. _____ j'ai essayé!
7. Il fait chaud aujourd'hui; _____ il fait toujours chaud en cette saison.

II. Lisez attentivement le paragraphe suivant. Mettez la ponctuation et ajoutez les termes de cohérence qui vont améliorer le sens du texte.

En prison Meursault pensait comme un homme libre il était très malheureux Il voulait voir Marie aller en ville marcher sur la plage et dans les rues le soir Après quelque temps il a acquis une mentalité de prisonnier Votre idée de la liberté est toujours basée sur la quantité de liberté que vous avez Après six mois de prison il pensait à sa promenade dans la cour de la prison à l'arrivée du gardien avec sa soupe du soir il ne pensait plus à l'extérieur et il ne pouvait plus évoquer le visage de Marie Chose étrange il avait l'impression d'être aussi libre qu'avant sa condamnation Quand il pensait à sa vie

---

* **Enfin:** l'adverbe "finalement" existe, mais évitez de l'employer, car vous ferez probablement un anglicisme. Pour dire *finally*, employez **enfin** ou **finir par.** On dit aussi souvent: **mais enfin**...

d'homme libre c'était une sorte de rêverie vague Cette pensée n'avait pas de réalité

Avant son exécution le chapelain était venu le voir Meursault avait refusé Il ne croyait pas en Dieu Cette visite l'avait obligé à penser à la mort Il avait conclu que sans Dieu la mort n'avait de sens que pour les vivants

(Ces quelques lignes sont une adaptation
d'un passage de *L'Etranger*, roman de Camus.)

III. Combinaison du discours indirect et des termes de cohérence. Prenez le petit dialogue entre le jeune homme et l'agent de police dans la 3ème leçon. Dans sa forme de discours indirect, intercalez les termes de cohérence appropriés. (**Commencer par, alors, ensuite, et puis, mais, finir par,** etc.)

COMPOSITIONS

Composition orale :

Racontez une petite conversation entre vous et un ami, votre père ou votre mère, ou dans un magasin.

Employez le discours indirect et les termes de cohérence nécessaires.

Composition écrite :

A. Cherchez un petit article dans le journal. Racontez cet article au discours indirect et employez les termes de cohérence appropriés. (Ex: Le président a commencé par dire au public que... etc.)

B. Un de vos amis a besoin de vous. Il vous téléphone, ou il vient vous voir pour vous demander quelque chose. Racontez votre conversation au discours indirect et avec tous les termes de cohérence nécessaires.

DEUXIÈME PARTIE

Pendant une Représentation
(suite)

Les expressions de temps : Temps/Fois
Pendant **Depuis** **Il y a** **Passer** et **Durer**

ÉTUDIEZ LES PHRASES SUIVANTES :

Déclaration et question	*Réponse*

Je n'ai pas souvent **le temps** de sortir. Et vous ?

De lundi à vendredi, je n'ai pas **le temps.** Mais je l'ai le samedi et le dimanche.

Quand j'ai le temps, je vais au cinéma **une fois** par semaine. Et vous ?

J'y vais **deux fois** par mois, environ.

Je vais voir des représentations à film unique, car je n'aime pas rester assis **pendant** trois heures. Et vous ?

Si je reste assis **pendant** une heure, c'est bien assez.

Peut-on fumer **pendant** la représentation ?

Non, mais on peut fumer **pendant** l'entr'acte.

Pendant que nous parlons, le temps passe! Avez-vous remarqué comme il passe vite **pendant** qu'on est avec des amis?

C'est vrai. Il passe beaucoup moins vite **pendant** qu'on est au tableau et qu'on cherche la réponse à une question.

Vous n'êtes pas né dans cette ville. **Depuis combien de temps** y habitez-vous?

ou:

Vous avez dix-huit ans. **Depuis quand** avez-vous dix-huit ans?

J'y habite **depuis dix ans.**

J'ai dix-huit ans **depuis le 15 mars.**

Il y a un an que je suis allé à Paris. Et vous, combien de temps y a-t-il?

Il y a eu un an le mois dernier que je suis rentré d'Europe.

.   .   .   .   .   .

Combien de temps dure la représentation?

Elle **dure** deux heures.

Combien de temps a duré la guerre?

La guerre **a duré** quatre ans.

Où **passez-vous** vos vacances?

Je les **passe** à la campagne, chez mes grand-parents.

.   .   .   .   .   .

Quelle est la différence entre **an** et **année?**

C'est très simple. On dit **un an, dix ans, vingt ans, cent ans.** Employez **an** quand il est précédé d'un chiffre (un, deux, trois, etc.). **L'année dernière, la première année, une excellente année:** dans tous les autres cas, il faut employer **année.**

LECTURE

Pendant une Représentation

Mes copains et moi, nous allons au cinéma environ une fois par semaine. Nous choisissons toujours une représentation à film unique car nous n'aimons pas rester assis pendant trois heures. Pendant la représentation, je mange souvent des bonbons ou une glace, mais je ne mets pas les pieds sur le dossier de la chaise qui est devant moi (ou très rarement... une fois de temps en temps!)

D'abord, il y a les actualités. Celles-ci ne durent pas longtemps, et depuis que tout le monde a la télévision, elles sont bien moins importantes qu'avant. Elles commencent par les nouvelles politiques, ensuite il y a les événements divers, et puis les sports, et elles finissent par des nouvelles comme celles de la mode ou des concours de beauté. Mais grâce à la télévision, nous connaissons toutes ces nouvelles depuis plusieurs jours.

Ensuite, vient le dessin animé. Ceux de Walt Disney sont les plus célèbres: ce sont des caricatures d'animaux qui sont drôles parce qu'évidemment, ils ressemblent à des humains. D'ailleurs, les animaux ne sont drôles que quand ils ressemblent à des humains. On y voit des courses folles, des poursuites, des accidents terrifiants. Et pendant ce temps, l'auditoire rit et applaudit... Est-ce parce que nous avons le goût de la cruauté et que, malgré notre civilisation, nous aimons la violence? Mais tout finit bien: le chat féroce, le grand méchant loup sont punis, car la souris ou le lapin sont habiles et la ruse finit par triompher de la force.

Après, il y a parfois un documentaire: vie de peuples exotiques, voyages dans des pays lointains, science, aventures. J'aime bien les documentaires et le temps passe vite pendant cette partie de la représentation.

L'entr'acte dure environ dix minutes, et pendant l'entr'acte, je sors un moment. Dans le foyer, on rencontre des gens qu'on connaît; ceux qui fument, fument une cigarette, les autres bavardent, boivent une boisson fraîche ou une tasse de café.

Enfin, le film principal commence. D'abord vient le générique qui donne le nom des vedettes, et puis ceux des autres acteurs, ceux du metteur en scène et de ses assistants, du directeur et des siens, enfin celui du compositeur, s'il y a une partition musicale, et celui de l'auteur du livre, si le film est l'adaptation cinématographique d'un roman.

Il y a dix ans, beaucoup de films méritaient le terme de « navet » que les Français décernent à une mauvaise production: ceux où le jeune homme,

Astor Pictures, Inc

Tirée d'un des premiers films de la " nouvelle vague ", voilà une vue célèbre de L'Année *dernière à* Marienbad. *Vous remarquez que, tandis que les personnages projettent une ombre, les arbustes en forme de pyramide n'en projettent pas.*

après avoir rencontré la jeune fille idéale, la sauve de toutes sortes de dangers, pendant une heure et demie et où leurs aventures finissent par un baiser… photogénique! Ceux où les gangsters cambriolent une banque, échangent des coups de revolver avec la police mais finissent par être punis. Ceux où la police cherche le coupable d'un crime, mais où seul, le détective privé, malgré la stupidité de l'inspecteur de police, arrête le criminel et explique l'affaire avec condescendance. Pourtant, de temps en temps on en voit d'autres. Depuis qu'on reconnaît les possibilités de l'écran, le cinéma est en train de devenir un moyen d'expression artistique original. Les films de la Nouvelle Vague, de valeur inégale, mais qui ont tous une valeur expérimentale, en sont la preuve. Il est probable que le cinéma va finir par être une forme d'art majeure.

QUESTIONS SUR LA LECTURE

1. Ce jeune homme va-t-il souvent au cinéma? Y allez-vous plus ou moins (bien plus ou bien moins) souvent que lui? Combien de fois par mois y allez-vous environ?

2. Préfère-t-il aller voir une représentation à deux films? Pourquoi?

3. Qu'est-ce qu'on mange pendant la représentation? Que pensez-vous des gens qui mangent des bonbons envelopés de cellophane—(quel bruit!)— pendant toute la représentation? Mettez-vous les pieds sur le dossier de la chaise qui est devant vous? Pourquoi?

4. Qu'est-ce que les actualités? Sont-elles plus importantes depuis qu'on a la télévision? Qu'est-ce qu'on voit aux actualités? Si on va au cinéma cette semaine, qu'est-ce qu'on verra—probablement—aux actualités?

5. Expliquez-moi ce que c'est qu'un « dessin animé »? Un documentaire?

6. Est-ce qu'il n'y a que les enfants qui aiment les dessins animés? Pourquoi?

7. Qu'est-ce qu'on fait pendant l'entr'acte? Combien de temps dure-t-il? Combien de temps avez-vous entre chaque classe? Que faites-vous pendant ce temps?

8. Qu'est-ce que « le générique » d'un film? Qui fait la partition musicale d'un film? Est-ce que le film ressemble toujours au roman? Pourquoi?

9. Depuis quand environ y a-t-il des représentations de films? Est-ce que les films ont beaucoup changé depuis Charlie Chaplin? Comment ont-ils changé?

10. Décrivez brièvement un film: une histoire d'amour, une histoire policière, un film de cowboys, une histoire de gangsters.

11. Qu'est-ce que «la Nouvelle Vague» du cinéma? Expliquez ce que font les metteurs en scène de la Nouvelle Vague? Que cherchent-ils? Dans quelle direction va le cinéma maintenant?

12. Quand est-ce que le temps passe le plus vite? Le plus lentement?

13. Combien de temps allez-vous rester dans cette école? Combien de temps avez-vous étudié le français? Combien de temps avez-vous l'intention de continuer à l'étudier?

PRONONCIATION

La syllabisation:

ci/né/ma/to/gra/phi/que   con/de/scen/dan/ce   pa/rti/tion   ci/vi/li/sa/tion   de/puis/ qu'on/   re/co/nnaît/   les/   po/ssi/bi/li/tés/   a/rti/sti/ques/   de/   l'é/cran/

Terminez chaque syllabe sur une voyelle (syllabe ouverte) et vous prononcerez la consonne plus correctement.

EXPLICATIONS

I. *Les expressions de temps*

Une fois, deux fois, quelquefois ou parfois (fois = *a time, an instance*):

Quand j'aime un film, je vais le voir deux **fois.**
La première **fois** que je suis allé à Paris, c'était en 1960.
C'est bien la dernière **fois** que je vais dans ce magasin!

Le temps (*time*) est toujours singulier:

Combien de **temps** dure cette représentation?
Avez-vous **le temps** de lire des romans?
Le temps passe vite!

Pendant a trois sens, et ils indiquent une durée, présente, passée ou future :

(*during*) Nous ferons un voyage **pendant** les vacances.
(*for*)　　On reste à l'université **pendant** quatre ans.
(*while*)　**Pendant** que vous êtes ici, je voudrais vous montrer quelque chose.

Depuis (*since*) : Une situation a commencé et elle continue maintenant :

Employez **depuis** avec le présent si la situation existe maintenant. Le français est logique, car c'est une **situation présente :**

Mon anniversaire est le 15 mars. J'ai dix-huit ans **depuis** le 15 mars.
Je suis dans ma chambre et je travaille **depuis** ce matin.
Il pleut **depuis** hier et il va pleuvoir toute la journée.

REMARQUEZ : Il y a une petite distinction dans la réponse avec **depuis**. Cette distinction dépend de la question :

Depuis quand avez-vous dix-huit ans ? J'ai dix-huit ans **depuis** le 15 mars.

La réponse à **depuis quand** est généralement une date, une heure, etc. : **depuis** hier, **depuis** 1965, **depuis** le mariage de ma sœur, **depuis** midi.

Depuis **combien de temps** avez-vous dix-huit ans ? (Nous sommes le 15 avril.) J'ai dix-huit ans **depuis un mois.**

La réponse à **depuis combien de temps** est une durée, une expression de temps : depuis trois ans, depuis vingt minutes, depuis vingt-quatre heures.

Il y a + expression de temps (*ago*) :

Il y a vingt ans, peu de gens avaient la télévision.
Le directeur ? Je regrette, il est parti **il y a cinq minutes** !

On peut aussi employer **il y a** avec le même sens que **depuis** si on veut mettre l'insistance sur la longueur du temps. Comparez les phrases suivantes :

Je connais Madame Sernin depuis dix ans.
Madame Sernin ? Mais c'est une vieille amie ! **il y a dix ans** que je la connais.
Bill attend sa petite amie depuis une heure.
Il y a une heure que le pauvre Bill attend sa petite amie sous la pluie !

II. *Avoir le temps de . . .*

J'ai le temps de lire des romans.
On n'a pas le temps de comprendre, quand les gens parlent très vite !

En réalité, ce n'est pas une expression idiomatique isolée. La construction **avoir + nom + de + verbe à l'infinitif** est générale:

J'ai la force **de** porter cette valise.
Vous **avez** l'intelligence **de** comprendre cette explication.
A 21 ans, on **a** l'âge **de** voter.
J'ai l'intention **de** partir ce soir.
Edison **a eu** l'idée **de** fixer le son sur un cylindre.
Jean-Pierre **a** l'intention **d'**être vétérinaire.

III. *Être en train de*

Il ne faut pas interrompre quelqu'un qui **est en train de** parler.
Allô! **Etiez-vous en train de** dîner?
Nous sommes en train d'apprendre le français.

Je suis arrivé au milieu du film! Les gangsters **étaient en train de** cambrioler la banque.

En anglais, il y a une forme du verbe pour exprimer la progression de l'action. C'est la forme «progressive» du verbe:

Someone is **speaking,** *you* **are having** *dinner, the gangsters* **were robbing** *the bank.*

Cette forme n'existe pas en français:

Quelqu'un **parle,** vous **dînez,** les gangsters **cambriolaient** la banque.

Quand il est absolument nécessaire de mettre l'emphase sur le fait que l'action a lieu maintenant, qu'elle est en progrès (au présent, passé ou futur), on emploie l'expression **être en train de**...

IV. *An et année*

En règle générale, employez **an** avec un chiffre:

J'étudie le français depuis **un an;** j'ai l'intention de l'étudier pendant **trois ans.**

Vingt ans après est le titre d'un roman d'Alexandre Dumas.

(Exception: tous les ans [*each, or every year*].)

Employez **année** dans les autres cas:

J'ai passé une **excellente année** en France.
La **première année** d'université est plus difficile que la **dernière année!**
Quelles sont les **meilleures années** de votre vie?

V. *Le verbe* **devenir** (*to become*)

Le verbe **devenir** est un composé du verbe **venir** et il a la même conjugaison:

Je deviens	Nous devenons
Tu deviens	Vous devenez
Il devient	Ils deviennent

Le passé composé de **devenir** est avec **être:**

Je suis devenu

Le futur est comme celui de venir:

Je deviendrai

etc.

VOCABULAIRE

Noms

une représentation	un détective privé
un copain	un coup de revolver
une fois	un documentaire
un dossier	un peuple
les actualités	un entr'acte
les nouvelles politiques	le foyer
un dessin animé	une boisson
des humains	le générique
une caricature	une vedette
l'écran	un metteur en scène
une course	une partition (musicale)
une poursuite	un "navet" (familier pour
l'auditoire	un mauvais film)
la cruauté	un baiser
la violence	le coupable
le loup	une preuve
la souris	la Nouvelle Vague

Adjectifs

unique	lointain
drôle	cinématographique
terrifiant(-e)	photogénique
fou, folle	majeur(-e)
habile	

EXERCICES

I. Complétez les phrases suivantes avec **temps** ou **fois**:

1. Combien de _____ par jour mangez-vous?
2. Combien de _____ passez-vous à la bibliothèque?
3. Combien de _____ par semaine venez-vous à cette classe?
4. Avez-vous assez de _____ pour faire du sport?
5. Combien de _____ vous faut-il pour aller d'une classe à l'autre?
6. Je n'ai pas le _____ de sortir ce soir. Une autre _____ peut-être.

II. Complétez les phrases suivantes avec **depuis** ou **pendant**:

1. Le semestre a commencé le 10 février. Nous sommes le 1er mars. Il dure _____ quatorze jours.
2. J'habite ici _____ dix ans.
3. _____ la semaine, je ne sors pas le soir.
4. Je ne mets pas les pieds sur le dossier de la chaise _____ la représentation.
5. Je vais aller en Europe. J'y resterai _____ trois mois.
6. Dans certains avions, on montre un film _____ le voyage.
7. J'attend votre lettre _____ Noël!
8. Aux Etats-Unis, le Président vit à la Maison Blanche _____ un terme de quatre ans.
9. _____ que les voyages sont si rapides, l'importance des langues étrangères augmente.

III. Répondez aux questions suivantes:

1. Quel âge avez-vous? Depuis quand?
2. Depuis combien de temps habitez-vous cette ville?
3. Depuis quand le Président est-il à la Maison Blanche?

4. Y a-t-il longtemps que vous étudiez le français? Combien de temps y a-t-il?
   Depuis quand l'étudiez-vous?
5. Depuis quand savez-vous lire et écrire?

COMPOSITIONS

Composition orale:

Racontez l'histoire de votre vie. Employez les termes de cohérence et **celui-ci**
et les expressions de temps: fois, temps, pendant, depuis, il y a.

Composition écrite:

Une représentation au cinéma. Racontez un film que vous avez vu. Employez
le discours indirect pour raconter ce que les acteurs ont dit, des termes de
cohérence, des expressions de temps.

CINQUIÈME LEÇON

Qu'est-ce qu'on Fait, ce Soir?

PREMIÈRE PARTIE

LES NÉGATIONS IRRÉGULIÈRES

Etudiez les phrases suivantes:

Affirmation	*Négation*
J'aime le jazz **et** l'art moderne.	Je **n'**aime **ni** le jazz, **ni** l'art moderne.
Je vais **toujours** aux concerts de jazz.	Je **ne** vais **jamais** aux concerts de jazz.
Je vais **toujours** aux concerts de jazz **et** aux expositions de peinture abstraite.	Je ne vais **jamais ni** aux concerts de jazz, **ni** aux expositions de peinture abstraite.
Il y a **quelqu'un** à la porte.	Non, il **n'**y a **personne** à la porte.
Y a-t-il **quelqu'un** à la porte? **Qui** est à la porte?	**Personne n'**est à la porte.
Jean-Pierre a **quelque chose** dans sa poche. Avez-vous **quelque chose** dans votre poche?	Non, je **n'**ai **rien** dans ma poche. Je **n'**ai **rien ni** dans ma poche, **ni** à la main.
Est-ce que **quelque chose** est tombé?	Non, **rien n'**est tombé.
Votre petit frère est à l'école élémentaire. Etes-vous **encore** à l'école élémentaire?	Non, je **n'**y suis **plus.**

345

RENÉ MAGRITTE

Empire of Light II
Collection, The Museum of Modern Art, New York
Gift of Mr. and Mrs. John de Menil

Avez-vous envie de sortir ce soir, dans cette rue tranquille?

Allez-vous **encore quelquefois** à
votre école élémentaire ?

Non, je **n'**y vais **plus jamais.**

J'ai beaucoup de talents. Je fais du
tennis **et** du ski. Je sais **aussi** parler
espagnol. Et vous ?

Je n'ai pas de talents. Je **ne** fais **ni**
tennis **ni** ski. Je **ne** sais **pas non
plus** parler espagnol.

Avez-vous **déjà** fini ?

Je **n'**ai **pas encore** fini.

Parlez-vous très bien français ?

Je **ne** parle **pas encore** très bien
français. Mais je pense le parler
comme il faut à la fin du semestre.

RÉPONSES BRÈVES POUR LA CONVERSATION

J'aime le jazz.

Moi aussi.
Pas moi.

Je n'aime pas le jazz.

Moi si.
Moi non plus.

Vous ne comprenez pas ?
Avez-vous quelque chose à me dire ?
Y a-t-il quelqu'un à la porte ?
Avez-vous fini ?
Y allez-vous quelquefois ?

Si (je comprends).
Non, rien.
Non, personne.
Non, pas encore.
Non, jamais.
Non, plus jamais.

LECTURE

Jean-Pierre n'a ni examens, ni compositions pour demain. Il est libre ce soir et il
voudrait bien organiser quelque chose pour ce soir. Il téléphone à son copain André.

JEAN-PIERRE. Allô, allô. Ici, Jean-Pierre. Ah, bonjour, Madame. Est-ce
qu'André est à la maison ? Voulez-vous lui dire que je voudrais lui parler ?
Merci beaucoup, Madame. Oui, je reste à l'appareil... Ah, André ? Ici,
Jean-Pierre. Dis donc, mon vieux, tu veux aller au concert avec moi ce
soir ?

ANDRÉ. Ça dépend… Quelle sorte de concert? Tu sais que je n'aime ni le jazz, ni la musique moderne.

JEAN-PIERRE. Justement, ce n'est ni l'un, ni l'autre. C'est un concert de musique classique. On* jouera toutes sortes de morceaux célèbres que tu connais déjà et que tu aimes.

ANDRÉ. Oh, tu sais, il y a beaucoup de morceaux que je ne connais pas encore. Je n'ai encore rien entendu, par exemple, ni de Rameau, ni de Couperin.†

JEAN-PIERRE. Je ne sais même pas qui ils sont. Mais ça ne fait rien. Je ne doute jamais de ta parole. Si tu me dis que ces messieurs sont des compositeurs, je te crois.

ANDRÉ. Merci de ta confiance. Avec qui y allons-nous?

JEAN-PIERRE. Eh bien, voilà. Ma sœur? Pas question. J'ai commencé par téléphoner à Barbara, mais ni elle, ni Carol ne sont libres ce soir. Alors, je pensais que tu connaissais peut-être deux jeunes filles. J'ai quatre billets, mais je ne connais personne d'autre. Et il n'y a rien dans mon petit carnet d'adresses…

ANDRÉ. Je crois que je ne connais personne d'autre non plus… Si, si. Attends un moment… Mais si, je connais ces deux jeunes filles qui habitent en face de chez moi. Elles ne sont pas mal du tout. Veux-tu que je leur donne un coup de fil?

JEAN-PIERRE. En principe, je ne sors jamais avec une fille que je ne connais pas. Mais si tu les connais… d'accord!

ANDRÉ. Quel snob tu es! Alors, je te rappellerai dans un moment. A tout à l'heure, mon vieux.

EXPLICATIONS

I. *La négation*

Ne… **pas** est la forme générale de la négation. Mais **ne**… **pas** exprime simplement une négation pure et simple. Il y a beaucoup d'autres formes de négation.

Dans toutes les négations, il y a toujours **ne** devant le verbe, mais **pas** peut être remplacé par un autre mot.

***

* **On:** est employé ici dans le sens de **ils.** Vous allez voir que les Français emploient aussi **on** très souvent dans la conversation de tous les jours, avec le sens de **nous:**

Alors, on y va? (Alors, y allons-nous?) Qu'est-ce qu'on mange aujourd'hui? (Qu'est-ce que nous mangeons aujourd'hui?)

† **Rameau et Couperin:** Compositeurs de musique français du XVIIIème siècle.

A. La négation de **et**: **ne. . . ni. . . ni. . .**
ou
ni. . . ni. . . ne. . .

J'aime le jazz **et** l'art moderne.
Je **n'**aime **ni** le jazz **ni** l'art moderne.

Ce monsieur **ne** parle **ni** russe **ni** chinois.
Nous **n'**allons **ni** au concert, **ni** au théâtre.
Il **n'**aime **ni** les sports, **ni** les arts, **ni** la littérature, **ni** la poésie.

Ni ma sœur, **ni** moi **ne** faisons de sport.

Ne... **ni**... **ni**... est aussi la négation de
1. **soit**... **soit**... (*either... or...*):

On peut prendre **soit** le bateau, **soit** l'avion.
On **ne** peut prendre **ni** le bateau, **ni** l'avion.

2. **Ou**... **ou**... (*or... or...*):

Voulez-vous aller à la plage, **ou** à la montagne, **ou** à la campagne?
Je **ne** veux aller **ni** à la plage, **ni** à la montagne, **ni** à la campagne.

B. La négation de **toujours** (ou de **souvent, parfois, quelquefois**):
ne. . . jamais

Je parle **toujours** français.
Je **ne** parle **jamais** français. (Attention! le sens demande peut-être: Je **ne** parle **pas toujours** français).

Nous allons **quelquefois** au concert.
Nous **n'**allons **jamais** au concert.

Il vient **souvent** me voir.
Il **ne** vient **jamais** me voir.

C. La négation de **quelque'un**: **ne. . . personne**
ou
personne ne. . .

Connaissez-vous **quelqu'un** à Tahiti?
Non, je **ne** connais **personne** à Tahiti.

Est-ce que **quelqu'un** a téléphoné pendant que j'étais sorti?
Non, **personne n'**a téléphoné.

C'est aussi la négation de **tout le monde**:

Tout le monde comprend?
Non, **personne ne** comprend.

D. La négation de **quelque chose**: ne... rien...
ou
rien ne...

Avez-vous besoin de **quelque chose?**
Non, je **n'ai** besoin de **rien.**

Avez-vous entendu **quelque chose?**
Non, je **n'**ai **rien** entendu.

Est-ce que **quelque chose** est tombé de ma poche?
Non, **rien n'**est tombé de votre poche.

E. La négation de **déjà**: ne... pas encore

Avez-vous **déjà** fini? Non, je **n'ai pas encore** fini.

Déjà n'est pas toujours exprimé, mais il faut employer **pas encore** dans la réponse quand **déjà** est impliqué (*implied*) dans la question:

Est-ce que le courrier (*mail*) est arrivé?
Non, il **n'**est **pas encore** arrivé.
Avez-vous lu le journal de ce soir? Non, **pas encore.**

F. La négation de **encore**: ne... plus

Avez-vous **encore** mal à la tête? Non, je **n'**y ai **plus** mal.
Avez-vous **encore** besoin de moi? Non, nous **n'**avons **plus** besoin de vous.
Cette vieille dame a **encore** toutes ses facultés mais elle **n'a plus** sa beauté.

G. La négation de **aussi**: ne... pas non plus

Je connais ce monsieur. Et vous? Je le connais **aussi.**
Je **ne** connais **pas** ce monsieur. Et vous? Je **ne** le connais **pas non plus.**

REMARQUEZ: **Jamais, rien, pas encore, plus, non plus, ni** sont employés comme adverbes. Il faut les placer comme on place les adverbes, c'est-à-dire après le verbe:

Je **ne** comprends **pas encore.** Je n'ai **pas encore** compris.
Je **n'**y vais **jamais.** Je **n'**y suis **jamais** allé.
Il **n'**écoute **ni ne** comprend. Il **n'**a **ni** écouté, **ni** compris.

(Il y a toujours **ne** devant le verbe. S'il y a deux verbes, il y a deux **ne.**)

Personne est une exception:

Je **n'**ai vu **personne.** (**Personne** est après le participe passé.)

II. *La combinaison de plusieurs négations: plus jamais, plus rien, plus personne, encore rien, encore personne, personne non plus, rien non plus, etc.*

Voilà quelques exemples de ces négations combinées:

Allez-vous **encore parfois** au cirque? Non, je **n'**y vais **plus jamais.** Je **ne** vais **plus jamais** au zoo **non plus.**

Y a-t-il **encore quelque chose** à manger? Non, il **n'**y a **plus rien** à manger. D'ailleurs, il **n'**y a **jamais plus rien** à manger à cette heure.

Est-ce que **quelqu'un** est arrivé? Non, **personne n'**est **encore** arrivé.

Avez-vous des nouvelles de votre mère? Non, je **n'**ai **encore rien.**

Il est idiot. Je ne discute plus avec lui. Et vous? Moi **non plus,** je **ne** dis **plus jamais rien non plus** (*I never say anything anymore either*).

REMARQUEZ: Dans toutes ces négations, **ne** est toujours placé devant le verbe et vous employez deux (ou même trois) adverbes après le verbe.

III. *Quand dit-on si à la place de oui?*

Beaucoup de gens sont surpris d'entendre les Français dire **si** ou plus souvent: **Mais si!** car ils croient que **si** est réservé à l'espagnol et à l'italien. **Si** existe en français aussi bien que **oui,** et on dit **si** pour répondre affirmativement à une question négative:

Vous **n'**aimez **pas** la musique? **Si** (**mais si!**), je l'aime.

Ce n'est pas possible! Ce **n'**est **pas** une blonde naturelle! **Mais si,** je vous assure, c'est une blonde naturelle!

VOCABULAIRE

Le vocabulaire de cette leçon est limité aux adverbes de négation et à quelques expressions idiomatiques:

Je donne un coup de fil. (Donnez-moi un coup de fil.)

Je vous rappelle. (Rappelez-moi dans un moment.)

Je reste à l'appareil. (ou: Restez à l'appareil. Ou: Ne quittez pas.)

En principe.

Ça ne fait rien (*it does not matter*) = ça n'a pas d'importance = il n'y a pas de mal.

EXERCICES

I. Mettez les phrases suivantes au négatif:

> Ex: Je vais à Paris et à New York.
> Je ne vais ni à Paris, ni à New York.

1. Il y a du lait, du beurre, du fromage et des oeufs dans le réfrigérateur.
2. Il y a toujours des concerts dans cette ville.
3. Nous parlons toujours anglais en classe.
4. Il a quelque chose à vous dire.
5. J'ai entendu quelque chose.
6. Nous avons rencontré quelqu'un.
7. André connaît la musique de Rameau, et Jean-Pierre la connaît aussi.
8. Je vais souvent au zoo. et mon frère y va aussi.
9. Ce monsieur? C'est soit le père, soit l'oncle de Bob.
10. Jean-Pierre connaît tout le monde et sa soeur aussi.
11. Il pleut encore.
12. Le courrier est déjà arrivé.
13. Je fais encore souvent des fautes de français.

II. Répondez négativement aux questions suivantes:

1. Avez-vous encore faim?
2. Est-ce votre voiture (la vôtre) ou celle d'un copain?
3. Est-ce que quelqu'un a besoin de moi?
4. Allez-vous souvent à la plage en hiver?
5. Avez-vous déjeuné ou dîné au restaurant hier?
6. Etes-vous allé à Tanger ou à Tombouctou?
7. Est-ce que quelqu'un dans cette classe y est allé?
8. Je n'ai pas de voiture de sport. En avez-vous une?
9. Avez-vous entendu quelque chose?
10. Va-t-on souvent à la plage en hiver?
11. Avez-vous le mal de l'air ou le mal de mer?
12. Est-ce que quelqu'un a encore besoin de moi?
13. Est-ce que tout le monde a déjà fini?
14. Y a-t-il encore quelqu'un dans la classe à dix heures du soir?
15. Parlez-vous et comprenez-vous le turc?
16. Jean-Pierre est-il déjà sorti avec l'une ou l'autre de ces jeunes filles?

COMPOSITIONS

Composition orale:

Vous avez certainement parfois « le cafard » (*the blues*). Faites une description d'un de ces jours, et naturellement, vous aurez besoin de beaucoup de négations irrégulières (et régulières) pour décrire cet état d'esprit négatif.

(Je ne suis ni beau, ni intelligent. Personne ne me téléphone parce que personne ne m'aime. Et d'ailleurs je n'aime personne non plus... etc. ...)

Composition écrite:

L'autre jour, un de vos amis avait le cafard... Vous avez fait beaucoup d'efforts pour lui remonter le moral (*to cheer him up*). Racontez ce que vous avez fait, votre conversation avec lui au discours indirect passé, avec beaucoup de négations irrégulières. Employez aussi, naturellement, les termes de cohérence, les pronoms chaque fois que c'est possible et n'oubliez pas **celui** et **celui-ci.**

DEUXIÈME PARTIE

Voulez-vous Sortir ce Soir?

LES NÉGATIONS IRRÉGULIÈRES (suite)
Quelque chose de beau
Quelque chose à voir

ETUDIEZ LES PHRASES SUIVANTES:

Déclaration et question	*Réponse*
Allons à la cafétéria. Y a-t-il **quelque chose de bon** aujourd'hui?	Non, il n'y a **rien de bon.**
Connaissez-vous **quelqu'un d'influent?**	Non, je ne connais **personne d'influent.**
Y a-t-il **quelque chose d'intéressant** dans le journal?	Non, il n'y **pas grand'chose d'intéressant.**
Y a-t-il **quelque chose à manger?**	Non, il n'y a **rien à manger.**
Avez-vous **quelqu'un à voir?**	Non, je n'ai **personne à voir.**
Savez-vous **quelque chose?**	Non, je ne sais **pas grand'chose.**

Allons au restaurant self-service. Y a-t-il **quelque chose de bon à manger**?

Non, il n'y a **rien de bon à manger.**

Avez-vous **quelqu'un d'influent à voir?**

Non, je n'ai **personne d'influent à voir.**

Avez-vous **quelque chose d'inté-ressant à me dire?**

Non, je n'ai **pas grand'chose d'intéressant à vous dire.**

RÉPONSES BRÈVES POUR LA CONVERSATION

Quoi de nouveau?

Rien de nouveau.
Pas grand'chose de nouveau.

LECTURE

Voulez-vous sortir avec moi?

(Ce dialogue fait suite à celui de la première partie de la leçon.)

André a promis à Jean-Pierre de donner un coup de fil aux jeunes filles qui habitent en face de chez lui. Si elles n'ont rien de spécial à faire, il voudrait les inviter à aller au concert avec son copain et lui.

ANDRÉ. Allô! Allô! Madame, ici, André Laborde. Je suis le jeune homme qui habite la maison verte en face de la vôtre. Vous voyez qui je suis? Madame, je voudrais vous demander la permission d'emmener vos filles au concert ce soir avec un de mes camarades et moi.

MME MUSSET. Mon Dieu, Monsieur, ce n'est pas quelque chose à demander à la mère! Il faut le demander à mes filles. Mais vous avez de très bonnes manières et je vais les appeler tout de suite. Je ne sais pas si elles ont quelque chose à faire ce soir, mais restez à l'appareil, les voilà!

GENEVIÈVE. Allô, ici Geneviève. Qui est à l'appareil?

ANDRÉ. Ici, André Laborde, je suis votre voisin d'en face. Depuis longtemps je vous vois passer devant chez moi, votre soeur et vous, et aujourd'hui, j'ai quelque chose à vous proposer.

GENEVIÈVE.   Ah, André! Oui, en effet, je vois qui vous êtes... Vous êtes ce grand jeune homme brun, avec une Renault... Vous êtes étudiant, n'est-ce pas? Qu'est-ce que vous avez d'intéressant à me demander?

ANDRÉ.   Eh bien, voilà! Mon copain Jean-Pierre et moi, nous avons quatre billets pour un concert de musique classique ce soir. Nous pensions que peut-être votre soeur et vous... Jean-Pierre est très sympathique, vous savez.

GENEVIÈVE.   Ce soir? Voyons... Attendez, je vais parler à ma soeur. Monique! Monique! Sommes-nous libres ce soir? Oui, je sais, nous avons des compositions à écrire, mais elles peuvent attendre. Nous n'avons pas de travail urgent à faire puisque c'est vendredi. Monique, veux-tu aller au concert ce soir avec ce jeune homme qui habite en face, tu sais qui je veux dire, et son copain? Tu n'as rien d'autre de spécial à faire? Bon... André, ma soeur et moi, nous acceptons votre invitation et celle de votre ami avec plaisir. Dites-lui que nous allons être prêtes et que nous vous attendons à huit heures.

ANDRÉ.   Épatant. C'est d'accord pour ce soir. A tout à l'heure.

QUESTIONS SUR LA LECTURE

1. A qui André a-t-il donné un coup de fil? Qui a répondu d'abord? Qu'est-ce qu'André a dit à Mme Musset et qu'est-ce qu'elle lui a répondu?

2. Pourquoi Mme Musset a-t-elle dit qu'André avait de bonnes manières? Celui-ci a-t-il fait quelque chose de poli? Qu'est-ce qu'il a fait de poli?

3. Est-ce que Geneviève et Monique avaient un examen à préparer ou une composition à écrire? Avaient-elles quelque chose de spécial à faire ce soir-là? Avez-vous quelque chose à faire ce soir? Qu'est-ce que c'est?

4. Y avait-il quelque chose d'intéressant à entendre ce soir-là en ville? Y a-t-il quelque chose de spécial à faire ou à entendre ce soir dans votre ville?

5. Avez-vous des lettres à écrire? Avez-vous quelque chose d'important à préparer pour demain?

6. Je n'ai pas grand'chose à faire ce soir. Et vous?

7. Y a-t-il quelqu'un de très grand dans la classe? Et quelqu'un de très blond (toujours masculin singulier)? Y a-t-il quelqu'un de célèbre dans la classe? Et dans votre famille?

8. Connaissez-vous quelqu'un de particulièrement intéressant? Pourquoi est-il particulièrement intéressant?

EXPLICATIONS

I. *Quelque chose de + adjectif*

J'ai **quelque chose d'important.**
Il n'y a **rien d'intéressant** dans ce journal.
Cette dame? C'est **quelqu'un de** très **spécial** et **de** très **important.**
Il n'y a **personne de célèbre** dans la classe.
Avez-vous quelque chose de bon? Non, je n'ai **pas grand'chose de bon.**
Cette ville est moderne: il n'y a **rien d'historique** et **pas grand'chose d'ancien.**

$$\left.\begin{array}{l}\textbf{quelque chose, rien} \\ \textbf{quelqu'un, personne} \\ \textbf{pas grand'chose}\end{array}\right\} \textbf{de} + \textbf{adjectif}$$

REMARQUEZ: L'adjectif est toujours masculin:*

Une voiture, c'est **quelque chose d'important** pour un jeune homme.
Sa mère est dans la mode: c'est **quelqu'un d'important** chez Dior.

II. *Quelque chose à + verbe*

1. J'ai **quelque chose à faire.**
   Il n'y a **rien à lire** dans ce journal.
   Avez-vous **quelqu'un à voir?** Je n'ai **personne à voir.**
   Il n'y a **pas grand'chose à visiter,** dans cette ville.

$$\left.\begin{array}{l}\textbf{quelque chose, rien} \\ \textbf{quelqu'un, personne} \\ \textbf{pas grand'chose}\end{array}\right\} \textbf{à} + \textbf{verbe}$$

---

* *There are some rare cases where you need a plural. Then use* **des gens** *or* **des choses:**
   Mes parents, ce sont **des gens** charmants.
   Il y a **des choses** intéressantes.

2. J'ai **du travail à faire.**
Il a **des amis à voir.**
Y a-t-il **des monuments à visiter?**

L'emploi de **à + verbe infinitif** n'est pas limité à **quelque chose, quelqu'un,** etc. On emploie cette construction avec n'importe quel (*any at all*) nom. Généralement, le verbe est **Avoir.**

J'**ai** une voiture **à vendre.**

Ou un verbe de sens semblable:

Connaissez-vous une voiture à vendre?

III. *Quelque chose de. . . à. . .*

Y a-t-il **quelque chose de** bon **à** manger? Non, il n'y a jamais **rien de** bon **à** manger.
Avez-vous **quelque chose d'**intéressant **à** faire? Non, hélas! Depuis que je n'ai plus ma voiture, je n'ai jamais plus rien d'intéressant **à faire.**

REMARQUEZ: N'oubliez pas l'expression que vous avez déjà apprise, **avoir le temps de:**
Je n'ai pas le temps de faire grand'chose.

VOCABULAIRE

Il n'y a pas beaucoup de nouveau vocabulaire dans cette leçon. Mais il y a des structures importantes qu'il faut étudier. C'est pour vous donner le temps de les apprendre que le vocabulaire est minime.

Mais il y a, dans les deux conversations de cette leçon, beaucoup de formules très employées dans la conversation, d'expressions simples mais utiles. Etudiez ces deux conversations.

Noms

un copain

de bonnes manières (de mauvaises manières)

Adjectifs

sympathique
libre

urgent(-e)
spécial(-e)

EXERCICES

I. Complétez les phrases suivantes :

1. Vous voyez ce monsieur qui passe? C'est quelqu'un _____ brillant et aussi _____ très célèbre. Il a écrit quelque chose _____ important, quelque chose _____ connaître.

2. Avez-vous lu quelque chose _____ intéressant? Oui, j'ai lu _____ sensationnel. Avez-vous autre chose _____ bon _____ lire? Non, je n'ai pas grand'chose _____ autre _____ bon _____ lire ni _____ vous recommander.

3. Avez-vous quelque chose _____ utile _____ emporter? Non, je n'ai rien _____ utile _____ emporter, mais j'ai quelqu'un _____ sympathique _____ emmener.

COMPOSITIONS

Composition orale. Choisissez un des sujets suivants :

A. Votre famille. Y a-t-il quelqu'un de riche? De gentil? De sympathique? De généreux? Y a-t-il quelqu'un à connaître? A aimer? A détester? Pourquoi?

> (Ex: Il n'y a personne de riche ni de célèbre dans ma famille maintenant, mais on m'a dit, qu'il y a vingt ans, il y avait quelqu'un d'extraordinaire: c'était l'oncle de ma mère. C'était quelqu'un de remarquable, etc., *ou :* Il n'y a personne à détester dans ma famille. Si, pardon, il y a quelqu'un d'impossible. C'est mon frère. Il a toujours quelque chose de désagréable à dire quand je prends sa voiture ou quand je parle au téléphone avec mes amies, etc.)

B. Votre classe. Y a-t-il quelqu'un de gentil? D'intéressant? De terrifiant? De très intelligent? D'étourdi (*scatter-brained*)? Est-ce qu'on y fait quelque chose de difficile? D'amusant? Y a-t-il quelqu'un à connaître? A entendre? Y a-t-il quelque chose à ne pas faire? Pourquoi?

Composition écrite :

Faites un effort pour employer, dans vos compositions, une grande variété de mots et de constructions que vous avez appris dans les leçons précédentes, aussi bien que ceux de la leçon courante. La composition idéale est celle qui est intéressante à lire et qui montre que vous savez employer **tout** ce que vous avez appris.

Votre ville (ou une autre ville, si vous préférez): Est-ce qu'il y a quelque chose d'ancien? D'historique? De pittoresque? De beau? D'unique? D'horrible? Est-ce qu'il y a quelque chose à y voir? A y faire? A y visiter? A y éviter? Y a-t-il quelqu'un de célèbre à y rencontrer? Pourquoi?

Employez les négations irrégulières et racontez quelques parties au passé, citez quelques petites conversations au style indirect.

(Ex: Il n'y a pas grand'chose d'historique à X... Il n'y a ni musée, ni galeries de tableaux non plus. Nous n'avons qu'un cinéma, et comme il joue le même film pendant toute une semaine, souvent il n'y a rien à faire le soir. Mais on peut faire de belles promenades dans la campagne. Il n'y a personne de célèbre, excepté un certain monsieur qui a sa statue sur la place principale; personne ne sait son nom, mais c'est quelqu'un d'important pour une quantité de pigeons, etc.)

Jacques Prévert

Jacques Prévert vous donne une "recette" pour faire le portrait d'un oiseau. Il emploie l'infinitif, comme dans les recettes de cuisine et les instructions.

Mais, en réalité, ce n'est pas seulement le portrait d'un oiseau: ce que le poète définit et explique en termes poétiques, c'est le procédé tout entier de la création artistique.

* * * * * *

POUR FAIRE LE PORTRAIT D'UN OISEAU

Peindre d'abord une cage
avec une porte ouverte
peindre ensuite
quelque chose de joli
quelque chose de simple
quelque chose d'utile
pour l'oiseau
placer ensuite la toile contre un arbre
dans un jardin
dans un bois
ou dans une forêt
se cacher derrière l'arbre
sans rien dire
sans bouger...
Parfois l'oiseau arrive vite
mais il peut aussi bien mettre de longues années
avant de se décider
Ne pas se décourager
Attendre
Attendre s'il le faut pendant des années
la vitesse ou la lenteur de l'arrivée
de l'oiseau n'ayant aucun rapport
avec la réussite du tableau
Quand l'oiseau arrive
s'il arrive
observer le plus profond silence
attendre que l'oiseau entre dans la cage
et quand il est entré
fermer doucement la porte avec le pinceau
puis

PABLO PICASSO

Le Chardonneret
Collection, The Museum of Modern Art, New York
Gift of Abby Aldrich Rockefeller

... Faire ensuite le portrait de l'arbre
En choisissant la plus belle de ses branches
Pour l'oiseau.

effacer un à un tous les barreaux
en ayant soin de ne toucher aucune des plumes de l'oiseau
Faire ensuite le portrait de l'arbre
en choisissant la plus belle de ses branches
pour l'oiseau
peindre aussi le vert feuillage et la fraîcheur du vent
la poussière du soleil
et le bruit des bêtes de l'herbe dans la chaleur de l'été
et puis attendre que l'oiseau se décide à chanter
Si l'oiseau ne chante pas
c'est mauvais signe
signe que le tableau est mauvais
mais s'il chante c'est bon signe
signe que vous pouvez signer
alors vous arrachez tout doucement
une des plumes de l'oiseau
et vous écrivez votre nom dans un coin du tableau

Paroles. © Editions Gallimard.

SIXIÈME LEÇON

Du Matin au Soir

Les verbes pronominaux réfléchis

Déclaration et question

Réponse

Le matin, **je me lève.** Le soir, **je me couche.** A quelle heure vous levez-vous?

Je me lève à sept heures. Il ne faut pas **se lever** tard quand on a une classe de bonne heure.

A quelle heure vous couchez-vous?

Je me couche tard. Je ne me couche pas avant onze heures. Je n'aime pas me coucher de bonne heure.

Je me réveille de bonne heure. Et vous, vous réveillez-vous de bonne heure aussi?

Nous nous réveillons de bonne heure, mais nous nous levons à la dernière minute.

Ensuite, je fais ma toilette: **je me lave** les mains et la figure avec de l'eau et du savon. **Je me brosse** les dents avec une brosse à dents et je me brosse les cheveux avec une brosse à cheveux. Et puis **je me peigne.*** Vous peignez-vous, monsieur?

Non, je n'ai pas besoin de me peigner, j'ai les cheveux si courts! Je me les brosse, et c'est tout.

Un homme se rase tous les matins (avec un rasoir, probablement électrique). Vous rasez-vous?

Je me rase, mais pas tous les matins. Je ne me rase que deux fois par semaine, parce que je n'ai pas beaucoup de barbe.

---

* **Je me peigne:** Il est inutile de dire, «Je me peigne les cheveux», car vous ne pouvez pas vous peigner autre chose. Le français déteste insister sur ce qui est évident.

BERTHE MORISOT

Le Lever
Durand-Ruel & Cie., Paris

Tous les jours, je fais deux choses que je déteste : je me lève et je me couche.

Une jeune fille (ou une dame) **se maquille** (on dit aussi: **se farde**) avec des produits de beauté. Elle **se met** de la poudre, du rouge à lèvres. Vous maquillez-vous tous les matins?

Je ne me maquille presque jamais. On n'a pas besoin de se maquiller à mon âge. Je ne me mets ni poudre, ni rouge. Sauf quand il y a une occasion spéciale: alors, je me mets un peu de rouge a lèvres clair et de poudre.

Si une jeune fille arrange ses cheveux artistiquement, **elle se coiffe.** Vous coiffez-vous?

Pas moi, mais je connais une fille qui se coiffe pendant une heure tous les jours!

On met ses vêtements, **on s'habille.** Vous habillez-vous vite?

Oui, je m'habille en cinq minutes.

Vous déjeunez. Si vous êtes en retard, **vous vous dépêchez.** Quand se dépêche-t-on?

On se dépêche quand on a une classe à huit heures. Si je ne me dépêche pas, je suis en retard.

Quand vous êtes prêt, vous vous mettez en route. **Je me mets** en route à sept heures. A quelle heure vous mettez-vous en route?

Nous ne nous mettons jamais en route avant sept heures et demie.

Si je rencontre un copain, **je m'ar- rête** et je lui dis bonjour. Vous arrêtez-vous?

Non, je ne m'arrête jamais, parce que je me dépêche toujours. Ma montre s'arrête souvent quand j'ou- blie de la remonter.

Quand j'arrive en classe, je prends une chaise. Je mets mes affaires autour de moi, j'ouvre mon cahier: **je m'installe.** Comment s'installe-t-on dans une ville?

Pour s'installer, on cherche un appartement, on y met des meubles, etc.

Au commencement du semestre, **je me demande** si le cours sera inté-ressant. Vous demandez-vous la même chose?

Moi, je me demande plutôt si le professeur sera content de moi.

Il y a des classes où **on s'ennuie,** et des classes où on ne s'ennuie pas. Comment est une classe où vous vous ennuyez?

Dans une classe où je m'ennuie, il fait chaud, le professeur parle d'une voix monotone d'un sujet qui ne m'intéresse pas. **Je m'ennuie à mourir** dans la classe de philoso-phie. Si le professeur est animé, si le sujet m'intéresse, je ne m'ennuie pas, au contraire!

Je m'amuse quand je passe une bonne soirée avec mes amis. Quand vous amusez-vous?

Je m'amuse bien quand je sors avec Jean-Pierre, il est si drôle!

Jean-Pierre n'est pas gentil. **Il se moque** toujours des gens. Faut-il se moquer des gens?

Evidemment, non. Et je ne me moque jamais de vous... sauf quand vous êtes ridicule.

Quand l'élève dit que 2 et 2 font 4, elle a raison, c'est vrai. Mais quand elle dit que 4 moins 3 font 7, **elle se trompe.** Le professeur se trompe-t-il souvent?

Il ne se trompe jamais. Mais quand je me trompe, il est sans pitié!

« On se trompe de » a aussi un autre sens. Si vous avez la leçon 6 pour aujourd'hui et si vous étudiez la leçon 4, **vous vous trompez de leçon.** Quand se trompe-t-on de livre ?

On se trompe de livre quand on en a deux qui ont exactement la même couverture.

Après une longue journée, **je me mets en route** pour rentrer chez moi. Après être rentré, **je me mets au travail** dans ma chambre. **Nous nous mettons à table** à 7 heures. Après dîner, **je me remets au travail.** A quelle heure se met-on à table, chez vous ?

Ça dépend. On ne se met jamais à table avant 8 heures.

Le soir, je suis mort de fatigue ! J'ai besoin de **me reposer.** Quand vous reposez-vous ?

Je me repose pendant le week-end et parfois (c'est un secret) pendant la classe de philosophie.

Quand ma journée est finie, **je me déshabille, je me couche,** et **je m'endors.** Si je me réveille pendant la nuit, **je me rendors** très vite. Vous réveillez-vous souvent pendant la nuit ?

Non, je ne me réveille que rarement.

Je dors si profondément que je n'entends pas mon réveil qui sonne le matin. Alors, après, je suis bien obligé de me réveiller, parce qu'on me crie de tous les côtés : « Réveillez-vous ! Levez-vous ! Dépêchez-vous » !

Que dites-vous à vos copains s'ils prennent leur temps quand vous êtes pressé?

Je leur dis: «Dépêchez-vous» (Je leur dis de se dépêcher).
Mais ils me répondent: «Attendez une minute»! (Ils me répondent d'attendre.)

LECTURE

Il n'y a pas de lecture pour cette leçon parce qu'il y a une quantité de verbes pronominaux dans les phrases modèles.

QUESTIONS BASÉES SUR LES PHRASES MODÈLES

1. A quelle heure vous levez-vous? Pourquoi? Aimez-vous vous lever de bonne heure? Est-ce que les oiseaux se lèvent tard?

2. A quelle heure vous couchez-vous quand vous avez un examen difficile le lendemain? Aimez-vous vous coucher de bonne heure? Les enfants, sont-ils généralement contents de se coucher à 7 heures du soir?

3. Vous réveillez-vous vite, ou vous faut-il longtemps pour vous réveiller? Vous levez-vous tout de suite ou restez-vous un moment dans votre lit?

4. Que veut dire «faire sa toilette»? De quoi a-t-on besoin pour faire sa toilette? (On a besoin d'eau pour se laver, etc.) Avez-vous besoin de vous raser tous les jours?

5. Vous maquillez-vous? Quelquefois? Toujours? Avec quoi se maquille-t-on? Est-ce qu'un jeune homme se maquille? Vous maquillez-vous un peu si vous sortez le soir?

6. Monsieur, aimez-vous sortir avec une jeune fille qui se maquille et qui se coiffe pendant une heure? Préférez-vous sortir avec une jeune fille plus «naturelle»? Pourquoi?

7. Déjeunez-vous toujours avant de venir en classe? Pourquoi? Vous habillez-vous vite ou lentement quand vous avez une classe à huit heures?

8. Etiez-vous en retard ce matin? Vous dépêchez-vous généralement le matin? Quand avez-vous peur d'être en retard? Aimez-vous être à l'heure?

9. A quelle heure vous mettez-vous en route? Combien de temps vous faut-il pour venir le matin?

10. Qu'est-ce qu'on fait quand on est en route pour une classe et qu'on rencontre un copain? Fait-on la même chose si on est en retard?

11. «Je m'installe». Quelles sont les actions que fait une personne qui s'installe dans une nouvelle ville? Que fait un étudiant qui s'installe dans la classe? Que fait un voyageur qui s'installe dans l'avion?

12. Quand vous amusez-vous? Quand vous ennuyez-vous? Faites la description d'une classe où on s'ennuie.

13. Donnez une expression synonyme de «Je me trompe». Il y a aussi «Je me trompe de...» c'est-à-dire de quoi vous vous trompez. ... Vous trompez-vous? Quelquefois? Souvent? Jamais? De quoi vous trompez-vous?

14. Est-ce que Jean-Pierre se moque de sa sœur? Mais, se moque-t-elle de lui aussi? A-t-elle raison? Pourquoi?

15. Que faites-vous quand vous avez fini vos classes? Et quand vous arrivez à la maison?

16. Aimez-vous mieux vous lever ou vous coucher? Pourquoi? Vous endormez-vous vite? Dormez-vous bien? Quand dort-on mal?

17. Comment dites-vous à quelqu'un de se réveiller? De se lever? De se reposer? De s'installer? De se mettre à table?

18. «Je me demande si vous étudiez assez», dit quelquefois votre professeur. Faites trois phrases où vous emploierez «Je me demande».

PRONONCIATION

Je me lève / Vous vous levez
Je me lave / Vous vous lavez
Je m'ennuie / Vous vous ennuyez
Je me réveille / Vous vous réveillez

Etude de son: -ille, -il

une f**ille**	une fam**ille**	
une pa**ille**	je trava**ille**	le trava**il**
un fauteu**il**	une feu**ille**	
je me réve**ille**	pare**il**	

EXPLICATIONS

I. *Le concept du verbe pronominal*

Je regarde un programme à la télévision.
Je **me** regarde dans un miroir.

Je regarde est un verbe transitif, c'est-à-dire un verbe qui a (ou qui peut avoir) un complément d'**objet direct.**

Je me regarde est un verbe pronominal, c'est-à-dire que le sujet et le pronom objet sont la même personne. Le sujet est **je;** l'objet est **me; je** et **me** sont la même personne.

Je me regarde est un **verbe pronominal réfléchi** parce que l'action de **regarder** qui est faite par le sujet est réfléchie sur le sujet. Il y a d'autres groupes de verbes pronominaux que vous verrez dans les leçons suivantes.

II. *La conjugaison du verbe pronominal*

Infinitif: Se demander   S'endormir
Se regarder   S'ennuyer
Se demander   etc.

1. Affirmatif

Se demander:
Je me demande
Tu te demandes
Il se demande, elle se demande, on se demande
Nous nous demandons
Vous vous demandez
Ils se demandent

S'endormir:
Je m'endors
Tu t'endors
Il s'endort, elle s'endort, on s'endort
Nous nous endormons
Vous vous endormez
Ils s'endorment

S'ennuyer:
Je m'ennuie
Tu t'ennuies
Il s'ennuie, elle s'ennuie, on s'ennuie
Nous nous ennuyons
Vous vous ennuyez
Ils s'ennuient

2. Interrogatif

Se demander: Est-ce que je me demande?
S'endormir: Est-ce que je m'endors?
S'ennuyer: Est-ce que je m'ennuie?

Avec la première personne, **je**, employez toujours **est-ce que**?
Pour le reste de la conjugaison, il y a deux possibilités, comme pour tous les verbes, pronominaux ou non pronominaux:

a. Est-ce que + l'ordre normal de la phrase:

Est-ce qu'**il s'endort** vite? Oui, **il s'endort** vite.

b. L'ordre inverti de la question:

S'endort-il vite? Oui, il s'endort vite.

Se demander:

Est-ce que je me demande?	Est-ce que je me demande?
Est-ce que tu te demandes?	Te demandes-tu?
Est-ce qu'il se demande?	Se demande-t-il? (Se demande-t-on?)
Est-ce que nous nous demandons?	Nous demandons-nous?
Est-ce que vous vous demandez?	Vous demandez-vous?
Est-ce qu'ils se demandent?	Se demandent-ils?

Quelle forme est préférable? La forme **est-ce que**…? est toujours correcte et elle est acceptable dans la conversation. Naturellement, quand vous écrivez, il ne faut pas répéter trop souvent **est-ce que**…?

3. Négatif

Se demander:
Je ne me demande pas.
Tu ne te demandes pas.
Il ne se demande pas.
Nous ne nous demandons pas.
Vous ne vous demandez pas.
Ils ne se demandent pas.

4. La construction de la phrase avec un verbe (ou des verbes) pronominaux

Tout ce que vous avez appris au sujet de la construction générale de la phrase s'applique à la phrase construite avec un verbe pronominal. Par exemple:

Quand j'ai une composition difficile, **je commence par me demander** ce que je vais écrire. Ensuite, **je m'installe** à mon bureau et **je me mets** à faire un plan. **Je ne me mets jamais** à écrire le texte lui-même sans un plan.

Comme nous habitons loin de l'école, **nous sommes obligés de nous mettre** en route de bonne heure.

Aimez-vous vous installer dans une nouvelle ville? Oui, beaucoup. **Je commence par me demander** qui d'intéressant je vais rencontrer. D'ailleurs, **on finit par s'ennuyer** si on reste longtemps au même endroit.

REMARQUEZ: L'infinitif **se** + **verbe** est seulement l'infinitif général. Mais le pronom change suivant la personne:

Se lever: Je vais **me** lever.   Est-ce que je vais **me** lever?
Tu vas **te** lever.   Vas-tu **te** lever?
Il va **se** lever.   Va-t-il **se** lever?
(On va **se** lever.)   (Va-t-on **se** lever)
Nous allons **nous** lever.   Allons-**nous** nous lever?
Vous allez **vous** lever.   Allez-vous **vous** lever?
Ils vont **se** lever.   Vont-ils **se** lever?

VOCABULAIRE

Dans cette leçon, il n'y a pas de vocabulaire nouveau à proprement parler.
Mais il y a une quantité de verbes pronominaux. Voilà la liste de ces verbes:

se réveiller ≠	s'endormir	(se rendormir)
se lever ≠	se coucher	(se recoucher)
s'habiller ≠	se déshabiller	(se rhabiller)

Faire sa toilette:

se laver
se peigner (se repeigner)
se coiffer (se recoiffer)
se raser
se maquiller
se brosser les cheveux
    (une brosse à cheveux)
se brosser les dents
    (une brosse à dents)

se dépêcher
se mettre en route
    (se remettre en route)
se mettre à + un nom
    (au travail, à table)
se mettre à + un verbe
    (étudier, réfléchir, parler, etc.)
s'arrêter
s'installer
se demander
s'amuser ≠ s'ennuyer

se moquer

se tromper (se tromper **de**)
se reposer

EXERCICES

I. Répondez à la question par la forme correcte du verbe:

> Ex: Vous levez-vous? Je me lève.
> Se lève-t-il?   Il se lève.

Vous réveillez-vous?
Vous endormez-vous?
Vous mettez-vous en route?
Se trompe-t-on de livre?
Nous dépêchons-nous?
S'installe-t-elle?
Vous habillez-vous vite?
Se maquille-t-elle?
Vous rasez-vous?
Vous mettez-vous à table?
Aimez-vous vous lever?
Pensez-vous vous mettre au travail?
Savez-vous vous arrêter?
Pouvez-vous vous endormir?
Savez-vous vous amuser?
Détestez-vous vous ennuyer?
Allez-vous vous tromper?
Veut-il se coucher?
Va-t-on s'ennuyer?
Voulons-nous nous arrêter?
Veulent-ils s'installer?
Peuvent-ils se réveiller?
Déteste-t-on se tromper?

II. Voilà la réponse. Formulez la question.

> Ex: Pourquoi se trompe-t-il? Il se trompe parce qu'il ne fait pas attention.

1. _____ ? Je me lève à huit heures.
2. _____ ? On déteste généralement se lever de bonne heure.
3. _____ ? Je me remets au travail après dîner.
4. _____ ? On ne s'ennuie jamais quand on a l'esprit actif.
5. _____ ? Nous n'y allons pas seulement pour nous amuser, nous y allons aussi pour apprendre quelque chose.

6. _____ ? Parce que, si je me couche maintenant, je ne pourrai pas m'endormir.
7. _____ ? Non, généralement, je dors toute la nuit sans me réveiller.
8. _____ ? Parce que je n'ai pas le sens de la direction et que, dans cette ville, toutes les rues sont pareilles.

III. Répondez aux questions suivantes par une ou quelques phrases complètes aussi intéressantes et imaginatives que possible.

1. A quelle heure vous réveillez-vous? Pourquoi?
2. Est-ce que vous vous levez tout de suite? Pourquoi?
3. Expliquez la différence entre **se peigner** et **se coiffer.** Lequel faites-vous? Pourquoi?
4. Que fait-on quand on est en retard à l'aérodrome? De quoi a-t-on peur?
5. Quels sont les moments de votre vie où vous vous amusez? Ceux où vous vous ennuyez? Pourquoi?
6. Quand a-t-on besoin de se reposer? Comment peut-on se reposer? Comment vous reposez-vous le mieux?

COMPOSITIONS

Composition orale. Avec des verbes pronominaux, faites le portrait vivant et amusant de:

Une jeune fille coquette.
Un jeune homme studieux.
Un professeur distrait (*absent-minded*).
Une personne qui ne sait pas organiser sa vie.
Ou: un autre type, à votre choix.

Composition écrite:

Votre journée. Racontez une de vos journées. (Naturellement, il ne faut pas écrire seulement une succession de phrases comme «je me lève, je me lave, etc.».) Il faut écrire une composition **originale** et **intéressante!** Expliquez pourquoi et comment vous faites une certaine action, parlez des autres personnes qui ont un rôle dans votre journée, etc.

(Ex: Je déteste me lever de bonne heure, et quelquefois je ne me réveille pas à l'heure. Alors, ma mère est furieuse et je suis obligé de me mettre en route sans déjeuner, etc.)

SEPTIÈME LEÇON

Parlons d'un Roman

Le passé des verbes pronominaux réfléchis

Présent	*Passé*
Le matin, **je me lève.**	Ce matin, **je me suis levé(-e).**
Le matin, Jean-Pierre **se réveille.**	Ce matin, Jean-Pierre **s'est réveillé.** Véronique **s'est réveillée.**
Nous allons dans la salle de bain et **nous nous lavons.**	Nous sommes allé(-e)s dans la salle de bain et **nous nous sommes lavé(-e)s.**
Vous vous demandez si cette classe va être intéressante.	**Vous vous êtes demandé** si cette classe allait être intéressante.
Les voyageurs **s'installent** dans l'avion.	Les voyageurs **se sont installés** dans l'avion.
Je me mets en route pour l'école à sept heures et demie.	**Je me suis mis(-e)** en route pour l'école à sept heures et demie.
Je m'endors vite.	**Je me suis vite endormi(-e).**

Déclaration et question	*Réponse*
Vous êtes-vous levé tard ce matin?	Oui, je me suis levé(-e) tard. Non, je ne me suis pas levé(-e) tard.
S'est-elle mise au travail?	Oui, elle s'est mise au travail. Non, elle ne s'est pas mise au travail.
Vos parents **se sont-ils installés** dans leur nouvelle maison?	Oui, ils s'y sont installés. Non, ils ne s'y sont pas encore installés.

PAUL CÉZANNE

L'Estaque
Collection, The Museum of Modern Art, New York
Mrs. Sam A. Lewisohn Bequest

Un décor semblable à celui où se passe Bonjour Tristesse *sur la côte de la Méditerranée.*

Vous êtes-vous endormi pendant la classe?

Non, je ne me suis pas endormi. Personne ne s'est endormi parce que personne ne s'ennuyait.

Qu'est-ce que le professeur se demandait quand il a vu votre examen?

Il se demandait pourquoi j'avais fait tant de fautes.

LECTURE

Parlons d'un roman:
Bonjour Tristesse *de Françoise Sagan*

Françoise Sagan est un écrivain* célèbre. Quand elle avait environ dix-sept ans, elle s'est mise à écrire et son premier roman est très vite devenu célèbre dans beaucoup de pays. Il s'appelle *Bonjour Tristesse*.

Ce roman se passe sur la Côte d'Azur. Le personnage principal commence par se présenter au lecteur: elle s'appelle Cécile, elle a dix-sept ans. Pendant la première page, elle se demande le nom du sentiment qu'elle éprouve: est-ce le remords? Est-ce la tristesse? Elle ne sait pas. Elle sait seulement que c'est un sentiment nouveau et qu'il est causé par les événements de l'été précédent.

Cet été-là, elle avait dix-sept ans. Sa mère était morte depuis longtemps et elle vivait avec son père. Celui-ci était un homme d'une quarantaine d'années, encore jeune, qui gagnait beaucoup d'argent et qui était pour sa fille un ami, un «copain» plus qu'un père.

Cécile, son père et une amie nommée Elsa étaient en vacances sur la Côte d'Azur, où ils s'étaient installés dans une grande villa près de la plage. C'était, pour Cécile, une vie idéale: elle se levait tard, elle descendait sur la terrasse sans s'habiller et y passait la matinée en pyjama. Vers onze heures, elle allait se baigner. Et puis, elle s'allongeait sur le sable chaud… Le soir, son père l'emmenait dîner et danser dans les cabarets et les «boîtes†» de Saint Tropez.

Pour comble de chance, quelque chose de très intéressant a eu lieu: un jour, un bateau à voile a chaviré devant la petite plage privée de la villa. C'était celui de Cyril, un jeune étudiant en droit qui venait de s'installer dans

---

* **Un écrivain: écrivain,** comme **professeur,** n'a pas de féminin. On dit: Elle est écrivain ou: C'est une femme écrivain. Ici, la phrase est suffisamment claire car si elle s'appelle Françoise, c'est certainement une femme.

† **une «boîte»**: c'est un endroit où on dîne, où on danse, où on écoute de la musique.

la villa voisine avec sa mère, une dame veuve assez âgée. Naturellement, Cécile s'est mise à nager dans la direction du bateau et elle a aidé Cyril. Ils ont bien ri de la mésaventure de celui-ci. Ils ont fait connaissance et Cyril a offert de venir chaque jour donner des leçons de navigation à Cécile. Tout allait parfaitement bien jusqu'au jour où Raymond a annoncé à sa fille l'arrivée d'Anne.

Anne Larsen était une dame du même âge que Raymond, C'était une amie de la mère de Cécile, et elle était restée en termes d'amitié avec celle-ci et son père. Il était naturel, dans ces conditions, que Raymond l'invite à venir passer quelque temps avec eux sur la Côte d'Azur. Mais Cécile se demandait si c'était une bonne idée: Anne était une de ces personnes disciplinées et parfaites qui demandent beaucoup des autres... Et puis, il y avait Elsa, la jeune fille rousse, amie de Raymond et de Cécile. C'était une starlet de cinéma, jolie, mais pas très cultivée, certainement pas le genre de personne pour Anne... Cécile s'inquiétait, elle se demandait ce qui allait se passer.

En attendant, les vacances continuaient. Cyril était un beau grand garçon brun, un type de latin, avec quelque chose de protecteur que Cécile trouvait très séduisant. De son côté, il était clairement en train de tomber amoureux de Cécile. Les jours se succédaient: ils allaient se baigner dans l'eau transparente de la Méditerranée, ils faisaient une promenade en bateau à voile. Bientôt, Cécile a compris que Cyril l'aimait et voulait l'épouser. Mais de son côté, elle n'était pas sûre: il lui plaisait, elle le trouvait charmant. Pourtant, à dix-sept ans, elle était plutôt disposée à un petit flirt de vacances qu'à prendre la grande décision de sa vie. En attendant, la présence de Cyril était bien agréable...

(Suite du résumé de *Bonjour Tristesse* dans la lecture de la Leçon 9.)

QUESTIONS SUR LA LECTURE

1. Est-ce que Françoise Sagan avait le même âge que vous quand elle a écrit *Bonjour Tristesse*? Etait-elle plus jeune ou plus âgée que la majorité des écrivains?

2. Avez-vous déjà écrit un roman? Avez-vous envie d'en écrire un?

3. Qui est le personnage principal de *Bonjour Tristesse*? Quel sentiment éprouve-t-elle?

4. Quelle est la situation de famille de Cécile? Est-ce la situation normale et ordinaire d'une jeune fille de cet âge? Faites une petite description de son père.

5. Qui était Elsa? Comment était-elle?

6. Où se sont-ils installés? Faites une petite description d'une journée de Cécile à la plage.

7. Comparez une journée de Cécile à la plage et une de *vos* journées à l'école.

8. Quelque chose s'est passé un jour. Etait-ce quelque chose de triste? Qu'est-ce qui s'est passé?

9. Racontez la rencontre de Cécile et de Cyril.

10. Faites un petit portrait de Cyril. Dans quelles conditions passait-il ses vacances au bord de la mer?

11. Pourquoi Raymond avait-il invité Anne à venir passer quelque temps avec eux?

12. Pourquoi Cécile s'inquiétait-elle? Qu'est-ce qu'elle se demandait?

13. Qu'est-ce qui s'est passé entre Cécile et Cyril? Est-ce qu'elle avait envie d'épouser celui-ci? Pourquoi?

PRONONCIATION

> Elle se demande/Elle s'est demandé
> Il se passe/Il s'est passé
>
> Il emmène/Il l'emmène
> Il l'a emmenée/Il l'emmenait

EXPLICATIONS

I. *Le passé composé des verbes pronominaux*

Je me lève de bonne heure.
Je me suis levé de bonne heure.

Le passé composé des verbes pronimaux est formé avec **Être.** Conjugaison des verbes pronominaux au passé composé :

Affirmatif	*Négatif*
Je me suis levé(-e)	Je ne me suis pas levé(-e)
Tu t'es levé(-e)	Tu ne t'es pas levé(-e)
Il s'est levé	Il ne s'est pas levé
Elle s'est levée	Elle ne s'est pas levée
Nous nous sommes levé(-e)s	Nous ne nous sommes pas levé(-e)s
Vous vous êtes levé(-e)(-s)	Vous ne vous êtes pas levé(-e)(-s)
Ils se sont levés	Ils ne se sont pas levés
Elles se sont levées	Elles ne se sont pas levées

Interrogatif

Est-ce que je me suis levé(-e) ?

Est-ce que tu t'es levé(-e) ?	T'es-tu levé(-e) ?
Est-ce qu'il s'est levé ?	S'est-il levé ?
Est-ce qu'elle s'est levée ?	S'est-elle levée ?
Est-ce que nous nous sommes levé(-e)s ?	Nous sommes-nous levé(-e)s ?
Est-ce que vous vous êtes levé(-e)(-s) ?	Vous êtes-vous levé(-e)(-s) ?
Est-ce qu'ils se sont levés ?	Se sont-ils levés ?
Est-ce qu'elles se sont levées ?	Se sont-elles levées ?

II. *Comment formuler une question avec un verbe pronominal au passé*

1. Avec **est-ce que** (pour la conversation) :

Mot de la question	*Est-ce que*	*Phrase dans son ordre normal*
Pourquoi	est-ce que	Jean-Pierre s'est levé ?
Comment	est-ce que	vous vous êtes habillé ?
Quand	est-ce que	votre montre s'est arrêtée ?

2. Sans **est-ce que** (quand vous écrivez):

Mot de la question	Nom de la personne ou de l'objet	Phrase dans l'ordre de la question
Pourquoi	Jean-Pierre	s'est-il levé?
Comment		vous êtes-vous habillé?
Quand	votre montre	s'est-elle arrêtée?

III. *Avant de se lever. Après s'être levé.*

Vous connaissez déjà la construction **avant de + infinitif,** comme:

Avant de commencer à parler, il a réfléchi.

La même construction est naturellement possible avec les verbes pronominaux:

Avant de se lever, il est resté un moment dans son lit.

Avant de me mettre en route, je prends mes affaires.

Vous connaissez aussi la construction **après + infinitif passé** comme:

Après avoir lu ce livre, j'ai compris les idées de l'auteur.

La même construction est naturellement possible avec les verbes pronominaux et leur infinitif passé est formé avec **être:**

Après s'être levé, il a fermé la fenêtre.

Après m'être mis en route, j'ai vu que j'avais oublié ma clé.

IV. *L'accord du participe passé du verbe pronominal* *

1. « Je me suis baign**ée** dans la Méditerranée » dit Cécile.
« Je me suis baign**é** dans la Méditerranée » dit Cyril.
Il s'est ras**é**.
Elle s'est maquill**ée**.
Elles se sont maquill**ées**.

Le participe passé s'accorde avec le complément d'**objet direct,** qui est généralement le pronom objet **me, te, se, nous, vous.**

* At the risk of offending many purists, I will venture here the opinion that the student does not need to spend an undue amount of time and effort mastering, at this point, the subtleties of the agreement of the past participles of the reflexive verb. Many French people make errors on this point. It is much more important for the student of elementary French to learn how to use the various constructions of the reflexive verb, its use and meanings, than to become hypnotized on this one particular fine point; it can be mastered at a later date if the more basic facts are well absorbed.

2.   Ils se sont parl**é.**
      Elles se sont demand**é.**

Le pronom objet **me, te, se, nous, vous** n'est pas toujours un complément d'objet direct. Il est parfois indirect. Dans ce cas, le participe passé reste invariable:

    On parle **à** quelqu'un, on demande **à** quelqu'un.

3.   Elle s'est maquill**ée.**
      Elle s'est maquill**é** les yeux.

Dans la phrase «Elle s'est maquillée» le participe passé s'accorde avec le pronom **se** qui est un complément d'**objet direct.**

Mais vous savez qu'un verbe ne peut pas avoir plus d'un complément d'**objet direct.** Donc, dans la phrase «Elle s'est maquillé les yeux» le complément d'**objet direct** est **les yeux,** et **se** n'est plus le complément direct: c'est maintenant un complément indirect:

    Elle a maquillé quoi? Les yeux. A qui? **Se.**

Cette règle semble compliquée, mais c'est en réalité la même règle que celle que vous employez pour les verbes conjugués avec avoir:

    J'ai achet**é** une jolie voiture.
    La voiture que j'ai achet**ée** est jolie.

V. *Le temps des verbes pronominaux*

L'emploi des temps de verbes pronominaux est exactement le même que celui des autres verbes:

ACTION: **Passé composé**

    Il **s'est levé,** ensuite **il s'est habillé** et puis **il s'est mis** en route.

DESCRIPTION (ou état de choses, ou état d'esprit): **Imparfait**

    Que **faisait** Cécile pendant ses vacances? **Elle se levait** tard, **elle se baignait** tous les jours et **elle s'amusait** beaucoup. **Elle ne s'ennuyait pas** du tout.

Discours indirect:		
Présent	devient	Imparfait
Passé composé	devient	Plus-que-parfait
Imparfait	reste	Imparfait

«**Je me suis couché** de bonne heure parce que **je m'étais levé** de bonne heure. D'ailleurs, **je m'endormais** sur ma chaise!»

Qu'est-ce qu'il a dit?

Il a dit qu'**il s'était couché** de bonne heure, parce qu'**il s'était levé** de bonne heure. Il a ajouté que d'ailleurs, **il s'endormait** sur sa chaise!

VOCABULAIRE

Noms

un roman	une «boîte»
un écrivain	un bateau à voile
un personnage	une villa
le remords	le droit, un étudiant en droit
la tristesse	un veuf, une veuve

Adjectifs

mort(-e)	privé(-e)

Verbes

se baigner (ou: aller se baigner)	chavirer
se passer	offrir (il a offert)
s'inquiéter	

EXERCICES

I. Donnez le passé composé des verbes suivants:

Je me repose
Elle s'amuse
Nous nous ennuyons
Vous vous installez
Ils se mettent en route
Elle se dépêche souvent
Je m'amuse bien

Il se repose assez
Je ne m'arrête pas
Je me le demande
Il s'habille vite
Je ne m'endors jamais en classe

II. Mettez au passé composé:

1. Je lave la voiture et puis je me lave les mains.
2. Il se brosse les cheveux, il se rase et il brosse son veston.
3. J'arrête ma voiture parce que je vois un ami. Il s'arrête quand il me voit.
4. Je prends mes affaires, je les mets dans ma voiture et je me mets en route.

III. Voilà la réponse. Quelle est la question? (Employez la forme sans **est-ce que:**)

1. _____ ? Je ne sais pas ce qui s'est passé.
2. _____ ? Oui, nous nous sommes bien amusés.
3. _____ ? Non, je ne me suis pas dépêché.
4. _____ ? Elle ne s'est pas encore habillée.
5. _____ ? Je ne me maquille pas non plus.
6. _____ ? Personne ne s'est trompé.
7. _____ ? Ma montre s'arrête quand j'oublie de la remonter.
8. _____ ? Elle s'est baignée dans la mer.
9. _____ ? Non, il ne s'est pas encore réveillé.
10. _____ ? Non, je ne me moquais pas de vous!
11. _____ ? Non, rien d'intéressant ne s'est passé.

IV. (Facultatif) L'accord du participe passé.
Faites l'accord du participe passé quand il est nécessaire:

1. Elle s'est réveillé _____ .
2. Je me suis trompé _____ , dit Cécile.
3. Elle s'est brossé _____ les dents, elle s'est peigné _____
   et elle a déjeuné.
4. Nous ne nous sommes pas parlé _____ mais nous nous sommes
   regardé _____ .
5. Vous êtes-vous bien reposé _____ , mesdemoiselles?

6. Elles se sont coiffé _____ pendant une heure; elles se sont regardé _____ dans un miroir et elles se sont demandé _____ si le résultat correspondait à l'effort.

V. Répondez à chaque question par deux ou trois phrases complètes, avec des verbes pronominaux réfléchis:

1. Qu'avez-vous fait ce matin après vous être levé?
2. Qu'avez-vous fait hier soir avant de vous coucher?
3. Racontez une journée de Cécile à la plage.
4. Est-ce que vous vous êtes bien amusé le week-end dernier? Pourquoi?

COMPOSITIONS

Composition orale:

A. Racontez votre journée d'hier. (Attention! Il ne faut pas oublier d'employer les termes de cohérence, les négations irrégulières, etc.).

B. Une journée idéale de vacances au passé.

Composition écrite:

A. Un souvenir d'enfance (Employez des verbes pronominaux, les termes de cohérence, les négations irrégulières, etc.).

B. Une journée où tout allait mal.

C. Une aventure amusante.

La Pensée de...

CHARLES DE GAULLE

sur

La Grandeur de la France

Tout le monde associe le nom du Général Charles de Gaulle avec celui de la France. Officier de carrière sorti de la célèbre école militaire de Saint-Cyr, héros de la Première Guerre Mondiale, il est surtout connu et admiré pour avoir refusé d'accepter la capitulation de la France en 1940. Réfugié à Londres, il y est devenu le chef de la France Libre, et il a continué la résistance de la France et la guerre contre l'Allemagne. Grâce à sa persistance héroïque et son patriotisme sans compromis, la France a continué à être représentée au nombre des Alliés, avec les Etats-Unis et l'Angleterre, et elle était une des puissances qui ont négocié l'armistice. Après la Guerre, le Général de Gaulle, devenu Président de la République Française, a gouverné la destinée de la France avec le même **dévouement**, le même idéal et la même confiance dans la « grandeur de la France » que vous allez trouver dans le texte suivant, qui est tiré des premières pages de *Mémoires de Guerre* du Général de Gaulle.

$$* \quad * \quad * \quad * \quad * \quad *$$

NOTE DE L'AUTEUR : *Nous avons demandé au Général de Gaulle la permission de composer une version simplifiée de ce texte. On nous a répondu que l'Elysée s'opposait formellement à cette reproduction, mais nous permettait de donner l'extrait que nous avons choisi dans sa version intégrale.*

C'est donc, non seulement «La Pensée . . .» mais aussi les paroles du Général que vous allez trouver ici. Si le texte vous semble un peu difficile, c'est parce que grandeur et facilité n'ont jamais été synonymes! L'effort que vous ferez pour comprendre ce texte sera récompensé par votre contact avec un des plus beaux styles français qui existent.

$$* \quad * \quad * \quad * \quad * \quad *$$

Toute ma vie, je me suis fait une certaine idée de la France. Le sentiment me l'inspire aussi bien que la raison. Ce qu'il y a, en moi, d'affectif imagine naturellement la France, telle une princesse des **contes** ou la madone aux **fresques** des murs comme **vouée** à une destinée éminente et exceptionnelle. J'ai d'instinct, l'impression que la Providence l'a **créée** pour des succès achevés ou des malheurs exemplaires. S'il advient que la médiocrité marque, pourtant, **ses faits et** gestes, j'en **éprouve** la sensation d'une absurde anomalie, imputable aux fautes des Français, non au génie de **la Patrie**. Mais aussi, le côté positif de mon esprit me convainc que la France n'est réellement elle-même qu'au premier rang; que seules, de vastes entreprises sont susceptibles de compenser les ferments de dispersion que son peuple porte en lui-même; que notre pays, tel qu'il est, parmi les autres, tels qu'ils sont, **doit**, sous peine de danger mortel, **viser** haut et se tenir droit. Bref, à mon sens, la France ne peut être la France sans la grandeur.

BERNARD BUFFET

Portrait de Charles de Gaulle
Cover portrait for TIME by Bernard Buffet
Reprinted by permission

*Un portrait qui capture admirablement la dignité et l'austérité
du grand général et homme d'état.*

Cette foi a grandi en même temps que moi dans le milieu où je suis né. Mon père, homme de pensée, de culture, de tradition, était imprégné du sentiment de la dignité de la France. Il m'en a découvert l'histoire. Ma mère portait à la patrie une passion intransigeante à l'égal de sa piété religieuse. Mes trois frères, ma soeur et moi avions pour seconde nature une certaine **fierté** anxieuse au sujet de notre pays. Rien ne me frappait davantage que les symboles de nos gloires: nuit descendant sur Notre-Dame, majesté du soir à Versailles, Arc de Triomphe dans le soleil, drapaux conquis **frissonnant** à la **voûte** des Invalides. Rien ne me faisait plus d'effet que la manifestation de nos réussites nationales: enthousiasme du peuple au passage du Tsar de Russie, revue de Longchamp, **merveilles** de l'Exposition, premiers **vols** de nos aviateurs. Rien ne **m'attristait** plus profondément que nos faiblesses et nos erreurs révélées à mon enfance par les visages et les propos: abandon de Fachoda, affaire Dreyfus, conflits sociaux, discordes religieuses. Rien ne m'émouvait autant que le récit de nos malheurs passés...

Adolescent, ce qu'il advenait de la France, que ce fût le sujet de l'Histoire ou **l'enjeu** de la vie publique, m'intéressait par-dessus tout... Je dois dire que ma **prime** jeunesse imaginait sans horreur et magnifiait à l'avance cette aventure inconnue. En somme, je ne doutais pas que la France dût traverser des épreuves gigantesques, que l'intérêt de la vie consistait à lui rendre, un jour, quelque service signalé et que j'en aurais l'occasion.

Quand **j'entrai** dans l'armée, elle était une des plus grandes choses du monde. Sous les critiques et les outrages qui lui étaient prodigués, elle sentait venir avec sérénité et même, avec une **sourde** espérance, les jours où tout dépendrait d'elle. Après Saint-Cyr, **je fis**, au 33e Régiment d'Infanterie à Arras mon apprentissage d'officier. Mon premier colonel, Pétain, me démontra ce que valent le **don** et l'art de commander. Puis, tandis que **l'ouragan** m'emportait comme un fétu à travers les drames de la guerre: baptême du feu, calvaire des **tranchées,** assauts, bombardements, blessures, captivité, je pouvais voir la France, qu'une natalité déficiente, de creuses idéologies et la négligence des pouvoirs avaient privée d'une partie des moyens nécessaires à sa défense, tirer d'elle-même un incroyable effort, suppléer par des sacrifices sans mesure à tout ce qui lui manquait et terminer l'épreuve dans la victoire. Je pouvais la voir, aux jours les plus critiques, se rassembler moralement au début sous l'égide de Joffre, à la fin sous l'impulsion du «**Tigre**». Je pouvais la voir, ensuite, **épuisée** de pertes et de ruines, bouleversée dans sa structure sociale et son équilibre moral, reprendre d'un pas **vacillant** sa marche vers le destin, alors que le régime, reparaissant tel qu'il était **naguère** et rejetant Clémenceau, rejetait la grandeur et retournait à la confusion.

Charles de Gaulle, *Mémoires de Guerre* dans *L'Appel*,
Librairie Plon, Editeurs.

le dévouement: l'abnégation, le sacrifice.

contes: des histoires pour les enfants (*Blanche Neige* est un conte, *La Belle au Bois Dormant* est un conte).

une fresque: une peinture sur un mur. Une fresque est souvent une peinture d'un sujet religieux: une madone, des saints, des anges.

voué(-e): consacré(-e), destiné(-e).

créé(-e): fait(-e).

faites et gestes: actions.

éprouver: sentir, avoir une émotion ou une sensation.

la Patrie: la personnification de votre pays. Un soldat fait la guerre « pour la Patrie ». L'amour de la Patrie, c'est le patriotisme.

doit: a la responsabilité de ...

viser: (*to aim*).

la fierté: la qualité de celui qui est fier. (La différence entre la fierté et la vanité est que la fierté est justifiée, mais la vanité ne l'est pas.)

frissonnant: les drapeaux ne sont pas complètement immobiles. Ils tremblent (frissonnent) dans l'air de la haute voûte.

la voute: (*the vault*) l'intérieur d'un dôme.

merveilles: objets merveilleux.

un vol: l'action de voler, ce que fait l'avion. Quand vous faites un voyage en avion, vous prenez le vol numéro « X » de Paris à New York, par exemple.

attrister: rendre triste.

enjeu: (*stakes*).

prime: première.

j'entrai, je fis: passé littéraire: je suis entré, j'ai fait.

sourde: ici, a le sens de qui n'est pas exprimée.

le don: le talent.

l'ouragan: la tempête.

tranchées: fossés dans la terre pendant la Guerre de 1914-1918 pour la protection des soldats.

le Tigre: surnom de Clémenceau (1841-1929) qui a joué un rôle important dans la Première Guerre Mondiale.

épuisé(-e): très fatigué, à bout de forces et de ressources.

vacillant: hésitant, mal assuré.

naguère: autrefois.

rejeter: refuser.

QUESTIONS

1. De Gaulle distingue deux aspects de son esprit. Lesquels? Quelle vision de la France imagine-t-il?

2. Quel est le rôle de ses parents dans le dévouement patriotique de de Gaulle ?

3. La France n'est pas toujours grande et noble. Qui faut-il blâmer ? Pourquoi ?

4. Qu'est-ce qui impressionnait Charles de Gaulle quand il était enfant ? Qu'est-ce qui le touchait ? Qu'est-ce qui était triste pour lui ?

5. Quand il était adolescent, avait-il peur de la guerre ? Pourquoi ?

6. Il était sûr que la France allait traverser des tourments gigantesques. Avait-il raison ? Quels étaient ces tourments ? Est-ce que les Etats-Unis ont traversé des tourments de cette nature aussi ?

7. De Gaulle avait-il raison de penser qu'il était destiné à faire quelque chose d'extraordinaire pour sa Patrie ? Qu'est-ce qu'il a fait ?

SUJETS DE DISCUSSION OU DE COMPOSITION

1. Résumez, dans vos propres termes, ce que de Gaulle veut dire quand il parle de « la grandeur de la France ».

2. Que pensez-vous de ce patriotisme sans compromis ? A-t-on tort ou raison de vouloir donner sa vie pour son pays ? Pourquoi ?

HUITIÈME LEÇON

Une Idylle Accélérée

Les verbes pronominaux réciproques

Etudiez les phrases suivantes:

Présent	*Passé*

Voilà une jeune homme et une jeune fille. Un jour, **ils se rencontrent.**

Un jour, **ils se sont rencontrés.**

Ils se regardent, et puis ils se regardent de nouveau.

Ils se sont regardés, et puis ils se sont regardés de nouveau.

Ils se disent, chacun de son côté: «Comme il est beau!» «Comme elle est jolie!»

Ils se sont dit, chacun de son côté: «Comme il est beau!» «Comme elle est jolie!»

Ils se parlent. Ils se plaisent.

Ils se sont parlé. Ils se sont plu.

Ils décident de **se revoir.**

Ils ont décidé de **se revoir.**

Ils se revoient souvent. Maintenant, **ils s'aiment.**

Ils se sont revus souvent. Maintenant, **ils s'aiment.**

Un soir, **ils s'embrassent.** Ils ne veulent pas **se séparer.** Alors, ils décident de **se fiancer.**

Un soir, **ils se sont embrassés.** Ils ne voulaient plus **se séparer.** Alors, ils ont décidé de **se fiancer.**

Ils se fiancent et les deux familles sont très heureuses.

Ils se sont fiancés et les deux familles étaient très heureuses.

PABLO PICASSO

The Lovers
National Gallery of Art, Washington, D.C.
Chester Dale Collection

Ils se sont disputés, et puis ils se sont réconciliés.

Bientôt, **ils se marient.** Ils s'installent dans un charmant petit appartement.

Au commencement, tout va bien. **Ils s'entendent bien.** Il la trouve délicieuse, et elle le trouve si intelligent!

Mais un jour, il la regarde et il se dit: «Elle n'est pas délicieuse du tout. C'est simplement une petite fille un peu sotte.» Et quand elle arrive avec une robe excentrique, il se moque d'elle.

D'abord, elle est surprise. Puis, elle se fâche et elle se met en colère.

Il répond sur le même ton. Et les voilà qui **se disputent.**

Elle ne le trouve plus intelligent, ni beau. Elle se dit que ses amies qui ne se sont pas mariées ont bien de la chance! Elle se met à le détester.

Bientôt, **ils se sont mariés.** Ils se sont installés dans un charmant petit appartement.

Au commencement, tout allait bien. **Ils s'entendaient bien.** Il la trouvait délicieuse et elle le trouvait si intelligent!

Mais un jour, il l'a regardée et il s'est dit: «Elle n'est pas délicieuse du tout. C'est simplement une petite fille un peu sotte.» Et quand elle est arrivée avec une robe excentrique il s'est moqué d'elle.

D'abord, elle était surprise. Puis, elle s'est fâchée et elle s'est mise en colère.

Il a répondu sur le même ton. Et les voilà qui **se disputaient.**

Elle ne le trouvait plus intelligent, ni beau. Elle se disait que ses amies qui ne s'étaient pas mariées avaient bien de la chance. Elle s'est mise à le détester.

De son côté, il s'ennuie à la maison. Enfin, un jour, les choses vont de plus en plus mal, ils décident de **se séparer.**

De son côté, il s'ennuyait à la maison. Enfin, un jour, les choses allaient de plus en mal, ils ont décidé de **se séparer.**

Il se séparent. Ils ne se parlent plus, **ils se brouillent.** Quand ils se rencontrent dans la rue, chacun regarde de l'autre côté.

Ils se sont séparés. Ils ne se parlaient plus, **ils se sont brouillés.** Quand ils se rencontraient dans la rue, chacun regardait de l'autre côté.

Ils veulent divorcer.

Ils voulaient divorcer.*

Cette situation dure pendant quelque temps. Un jour, il la rencontre dans un restaurant. Elle est élégante et il se demande qui est ce monsieur avec elle. Bientôt, elle le voit aussi. **Ils se sourient,** et ils ont envie de se revoir.

Cette situation a duré pendant quelque temps. Un jour, il l'a rencontrée dans un restaurant. Elle était élégante et il se demandait qui était ce monsieur avec elle. Bientôt, elle l'a vu aussi. **Ils se sont souri,** et ils avaient envie de se revoir.

Devinez ce qui se passe? Vous avez deviné! **Ils se réconcilient.** Ils s'aiment encore, ils ne veulent plus se séparer. Ils ne divorcent pas.

Devinez ce qui s'est passé? Vous aviez deviné! **Ils se sont reconciliés.** Ils s'aimaient encore et ils ne voulaient plus se séparer. Ils n'ont pas divorcé.

---

* **Divorcer** n'est pas pronominal. On dit: Je me marie, je me suis marié. Mais: Je divorce, j'ai divorcé.
Et on ne dit certainement pas: Il a divorcé **sa femme**(!). (Qui d'autre?)

PRONONCIATION

Ils se marient/Ils se sont mariés
Un mari

Ils se fiancent/Ils se sont fiancés
Un fiancé   Une fiancée

EXPLICATIONS

Dans la leçon précédente, vous avez vu des verbes pronominaux réfléchis, comme, par exemple : **Je me lève, nous nous levons, ils se lèvent.** Ces verbes sont réfléchis parce que le sujet est la même personne que l'objet. Ils peuvent être singuliers ou pluriels.* Maintenant, vous allez voir un autre usage des verbes pronominaux dans cette leçon. Ce sont les verbes pronominaux réciproques.

I. *Les verbes pronominaux réciproques*

A. Définition

Le jeune homme et le jeune fille **se rencontrent; ils se parlent, ils s'aiment.**
Nous nous disputons quelquefois.
Vous vous réconciliez toujours avec vos amis.

Les verbes en italiques sont pronominaux réciproques. Remarquez qu'ils sont pluriels, car pour une action réciproque, il y a au moins deux personnes.†

B. Construction

La construction de ces verbes est **exactement la même** que celle des verbes réfléchis. Ils forment aussi leur passé avec l'auxiliaire **Être.**

---

* *In:* **Je me lève**   *the literal meaning is:*   *I get myself up*
       Nous nous levons   *the literal meaning is:*   *We get ourselves up*
       Ils se lèvent   *the literal meaning is:*   *They get themselves up*
Although of course, the translation would be: I get up, we get up, they get up.
† *In:* **Ils s'aiment,** *the literal meaning is: They love each other. Although, of course, the translation might well be: They are in love.*
In: **Ils se rencontrent,** *the literal meaning is: They meet one another. Although correct English would be simply: They meet.*

Affirmatif:

Présent	*Passé*
Ils se rencontrent	Ils se sont rencontrés
Ils se marient	Ils se sont mariés
Ils se disputent	Ils se sont disputés
Ils s'entendent bien	Ils se sont bien entendus
Ils se plaisent beaucoup	Ils se sont beaucoup plu

Négatif:

Présent	*Passé*
Ils ne se rencontrent pas	Ils ne se sont pas rencontrés
Ils ne se marient pas	Ils ne se sont pas mariés
Ils ne se disputent pas	Ils ne se sont pas disputés
Ils ne s'entendent pas bien	Ils ne se sont pas bien entendus
Ils ne se plaisent pas	Ils ne se sont pas plu

Interrogatif:

Présent	*Passé*
Est-ce qu'ils se rencontrent?	Est-ce qu'ils se sont rencontrés?
Est-ce qu'ils se marient?	Est-ce qu'ils se sont mariés?
Est-ce qu'ils se disputent?	Est-ce qu'ils se sont disputés?
Est-ce qu'ils s'entendent bien?	Est-ce qu'ils se sont bien entendus?
Est-ce qu'ils se plaisent?	Est-ce qu'ils se sont plu?

ou:

Se rencontrent-ils?	Se sont-ils rencontrés?
Se marient-ils?	Se sont-ils mariés?
Se disputent-ils?	Se sont-ils disputés?
S'entendent-ils bien?	Se sont-ils bien entendus?
Se plaisent-ils?	Se sont-ils plu?

C. Accord du participe passé

Il suit **exactement la même règle** que pour les verbes réfléchis:

Ils se sont plu (participe passé du verbe **plaire.** Vous plaisez **à** quelqu'un)
Ils se sont souri (participe passé du verbe **sourire.** Vous souriez **à** quelqu'un)
Ils se sont aimé**s** (participe passé du verbe **aimer.** Vous aimez quelqu'un)

Le participe passé s'accorde avec le complément d'**objet direct** s'il y en a un et s'il est placé avant. S'il n'y en a pas, ou s'il est placé après, le participe passé est invariable.

II. *Le verbe Plaire*

Vous remarquez la quantité de verbes réguliers du 1er groupe dans les leçons que vous étudiez. C'est parce que, en effet, il y a beaucoup plus de verbes dans le 1er groupe (et ils sont tous réguliers excepté **aller** et **envoyer**) que dans les autres; il y a aussi beaucoup plus de verbes réguliers que de verbes irréguliers. Le seul nouveau verbe irrégulier de cette leçon est **plaire**.

1.   Cette couleur **me plaît.** C'est-à-dire que je trouve cette couleur jolie, j'aime cette couleur.

Cette classe **lui plaît.** C'est-à-dire qu'il trouve cette classe intéressante, il aime cette classe.

Voilà la conjugaison du verbe **plaire:**

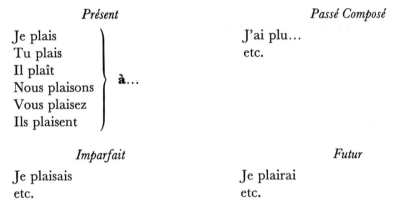

Présent		*Passé Composé*
Je plais		J'ai plu...
Tu plais		etc.
Il plaît		
Nous plaisons	à...	
Vous plaisez		
Ils plaisent		

Imparfait	*Futur*
Je plaisais	Je plairai
etc.	etc.

2. **Se plaire** (réciproque)

Le jeune homme et la jeune femme **se plaisent.** C'est-à-dire qu'ils se trouvent mutuellement sympathiques et intéressants.

VOCABULAIRE

Noms

Il n'y a pas de nouveaux noms excepté: la colère (se mettre en colère)

Adjectifs

sot, sotte

Verbes

se rencontrer	se dire
se plaire	se fâcher
se voir (se revoir)	se mettre en colère
s'embrasser	se disputer
se fiancer	se brouiller
se séparer	se sourire
se marier	se réconcilier
s'entendre	divorcer

EXERCICES

I. Oralement: Mettez au passé composé:

Nous nous parlons.
Ils se plaisent.
Je me mets en colère.
Il se fâche.
Vous vous mettez à table.
Elle se marie.
Nous nous fiançons.
Ils divorcent.

Mettez au négatif:

Ils se disputent.
Nous nous revoyons.
Vous vous embrassez.
Elles s'entendent bien.
Ils se plaisent.
Ils se marient.

Mettez au passé composé négatif:

Ils se rencontrent souvent.
Ils se plaisent beaucoup.
Vous vous mettez en colère.
Nous nous disputons toujours.
Ils se sont déjà fiancés.
Nous nous disputons et nous nous brouillons.

II. Voilà la réponse. Imaginez une question possible:

1. _____ ? Non, ils ne se sont pas revus.
2. _____ ? Je ne me fâcherai pas.
3. _____ ? Je me suis mis en colère parce que vous vous moquez de moi.
4. _____ ? Nous nous sommes brouillés quand il m'a dit que j'étais sotte.
5. _____ ? Non! Je ne veux pas divorcer!
6. _____ ? Oui, je vous aime.
7. _____ ? Nous nous plaisons beaucoup, mais nous ne nous aimons pas.
8. _____ ? Hélas! Sa belle-mère et elle ne s'entendent pas.

COMPOSITIONS

Composition orale:

Préparez une composition orale (environ l'équivalent d'un paragraphe) sur un des sujets suivants:

A. Demandez à vos parents comment ils se sont rencontrés et racontez.

B. Vous avez sûrement rencontré un jeune homme ou une jeune fille que vous considérez assez spécial(-e). Racontez les circonstances.

Composition écrite:

Quelle est la plus belle histoire d'amour que vous connaissez? Racontez cette histoire et expliquez pourquoi elle est belle. Il s'agit peut-être d'un classique comme *Tristan et Yseult* ou *Roméo et Juliette* ou de l'histoire de quelqu'un que vous connaissez.

(Attention! Il ne faut pas répéter les phrases de la leçon! Il faut les employer dans une histoire intéressante, originale, pittoresque, avec des détails personnels.)

NEUVIÈME
LEÇON

Parlons d'un Roman
(suite et fin)

Les verbes pronominaux idiomatiques
Les verbes pronominaux à sens passif

ÉTUDIEZ LES PHRASES SUIVANTES :

Présent

Présent et passé

Si vous faites très bien quelque chose, si vous êtes expert, vous dites : «Je m'y connais en...» en mécanique, par exemple. En quoi **vous y connaissez-vous ?**

Je m'y connais en musique. Mais je ne m'y connais pas en politique.

Si vous êtes gentil, raisonnable, si vous ne faites jamais rien de mal, **vous vous conduisez bien. Vous conduisez-vous bien ?**

Je me conduis bien en général. Quelquefois, **je me conduis mal,** mais c'est exceptionnel.

Quand quelque chose change, il faut **s'habituer à** la nouvelle chose. Par exemple, dans un pays étranger, il faut s'habituer à la langue, à l'argent, etc. On dit aussi «**se faire à**...» la langue l'argent de ce pays. **Vous êtes-vous fait à** la vie d'étudiant ?

Oui, **je m'y suis fait.** Au commencement de l'année, je n'étais pas heureux. Mais maintenant, **je m'y suis habitué.**

Vous connaissez le verbe «partir». Il y a une autre expression qui a le même sens : «**Je m'en vais** », c'est à dire, «je pars».

Quand **s'en va-t-on** en vacances cette année ?

On s'en va à la fin du mois de juin.

Si vous réalisez* quelque chose, par exemple, que votre stylo n'a plus d'encre, **vous vous en apercevez.** De quoi vous êtes-vous **aperçu** au commencement de cette classe?

Je me suis aperçu de la nécessité de parler français. Je m'en suis aperçu tout de suite. Quand on s'endort devant la télévision on ne s'aperçoit pas que le programme est fini.

Si vous avez absolument besoin de voiture, par exemple, vous dites: «Je ne peux pas **me passer** de voiture.» Vous êtes-vous souvent passé de certaines choses?

Hélas, oui! **Je me suis** souvent **passé** de petit déjeuner quand je me suis levé trop tard.

J'ai très bonne mémoire: **je me rappelle** toujours tout ce que j'entends. Et vous, vous êtes-vous rappelé toutes les dates, pour l'examen d'histoire?

Malheureusement, non. **Je ne me suis rappelé** ni les dates, ni les faits.

.   .   .   .   .   .

Déclaration et question

Réponse

Il y a beaucoup de gens qui parlent français au Canada. On parle français au Canada. Le français **se parle** au Canada. Quelle est la langue qui **se parle** aux Etats-Unis?

C'est l'anglais, naturellement, qui **se parle** aux Etats-Unis.

---

* Le verbe **Réaliser** au sens de *"to bring about, to make come true, to materialize"* comme dans: réaliser un rêve, réaliser un capital, existe depuis longtemps dans la langue française.

Le nouveau sens de *"to understand, to perceive"* semblable au sens anglais de *to realize*, longtemps considéré comme un anglicisme, est maintenant officiellement accepté dans la langue.

Si vous vous mettez à chanter pendant la classe, tout le monde est surpris, parce que **ça ne se fait pas.** Qu'est-ce qui **ne se fait pas** dans votre école?

Eh bien, par exemple, aller en classe en short, ne se fait pas du tout. Dans d'autres écoles, **ça se fait** peut-être!

Si vous dites à un professeur: «Je vous trouve ridicule et je m'ennuie dans votre classe», il est furieux. **Ça ne se dit pas!** Est-ce que toutes les vérités **se disent?**

Vous êtes pâle, vous avez l'air fatigué. Vous me dites: «J'ai étudié toute la nuit.» Je vous réponds: **«Ça se voit!»**

Non! Beaucoup de choses **ne se disent pas,** même si elles sont vraies.

Est-ce que ça se voit, quand vous n'avez pas préparé votre composition orale?

Quel journal **se vend** le plus à Paris?

Savez-vous si le film qui **se joue** au Ciné-Bijou est bon?

Non seulement ça se voit, mais **ça s'entend!**

C'est probablement *France-Soir* qui se vend le plus.

Je ne sais même pas lequel s'y joue maintenant.

LECTURE

Bonjour Tristesse *de Françoise Sagan*

(Suite du résumé, lecture de la Leçon 7.)

L'arrivée d'Anne, le complot de Cécile et le désastre.

Donc, le bonheur et le calme des vacances de Cécile allaient s'interrompre à l'arrivée d'Anne. Mais, en attendant ce jour-là, l'idylle de Cécile et de

Cécile était jalouse de l'affection de Raymond pour Anne. Il n'était plus son copain et quand il s'agissait de questions de discipline, il était toujours de l'avis d'Anne.

Photo tirée du film basé sur
Bonjour Tristesse
Columbia Pictures

Cyril continuait. Ils se rencontraient tous les jours sur la plage et passaient la journée ensemble. Ils étaient en train de s'embrasser, un après-midi, quand un coup de klaxson a annoncé l'arrivée d'Anne. Celle-ci, toujours aussi belle que Cécile se la rappelait, s'est installée à la villa et d'abord, tout allait bien, jusqu'au jour où Raymond a emmené Cécile, Elsa et Anne danser au Casino de Cannes. Ce soir-là, Anne est descendue de sa chambre dans une robe de satin gris pâle, et elle était si belle, si lumineuse que Raymond l'a regardée pour la première fois comme une femme et non pas comme une vieille amie. Et en effet, le lendemain, Raymond et Anne ont décidé de se marier, après avoir demandé à Cécile son approbation.

Celle-ci, assez intelligente pour se rendre compte qu'elle était un peu fatiguée de cette vie agréable, mais sans discipline, a exprimé son bonheur à la perspective d'avoir enfin une mère, une maison bien organisée, des heures régulières, bref, l'autorité d'un adulte. Elle ne voyait pas encore qu'elle allait être obligée de sacrifier son indépendance...

Pourtant, son idylle avec Cyril continuait... Elle lui a expliqué, un jour, ce que le lecteur avait déjà compris : C'est qu'elle commençait à être un peu jalouse de l'amour de son père pour Anne. Raymond n'était plus son « copain ». Anne était maintenant la première dans l'affection de celui-ci.

C'est Anne qui, sans le vouloir a précipité les événements. Un jour où elle se promenait dans le petit bois de pins près de la villa, elle a vu Cécile et Cyril qui s'embrassaient. Pour une personne comme Anne, ce genre de choses ne se fait absolument pas. Elle s'est fâchée, a parlé très froidement à Cyril et a ramené Cécile à la maison. Cécile s'est mise en colère, a pleuré, a essayé d'expliquer. Anne est restée inflexible. « Je m'aperçois que vous usez mal de votre liberté ; vous vous êtes très mal conduite et je vais parler à votre père... » a-t-elle dit. Alors, ce soir-là, Raymond, très gêné mais qui voulait la paix, sans regarder sa fille dans les yeux, lui a dit qu'il était d'accord avec Anne, qu'il ne fallait plus revoir Cyril et qu'il fallait passer ses après-midi dans sa chambre (pour comble de malheur, Cécile avait un examen à passer en octobre !), étudier sa philosophie et sa littérature.

Enfermée dans sa chambre avec ses livres, Cécile en voulait trop à Anne, et elle était trop furieuse pour travailler. Pour elle, Anne n'était plus la mère, bonne, mais ferme qu'elle cherchait, mais un beau serpent qui lui avait volé son père, pris sa liberté, et qui avait interrompu son idylle avec Cyril. Cécile voulait se venger et surtout se débarrasser d'Anne. Elle a fini par organiser un complot, avec l'aide d'Elsa : celle-ci allait faire semblant d'être amoureuse de Raymond et arranger un rendez-vous avec lui dans le petit bois de pins... naturellement, à l'heure où Anne allait se promener dans le bois.

Hélas, le complot a trop bien réussi! Anne a surpris Raymond et Elsa dans le petit bois, et elle s'est dit qu'elle s'était trompée, que Raymond ne l'aimait pas, qu'elle avait tort de vouloir se marier avec lui. Elle est rentrée à la villa, a fait ses bagages et elle s'en est allée, sans revoir Raymond, sans explication, après avoir simplement dit à Cécile: «J'espère qu'un jour vous comprendrez...»

Deux heures plus tard, le téléphone a sonné. Raymond, qui était rentré, très gêné, s'est précipité pour y répondre: c'était un hôpital qui téléphonait. Anne avait eu un accident, sa voiture était tombée dans un précipice et elle était morte... Cécile et son père se sont regardés, pleins de terreur. Etait-ce vraiment un «accident?» «Je ne le saurai jamais,» se dit Cécile, «toute ma vie, je me demanderai ce qu'Anne a vraiment compris, et si, par délicatesse ou par pitié pour moi, elle a choisi cette manière de mourir...»

Maintenant, de retour à Paris, c'est une autre Cécile, une Cécile changée, qui se rend compte de ses responsabilités qui dit: «Bonjour, Tristesse» à ce sentiment nouveau, moitié remords, moitié tristesse, qui est peut-être, tout simplement, le commencement de la maturité.

QUESTIONS SUR LA LECTURE

1. Qu'est-ce qui a interrompu l'idylle de Cécile et de Cyril? Comment était Anne? Avait-elle changé? Comment allaient les choses au commencement?

2. Dans quelles circonstances Raymond est-il tombé amoureux d'Anne? Quelle décision ont-ils prise? Est-ce que Cécile était d'accord? Pourquoi?

3. Cécile est heureuse des projets de son père et d'Anne. Mais... est-elle complètement heureuse? Expliquez.

4. Qu'est-ce qui s'est passé après quelques jours? Qui a précipité les événements? Pourquoi Anne s'est-elle fâchée? Avait-elle raison?

5. Qu'est-ce qu'Anne a fait pour punir Cécile? Pensez-vous qu'elle avait tort? Quelle est l'attitude de Raymond? Pourquoi? A-t-il les mêmes idées qu'Anne sur l'éducation des jeunes filles?

6. Qu'a fait Cécile pour se venger d'Anne? A-t-elle réussi à se débarrasser de celle-ci?

7. Pourquoi Anne s'en est-elle allée? Est-elle rentrée à Paris? Pourquoi? Qu'est-ce qui s'est passé?

8. Comment Raymond et Cécile ont-ils appris l'accident arrivé à Anne? Quelle était leur réaction? Cécile était-elle heureuse? Pourquoi?

9. Cécile se demande..., qu'est-ce qu'elle se demande? Qu'est-ce qu'elle se demandera toute sa vie?

10. Expliquez le titre *Bonjour Tristesse.*

11. Pensez-vous que cette histoire a une morale? Laquelle?

12. Quand en voulez-vous à quelqu'un? Comment le montrez-vous?

13. Quand êtes-vous gêné? Donnez quelques exemples de circonstances où vous êtes gêné. Comment le montrez-vous?

14. Aimez-vous garder les vieux objets ou au contraire, aimez-vous vous en débarrasser? Pourquoi fait-on un devoir difficile ou ennuyeux tout de suite?

PRONONCIATION

> je vais/je m'en vais/je m'en suis allé
> je m'y connais/je me connais
> je m'en aperçois/je m'en suis aperçu

EXPLICATIONS

I. *Les verbes pronominaux à sens idiomatique*

Je m'y connais en mécanique: Je répare très bien les voitures.
J'ai faim; **je m'aperçois** qu'il est l'heure de déjeuner.
Vous rappelez-vous la date de l'examen?

Dans les exemples qui précèdent, les verbes soulignés sont des verbes pronominaux à sens idiomatique. C'est-à-dire que le sens du verbe change quand le verbe est réfléchi.
Par exemple, vous comprenez **Connaître,** mais **s'y connaître** a un sens différent (*to be good at something, to be an expert*).

Je m'aperçois, je m'en aperçois:
a un sens différent (*to realize*) de celui de **apercevoir** (*to glimpse, to perceive*).

Je me rends compte:

a un sens différent (*to realize*) de celui de **rendre** (*to give back*). Vous remarquez cependant que **s'apercevoir de quelque chose** et **se rendre compte de quelque chose** ont à peu près le même sens.

Je me rappelle:

a un sens différent (*to remember, to recall*) de celui de **rappeler** (*to call back*).

Je me conduis bien:

a un sens différent (*to behave*) de celui de **conduire** (*to drive*).

Je m'en vais:

a un sens différent (*to leave, to go away*) de celui d'**aller** (*to go*).

Je me fais à... Je m'y fais:

a un sens différent (*to get used to*) de celui de **faire** (*to do, to make*).

Il y a beaucoup de verbes qui changent de sens quand ils sont pronominaux On les appelle **verbes pronominaux à sens idiomatique.** Vous en rencontrerez d'autres au cours de vos lectures et de vos conversations. Employez vous-même un de ces verbes quand il est possible de le faire, leur usage est une des caractéristique du français.

La construction de ces verbes est exactement la même que celle des autres verbes pronominaux que vous avez déjà étudiés.

II. *Les verbes pronominaux à sens passif*

Ce journal **se vend** partout.

Vous êtes fatigué, et **ça se voit.**

Chanter en classe? Mais, ça ne **se fait** pas du tout!

« Bon matin » ne **se dit** pas en français.

Ces verbes sont employés à la forme pronominale (toujours à la 3ème personne : **se** dit, **se** vend, **se** fait, **se** voit, etc.) avec un sens passif.

Il y a trois manières d'exprimer la même idée en français :

Ce journal **se vend** partout.

On vend ce journal partout.

Ce journal **est vendu** partout.

« Bon matin » ne **se dit** pas en français.

On ne dit pas « bon matin » en français.

« Bon matin » **n'est pas dit** en français.

Quelle forme est la meilleure? La forme pronominale est la meilleure parce que c'est la plus idiomatique.

III. *Faire semblant de. . .*

Quand on ne sait pas la réponse, **on fait semblant de** réfléchir.

Il faut **faire semblant d'**être content quand on vous donne quelque chose, même si c'est un objet impossible.

VOCABULAIRE

Noms

le bonheur
le calme
une idylle
un coup de klaxon
le lecteur
un bois (de pins)

le comble de quelque chose
    (du bonheur, du malheur)
un complot
la délicatesse
le remords
la pitié
la paix

Adjectifs

lumineux, lumineuse
gêné(-e)

jaloux, jalouse

Verbes

s'y connaître
se conduire
s'y faire
s'en aller
se débarrasser de

se rendre compte
se venger
s'en apercevoir
se rappeler
se précipiter

Expressions verbales

faire semblant de

en vouloir à

EXERCICES

I. Mettez les phrases suivantes au passé :

1. Ils s'entendent bien, c'est ce que tout le monde croit, mais un jour, à la surprise générale, ils divorcent.

2. Je perds mes notes de ce cours, et je m'en aperçois seulement la veille de l'examen.

3. Il me dit qu'il s'y connaît bien en mécanique. Il vient, il travaille au moteur de ma voiture pendant une heure. Au bout de ce temps, il se rend compte qu'il n'y a pas d'essence!

II. Voilà quelques réponses. Quelle est la question?

1. _____ ? Non, je ne m'en suis pas aperçu.

2. _____ ? Parce qu'il voulait s'en débarrasser.

3. _____ ? Elle m'en veut parce que j'ai oublié de l'inviter à ma soirée.

4. _____ ? Je ne sais pas si ça se fait en France; mais aux Etats-Unis, ça ne se fait pas.

5. _____ ? Oh, je crois qu'il voulait seulement avoir la paix chez lui!

6. _____ ? Non, mais j'ai fait semblant!

7. _____ ? Je ne me rappelle pas son nom, mais il est dans ma classe de physique.

III. Voilà quelques questions. Répondez à chacune en quelques phrases complètes:

1. Comment Cécile et Cyril se sont-ils rencontrés?

2. En quoi vous y connaissez-vous? Pourqoui?

3. En voulez-vous à quelqu'un? Pourquoi? Avez-vous l'intention de vous venger? Pourquoi?

4. Aimez-vous vous débarrasser vite d'un travail ennuyeux? Pourquoi?

5. Où se trouve votre école? (Expliquez sa situation dans la ville.) Et où se trouve votre classe de français dans votre école? Où se trouve votre maison?

6. Quand faites-vous semblant? Est-il nécessaire quelquefois de faire semblant, ou faut-il être absolument honnête? Pourquoi?

IV. Exprimez ces idées avec un verbe pronominal:

1. On vend *France-Soir* à Paris.

2. On joue ce morceau de musique au piano.

3. La Tour Eiffel est à Paris.

4. Je réalise que j'ai beaucoup à apprendre.

5. J'ai fait une erreur.

6. Pierre aime Marie—Marie aime Pierre.
7. Cyril embrasse Cécile; celle-ci l'embrasse aussi.
8. Mon frère me ridiculise: il rit de mes robes, de mes amis, etc.
9. Ces deux dames se parlent très fort, d'une voix furieuse.
10. Une jeune femme et la mère de son mari ont souvent des difficultés.
11. Elle s'est mis du rouge, de la poudre, du bleu sur les yeux.
12. Elle a arrangé ses cheveux très artistiquement.
13. J'en veux à ma soeur. Mais à la première occasion, je vais trouver une vengeance.
14. J'ai oublié son numéro de téléphone.
15. Quand je suis furieux, je dis à mes parents: «Je vais partir.»

COMPOSITIONS

Composition orale (environ l'équivalent d'un paragraphe).

Employez autant de verbes pronominaux réfléchis, réciproques, idiomatiques et à sens passif que possible.

A. Racontez une circonstance où vous avez été obligé de «faire semblant».

B. Vous connaissez quelqu'un qui s'est mal conduit dans une certaine circonstance. Racontez ce qu'il a fait et les conséquences.

C. Vous, ou quelqu'un que vous connaissez, s'est vengé parce qu'il en voulait à quelqu'un. Racontez.

Composition écrite.

Employez autant de verbes pronominaux réfléchis, réciproques, idiomatiques et à sens passif que possible.
Racontez les conversations qui feront partie de votre narration au discours indirect (et n'oubliez pas d'employer les termes de cohérence nécessaires.)

A. Racontez un souvenir d'enfance (bon, ou mauvais).

B. Cécile se venge d'Anne... mais d'une autre manière. Imaginez cette vengeance et ses conséquences.

C. Racontez un autre roman que vous avez lu.

AMEDEO MODIGLIANI

Adrienne
National Gallery of Art, Washington, D.C.
Chester Dale Collection

Qui était Barbara, « épanouie, ravie, ruisselante » dans cette rue de Brest? Et où est-elle maintenant? C'est l'énigme éternelle des gens rencontrés par hasard, jamais revus. C'est l'énigme que vous lisez dans les yeux en amande de ce portrait de Modigliani.

Jacques Prévert

BARBARA

Rappelle-toi, Barbara
Il pleuvait sans cesse sur Brest ce jour-là
Et tu marchais souriante
Epanouie, ravie, ruisselante
Sous la pluie
Rappelle-toi Barbara
Il pleuvait sans cesse sur Brest
Et je t'ai croisée rue de Siam
Tu souriais
Et moi je souriais de même
Rappelle-toi Barbara
Toi qui ne me connaissais pas
Rappelle-toi
Rappelle-toi quand même ce jour-là
N'oublie pas
Un homme sous un porche s'abritait
Et il a crié ton nom
Et tu as couru vers lui sous la pluie
Ruisselante ravie épanouie
Et tu t'es jetée dans ses bras
Rappelle-toi ça Barbara
Et ne m'en veux pas si je te tutoie
Je dis tu à tous ceux que j'aime
Même si je ne les ai vus qu'une seule fois
Je dis tu à tous ceux qui s'aiment
Même si je ne les connais pas
Rappelle-toi, Barbara
N'oublie pas
Cette pluie sage et heureuse
Sur ton visage heureux
Cette pluie sur la mer...

Paroles. © Editions Gallimard.

DIXIÈME
LEÇON

Une Interview Exclusive

Ça

Les pronoms disjoints :

moi, toi, lui, elle, nous, vous, eux, elles

Le concept de la construction affective

Etudiez les phrases suivantes :

Déclaration et question	*Réponse*
Ça, c'est une histoire fantastique! Où avez-vous entendu raconter **ça?**	Oh, j'ai entendu raconter **ça** chez des amis.
Vous allez bien? Et la famille, la santé, les affaires, **ça** va, tout **ça?**	Oui, merci, **ça** va.
Encore un peu de dessert?	Non, merci, **ça** suffit comme **ça.**
Regardez ces photos: **Ça,** c'est moi à la plage; **ça,** c'est mon frère, **ça,** c'est ma belle-sœur et **ça,** ce sont leurs enfants. Et **ça,** savez-vous qui c'est?	**Ça?** Mais c'est moi, **ça!** Je ne savais pas que j'étais si brun que **ça,** cet été!
Vous comprenez bien **ça?**	Oui, je comprends **ça,** mais je ne comprends pas pourquoi **ça,** c'est important.
Qu'est-ce que c'est que **ça?**	**Ça?** C'est un ornithorynque. **Ça** vient d'Australie, où **ça** vit depuis des millions d'années.

. . . . . .

Mon ami Jean-Pierre est français. Et **vous,** êtes-vous français?	Non, **moi,** je suis américain.

Jean-Pierre, **lui,** il aime les escargots. **Moi,** je ne les aime pas du tout. Et **vous,** les aimez-vous ?

Moi, je ne les aime pas. Mais vous savez que **nous autres,** Américains, nous ne mangeons pas d'escargots.

« **Vous autres,** Américains, vous aimez surtout les machines, » me disent mes amis français. Ils ajoutent : « **Nous autres,** c'est surtout la conversation qui nous intéresse. » Qu'en pensez-vous, **vous** qui êtes américain ?

Moi, qui suis américain, je crois que c'est vrai. **Nous autres,** nous avons un sens de la mécanique que les Français, **eux,** n'ont pas.

Nous autres, les jeunes, nous avons des idées modernes. Mais nos parents, **eux,** ont encore quelquefois l'air d'être au dix-neuvième siècle ! Et les vôtres, à vous, comment sont-ils, **eux ?**

Les miens ? Oh, les miens, à moi, ils ne sont pas comme ça. Ils sont très modernes, **eux.**

Qui a dit ça ?

C'est **moi** (qui ai dit ça).

Où allez-vous ?

Chez **moi** (ou : chez **nous**).

Vous avez acheté des fleurs pour Mme Musset. Pourquoi ?

Quand je dîne chez une dame, j'achète toujours des fleurs pour **elle.** Et quand je lui offre le bouquet elle me sourit. Ça fait plaisir, **ça !**

Eh bien, elle a de la chance, **elle !** Personne ne me donne de fleurs, **à moi !**

C'est parce que **vous,** vous n'invitez personne à dîner.

Ah, voilà ce jeune ménage si sympathique. **Lui** et **elle** sont charmants.
Voulez-vous me présenter à **eux**?

Avec plaisir. **Lui** et **elle** sont mes
amis. **Lui** est architecte, **elle** est
actrice. Ce sont **eux** qui habitent
près de chez **nous.**

LECTURE

Une interview exclusive avec la célèbre actrice, Jolie Belle

Notre envoyé spécial sur la Côte d'Azur a réussi à obtenir une interview exclusive
avec la célèbre actrice Jolie Belle, actuellement en vacances dans sa villa de Saint-
Tropez.

*Saint-Tropez, le 15 juillet. Assise dans le magnifique jardin de sa villa qui domine
la mer, entourée de ses six caniches blancs, Mlle Jolie Belle a bien voulu m'accorder un
moment et répondre aux questions que je lui ai posées au nom des lecteurs et lectrices de
Ciné-Vérité, la revue qui dit la vérité, toute la vérité et rien que la vérité sur le monde du
cinéma!*

JOURNALISTE. Mlle Belle, vous venez de finir un film, n'est-ce pas?

MLLE BELLE. Oui, c'est pour ça que j'avais besoin de repos.

JOURNALISTE. Voulez-vous nous dire quelques mots sur ce film? De quoi
s'agit-il?

MLLE BELLE. Il s'agit de la démocratie qui régnait à la cour des rois de
France. C'est à la fois une histoire d'amour et un film historique. Ça se
passe à Versailles. Quand ça commence, je suis une petite servante dans
la cuisine du palais. Quand ça finit, je suis mariée avec le cousin du roi, et
c'est moi qui suis la meilleure amie de la reine!

JOURNALISTE. De quel roi et de quelle reine s'agit-il?

MLLE BELLE. Eh bien, lui, c'est Louis XVI et elle, c'est Marie-Antoinette.
Moi, je suis la Duchesse d'Orléans.

JOURNALISTE. Mais... Louis XVI et Marie-Antoinette, ce sont eux qui sont
morts sur la guillotine, pendant la révolution, n'est-ce pas?

MLLE BELLE. *(vague)* Oui, en effet, on dit ça... *(animée)* Mais pas dans mon
film à moi! Au moment où la pauvre Marie-Antoinette monte sur la guillotine, moi, j'arrive dans une robe absolument ravissante, rose, avec des rubans,

MARIE LAURENCIN

Girl's Head
Collection, The Museum of Modern Art, New York
Lillie P. Bliss Collection

Un conseil de Jolie Belle à ses nombreuses admiratrices :
" ... Penser n'est pas féminin, et puis d'ailleurs ça ne se
fait plus du tout! Pour être à la mode, remplacez la pensée
par la coiffure. ... "

et un grand chapeau de paille, et je la sauve. C'est beaucoup plus gai, comme ça.

JOURNALISTE.   En effet... Et après ça?

MLLE BELLE.   Après ça, tout le monde est invité à Versailles, il y a un grand dîner, un bal, et le peuple de Paris se réconcilie avec le roi et la reine. D'abord, Louis XVI en veut un peu aux révolutionnaires, mais, moi, je suis là, n'est-ce pas, dans une robe mauve, alors, tout finit par s'arranger.

JOURNALISTE.   Je vois. C'est tout à fait historique, ça! Et quel est le titre de ce film?

MLLE BELLE.   *La Révolution n'aura pas lieu.* C'est mon premier film vraiment sérieux, vous savez; le public va me voir enfin dans un rôle vraisemblable.

JOURNALISTE.   Mlle Belle, voulez-vous dire quelques mots sur votre vie privée pour les lecteurs et lectrices de *Ciné-Vérité*?

MLLE BELLE.   Certainement. Vous savez que moi, je suis une jeune femme simple, tout à fait ordinaire, pas prétentieuse du tout. Je suis entièrement satisfaite... une villa à Saint-Tropez, un appartement à Paris et un adorable petit château que je viens d'acheter sur la Loire. Ma maison de Chamonix est strictement pour les sports d'hiver et tout à fait rustique... Je n'ai pas de grands besoins, moi.

JOURNALISTE.   Tant de talent, de beauté et de simplicité! Mlle Belle, voulez-vous parler un peu de votre mari?

MLLE BELLE.   Lequel?

JOURNALISTE.   Mais... celui que vous avez à présent. Vous entendez-vous bien?

MLLE BELLE.   Ah, vous voulez dire Richard Legrand. Je peux vous dire que mon mari et moi, n'importe lequel, nous nous admirons beaucoup, nous nous entendons admirablement, et surtout nous nous respectons. Moi, quand je me marie, c'est pour la vie..., enfin, je veux dire, pour longtemps... enfin, au moins pour quelque temps!

JOURNALISTE.   Et, où est Richard Legrand, maintenant? Est-il ici à Saint-Tropez avec vous?

MLLE BELLE.   Non, il est en Angleterre, mais ça ne fait rien, nous nous téléphonons tous les soirs. Nous nous racontons tout ce qui se passe. Et pour me faire plaisir, il va venir passer quelques jours ici, avec moi. Pourtant, il déteste la Côte d'Azur. Mais voilà, nous nous adorons!

JOURNALISTE.   Nous autres, journalistes, nous sommes sceptiques... La rumeur dit que Richard Legrand a demandé un divorce...

MLLE BELLE.   Ah, non, alors, ça c'est un mensonge. Ce n'est pas lui qui l'a demandé, c'est moi! C'est moi qui me débarrasse de lui!

JOURNALISTE.   Et pourquoi ça?

MLLE BELLE. Parce qu'il n'a pas de conscience professionnelle, voilà pourquoi. Je le respecte et je l'admire, mais il est vulgaire, sans talent, il ment, et surtout… il manque d'humilité! Moi qui suis la plus grande actrice et la plus jolie femme de notre siècle, voyez comme je suis simple et modeste! Mais pas lui! Et je ne peux pas tolérer les films où il joue! Des horreurs, qui falsifient l'histoire, des films qui manquent de sincérité! D'ailleurs, j'ai le plaisir d'annoncer à vos lecteurs mes fiançailles avec le jeune acteur italien Tino Tenorino…

En possession d'une aussi importante nouvelle, notre reporter s'est excusé, a remercié Mlle Belle de son amabilité et s'en est allé, à toute vitesse, au bureau de poste, où il a câblé son reportage à nos bureaux de Paris.

Voilà comment, mes chers lecteurs et lectrices, votre Ciné-Vérité. *est le premier à vous apporter, en exclusivité, la grande nouvelle des fiançailles de Mlle Jolie Belle. Ne manquez pas d'aller la voir dans son prochain film, une aventure authentiquement historique,* La Révolution n'aura pas lieu!

QUESTIONS SUR LA LECTURE

Répondez en employant des pronoms disjoints chaque fois que c'est possible:

1. Où sont, respectivement, à présent, Richard Legrand et Jolie Belle? (lui, il…, elle, elle…)

2. Pour quelle revue a-t-elle accordé l'interview? Lisez-vous des revues de cinéma? Pourquoi?

3. Comment Mlle Belle a-t-elle reçu le journaliste? Avez-vous six caniches blancs? Pourquoi?

4. De quoi s'agit-il dans le film que Mlle Belle vient de finir? Quelle est la véritable histoire? Celle du film est-elle très vraisemblable? Pourquoi?

5. Est-ce que Marie-Antoinette est morte sur la guillotine dans la réalité? Et dans le film de Jolie Belle? Pensez-vous que c'est très vraisemblable? Pourquoi?

6. Comment s'est terminée la journée de « l'exécution » de Marie-Antoinette

dans le film de Jolie Belle? Pourquoi Louis XVI en voulait-il aux Révolutionnaires? Qui finit par tout arranger? Est-ce vraisemblable?

7. Jolie Belle pense-t-elle que le film est une comédie ou une farce? Que pensez-vous de ce film?

8. Quel est le titre du film? Est-ce que la Révolution a eu lieu? Est-ce que les événements de la Révolution ressemblaient à ceux que le film montre? Pourquoi?

9. Comment Mlle Belle se voit-elle? Est-elle satisfaite de peu? Etes-vous aussi « simple » et aussi « ordinaire » qu'elle?

10. Est-ce que probablement la vie privée de Mlle Belle ressemble à son film: compliquée et invraisemblable? Quels sont ses sentiments pour « son » mari?

11. Jolie et Richard divorcent! Lequel a demandé le divorce? Pourquoi?

12. Si vous ne dites pas la vérité, qu'est-ce que c'est? Est-ce que Richard dit toujours la vérité? Et Jolie, croyez-vous qu'elle dit toujours la vérité? Pourquoi?

13. Richard n'est, hélas! pas parfait. Quels sont ses défauts? D'autre part, quelles sont les qualités de Jolie Belle? Comment sont ses films à lui? Et ses films à elle?

14. Jolie Belle admire et respecte Richard. Mais il manque une qualité importante à celui-ci. Qu'est-ce que c'est? Manque-t-elle aussi à Jolie Belle?

15. Enfin, une bonne nouvelle! Qu'est-ce que c'est? Est-ce la première fois?

16. Qu'a fait le journaliste, aussitôt qu'il a entendu la grande nouvelle? Irez-vous voir le film de Jolie Belle? Pourquoi?

EXPLICATIONS

I. *Ça*

Le pronom **ça** n'a pas d'existence théorique en français. Grammaticalement, c'est **ceci** ou **cela.** Pourtant, le mot **ça** est employé si libéralement dans la langue parlée et même écrite, qu'il faut connaître ses usages.

A. Sujet indéfini de tous les verbes, excepté **être** (*it or that*):

Ça va? Oui, merci, **ça va** mieux.
C'est une histoire triste: **ça commence** bien, mais **ça finit** mal.
Avez-vous assez de dessert? Oui, **ça suffit** comme ça.

Le sujet correspondant, pour le verbe **être** est **ce**, comme vous le savez depuis votre première leçon de français. On dit:

C'est assez.	Mais on dit: **ça** suffit.
C'est bien.	Mais on dit: **ça** va.

B. Pronom d'accentuation (*emphatic*):

Ça est aussi la forme accentuée de **ce**:

Ça, c'est un bon film!
Ça, c'est bien la leçon la plus facile du semestre.
C'est bon, **ça**!
C'est vrai, **ça**?

Remarquez que **ça** employé pour renforcer, pour insister sur **c'est,** peut être placé avant:

Ça, c'est vrai!
Ou après:
C'est vrai, **ça**!

C. Objet indéfini de tous les verbes et de toutes les prépositions:

    1. Direct:

Je prendrai **ça, ça** et **ça.**
Vous comprenez **ça?** Oui, je comprends **ça.**
Le rock-and-roll? Mais ce n'est plus à la mode! Vous écoutez **ça?** Et vous dansez **ça?**

    2. Après une préposition:

Ce n'est pas difficile. Regardez! On fait comme **ça.**
« Et avec **ça,** madame »? dit la vendeuse.
J'ai étudié tard, c'est pour **ça** que je suis fatigué.
J'ai besoin de **ça.**
Vous avez eu un « F »? Ne pensez pas à **ça.** Pensez à la bonne note que vous aurez si vous travaillez bien.

Ça a un usage très général: on l'emploie comme objet de tous les verbes, direct (sans préposition) ou indirect (après une préposition).

D. Qu'est-ce que c'est que ça ?

Qu'est-ce que c'est que ça? Ça, c'est un ornithorynque.*
Une fusée gigogne?† **Qu'est-ce que c'est que ça?**

On emploie la forme **qu'est-ce que c'est que ça?** quand on ne sait absolument pas ce que c'est (*What in the world is that?*). Si vous voyez un objet étrange, si on vous parle de quelque chose de bizarre, vous dites: « **Qu'est-ce que c'est que ça?** » Le reste du temps, naturellement, vous continuez à employer « Qu'est-ce que c'est? » que vous avez appris dans votre première leçon de français.

E. Quand faut-il employer **ceci** ou **cela** et non pas **ça** ?

Ça est la forme familière, employée dans la conversation, et dans le style écrit sans prétention littéraire. Vous pouvez employer **ça** dans presque tous les cas, sauf dans le cas d'une phrase littéraire ou formelle.

Voilà quelques exemples de l'emploi de **ceci** et **cela:**

Napoléon n'avait pas compris que l'expansion industrielle et non pas la conquête territoriale allait marquer le dix-neuvième siècle. Dans une large mesure, **cela** explique sa défaite. (*Formalité de la phrase historique.*)

Madame Bovary, petite bourgeoise, lisait des romans, rêvait d'aventures romanesques, tandis que son mari jouait aux cartes au café avec ses amis. **Ceci,** ajouté à **cela,** la rendait mécontente de son sort, avide d'autre chose. (*Formalité de la phrase littéraire.*)

II. *Les pronoms disjoints*

Vous connaissez déjà depuis longtemps les pronoms disjoints et vous les employez dans certains de leurs usages. Par exemple:

A cinq heures, je rentre chez **moi.**
Je ne veux pas sortir avec **lui.**
Parlez-vous des Martin? Oui, je parle d'**eux.**

---

* **un ornithorynque:** *a duck-billed platypus.*
† **Une fusée gigogne:** *a multiple-stage rocket.*

Voilà la liste des pronoms disjoints:

Moi	**Nous**	(ou, dans certains cas, on peut dire: **Nous autres**...)
Toi	**Vous**	(ou, dans certains cas, on peut dire: **Vous autres**...)
Lui	**Eux**	
Elle	**Elles**	

Vous allez voir, maintenant, de façon systématique, quels sont les usages de ces pronoms.

A. Pronom d'accentuation

Le pronom disjoint est la forme accentuée du pronom sujet qui renforce le sujet, insiste par répétition:

Les escargots? Vous aimez ça, **vous? Moi,** je n'aime pas ça!

Je suis simple et modeste, **moi.** Mais **lui,** il est vulgaire et prétentieux.

Moi, je...	Nous, nous...
Toi, tu...	Vous, vous...
Lui, il...	Eux, ils...
Elle, elle...	Elles, elles...

Le pronom d'accentuation est placé soit avant le pronom sujet:

Moi, je...

soit à la fin:

Je suis modeste, **moi,** mais il est vulgaire, **lui.**

B. Accentuation du possessif

Ce sont ses chiens **à elle.**

Voilà la voiture de mon père. La mienne, **à moi,** est bien moins belle!

On emploie **à + le pronom disjoint** pour renforcer, insister sur l'idée de possession personnelle ou pour bien distinguer un possesseur d'un autre.

Quand on **parle** anglais, on renforce une idée ou un mot en donnant plus d'intensité à sa voix; quand on **écrit** l'anglais, il faut employer des italiques pour accentuer ce mot ou cette idée:

You believe that?

That's hard to believe!

My pictures are historical, but *his* are not.

En français, on obtient le même effet, en langue **écrite ou parlée** par l'usage du pronom disjoint:

> Vous croyez ça, **vous?**
> **Ça,** c'est difficile à croire!
> Mes films **à moi** sont historiques, mais les siens, **à lui,** ne le sont pas.

C. Objet de préposition

> Venez au théâtre **avec moi.** Non, je regrette, les Bertrand m'ont invité, je sors **avec eux.**
> Nous comptons **sur vous** pour dîner demain soir.
> J'ai besoin **de lui** pour réparer ma voiture.
> Lui, il pense toujours **à elle!** Mais elle, elle ne pense jamais **à lui.**

Après une préposition, employez toujours le pronom disjoint.

D. Sujet ou objet multiple

> **Mon mari et moi,** nous nous entendons très bien.
> Nous voyons souvent les Bertrand: **lui, elle,** ma femme et **moi,** nous jouons au bridge toutes les semaines.
> Je les aime beaucoup, **elle** et son frère: **lui** est étudiant, **elle** est secrétaire.

NOTE: Il est plus poli de toujours placer **moi** le dernier. On ne dit pas: **Moi** et mes amis. On dit: Mes amis et **moi.**

E. Emploi de **nous autres** et de **vous autres**

Employez **nous autres** au lieu de **nous** pour bien marquer l'opposition entre votre groupe et un autre:

> **Nous autres,** étudiants, nous avons des problèmes que les professeurs, **eux,** ne comprennent pas du tout.

Employez **vous autres** au lieu de **vous** pour marquer la distinction entre **vous** singulier et **vous** pluriel. (**Vous autres** s'emploie comme "*You people*"):

> Jean-Pierre, **vous,** vous êtes mon ami.
> **Vous autres,** sur la Côte d'Azur, vous ne savez pas ce que c'est qu'un hiver rigoureux! **Nous autres,** dans les pays du Nord, nous le savons très bien!

III. *Le concept de la construction affective*

Comparez les phrases suivantes:

> J'ai demandé le divorce.
> **C'est moi qui** ai demandé le divorce!

Je voudrais voir Paris.
C'est Paris que je voudrais voir!

Il n'a pas demandé le divorce.
Ce n'est pas lui qui a demandé le divorce!

Vous avez dit ça?
C'est vous qui avez dit ça?

Il veut épouser cette jeune fille.
C'est cette jeune fille qu'il veut épouser.

Dans chaque groupe de deux phrases, vous voyez un exemple de:
construction objective:

« **J'ai demandé** le divorce ».

qui est la construction ordinaire de la phrase.

construction affective:

«**C'est moi qui ai** demandé le divorce!»

construction qui met l'accent, l'insistance, l'emphase sur le sujet ou sur l'objet.

Au commencement de votre cours de français, et jusqu'à maintenant, vous avez vu les constructions objectives. Maintenant, vous voyez qu'il y a des moyens d'exprimer votre point de vue, votre émotion dans la phrase française:

1. Par l'emploi emphatique de **ça**

   Ça, c'est un vrai film historique! (*insistance*)
   Ah **ça,** alors! (*surprise*)
   Ah **ça,** alors, c'est un mensonge, **ça!** (*indignation*)

   On peut aussi, si le contexte le demande, employer **ceci** ou **cela**.

2. Par l'emploi accentué de **moi, toi, lui, elle, nous, nous autres, vous, vous autres, eux, elles**

   Vous croyez ça, **vous? Moi,** je ne le crois pas.

3. Par la construction affective: **c'est moi qui**... **c'est lui qui**... , etc.

   Ce n'est pas que je déteste le cinéma! **C'est ce film que** je ne veux pas aller voir!
   C'est elle qui est restée près de lui pendant toute sa maladie, **elle qui** l'a aidé pendant sa convalescence.
   C'est moi qui suis la plus grande actrice, la plus simple et la plus modeste de notre siècle.

Maintenant, vous pouvez mettre une note de subjectivité dans votre style, si vous employez judicieusement ces constructions. Elles sont également bonnes dans la conversation et dans le style écrit.

VOCABULAIRE

Noms

des escargots	un lecteur
un caniche	une lectrice
la vérité	le talent
la cour	le beauté
le roi	la simplicité
la reine	la rumeur
une servante	un mensonge
un palais	la conscience professionnelle
le repos	l'humilité
une duchesse	le siècle
la guillotine	une horreur
la Révolution	des fiançailles
un chapeau de paille	la vitesse
un ruban	l'amabilité
le titre	le bureau de poste
le public	le reportage
la vie privée	

Adjectifs

gai(-e)	satisfait(-e)
sérieux, sérieuse	rustique
vraisemblable, invraisemblable	vulgaire

Verbes

mentir: je mens, j'ai menti. (Comme **partir,** mais l'auxiliaire de **mentir** est **avoir.**)

Expressions verbales

Elle a bien voulu..., je veux bien accepter de faire quelque chose
Il manque de... = Il n'a pas de...
Nous avons le plaisir de... (cf. avoir le temps de..., avoir l'intention de...)

EXERCICES

I. Complétez par le pronom approprié:

1. _____ , je ne sors jamais pendant la semaine! Et _____ ,
   sortez-vous? Non, _____ non plus.
2. _____ , il est toujours prêt en dix minutes; sa soeur, _____ ,
   elle met une heure.
3. Un ornithorynque? Mon Dieu! Qu'est-ce que c'est que _____ ?
4. Le twist? La bossa nova? La valse? Le menuet? _____ , je ne
   sais pas danser _____ !
5. Oh, _____ , vous vous y connaissez en tout. Vous savez tout
   faire, _____ ! Ce n'est pas comme _____ ; je ne sais
   rien faire, _____ .
6. Richard Legrand? Vous le trouvez bien, _____ ? _____ ,
   je préfère Tino Tenorino. Je trouve que _____ , il a du talent.
7. Les Français ont une histoire longue de deux mille ans. Mais _____
   Américains, nous en avons une beaucoup plus courte. C'est pour ça que,
   _____ Français, vous pensez plus au passé et que _____
   Américains, nous pensons plus au futur!
8. Vous savez quelque chose d'intéressant? Racontez-moi vite_____ !
9. La peinture abstraite? Est-ce que _____ représente toujours
   quelque chose? Non, _____ parle à l' imagination, _____
   suggère, mais _____ ne décrit pas.

II. Complétez par les pronoms appropriés:

(Cécil et Cyril, de *Bonjour Tristesse*, sont dans le bateau à voile de Cyril.
Celui-ci est en train de donner une leçon de navigation à Cécile.)

CYRIL. Regardez, Cécile, on fait comme _____ ; on prend cette
corde et ce morceau de bois, et avec _____ on manoeuvre la
voile.

CÉCILE. C'est difficile pour _____ , mais pas pour _____ !
(*Pleine d'amiration*) Vous vous y connaissez, _____ !

CYRIL. (*modeste*) Oh, je ne suis pas si sensationnel que _____ !
Laissez _____ manoeuvrer le bateau, et mettez- _____
là, au soleil. Oui, c'est _____ . Racontez _____ ce qui
se passe chez _____ depuis l'arrivée d'Anne.

CÉCILE. Oh, _____ alors! Vous savez que mon père, Elsa et _____ , nous nous entendions bien. _____ , je demande surtout mon indépendance; Elsa, _____ voulait seulement brunir au soleil. Mais Anne a d'autres idées, _____ ! Ni mon père, ni _____ ne sommes des intellectuels. Et nous sommes très heureux comme _____ ! _____ nous suffit. Mais Madame, _____ , a décidé qu'il fallait que _____ , je passe des examens. Mon père a essayé de dire que _____ , il n'avait pas de diplômes, elle dit que pour _____ , c'est différent. Et malgré _____ , je ne la déteste pas. Elle est froide, distante, mais avec tout _____ , elle a quelque chose de distingué, d'élégant, de discipliné. Et _____ , qui ne suis ni distinguée, ni disciplinée, j'admire _____ malgré _____ !

CYRIL. (*philosophique*) Ma pauvre Cécile! Les dilemmes, les complications, c'est _____ la vie! _____ aussi, j'en ai, vous savez.

IIbis. Exercice facultatif oral:

Résumez, au discours indirect et au passé, la conversation entre le journaliste et l'actrice de cinéma.

III. La construction affective:

Les phrases suivantes ont une construction **objective.** Changez celle-ci pour en faire une construction **subjective.** (Il y a peut-être plusieurs constructions possibles):

Ex: J'ai fait ce gâteau.
   C'est moi qui ai fait ce gâteau.
      ou:
   Ce gâteau? C'est moi qui l'ai fait.

1. Mon frère a réparé la voiture.
2. Je voudrais avoir cette maison.
3. Je ne veux pas sortir avec Jean-Pierre.
4. Il dit que je suis idiote.
5. Non, il ne dit pas que vous êtes idiote; Bob le dit.
6. Il n'a pas de talent; j'en ai.
7. Louis XIV a dit: « L'Etat, c'est moi! » Et Louis XV a dit: « Après moi, le déluge! » Napoléon n'a dit ni l'un, ni l'autre.

IV. Remplacez les mots en caractères gras par un pronom:

(Attention! C'est un exercice de révision, vous aurez besoin de tous les pronoms que vous savez.)

1. Jouez-vous **au bridge** avec **les Bertrand?**
2. Vous entendez-vous bien avec **les jeunes filles?**
3. Ecrivez-vous **vos compositions** avec **cet objet?**
4. Je voudrais encore un peu **de sucre.**
5. Il passe **ses vacances à la campagne.**
6. Je m'aperçois **de mon erreur.**
7. Il s'est fait **à sa nouvelle vie.**
8. J'ai besoin **de cet objet.** Avez-vous aussi besoin **de cet objet?**
9. Cyril plaît **à Cécile et à Elsa.** Mais Anne trouve **Cyril** mal élevé et il ne plaît pas **à Anne.**

COMPOSITIONS

Composition orale:

Employez autant de constructions affectives, de pronoms disjoints, que possible. Racontez votre conversation au style indirect, au passé, et n'oubliez pas les termes de cohérence et les verbes pronominaux.

A. Une conversation entre deux hommes politiques qui ont des idées très opposées.

B. Une dispute entre un jeune homme et une jeune fille.

C. Une conversation (!!!) entre un chien et un chat, ou entre une fourmi et un éléphant, ou... ? (Employez votre imagination).

D. Une dispute que vous avez eue récemment avec un de vos amis.

E. Ce que Richard Legrand pense de Jolie Belle.

Composition écrite:

A. Le même sujet que pour la composition orale. Mais développez davantage.

B. Vous êtes journaliste. Vous interviewez une personalité célèbre du moment. (Il ne faut pas copier la lecture, mais vous pouvez vous en inspirer.)

C. Une querelle entre une jeune fille un peu sotte, grande admiratrice de Jolie Belle, et... sa mère, par exemple; ou le jeune homme avec qui elle sort.

SALVADOR DALI

The Persistance of Memory
Collection, The Museum of Modern Art, New York

La réalité, *son* souvenir *et son* image *ont tant
de formes qu'il est bien difficile de dire ce qui
existe et ce qui n'existe pas …*

*Et pour rassurer ceux qui refusent d'accepter
une* Fourmi *de dix-huit mètres, il y a des
fourmis extrêmement "probables" et des
montres qui le sont beaucoup moins.*

Robert Desnos (1900–1945)

Un petit poème surréaliste, pour s'amuser ... et peut-être aussi pour mettre en doute toute la réalité ?

LA FOURMI

Une fourmi de dix-huit mètres
Avec un chapeau sur la tête
Ça n'existe pas, ça n'existe pas !
Une fourmi traînant un char
Plein de pingouins et de canards
Ça n'existe pas, ça n'existe pas !
Une fourmi parlant français,
Parlant latin et javanais
Ça n'existe pas, ça n'existe pas...
Et pourquoi pas ?

30 Chantefables pour enfants sages. © Editions Gallimard.

ONZIÈME
LEÇON

Je Voudrais bien Faire
un Voyage!

LE CONDITIONNEL

Au discours direct	*Au discours indirect*
	Qu'est-ce que j'ai dit?
	J'ai dit:
J'irai en Europe cet été.	que **j'irais** en Europe cet été.
J'aurai beaucoup de choses à voir.	que **j'aurais** beaucoup de choses à voir.
Je verrai tous les monuments	que **je verrais** tous les monuments.
Je serai un touriste typique.	que **je serais** un touriste typique.
Je ferai ce que font tous les touristes.	que **je ferais** ce que faisaient tous les touristes.
Je me promènerai sur les Champs-Elysées.	que **je me promènerais** sur les Champs-Elysées.
Mes amis et moi, **nous dînerons** chez Maxim's.	que mes amis et moi, **nous dînerions** chez Maxim's.
Si vous venez avec nous **vous passerez** de bonnes vacances.	que si vous veniez avec nous, **vous passeriez** de bonnes vacances.
. . . .	. . . .
Faites ce voyage avec moi, si vous avez assez d'argent.	**Je vous ai demandé** de faire ce voyage avec moi si vous aviez assez d'argent.
Que **fera** le touriste typique, cet été?	**Je vous ai aussi demandé** ce que **ferait** le touriste typique cet été.
Il ira en Europe. **Il arrivera** à Londres.	**On m'a répondu** qu'**il irait** en Europe; qu'**il arriverait** à Londres.

441

Puis, **il se rendra** à Paris. **Il visitera** les monuments historiques et la Côte d'Azur et de là, **il gagnera** Rome, en Italie.

Puis, qu'**il se rendrait** à Paris, qu, **il visiterait** les monuments historiques et la Côte d'Azur et que de là, **il gagnerait** Rome, en Italie.

Peu de gens **iront** au Portugal ou au Luxembourg. Ceux qui prennent la ligne aérienne SAS **arriveront** à Copenhague, au Danemark.

On m'a aussi dit que peu de gens **iraient** au Portugal ou au Luxembourg; que ceux qui prenaient la ligne aérienne SAS **arriveraient** à Copenhague, au Danemark.

.   .   .   .   .   .

Il faudra emporter certains papiers **dont** on a besoin en voyage: un passeport, un certificat de vaccination.

On m'a aussi informé qu'**il faudrait** emporter certains papiers **dont** on avait besoin en voyage: un passeport, un certificat de vaccination.

Moi, **j'emporterai** tout **ce dont j'aurai** besoin et **je n'oublierai** rien.

J'ai conclu que **j'emporterais** tout **ce dont j'aurais** besoin et que **je n'oublierais** rien.

LECTURE

Je voudrais bien faire un voyage!

Comme tout le monde, j'ai beaucoup de rêves, mais il y en a un surtout que je voudrais réaliser. Je voudrais bien faire un grand voyage!

Je partirais seul, ou avec une ou deux personnes que j'aime bien. Nous

RENÉ MAGRITTE

L'Avenir des voix
Parke-Bernet Galleries, New York

Je voudrais bien faire un grand voyage....

irions peut-être dans les endroits où vont tous les autres touristes, mais ça ne fait rien. Laissez-moi vous raconter le voyage que je voudrais faire.

D'abord, il faudrait partir en bateau, parce qu'en bateau, on se rend bien mieux compte de la distance qu'en avion. Et puis, je prendrais un bateau parce que pour moi, les bateaux ont un parfum d'aventure. Nous partirions donc de San Francisco, par exemple, sur un cargo qui irait en Europe en passant par le canal de Panama. Ce seraient des semaines enchantées, et nous nous arrêterions dans les ports dont le nom est magique: à Cristobal, au Panama, à Funchal, dans l'île de Madère.

Nous arriverions enfin à Lisbonne, au Portugal, et de là, nous irions en Espagne. Nous traverserions l'Espagne et nous gagnerions la France. C'est surtout la France que je voudrais voir! Je ne sais pas si j'aurais envie de voir les châteaux, les monuments historiques et les cathédrales, ou tout simplement de rester assis à la terrasse des cafés, de m'allonger sur les plages de la Méditerranée, de bavarder avec les gens... Ce dont je suis sûr, c'est que je ferais exactement ce qui me plairait.

Nous ferions sans doute un voyage en Allemagne, parce que c'est de là que viennent mes grand-parents; une excursion en Suisse, pour acheter une montre et des objets en cuir. Si nous avions assez de temps et d'argent, nous verrions aussi les Pays Scandinaves, et nous passerions quelques jours au Danemark, en Suède et en Norvège. Il paraît qu'une bicyclette serait très pratique dans ces pays, comme en Belgique et en Hollande, d'ailleurs.

Un de mes amis m'a dit qu'il viendrait avec moi, mais que lui, il voudrait absolument voir les pays qui sont « derrière le rideau de fer ». Il pense que ce serait dommage de ne pas voir comment vivent les gens en Pologne, en Hongrie, en Russie. Il disait même l'autre jour que nous pourrions écrire des articles sur ce que nous y verrions et que le journal de notre ville serait très heureux de les publier. Ce serait, en effet, une façon de gagner un peu d'argent, qui est justement ce dont nous aurions besoin!

Mon camarade de chambre a fait, il y a deux ans, une croisière sur la Méditerranée. Voilà un autre voyage que je voudrais faire! On part de Marseille, on fait escale à Ajaccio, en Corse, et puis en Grèce. On passe quelques jours en Turquie, à Istamboul (dit-on Istamboul ou Constantinople?). On visite les îles grecques, et on se rappelle ses souvenirs d'histoire ancienne. De là, autre escale à Beyrouth, au Liban. Moi, si je faisais cette croisière, il me faudrait des mois, parce que je ne serais pas satisfait de quelques escales. Je voudrais tout voir, m'arrêter partout, j'aurais envie de faire connaissance avec les gens de chaque pays, de chaque ville.

Si je travaillais quelques heures par semaine et pendant les vacances, si je faisais des économies, si j'étais très raisonnable dans mes dépenses, je pourrais peut-être faire ce voyage dans trois ans. Et même, dans deux ans, si tout allait bien. Même s'il faut attendre longtemps, je sais que tôt ou tard, je finirai par aller en Europe. C'est un projet que je n'abandonnerai jamais.

QUESTIONS SUR LA LECTURE

1. Qu'est-ce que ce jeune homme voudrait faire?

2. Avez-vous aussi des rêves? Qu'est-ce que vous voudriez faire? Voudriez-vous faire un voyage? Où voudriez-vous aller?

3. Voudrait-il partir avec un groupe organisé? Avec qui voudrait-il partir? Si vous faisiez un grand voyage, voudriez-vous partir seul? Pourquoi?

4. Aimerait-il mieux partir en avion ou en bateau? Pourquoi? Si vous faisiez un voyage en avion, quels seraient les avantages? Les inconvénients?

5. D'où partirait-il? Sur quelle sorte de bateau voyagerait-il? Aimeriez-vous ce genre de bateau? Pourquoi?

6. Irait-il directement en Europe? Où s'arrêterait-il? Où arriverait-il en Europe?

7. Après le Portugal, quel pays traverserait-il pour aller en France? Si vous étiez à Barcelone, dans quel pays seriez-vous?

8. Cherchez dans le texte **deux** expressions verbales qui ont le même sens que « aller ».

9. Que ferait-il, en France? Et vous, si vous alliez en France, que feriez-vous? Visiteriez-vous des musées, ou iriez-vous sur la Côte d'Azur? Ou feriez-vous les deux? Pourquoi?

10. Dans quels autres pays irait-il? Pourquoi irait-il en Suisse? En Allemagne?

11. On lui a dit qu'une bicyclette serait pratique dans certains pays. Est-ce dans les pays de montagnes? Dans les pays immenses, comme la Russie? Dans quels pays, et pourquoi?

12. Quels sont les pays qui sont « derrière le rideau de fer »? Pourquoi emploie-t-on cette expression? Aimeriez-vous visiter ces pays? Auriez-vous peur? Pourquoi?

13. Comment pourraient-ils gagner un peu d'argent, s'ils allaient en Pologne et en Russie ?

14. Dans une leçon de la première partie de ce livre, vous avez vu la phrase typique, le cliché, qu'on écrit sur une carte postale quand on n'a pas grand'chose à dire. Qu'est-ce ?

15. Le camarade de chambre de ce jeune homme a fait un voyage intéressant. Qu'est-ce que c'était ? Comment fait-on une croisière, en avion ? a bicyclette ? Pourquoi ?

16. Si vous faisiez une croisière sur la Méditerranée, où feriez-vous escale ? Dans quel pays seriez-vous à Athènes ? A Istamboul ? A Beyrouth ? A Alger ? A Tunis ?

17. Est-ce que ce jeune homme serait satisfait d'une croisière qui durerait un mois ? Lui faudrait-il plus longtemps ?

18. Comment pourrait-il réaliser son rêve ?

19. Quel voyage préféreriez-vous faire : aller en Europe ? Faire une croisière dans les îles du Pacifique ? Faire une croisière sur la Méditerranée ? Traverser la Sibérie par le Transsibérien ? Traverser le Sahara sur un chameau ? Expliquez pourquoi vous préféreriez un certain voyage.

PRONONCIATION

La différence de prononciation entre le futur et le conditionnel à la 1ère personne est imperceptible :

j'irai = j'irais   je ferai = je ferais

je prendrai = je prendrais

je ferais ≠ je verrais

EXPLICATIONS

I. *Le conditionnel*

Le conditionnel est un mode, c'est-à-dire une certaine forme du verbe. Dans les phrases modèles de la première page de cette leçon, vous voyez que les verbes qui sont au futur dans la colonne de gauche (discours direct) sont au conditionnel dans la colonne de droite (discours indirect).

Exemples:

Il restera à la maison ce soir. (Futur)
Il a dit qu'**il resterait** à la maison ce soir. (Conditionnel)

Si elle sort avec ce jeune homme, **elle passera** une bonne soirée. (Futur)
Si elle sortait avec ce jeune homme, **elle passerait** une bonne soirée. (Conditionnel)

Vous voyez qu'il y a un rapport (*a relationship*) entre le futur et le conditionnel. Nous allons donc commencer par réviser le futur.

A. Révision du futur (voir Leçon 21 dans la Première Partie du livre).

Tous les verbes ont les mêmes terminaisons au futur. Ce sont les terminaisons du verbe **avoir** au présent:

Regarder		cf. *Avoir au présent*	
Je regarder	**ai**	J'	**ai**
Tu regarder	**as**	Tu	**as**
Il regarder	**a**	Il	**a**
Nous regarder	**ons**	Nous av	**ons**
Vous regarder	**ez**	Vous av	**ez**
Ils regarder	**ont**	Ils	**ont**

1. Le futur régulier:

La vaste majorité des verbes a un futur régulier, c'est-à-dire:

l'infinitif + la terminaison du verbe avoir

1er groupe	*2ème groupe*	*3ème groupe*
Je déjeunerai	Je choisirai	J'attendrai
Je regarderai	Je finirai	Je répondrai
J'écouterai	Je réussirai	Je perdrai
Je préférerai	Je sortirai	J'entendrai
Je resterai	Je dormirai	(Nous nous entendrons bien)
(Je m'arrêterai)	(Je m'endormirai)	

2. Il y a seulement quelques futurs irréguliers, mais ce sont ceux de verbes très communs:

Avoir:	J'aurai	**Savoir:**	Je saurai
Être:	Je serai	**Venir:**	Je viendrai
Faire:	Je ferai	**Tenir:**	Je tiendrai
Aller:	J'irai	**Voir:**	Je verrai

B. La formation du conditionnel.

Le conditionnel est formé sur le futur, mais avec les terminaisons de l'imparfait. Voilà le modèle du conditionnel:

Regarder		cf. *Avoir à l'imparfait*	
Je regarder	**ais**	J'av	**ais**
Tu regarder	**ais**	Tu av	**ais**
Il regarder	**ait**	Il av	**ait**
Nous regarder	**ions**	Nous av	**ions**
Vous regarder	**iez**	Vous av	**iez**
Ils regarder	**aient**	Ils av	**aient**

1er groupe	*2ème groupe*	*3ème groupe*
Je déjeunerais	Je choisirais	J'attendrais

Quand le futur du verbe est irrégulier, la racine du conditionnel suit la forme du futur:

Avoir:	J'aurais	**Savoir:**	Je saurais
Être:	Je serais	**Venir:**	Je viendrais
Faire:	Je ferais	**Tenir:**	Je tiendrais
Aller:	J'irais	**Voir:**	Je verrais

C. Usage, ou syntaxe du conditionnel.

Il restera à la maison parce qu'**il a** du travail.

Il a dit qu'**il resterait** à la maison parce qu'**il avait** du travail.

Vous vous rappelez la règle de la concordance des temps que vous avez étudiée dans la leçon sur le discours indirect.

Si vous avez oublié: Dans le discours indirect au passé, le temps des verbes change de la façon suivante:

Présent	devient	Imparfait
Passé composé	devient	Plus-que-parfait
Imparfait	reste	Imparfait

Maintenant, nous complétons cette règle:

Au discours indirect passé

Futur   devient   **Conditionnel**

Voilà un autre exemple de l'usage du conditionnel:

Si elle sort avec ce jeune homme, **elle passera** une bonne soirée.
Si elle sortait avec ce jeune homme, **elle passerait** une bonne soirée.

Le conditionnel (comme son nom l'indique) exprime souvent le résultat d'une condition, c'est-à-dire que vous l'emploierez dans une phrase où il y a **si.** Dans ce cas, la règle de la concordance des temps reste la même:

Si + présent et autre verbe au futur.
Si + imparfait et autre verbe au conditionnel.

REMARQUEZ: Le verbe qui est après **si*** n'est jamais ni au futur ni au conditionnel:

Si j'étais riche...
Si j'étais beau...
Si vous m'aimiez...
Si on me **disait**...

Quand le verbe après **si** est au passé, il est généralement à l'imparfait. **L'autre verbe est alors au conditionnel:**

Si j'étais riche, **je ferais** la charité aux pauvres.

---

* Nous parlons ici de **si** dans son sens le plus commun de *if*. Mais **si** a un autre sens, celui de *whether*; dans ce cas, il peut y avoir un futur ou un conditionnel après **si:**

Je ne sais pas **si vous aurez** le temps de finir.
Je ne savais pas **si vous auriez** le temps de finir.

(**si** = *whether or not*)

Si j'étais beau, **je serais** modeste.
Si vous m'aimiez, **vous ne vous moqueriez pas** de moi.
Si on me disait que l'examen est aujourd'hui, **je ne le croirais pas.**

II. *Prépositions avec les noms de lieux* (de pays et de villes).

Vous savez déjà depuis longtemps qu'on dit:

Je suis **à** New York.
Je vais **à** Paris.
Ma famille habite **à** Marseille, la vôtre habite **à** Chicago.

Vous savez aussi qu'on dit:

Paris est **en** France, **en** Europe.
Alger est **en** Algérie, **en** Afrique.
Pékin est **en** Chine, **en** Asie.
Los Angeles est **en** Californie, **aux** Etats-Unis, **en** Amérique.

Maintenant, nous allons étudier systématiquement les prépositions qu'on emploie avec les noms de villes, de pays, etc.

1. Je suis **à Paris;** j'arrive **à New York;** je vais **à Bordeaux.**
    Il habite **à Marseille;** nous retournons **à Chicago.**
On emploie **à** avec le nom d'une ville.*

    Je viens **de Paris;** il arrive **de New York;** nous partons **de Madrid.**
On emploie **de** avec le nom d'une ville pour indiquer l'origine.

2. Je suis **en** France; j'arrive **en** Italie, **en** Espagne **en** Angleterre.
    Je viens **de** France; j'arrive **d'**Italie, **d'**Espagne, **d'**Angleterre.
    Cette lettre vient **d'**Europe; ce timbre vient **d'**Afrique; les ornithoryn-
    ques viennent **d'**Australie; Mickey la Souris vient **d'**Amérique.

Employez **en** pour tous les pays qui ont un nom terminé par un **e**† (et pour tous les 5 continents, puisque leur nom se termine par un **e**).

Employez **de** pour indiquer l'origine de ces pays et des 5 continents:**

---

* Il y a quelques villes dont le nom commence par **le** ou **la**: Le Havre, La Nouvelle Orléans, Le Caire, La Havane, La Nouvelle Delhi, etc. Dans ce cas, on dit: **Au** Havre, **à la** Nouvelle Orléans **au** Caire, **à la** Havane, **à la** Nouvelle Delhi.
† On dit aussi: **En** Israël; **en** Iran; probablement pour éviter les deux voyelles **au I** ...
** On dit: L'Amérique du Nord, l'Amérique du Sud.
    L'Afrique du Nord, l'Afrique du Sud.
    L'Europe de l'Ouest, l'Europe de l'Est.

La grande majorité des noms de pays sont féminins. Tous les pays d'Europe sont féminins excepté le Danemark, le Portugal, le Luxembourg (mais **la** Principauté de Monaco). Voilà quelques noms de pays et de leurs habitants:

La France	Les Français
L'Espagne	Les Espagnols
L'Italie	Les Italiens
L'Allemagne	Les Allemands
La Suisse	Les Suisses
La Belgique	Les Belges
La Hollande	Les Hollandais
La Hongrie	Les Hongrois
L'Autriche	Les Autrichiens
La Tchécoslovaquie	Les Tchécoslovaques
La Yougoslavie	Les Yougoslaves
La Grèce	Les Grecs
La Pologne	Les Polonais
La Russie	Les Russes
L'Angleterre	Les Anglais
L'Ecosse	Les Ecossais
L'Irlande	Les Irlandais
La Suède	Les Suédois
La Norvège	Les Norvégiens
La Roumanie	Les Roumains
La Bulgarie	Les Bulgares
L'Afrique	Les Africains
L'Asie	Les Asiatiques
L'Europe	Les Européens
L'Australie	Les Australiens
L'Amérique	Les Américains
(Les Etats-Unis)	
L'Argentine	Les Argentins
Le Canada	Les Canadiens
Le Mexique	Les Mexicains

3. Je suis **au** Canada, j'arrive **au** Portugal, **au** Luxembourg, **au** Brésil.
La ville de Mexico est **au** Mexique (exception).
Ce vin vient **du** Chili; cette lettre vient **du** Brésil.
Tokio est **au** Japon.
Je viens **du** Danemark; j'arrive **du** Japon.

Employez **au** pour les pays dont le nom ne se termine pas par un **e** muet (et pour le Mexique, qui est une exception). Employez **du** pour indiquer l'origine de ces pays.

4.   Quelques noms de pays sont pluriels:

New York est **aux** Etats-Unis.
La Nouvelle Delhi est **aux** Indes.

III. *Dont* (*of which, of whom, whose*)

J'ai besoin **de** ce livre; voilà le livre **dont** j'ai besoin.
Voilà la dame **dont** je vous ai parlé.
Je vous présente M. Sernin, **dont** la fille est votre amie.

Dont est un pronom relatif qui remplace **de qui** ou **de quoi**.

REMARQUEZ: En anglais, il y a une inversion après *whose*: " *The man whose daughter I know.*" Mais en français, il n'y a jamais d'inversion après **dont**: «Le monsieur **dont** je connais la fille.»

On ne peut pas employer **dont** pour formuler une question. Pour exprimer *whose*, comme par exemple: " *Whose car is that?* " on dit:

A qui est cette voiture? Elle est à moi, ou: C'est la mienne.
A qui est ce parapluie? Je ne sais pas **à qui il est.**

Etre à exprime la possession, dans la question et la réponse.

IV. *Ce dont* (*that of which* = *what*)

Je vais vous donner la liste de **ce dont** j'ai besoin.
Ce dont je suis sûr, c'est que j'irai en Europe un jour.
Hélas, **ce dont** j'ai envie est souvent trop cher pour moi, et ce que je peux acheter ne m'intéresse pas!
On nous a dit d'emporter **ce dont** nous aurions besoin quand nous irions camper: il n'y pas de magasin dans la forêt.

Ce dont remplace **la chose** (les choses) **dont**:

Je vais vous donner la liste **des choses dont** j'ai besoin.
Je vais vous donner la liste de **ce dont** j'ai besoin.

La chose dont je suis sûr, c'est que j'irai en Europe un jour.
Ce dont je suis sûr, c'est que j'irai en Europe un jour.

Hélas, **les choses dont** j'ai envie sont souvent trop chères!
Hélas, **ce dont** j'ai envie est souvent trop cher!

REMARQUEZ: Le *what* que vous traduisez par **ce dont** n'est pas le *what* interrogatif. C'est le *what* relatif. Par exemple: *"Give me what I need"* est: « Donnez-moi **ce dont** j'ai besoin. »

On ne peut pas employer **ce dont** pour formuler une question. (Voir Leçon 13 pour le *What* interrogatif.)

VOCABULAIRE

Noms

un cargo	un rideau, le rideau de fer
un canal (des canaux)	un article
un port	une façon
une escale	une croisière
une île	l'histoire ancienne
une excursion	le cuir

Adjectifs

enchanté(-e)	satisfait(-e)
raisonnable	

Verbes

laisser	vivre: je vis, j'ai vécu
traverser	publier
gagner = se rendre = aller	bavarder
il paraît	s'allonger

Expressions verbales

il paraît que	faire escale
faire connaissance	

REMARQUEZ: Le verbe **Gagner** qui a généralement le sens de *to earn* a aussi le sens de **Aller à:**

De Madrid, je traverserais les Pyrénées et **je gagnerais** la France.

Le verbe **se rendre** a aussi le sens de **Aller:**

De Madrid, **je me rendrais** en France.

Employez ces verbes pour varier votre style et pour éviter la répétition trop fréquente du verbe **Aller.**

EXERCICES

I. Quel est le conditionnel des verbes suivants?

Je suis	J'ai	Je vais
Je sais	Je fais	Je viens
Il va	Nous sommes	Vous allez
Je passe	Vous prenez	Je dors
Il fait	Il sait	Je regarde
Il met	Il comprend	Vous dites
Je lis	Nous écrivons	Vous venez
Il voit	C'est	Il y a
Il faut		

II. Mettez les phrases suivantes au discours indirect:

Ex: MME SERNIN. Nous irons au supermarché, nous achèterons des fruits et nous ferons un gâteau.

Mme Sernin a dit qu'ils iraient au supermarché, qu'ils achèteraient des fruits et qu'ils feraient un gâteau.

JEAN-PIERRE. Si ma sœur va en Europe pendant que je reste à la maison, je serai furieux.

BARBARA. La tireuse de cartes pense que je vais épouser un officier de marine et que nous aurons beaucoup d'enfants.

MME MUSSET. Je ne sais pas si mes filles sont libres ce soir. Mais si elles n'ont rien à faire, elles seront enchantées de sortir avec vous.

BOB. Je ne veux pas voyager en avion. Je partirai en bateau, je ferai escale dans des ports exotiques; si je traverse l'océan en avion, je ne verrai rien. Et d'ailleurs, je ne suis pas pressé.

III. Complétez les phrases suivantes (avec imagination!):

Ex: Aurais-je besoin de parler espagnol si j'allais à Madrid?

1. _____ si nous allions en Russie.
2. J'achèterais beaucoup de souvenirs _____ .

3. Il voudrait faire une croisière si _____ .

4. Si j'allais en Hollande, je _____ .

5. Passeriez-vous votre temps à visiter des musées _____ ?

6. _____ , ce serait une bonne façon de gagner de l'argent.

7. _____ si j'étais raisonnable.

8. Emmèneriez-vous tous les élèves de cette classe _____ ?

IV. Répondez aux questions suivantes:

Ex: Que feriez-vous à Ajaccio?
Je visiterais la maison de Napoléon, puisque que c'est à Ajaccio qu'il est né.

1. Comment aimeriez-vous aller en Europe? Pourquoi?

2. Dans quel pays voudriez-vous passer le plus longtemps? Pourquoi?

3. Si vous alliez de Madrid à Paris, traverseriez-vous les Alpes? Pourquoi?

4. Aimeriez-vous aller derrière le « rideau de fer »? Pourquoi?

5. Préféreriez-vous visiter des monuments célèbres ou faire connaissance avec des gens? Pourquoi?

6. Que feriez-vous si vous étiez riche?

COMPOSITIONS

Composition orale:

A. Résumez très brièvement un des voyages dont parle ce jeune homme (le voyage en Europe ou la croisière autour de la Méditerranée).

B. Racontez un voyage que vous voudriez faire.

Composition écrite:

Un voyage autour du monde. Vous aurez besoin d'une carte du monde pour écrire cette composition.

Vous faites un voyage autour du monde. Qui voudriez-vous emmener? Pourquoi? D'où partiriez-vous? Où feriez-vous escale? Que verriez-vous? Qu'achèteriez-vous? (Employez beaucoup de noms de pays, de villes avec les prépositions appropriées.)

ANDRÉ BAUCHANT

La Barge de Cléopâtre
Collection, The Museum of Modern Art, New York
Abby Aldrich Rockefeller Fund

*Puisqu'il s'agit de voyages dans la leçon aussi bien que
dans le poème, considérez, si vous le voulez bien, cette
autre façon de voyager, peu commune, il est vrai, mais qui
n'est certes pas dépourvue de charme... ni " d'ordre "
ou de " luxe " !*

Charles Baudelaire (1821–1867)

Le poète s'adresse à la femme qu'il aime—réelle ou imaginaire—et lui parle, avec tendresse, de partir pour un pays merveilleux. Quel est ce pays? Il est sans doute imaginaire, lui aussi, comme pour le poète tourmenté qu'est Baudelaire, «l'ordre, le calme et la volupté» dont le poète répète le nom comme une incantation.

Est-il possible de comprendre ce poème d'une manière différente, et de voir dans cette femme et dans ce pays seulement des symboles?

* * * * * *

L'INVITATION AU VOYAGE

Mon enfant, ma soeur
Songe à la douceur
D'aller là-bas vivre ensemble
Aimer à loisir
Aimer et mourir
Au pays qui te ressemble!
Les soleils mouillés
De ces ciels brouillés
Pour mon esprit ont les charmes
Si mystérieux
De tes traîtres yeux
Brillant à travers leurs larmes

Là, tout n'est qu'ordre et beauté,
Luxe, calme et volupté.

Des meubles luisants
Polis par les ans
Décoreraient notre chambre
Les plus rares fleurs
Mêlant leurs odeurs
Aux rares senteurs de l'ambre,
Les riches plafonds,
Les miroirs profonds,
La splendeur orientale
Tout y parlerait
A l'âme en secret
Sa douce langue natale

Là, tout n'est qu'ordre et beauté,
Luxe, calme et volupté.

Vois sur ces canaux
Dormir ces vaisseaux
Dont l'humeur est vagabonde
C'est pour assouvir
Ton moindre désir
Qu'ils viennent du bout du monde.
Les soleils couchants
Revêtent les champs
Les canaux, la ville entière
D'hyacinthe et d'or
Le monde s'endort
Dans une chaude lumière.

Là, tout n'est qu'ordre et beauté
Luxe, calme et volupté

Les Fleurs du Mal

DOUZIÈME LEÇON

Si j'avais Su!

LE CONDITIONNEL PASSÉ *(conditionnel antérieur)*

Le verbe **Devoir** : *Je devrais* et *j'aurais dû*

TUDIEZ LES PHRASES SUIVANTES :

Conditionnel Présent	*Conditionnel Passé*
Si j'avais de la chance, **j'irais** en Europe cet été.	Si j'avais eu de la chance, **je serais allé** en Europe l'été dernier.
J'aurais beaucoup de choses à voir.	**J'aurais eu** beaucoup de choses à voir.
Je verrais tous les monuments.	**J'aurais vu** tous les monuments.
Je serais le parfait touriste.	**J'aurais été** le parfait touriste.
Je me promènerais sur les Champs-Elysées.	**Je me serais promené** sur les Champs-Elysées.
Mes amis et moi, **nous dînerions** chez Maxim's.	Mes amis et moi, **nous aurions dîné** chez Maxim's.
Si vous veniez avec nous, **vous passeriez** de bonnes vacances.	Si vous étiez venu avec nous, **vous auriez passé** de bonnes vacances.
Je vous ai demandé si **vous feriez** ce voyage avec moi si je vous invitais et si vous aviez assez d'argent.	Je vous avais demandé si **vous auriez fait** ce voyage avec moi, si je vous avais invité et si vous aviez eu assez d'argent.

461

Si je pouvais et si vous vouliez, **nous partirions** ensemble.

Si j'avais pu et si vous aviez voulu, **nous serions partis** ensemble. Si j'avais su, **j'aurais fait** plus d'économies! **Nous serions arrivés** à Lisbonne. De là **nous nous serions rendus** à Madrid, d'où **nous aurions gagné** Paris. **Nous y serions restés** plusieurs jours, puis, **nous nous serions installés** sur la Côte d'Azur pour le reste des vacances. Ou encore, **nous aurions fait** des excursions, et **nous aurions traversé** le «rideau de fer».

. . . .

Je dois être chez moi à sept heures. A quelle heure devez-vous être chez-vous?

Oh, moi **je dois** y être vers cinq ou six heures, mais si j'y suis plus tard, ça n'a pas d'importance.

Vous avez étudié jusqu'à deux heures du matin? **Vous devez** être fatigué!

Oui, je suis fatigué, et **je dois** être pâle! Mais comme **je devais** rendre le livre aujourd'hui, je voulais le finir hier soir.

LECTURE

Si j'avais su!

Il y a des gens qui sont pessimistes et d'autres qui sont optimistes. C'est le cas de Barbara et de Véronique: pour Barbara, tout va toujours bien, elle est contente de tout; Véronique, au contraire, s'inquiète souvent, passe une grande partie de son temps à regretter ce qu'elle vient de faire, et beaucoup de ses phrases commencent par: «Si j'avais su!»

Les voilà toutes les deux qui sortent d'un examen.

BARBARA.   Ouf! C'est fini. Et je suis bien contente. Je crois que mon examen n'était pas mauvais.

VÉRONIQUE.   Vous avez de la veine,* vous! Moi pas. Je suis furieuse. Les professeurs ne devraient pas donner d'examens aussi difficiles. Si j'avais su, j'aurais relu toutes mes notes de l'année dernière, je serais allée à la bibliothèque lire quelques autres ouvrages, et je ne me serais pas couchée de la nuit.

BARBARA.   C'est ça, et ce matin, vous auriez eu mal à la tête, et vous auriez tout oublié. Vous avez bien mieux fait de dormir!

VÉRONIQUE.   On devrait nous donner plus longtemps. Nous n'avions pas assez de temps et les questions étaient trop longues. Si j'avais eu dix minutes de plus, j'aurais relu ce que j'avais écrit. Je dois avoir laissé des quantités de fautes que j'aurais pu corriger.

BARBARA.   Mais non, au contraire, vous en auriez probablement ajouté. C'est toujours comme ça quand on relit. Moi, même si j'avais fini mon examen un quart d'heure avant l'heure, je ne l'aurais pas relu. Je me serais levée tout de suite, je l'aurais donné au professeur. Et puis, je serais sortie et je serais allée tout droit prendre une tasse de café. Voilà!

VÉRONIQUE.   Comment? Et vous auriez perdu un quart d'heure de ce temps si précieux... Oh, maintenant que j'y pense, je crois que j'ai choisi une question trop difficile: celle sur le Marché Commun aurait été plus facile que celle sur la politique extérieure de la France. Mais... je n'aurais pas su exactement comment organiser ma réponse. Je déteste ces questions. Les professeurs ne doivent pas dormir, ils doivent passer la nuit à les chercher.

BARBARA.   (accommodante) Je pense que ça doit plutôt être le résultat de leurs cauchemars, quelquefois. Mais ne vous en faites pas.† Vous vous inquiétez pour rien. Vous devez avoir donné de très bonnes réponses. Vous êtes comme ça: vous vous torturez pour rien et après, vous finissez par avoir de bonnes notes. D'ailleurs, vous pouvez être tranquille, le professeur a dit qu'il ne donnerait pas d'autre examen avant la fin du semestre. Alors, vous voyez que vous n'aurez pas besoin de vous tracasser pendant quelques semaines, au moins.

VÉRONIQUE.   Je ne savais pas qu'il avait dit ça! Mais alors c'est encore plus terrible! Si j'avais su que je n'aurais pas d'autre occasion d'avoir une note pour mon travail du semestre, je n'aurais pu ni dormir, ni manger. Je

---

* **Vous avez de la veine:** Vous avez de la chance. C'est une expression du français quotidien, pas vulgaire, mais familière, et employée très couramment. J'emprunte le terme de «français quotidien» à l'excellent article de Gilbert Bron: «Est-ce la mer à boire?» paru dans la revue *Le Français dans le Monde* [Janvier-février 1964].

† **S'en faire** est un usage idiomatique de la forme réfléchie du verbe **faire**; il a le sens de **se faire du souci, s'inquiéter, se tourmenter. Ne vous en faites pas** ou **ne t'en fais pas** est le conseil que vous donnez aux gens qui se tourmentent sans raison. **S'en faire** fait partie du français quotidien et familier.

n'aurais voulu voir personne et j'aurais passé les trois semaines précédentes enfermée dans ma chambre. Vous auriez dû me le dire plus tôt!

BARBARA. C'est justement pour ça que je ne vous l'ai pas dit. Vous vous seriez conduite comme une idiote si vous l'aviez su. Vous devriez savoir que ce n'est pas l'exagération qui améliore les choses. Vous devriez dormir davantage et ne pas tant vous en faire.

VÉRONIQUE. Je sais que je devrais être plus calme; que je devrais prendre modèle sur mon frère. Ah, ce n'est pas lui qui s'en fait, je vous assure. Hier après-midi, il avait un examen très important. Si j'avais été à sa place, j'aurais passé la matinée à revoir mes notes, à me demander quelles questions j'aurais pu oublier d'étudier... Mais lui? Eh bien, il est allé jouer au tennis le matin, il est rentré à midi en sifflant, a feuilleté une revue; on aurait pu penser que c'était une journée de vacances. Enfin, à une heure il est parti, toujours en sifflant. On aurait dit qu'il s'en allait à un pique-nique! ...Oh, mon Dieu, j'y pense! J'aurais dû mieux expliquer la diplomatie de la France dans les nouveaux pays d'Afrique... Mais alors, je n'aurais pas eu le temps de composer ma conclusion... Je suis sûre que je vais avoir un « F »!

BARBARA. Ah, Véronique, vous commencez à m'ennuyer. Vous devriez, en effet, prendre modèle sur votre frère et vous devriez cultiver un peu plus le calme et le sang-froid. Mais vous devez avoir faim... Venez, allons déjeuner, vous irez mieux après.

VÉRONIQUE. Ah, si j'avais su, si j'avais su....

QUESTIONS SUR LA LECTURE

1. Est-ce que tous les gens sont pareils? Est-ce qu'on devrait être pessimiste ou optimiste? Pourquoi?

2. Quand on est pessimiste, on emploie beaucoup une certaine formule. Laquelle? Pourquoi l'emploie-t-on?

3. Voilà Véronique et Barbara. D'où sortent-elles, toutes les deux? Ont-elles la même réaction? Pourquoi? Etes-vous du type de Véronique ou de celui de Barbara? Comment le montrez-vous?

4. Donnez une autre expression pour «Je n'ai pas de chance». Avez-vous de la veine, généralement? Donnez un exemple.

5. D'après Véronique, est-ce que les professeurs donnent de bons examens?

Comment sont ceux-ci? Qu'est-ce que les professeurs devraient faire?

6. Si elle avait su que l'examen serait si difficile, qu'est-ce qu'elle aurait fait? Pensez-vous qu'elle aurait fait un meilleur examen? Pourquoi?

7. Qu'est-ce que Barbara pense de tout ça? A-t-elle raison? Pourquoi?

8. Si Véronique avait eu dix minutes de plus, qu'est-ce qu'elle aurait fait? Et qu'est-ce qui serait probablement arrivé?

9. Est-ce que Barbara aurait relu son examen si elle l'avait fini un quart d'heure avant l'heure? Qu'est-ce qu'elle aurait fait? Pourquoi?

10. Que pensez-vous du système d'examens dans votre école? Pensez-vous qu'on devrait le garder comme ça ou le changer? Pourquoi?

11. Véronique pense qu'elle s'est trompée: elle n'a pas choisi la meilleure question. Laquelle aurait-elle dû choisir? Pourquoi? Mais celle-là était-elle parfaite aussi?

12. Comment les professeurs trouvent-ils les questions qu'ils posent aux examens? Etes-vous d'accord avec la théorie de Barbara? Celle de Véronique? En avez-vous une autre? Si vous étiez professeur, quelles questions poseriez-vous?

13. Quelle est la révélation que fait Barbara à Véronique? Est-ce qu'elle pense que ça devrait être une bonne nouvelle pour celle-ci? Mais a-t-elle raison? Pourquoi?

14. Donnez une expression synonyme et une expression contraire de «Je m'inquiète». Employez-les chacune dans une phrase.

15. Est-ce qu'on devrait étudier raisonnablement, ou exagérer les choses et ne pas se coucher, ne pas dîner la veille des examens? Pourquoi?

16. Est-ce que Jean-Pierre se tracasse, quand il a un examen? Que fait-il? Ressemble-t-il à sa soeur? Devrait-elle prendre modèle sur lui?

17. Est-ce que Véronique finit par ennuyer Barbara? Pourquoi? Qu'est-ce que celle-ci suggère? A-t-elle raison ou tort? Pourquoi?

18. Comment êtes-vous avant un examen? Après un examen? Pendant un examen? Pensez-vous que vous devriez être différent? Pourquoi?

PRONONCIATION

Je v**eu**x/j'ai v**u**   Je p**eu**x/j'ai p**u**
J'avais voulu   J'avais pu
Je vais/j'avais
Je devais/je devrais
Vous deviez/vous devriez

EXPLICATIONS

I. *Le conditionnel passé (ou conditionnel antérieur)*

Comparez les phrases suivantes :

Si **j'ai** besoin de quelque chose, **je téléphonerai.**
Si **j'avais** besoin de quelque chose, **je téléphonerais.**
Si **j'avais eu** besoin de quelque chose, **j'aurais téléphoné.**

Remarquez le système de temps suivant :

Présent/Futur :
  Si **j'ai** besoin de quelque chose, **je téléphonerai.**

Imparfait/Conditionnel :
  Si **j'avais** besoin de quelque chose, **je téléphonerais.**

Plus-que-parfait/Conditionnel :
  Si **j'avais eu** besoin de quelque chose, **j'aurais téléphoné.**

Le conditionnel passé (ou conditionnel antérieur) exprime l'équivalent de l'anglais (*would have*) :

I, you, he, etc., would have phoned, would have come, would have said.

A. Formation du conditionnel passé

On forme le conditionnel passé comme les autres temps composés des verbes, c'est-à-dire avec l'auxiliaire **Être ou Avoir + le participe passé du verbe.**

La vaste majorité des verbes emploient l'auxiliaire **Avoir.** Les verbes de mouvement emploient l'auxiliaire **Être.**

Exemples:

Avec **Avoir:** Déjeuner, dire, faire, savoir, prendre, tenir, vendre, etc.

J'aurais déjeuné, j'aurais dit, j'aurais fait, j'aurais su, j'aurais pris, j'aurais tenu, j'aurais vendu, etc.

Avec **Être:** Aller, venir, entrer, sortir, arriver, etc.
Je serais allé, je serais venu, je serais entré, je serais sorti, je serais arrivé, etc.

Le conditionnel passé est formé du **conditionnel** de **Être** ou **Avoir** suivi du participe passé du verbe.

B. Révision de certains participes passés

Il y a un certain nombre de verbes dont le passé composé n'est pas très souvent employé et dont vous connaissez mieux l'imparfait. Ce sont les verbes:

Être, avoir, croire, savoir, vouloir et devoir (voir II de cette leçon)

Vous allez maintenant les employer souvent au plus-que-parfait et au conditionnel passé. Voilà leur forme:

Infinitif	Plus que parfait	Conditionnel Passé
Être	J'avais été	J'aurais été
Avoir	J'avais eu	J'aurais eu
Croire	J'avais cru	J'aurais cru
Vouloir	J'avais voulu	J'aurais voulu
Devoir	J'avais dû	J'aurais dû

C. Usage du conditionnel passé

Comme pour le conditionnel présent, le conditionnel est souvent, mais pas nécessairement employé en conjonction avec le **si** de la condition:

J'aurais été enchanté de le voir **si j'avais su** qu'il était en ville.

Ne mettez pas le verbe qui suit **si** au conditionnel, présent ou passé. C'est **l'autre verbe** qui est au conditionnel.

Il y a beaucoup de cas où le conditionnel n'est pas accompagné du **si** de la condition:

J'aurais bien voulu entendre ce qu'il avait à dire.
Auriez-vous cru que cet acteur aurait joué Molière?
On espérait que le gouvernement **aurait terminé** ces négociations avant les élections.

NOTE : Un humoriste français a appelé le conditionnel passé « le mode du regret. » En effet, il est souvent associé avec les expressions :

Si j'avais su… **Si j'avais pu**… **Si j'avais voulu**…
Si on m'avait dit… **Si j'avais cru**…

souvent employées par le pessimiste qui regrette, inutilement d'ailleurs, que les choses n'aient pas été (*that things were not*) autrement :

Si j'avais su qu'il y avait des moustiques, **je ne serais pas allé** faire de camping !

Si on m'avait dit qu'il n'y avait pas de bons hamburgers en France, **je serais resté** chez moi.

Si j'avais voulu, j'aurais pu être un aussi bon acteur que lui !

D. La rumeur et le conditionnel

On associe aussi le conditionnel et surtout le conditionnel passé avec l'idée de rumeur, d'une opinion exprimée, mais pas prouvée :

D'après certains savants, Shakespeare **n'aurait pas existé.** C'est Marlowe ou Ben Johnson **qui auraient écrit** les célèbres pièces. D'après d'autres, **il n'aurait été** qu'un obscur acteur **qui aurait donné** son nom à un groupe de personnages importants qui préféraient rester anonymes.

II. *Le verbe **Devoir***

Employé seul : « **Je dois** cent dollars à la banque » ce verbe a le sens de *to owe*. Mais le plus souvent, on emploie **Devoir** comme auxiliaire, c'est-à-dire suivi d'un autre verbe. Il a alors un sens tout à fait différent, et change de sens suivant **le temps** et **le mode** auxquels il est employé.

Les formes de Devoir :

Conjugaison du présent :	*Passé composé*	*Conditionnel*
Je dois	J'ai dû	Je devrais
Tu dois	*Plus que parfait*	*Conditionnel passé*
Il doit	J'avais dû	J'aurais dû
Nous devons	*Imparfait*	
Vous devez	Je devais	
Ils doivent		

A. **Devoir** au présent et à l'imparfait

Je dois et **Je devais** ont deux sens bien distincts:

1. *Probablement:*   Il **doit faire** froid en Alaska!
                                            Balzac **devait** souvent avoir mal à
la main droite!

2. (*To be supposed to*):   Je **dois être** chez moi à six heures,
mais je suis souvent en retard.
          Vous **deviez** me rapporter mon
livre et vous avez oublié. J'espère
que vous ne l'oublierez pas demain.

NOTE: Beaucoup de livres de grammaire ne font pas clairement la distinction entre **il faut** et **je dois**. Nous allons étudier les usages de **il faut** dans la Leçon 14.*

B. **Devoir** au passé composé: **J'ai dû**

Au passé composé, **j'ai dû** est généralement employé seulement au sens de **probablement:**
I must have left it at home. I must have been sick.

Je ne trouve pas ma composition. **J'ai dû** l'oublier chez moi.

Vous avez dû vous tromper de salle: ce n'est pas la classe de mathématiques, c'est celle de français.

Mon Dieu! Mon fils est en retard de deux heures! **Il a dû** avoir un accident.

C. **Devoir** au conditionnel: **je devrais**. Et au conditionnel passé: **J'aurais dû**.

Au conditionnel, **je devrais** a le sens de *I ought to, or I should:* †

J'ai un ami à l'hôpital, **je devrais** aller le voir.

Je devrais me lever à cinq heures tous les matins, ensuite **je devrais** faire une heure de gymnastique, et puis **je devrais** étudier pendant deux heures.

Vous ne devriez pas avoir de difficultés avec le français.

---

* Prenez l'habitude d'associer **il faut** surtout avec l'idée de nécessité absolue (il n'y a pas le choix).

† *It is interesting to note that it is, actually, a literal translation, since the English defective verb* **ought to** *is none other than the old conditional form of the verb* **to owe**, *meaning "I would owe to." Since then the verb* **to owe** *has become regular:*

         I owed him money. A sum was owed to the bank.

     But the **ought to** *form has survived as a verb in its own right. So, since* **devoir** *means to owe, it is logical to translate the conditional of* **devoir** *by the conditional of* **to owe**:

                 Je devrais = *I ought to*
                 J'aurais dû = *I ought to have*

Au conditionnel passé, **j'aurais dû** a le sens de *I ought to have, I should have* :

J'aurais dû vous écrire plus tôt, mais j'étais si occupé.
On aurait dû me dire qu'il y avait des moustiques au bord de la rivière !
Vous auriez dû rester jusqu'à la fin de la conférence.

NOTE : C'est peut-être un commentaire défavorable sur la nature humaine, mais on peut remarquer que, le plus souvent, **je devrais** implique qu'on est conscient de l'obligation mais que l'on n'a pas l'intention de faire ce dont on parle (si on en a l'intention, on dira : **il faut**) :

J'ai une classe à huit heures, **il faut** me lever à sept heures ; **je devrais** me lever une heure plus tôt pour étudier, mais je ne le fais pas.

J'aurais dû exprime la même conscience de l'obligation, mais en rétrospective, et quand il est trop tard :

J'aurais dû aller voir mon grand-père plus souvent, parler avec lui, écouter ses réminiscences. Et je le regrette maintenant qu'il est mort.

VOCABULAIRE

Noms

la veine (avoir de la veine)	le calme
un cauchemar	le sang-froid
l'exagération	

Verbes

relire (lire de nouveau), j'ai relu	siffler
se tracasser	cultiver
feuilleter	

Expressions verbales

prendre modèle sur	s'en faire

EXERCICES

I. Donnez le conditionnel présent et passé des verbes suivants:

Ex: Je parle: Je parlerais, j'aurais parlé.

Il regarde	On dit	On s'amuse
Je répète	Vous voyez	Il met
Vous réfléchissez	Je fais	Ils prennent
Ils sont	Je vais	Nous sortons
Je m'arrête	Je me lève	Vous arrivez

II. Mettez les phrases suivantes au discours indirect passé:

UN HOMME POLITIQUE.   Si vous votez pour moi, je promets que tout changera: il n'y aura plus de pauvreté, tout le monde sera égal.
Qu'est-ce qu'il a dit?

UNE MÈRE À SA FILLE.   Quand tu auras fini de mettre ta chambre en ordre, et quand tu auras préparé le dîner, tu pourras sortir.
Qu'est-ce qu'elle a dit?

UN ECRIVAIN À UN JEUNE HOMME.   Si vous voulez devenir écrivain, rentrez chez vous et commencez à écrire. Quand vous aurez écrit cent pages, vous n'en serez sans doute pas satisfait. C'est bon signe. Après six mois, vous aurez peut-être un livre, mais au moins, vous aurez appris une chose importante. Vous saurez si vous voulez vraiment être écrivain.
Qu'est-ce qu'il a dit?

III. Complétez les phrases suivantes:

1. Si j'avais une voiture, est-ce que _____ ?
2. Je n'aurais pas lu Shakespeare si _____ .
3. Votre mère aurait été enchantée _____ .
4. Si on m'avait dit qu'on parlait français dans cette classe _____ .
5. Je n'aurais pas compris si _____ .
6. Vous vous seriez bien amusé _____ .
7. Louis XV aurait dit « Après moi le déluge, » mais _____ .
8. Si je n'avais pas vu ce film _____ .
9. Jolie Belle n'aurait pas divorcé si _____ .

IV. Mettez au passé :

1. Je voudrais être pirate, comme Lafitte. Si j'étais pirate, je serais toujours victorieux dans les batailles. Il y aurait toujours, sur le bateau ennemi, une ravissante jeune fille qui tomberait amoureuse de moi. Mais moi, je la regarderais avec respect et sympathie, et je lui dirais que j'aime une autre femme, qui m'attend dans un port lointain. Quand nous arriverions au port, je la ramènerais chez ses parents. Et je repartirais, un peu triste, mais noble, vers d'autres aventures.

2. Si Washington devenait roi, nous aurions une monarchie aux Etats-Unis. Beaucoup de choses seraient différentes, si nous avions une famille royale héréditaire. Le roi établirait une aristocratie. Les industriels deviendraient comtes et marquis. Il n'y aurait pas d'élections et la culture de notre pays serait très différente de ce qu'elle est.

V. Complétez par la forme appropriée de **Devoir** :

1. Je ne savais pas que c'était le président qui _____ parler !
Sa conférence _____ être intéressante ?
Oui, vous _____ venir.
_____ Je sais que _____ y aller. D'ailleurs, on _____ toujours aller aux conférences, mais il _____ y en avoir une douzaine toutes les semaines, alors c'est impossible. Quelqu'un _____ me dire que celle-ci était importante.

2. Quand je suis sorti ce matin, la rue était mouillée. Je pense qu'il _____ pleuvoir pendant la nuit. Il _____ toujours pleuvoir pendant la nuit et jamais le jour.

3. Barbara avait un rendez-vous avec Jean-Pierre. Il _____ passer la chercher à huit heures. A huit heures et demie, il n'était pas là. « Il _____ avoir un accident, » se disait Barbara. « Il _____ me téléphoner, s'il savait qu'il allait être en retard. Je _____ peut-être téléphoner chez lui ? » A neuf heures, il est arrivé. Voilà ce qui s'était passé : Il _____ se tromper de rue, parce qu'il avait cherché sa maison pendant une heure avant de voir qu'il était rue Mozart, et non pas rue Brahms. Pas très contente, elle lui a dit qu'il _____ mettre ses lunettes !

VI. Ecrivez un bref paragraphe (trois lignes environ) pour compléter chacun des suivants. (Qualifiez avec **si, parce que, car, alors.**)

1. Chaque semestre je devrais...

2. Les architectes de cette école auraient dû...

3. Je devrais écrire un roman...

VII. (*Exercice facultatif.*) Traduisez en français. (Le premier, et un des rares exercices de traduction dans ce livre.)

1. *That's what I should have said!*
2. *He ought to be here now. He must be late.*
3. *You should not have bought these flowers for her. They are so expensive. You must be in love!*
4. *They should have told you that this plane does not go to Italy.*
5. *The Côte d'Azur must be a wonderful place for a vacation.*
6. *It must be nice to be rich, famous, and beautiful.*
7. *This professor must think we are geniuses* (des génies).
8. *You should never have tried to do this. It is much too difficult.*

COMPOSITIONS

Composition orale. Choisissez un des sujets suivants:

A. Ce que vous auriez dû faire le semestre dernier et ce que vous devriez faire ce semestre.

B. Ce qu'on devrait toujours faire et ce qu'on ne devrait jamais faire pour avoir du succès auprès des jeunes filles (ou des jeunes gens).

C. Ce que l'administration de votre école aurait dû faire ou devrait faire pour améliorer la vie des étudiants. (Un peu d'humour, peut-être?)

Composition écrite. Choisissez un des sujets suivants. Employez le discours indirect quand il est approprié, les termes de cohérence, le passé, les verbes pronominaux, les constructions affectives, le conditionnel passé et présent et le verbe **devoir.**

A. Ce que vous auriez fait si on vous avait donné un million ce matin avant d'entrer en classe.

B. Ce que vous auriez dit, et fait, si on vous avait pris pour un acteur célèbre et si on vous avait demandé votre autographe.

C. Ce que vous auriez dit, et fait, si votre meilleur copain vous avait rencontré … avec sa petite amie!

D. Ce que votre père aurait dit, ce que vous auriez répondu, ce qui aurait suivi, si, après vous avoir laissé prendre sa Cadillac neuve, vous aviez eu un accident.

La Pensée du...

MAJOR THOMPSON
(Pierre Daninos)

sur

Le Français au Volant

En 1954, le journal parisien *Figaro* a publié une série d'articles signés « Major Marmaduke Thompson ». Le Major, sujet britannique, ex-officier de cavalerie de l'armée anglaise, avait épousé une Française et vivait en France. C'étaient ses observations critiques sur la France et les Français, qu'il comparait à l'Angleterre et aux Anglais, qui constituaient ces articles. Il y affectait une surprise scandalisée de la plupart des coutumes françaises.

En réalité, le Major Thompson n'existe pas. Le véritable auteur, un écrivain-journaliste nommé Pierre Daninos, a réuni plus tard ces articles en un livre, *Les Carnets du Major Thompson*, qui représente une étude humoristique et pénétrante de la vie en France.

N'oubliez pas, en lisant le passage suivant, qu'il faut admettre la fiction que l'auteur est un Anglais qui observe les Français.

* * * * * *

Il faut **se méfier** des Français en général, mais sur la route en particulier.

Pour un Anglais qui arrive en France, il est indispensable de savoir qu'il existe deux sortes de Français : Les « **à-pied** » et les « **en voiture.** » Les « à-pied » exècrent les « en-voiture », les « en-voiture » terrorisent les « à-pied », et les premiers passent instantanément dans le camp des seconds si on leur met un **volant** entre les mains. Il en est, d'ailleurs, de même au théâtre avec les retardataires qui, après avoir dérangé douze personnes pour arriver à leur place, sont les premiers à protester contre ceux qui ont l'audace d'arriver plus tard.

Les Anglais conduisent plutôt mal, mais prudemment. Les Français conduisent plutôt bien, mais follement. La proportion des accidents est à peu près la même dans les deux pays. Mais je suis plus tranquille avec des gens qui font mal des choses légales, qu'avec des gens qui font bien ce qui est défendu...

Les Anglais et les Américains sont depuis longtemps convaincus que la voiture va moins vite que l'avion. Les Français, et la plupart des Latins, veulent encore prouver le contraire.

Il y a, au fond de beaucoup de Français, un **Nuvolari** qui se réveille au simple contact du pied sur **l'accélérateur.** Le citoyen paisible

JEAN DUBUFFET

L'Attentif
Pierre Matisse Gallery, New York

*Le Major Thompson jette un regard inquiet et
désapprobateur sur les mœurs automobiles des Français...*

qui vous a invité à prendre place dans sa voiture peut se métamorphoser sous vous yeux en pilote démoniaque. Un bon père de famille, qui **n'écraserait** pas une **mouche** contre une **vitre,** est tout prêt à écraser un piéton, s'il a l'impression d'être dans son droit. Au signal vert, il voit rouge.

On pourrait croire que l'appétit de vitesse du Français est fonction de la puissance de sa voiture. Erreur. Plus la voiture est petite, plus l'homme veut aller vite. En ce royaume des paradoxes, les automobiles les moins dangereuses sont les plus puissantes: leurs conducteurs, blasés, sont les seuls qui se paient le luxe de rouler plutôt «en-dedans de leurs possibilités» et d'aller plus vite que tout le monde «sans pousser».

Quant aux Françaises, il faut leur rendre cette justice: elles conduisent plus lentement que les hommes. Un Anglais pourrait donc, en toute logique, se croire plus en sécurité avec elles. Nouvelle erreur. Dans un pays où tout le monde va vite, cette lenteur constitue le plus terrible danger. Si l'on y ajoute ce charmant esprit d'indécision grâce auquel on peut déduire du **clignotant** gauche qu'une conductrice va tourner à droite (encore n'est-ce pas tout à fait sûr...), on concevra que rien n'est plus risqué que d'être piloté par une femme!

Un automobiliste anglais arrivant en France a parfois quelque peine à savoir où rouler. Il lui faudrait, en réalité, aller jusqu'au **Kenya** pour retrouver des gens normaux qui conduisent à gauche, calculent en miles et dont la température normale est **98,4.** En France, le kilomètre reste **tout bonnement** mille mètres alors que chez nous un mille devient merveilleusement huit *furlongs*, un *furlong* deux cent vingt *yards*, un *yard* trois pieds, un pied douze pouces...

Les Français ont une façon de tenir leur droite... qui glisse toujours vers la gauche et qui rappelle étrangement leur penchant en politique, où les conservateurs les plus enragés ne veulent, à aucun prix, être dits «de droite». Ce n'est qu'à bout de ressources, et après une klaxonnade **nourrie** qu'il consentira, de mauvaise grâce, à abandonner le milieu de la chaussée. Les Anglais tiennent leur gauche, la plupart des autres peuples leur droite. Les Français, eux, sont pour **le milieu,** qui, cette fois, n'est pas **le juste.**

Pierre Daninos dans *Les Carnets du Major Thompson*.
Librairie Hachette, Editeur Paris.
(Pour *Les Paroles* de Daninos voyez le texte original page 635.)

se méfier: il ne faut pas avoir confiance.

à-pied: familier; le terme normal est **un piéton,** que l'auteur emploie plus loin dans le texte.

en-voiture: familier; le terme normal est **un automobiliste,** que l'auteur emploie plus loin dans le texte.

un volant: la roue que vous avez dans les mains quand vous conduisez une voiture.

Nuvolari: célèbre coureur (*race driver*) automobile.

un accélérateur: la pédale qui contrôle la vitesse.

écraserait: (**écraser:** *to squash, or to run over*). Le même verbe s'applique en français, à « écraser une mouche » et « écraser un piéton ».

une mouche: petit insecte noir, qui vole.

une vitre: quand la fenêtre est fermée, les mouches marchent sur les vitres.

un piéton: la personne qui marche à pied, contrastée avec celle qui est en voiture.

dans son droit: s'il pense que la justice est de son côté, qu'il a raison.

un clignotant: la petite lumière qui montre que vous allez tourner à droite ou à gauche.

au Kenya: ancienne colonie anglaise.

98,4: en degrés Fahrenheit. En France, où on emploie le système métrique, la température normale est de 37 degrés centigrades (36,8 très exactement). Remarquez la virgule décimale en français. Les Français emploient la virgule et le point exactement à l'inverse des Anglais et des Américains. (Fr.: 0,5 = Angl.: 0.5; Fr.: 1.500 = Angl.: 1,500).

nourrie: beaucoup de coups de klaxon.

le milieu: le centre.

le juste: c'est un jeu de mots du Major sur "le juste milieu", *the happy medium*. Les Français disent toujours qu'ils aiment "le juste milieu" (en politique, dans leur civilisation, leurs goûts). Le Major pense qu'ils aiment aussi le milieu de la route, mais que c'est un cas où il n'est pas « juste ».

QUESTIONS

1. Faut-il prendre littéralement ce que dit le Major? Pourquoi?

2. Est-ce que le Français qui achète une voiture change? Comment? Est-ce la même chose en Amérique?

3. Expliquez: « Au signal vert, il voit rouge ».

4. Quelles sont les plus dangereuses voitures? Pourquoi?

5. Expliquez ce que c'est qu'un paradoxe. Quel paradoxe y a-t-il dans le texte?

6. Comment conduisent les Françaises? Est-ce que ces caractéristiques sont strictement françaises, ou... avez-vous vu la même chose aux Etats-Unis? Donnez des exemples.

SUJETS DE DISCUSSION OU DE COMPOSITION

1. Quelles sont quelques-unes des caractéristiques de l'Américain au volant? Pensez à différents types de chauffeurs que vous avez observés: le jeune homme qui a sa première voiture, la dame qui regarde les vitrines en conduisant, vous-même, etc.

2. Est-ce que la satire du Major est en réalité, strictement une satire des Français, ou des gens en général?

TREIZIÈME LEÇON

Le Crime de Daru

Les pronoms interrogatifs

Etudiez les phrases suivantes:

Question	*Réponse*

Qui est à la porte?

C'est **un monsieur** qui voudrait vous voir.

Qui vous donne l'argent dont vous avez besoin?

C'est **mon père** qui me le donne.

A qui pensez-vous le plus souvent?

Je pense **à une** certaine **jeune fille.**

De qui parle le professeur?

Il parle **d'un philosophe anglais.**

Avec qui passez-vous vos vacances?

Je passe mes vacances **avec ma famille.**

Sur qui comptez-vous pour vous aider?

Je compte **sur mes amis;** mais je sais qu'en réalité, il ne faut compter que sur soi.

.   .   .   .   .   .

Qu'est-ce qui est devant la porte?

C'est **le journal.**

Qu'est-ce que vous faites?

Je suis en train de *réparer* ma voiture.

A quoi pensez-vous le plus souvent?

Je pense **à mes études.**

De quoi parle le professeur?

Il parle **des ouvrages** d'un philosophe.

Avec quoi écrivez-vous vos devoirs?

Je les écris **avec un stylo.**

Sur quoi comptez-vous pour vous aider?

Je compte surtout **sur mon travail** et **sur mon désir** de réussir.

.   .   .   .   .   .

J'hésite entre deux robes. **Laquelle** est la plus jolie?

Celle qui vient de Paris est la plus jolie.

481

YVES TANGUY

Le Géomètre des rêves
Louis Gittler, New York

Des formes torturées se dressent dans cette désolation.
Elles évoquent peut-être l'hostilité de la nature sur le
Haut-Plateau algérien, l'isolement de Daru et son dilemne.

Voyez-vous une autre interprétation possible qui illustre
aussi Le Crime de Daru?

Vous allez écrire à votre oncle. Mais vous avez plusieurs oncles. **Auquel** allez-vous écrire?

Je vais écrire **à celui** qui habite Bordeaux. C'est **celui** que j'aime le mieux.

Votre cours du mardi? Mais vous en avez quatre le mardi. **Duquel** parlez-vous?

Je parle **de celui** de physique.

J'hésite entre une Citroën et une Ford. **Dans laquelle** a-t-on plus de place? **Sur laquelle** peut-on vraiment compter? **Avec laquelle** aurai-je le moins de pannes?

Vous aurez moins de pannes **avec celle** qui a le meilleur moteur. **Avec celle-ci,** par exemple; c'est une Peugeot.

LECTURE

Le crime de Daru

Le texte suivant est un bref résumé et une adaptation de la célèbre nouvelle de Camus, *L'Hôte.* Camus est un écrivain et philosophe contemporain. La grande préoccupation de Camus, c'est le problème de la responsabilité de l'homme, de sa solidarité avec les autres, bref, d'une **morale humaniste,** dans laquelle Dieu n'a pas de rôle.

«Qui monte la colline, là-bas?» se demandait Daru. «Je vois bien un homme à cheval, mais qui est-ce? Et qu'est-ce qu'il a avec lui?»

Daru était un jeune instituteur, c'est-à-dire maître d'école élémentaire dans une petite école isolée au milieu des montagnes de l'Algérie. C'était l'hiver; la neige était tombée, les chemins étaient bloqués, ses élèves ne venaient plus. Ils ne reviendraient pas avant le printemps. Daru se sentait seul, pourtant il ne s'ennuyait pas.

L'homme à cheval se rapprochait lentement, et bientôt Daru a reconnu

Balducci, le gendarme du village voisin. Mais qui était avec lui? C'était un Arabe, que Balducci tenait, les mains liées, au bout d'une corde.

«Salut!» dit Balducci en descendant de cheval. «Salut!» répond Daru; et il ajoute: «Qui est ce type? Qu'est-ce qu'il a fait?»

Balducci explique que c'est un homme d'un village des montagnes. Il vient de commettre un crime. Il a tué un autre homme au cours d'une querelle. Il faut maintenant le conduire à la prison. Mais celle-ci est à une bonne distance, il faut marcher longtemps et Balducci ne peut pas quitter son poste aussi longtemps. «Alors,» dit-il à Daru, «je me suis demandé: Qui peut me rendre un service? Qui n'a rien à faire en ce moment? Et j'ai pensé à vous, puisque vos élèves ne viennent pas. Alors j'ai amené le type ici. Gardez-le avec vous ce soir, et demain, emmenez-le à la prison.» Tout en parlant, Balducci prend son revolver et le donne à Daru. Puis il tend à celui-ci la corde qui attache l'Arabe et remonte sur son cheval, car la nuit tombe et il ne faut pas être sur les chemins quand le vent glacé du désert commence à souffler.

Resté seul avec l'Arabe, Daru ne dit rien, mais il conduit celui-ci à l'intérieur de sa modeste résidence: il n'a que deux petites pièces, adjacentes à l'unique salle de classe. Pendant que l'Arabe le regarde silencieusement, il met le revolver dans le tiroir de la table. Puis il prépare un simple repas: du pain, du fromage, des figues sèches, une tasse de café noir. L'Arabe, assis par terre dans un coin, ne bouge pas, mange sans dire un mot. Qu'est-ce qu'il pense? C'est un mystère pour Daru; il est en Algérie depuis cinq ans, mais il ne comprend pas encore bien la mentalité arabe.

Après le dîner, Daru prend une couverture brune, la donne à l'Arabe. «Installe-toi là, dans le coin, près de la cheminée. Je te réveillerai demain matin.» Puis Daru va se coucher. Pendant la nuit, il entend l'Arabe qui se lève, qui ouvre la porte et qui sort. «Lequel de nous deux est le plus coupable?» se demande Daru. «Qui peut blâmer un homme pour ne pas vouloir aller en prison?» Mais après quelques instants, la porte s'ouvre, l'Arabe rentre sans bruit et retourne se coucher.

Le lendemain matin, il fait un froid sec et clair. Le soleil brille sur la neige. Après un petit déjeuner frugal, Daru et l'Arabe sortent et se dirigent vers l'endroit, à quelques kilomètres de là, où la route se divise en deux: à gauche, un chemin conduit vers la ville et la prison; celui de droite, vers la montagne. Arrivés à la bifurcation, Daru s'arrête. «Ecoute,» dit-il, «moi, je ne suis pas gendarme. Mais je suis un homme. Et toi, tu es peut-être un criminel, mais tu es sûrement un homme aussi. Alors, regarde: voilà les deux routes. Celle-ci va vers la prison. L'autre va vers la montagne, où il y a des tribus qui te traiteront comme un frère. Laquelle vas-tu prendre? Tu vas choisir, parce que tu es un homme. Moi, je vais retourner chez moi. Tu comprends ça?» L'Arabe le regarde, regarde les routes qui serpentent jusqu'à l'horizon.

Daru reprend le chemin dans la direction de sa demeure... Après avoir marché un moment, il se retourne et regarde au loin. Il voit l'Arabe qui reste là-bas, immobile, à la bifurcation de la route. Est-ce qu'il hésite? A quoi pense-t-il? Qu'est-ce qui se passe dans sa tête? Sur laquelle de ces routes va-t-il s'engager? Après un long moment Daru le voit prendre la route de la prison sur laquelle il marche vite, sans hésiter et sans se retourner. Daru soupire: le criminel a perdu, l'homme a gagné; c'est un homme libre qui marche là-bas d'un pas sûr, vers la prison.

Un moment plus tard, rentré chez lui, Daru a besoin d'aller chercher quelque chose dans la salle de classe froide et déserte. Là, pendant son absence, une main maladroite a tracé sur le tableau noir: «TU AS VENDU NOTRE FRÈRE. TU VAS PAYER TON CRIME DE TA VIE».

QUESTIONS SUR LA LECTURE

1. Quelle est votre première réaction après avoir fini cette histoire?
2. Qui est l'auteur de *L'Hôte*, la nouvelle dont ce récit est tiré? Qu'est-ce que vous savez à son sujet?
3. Qui est Daru? Qui est Balducci?
4. Où et à quel moment de l'année se passe l'histoire? Aimeriez-vous être à la place de Daru?
5. Pourquoi les élèves de Daru ne venaient-ils plus? Reviendraient-ils? Quand?
6. Qu'est-ce que Daru voyait monter la colline? Comment Balducci tenait-il l'Arabe?
7. Qu'est-ce que l'Arabe avait fait? Quel service Balducci a-t-il demandé à Daru de lui rendre? Celui-ci a-t-il refusé?
8. Quelle protection Daru a-t-il contre l'Arabe? A-t-il peur de celui-ci?

Où met-il le revolver? Qui pourrait le prendre? Devrait-il être plus prudent?

9. Qu'est-ce que Daru fait quand il est seul avec l'Arabe? Est-ce qu'il traite celui-ci comme un prisonnier? Devrait-il le traiter différemment?

10. Essayez d'imaginer à qui et à quoi pense l'Arabe. Qu'est-ce que vous feriez à sa place? Rentreriez-vous, comme lui, pendant la nuit? Pourquoi?

11. Daru se pose des questions pendant la nuit. Imaginez d'autres questions qu'il pourrait aussi se poser.

12. Que font Daru et l'Arabe, le lendemain matin? Quel temps fait-il? Arrivé à la bifurcation, que fait Daru? A-t-il raison, ou tort? Que feriez-vous à sa place? Pourquoi?

13. Quelle question Daru se pose-t-il quand il voit l'Arabe immobile à la bifurcation? Hésiteriez-vous à la place de l'Arabe? Pourquoi?

14. Quelle décision l'Arabe a-t-il prise? Quelle autre décision aurait-il pu prendre? A-t-il tort ou raison? Pourquoi?

15. Pourquoi Daru soupire-t-il? Pouvez-vous imaginer ce qu'il doit penser quand il voit l'Arabe prendre le chemin de la prison?

16. Expliquez: Qui a dû venir dans la classe pendant l'absence de Daru? Pourquoi est-ce «une main maladroite» qui a écrit cette menace au tableau? Auriez-vous peur à sa place? Doit-il avoir peur?

17. Quel est le «crime» de Daru? Pourquoi les Arabes veulent-ils se venger? Ont-ils raison? Que feriez-vous à la place de Daru à ce moment?

18. Posez, vous-même, quelques questions concernant ce récit.

PRONONCIATION

qui/que	qu'est-ce qui/qu'est-ce que
lequel/laquelle	de quel/duquel/desquels

EXPLICATIONS

Les pronoms interrogatifs:

I. *Qui ? si la question concerne une personne*

Qui a dit ça? **Qui** a fait ça?
Qui voulez-vous voir?
Qui vous a donné ce cadeau?
A qui Balducci a-t-il donné le revolver?
De qui auriez-vous peur à la place de Daru?

Quand la question concerne une personne, employez **qui** aussi bien comme sujet, objet, ou objet de préposition.*

II. *Qu'est-ce qui ?*
Qu'est-ce que ? } *si la question concerne un objet, une idée ou un événement*
Quoi ?

1. **Qu'est-ce qui** fait ce bruit? C'est un moteur.
Qu'est-ce qui est arrivé? Il y a eu un accident.

Qu'est-ce qui est la forme sujet. Comme pour le pronom relatif **qui,** le verbe est généralement placé directement après; car **qui** est le sujet du verbe.

2. **Qu'est-ce que** vous dites? Je dis que j'aurais eu peur à sa place.
Qu'est-ce qu'il a vu? Il a vu une inscription qui menaçait sa vie.

Qu'est-ce que est la forme objet. Comme pour le pronom relatif **que,** il est généralement séparé du verbe par le sujet de celui-ci.
Mais il y a une autre forme pour **qu'est-ce que**... qui est souvent employée et qu'il faut savoir, car elle est simple est courte:

Qu'est-ce que vous dites? = **Que** dites-vous?
Qu'est-ce qu'il a vu? = **Qu'**a-t-il vu?

REMARQUEZ: Quand la question comprend (*includes*) la forme **est-ce que** il n'y a jamais d'inversion dans la question. Vous savez ça depuis longtemps.

---

* On peut aussi dire:

Sujet: Qui a dit ça? ou: Qui **est-ce qui** a dit ça?
Objet: Qui voulez-vous voir? ou: Qui **est-ce que** vous voulez voir?
Objet de préposition: Avec qui déjeunez-vous? ou: Avec qui **est-ce que** vous déjeunez?

Mais c'est une variante inutile pour le moment. La forme **qui** est toujours correcte. Elle est plus courte et plus élégante.

Par exemple :

> Comment s'appelle-t-il ? mais : Comment **est-ce qu'il s'appelle ?**
> Pourquoi pleure-t-elle ? mais : Pourquoi **est-ce qu'elle pleure ?**

La même règle s'applique ici, et quand vous employez les formes **qu'est-ce que** et **qu'est-ce qui** les mots de la phrase qui suit sont dans leur ordre normal de déclaration :

> Qu'**est-ce qui vous a plu ?**
> Qu'**est-ce que votre père a dit ?**

Avec la forme **que** ou **qui,** il n'y a pas de **est-ce que,** et l'inversion est nécessaire :

> Qui **avez-vous vu ?**
> Que **vous a-t-il dit ?**

3. **Quoi ?** après une préposition

> **Sur quoi** êtes-vous assis ? Je suis assis sur une chaise.
> **Avec quoi** écrivez-vous ? Avec un stylo, ou avec une machine à écrire.
> **De quoi** parlez-vous ? Je parle de ce que je vais faire ce soir.
> **Sur quoi** a-t-il fait sa conférence ? Sur un sujet philosophique passionnant.
> **Après quoi** fait-on une inversion ? Après une formule de question autre que **est-ce que**…

Quoi ? est la forme du pronom interrogatif objet de préposition. C'est aussi la forme que l'on emploie quand le pronom interrogatif est seul :

> **Quoi ?** Qu'est-ce que vous dites ?
> Vous demandez quelque chose. **Quoi ?**

NOTE : Comparez **quoi** avec les pronoms comme **moi, toi, lui.** Vous voyez que c'est une forme semblable, accentuée, et qu'il y a un usage comparable, mais dans la question :

> **Quoi ?** C'est vous qui avez fait ça ? Oui, c'est **moi !**

Quoi exprime plutôt la surprise que l'interrogation. Si on n'a vraiment pas compris, on dira probablement : « Comment ? »

III. *Lequel ?*

Vous connaissez déjà l'adjectif interrogatif **quel** dans ses formes :

> **Quel :** Quel jour sommes-nous ?
> **Quelle :** Quelle heure est-il ?

Quels: Quels exercices avons-nous pour aujourd'hui?

Quelles: Quelles couleurs aimez-vous le mieux?

Quel est un adjectif, c'est-à-dire qu'il est toujours employé avec un nom. On l'emploie aussi de la façon suivante, toujours avec le verbe **être:**

Quel est le titre de ce livre?

Quelle est la date d'aujourd'hui?

A. Le pronom formé sur **quel** est **lequel**

Voilà ses formes:

Lequel: **Lequel** de vos parents est le plus généreux?

Laquelle: Voilà deux routes. **Laquelle** va-t-il prendre?

Lesquels: **Lesquels** de ces jeunes gens étudient le français?

Lesquelles: **Lesquelles** de vos robes portez-vous le plus souvent?*

Vous avez déjà vu **lequel** en conjonction avec **celui.** Maintenant voilà ce qui arrive quand **lequel** est accompagné de la préposition **à** ou **de:**

1. **Auquel** est la combinaison de **à** + **lequel**

Il y a six étages. **Auquel** habitez-vous?

A laquelle de ces jeunes filles avez-vous téléphoné?

Auxquels d'entre vous a-t-on distribué des cartes?

Auxquelles de ces questions voulez-vous une réponse?

Voilà les quatre formes que prend la combinaison de **à** + **lequel:**

auquel	**à laquelle**
auxquels	**auxquelles**

2. **Duquel** est la combinaison de **de** + **lequel**

Vous avez besoin d'**un** de mes livres? **Duquel?**

Desquels de vos professeurs avez-vous peur? J'ai peur de **ceux** qui ne donnent pas de note avant la note finale.

De laquelle d'entre vous, mesdemoiselles, parlait le directeur quand il a dit qu'une jeune fille était rentrée tard hier soir?

Desquelles de mes idées faut-il me débarrasser? De **celles** qui sont confuses et contradictoires.

---

* Remarquez qu'on dit:

                Lequel de vos amis, laquelle de vos robes, etc.

Mais qu'on dit:

                Lequel **d'entre** vous? Lequel **d'entre** nous? etc.

Si **lequel** est suivi d'un pronom, employez **d'entre**.

Voilà les quatre formes que prend la combinaison de **de** + **lequel**:

duquel   **de laquelle**
desquels   **desquelles**

B. Quand **lequel** est employé avec une autre préposition, il n'y a pas de contraction et pas de forme spéciale :

Dans lequel de ces pays avez-vous voyagé ?
Pour laquelle de ces raisons avez-vous quitté l'Europe ?
Avec lesquels de ces gens vous entendez-vous bien ?
Sur laquelle de ces chaises voulez-vous mettre votre sac ?
Sur lequel d'entre vous est-ce que je peux compter pour m'aider ?

VOCABULAIRE

Noms

un instituteur, une institutrice	un chemin
une colline	une résidence
un gendarme	une figue
une corde	une couverture
une querelle	une bifurcation
une prison	un criminel
un service, rendre service à quelqu'un	une tribu
un type	une demeure

Adjectifs

lié(-e)	sec, sèche

Verbes

commettre (comme **mettre**), j'ai commis	s'engager
souffler	soupirer
blâmer	tracer
traiter	s'intéresser à
serpenter	

EXERCICES

I. Complétez la question:

1. _____ il a vu? Il ne savait pas exactement: on aurait dit un homme à cheval, avec quelque chose derrière.

2. _____ vous auriez dû faire? J'aurais dû rester chez moi.

3. _____ aviez-vous besoin? De quelque chose à manger.

4. _____ d'entre nous parlez-vous? De celui qui était absent pour l'examen.

5. _____ avez-vous fait ce gâteau? Avec du beurre, du sucre et de la farine.

6. _____ vous faites ce soir? Pas grand'chose.

7. _____ voulait-elle se débarrasser? Elle voulait se débarrasser d'Anne, parce qu'elle était jalouse.

8. _____ Louis XVI en voulait-il? Il en voulait un peu aux Révolutionnaires, d'après Jolie Belle.

9. _____ Jolie Belle reproche à Richard? Elle lui reproche son manque de talent et d'humilité.

10. _____ de ces machines à écrire écrit-on le plus facilement? Avec celle-ci, parce qu'elle est électrique.

II. Formulez le pronom interrogatif probable:

Ex: J'ai envie **d'une voiture.** De laquelle?

1. Je voudrais parler **à ce monsieur.**
2. Il paraît que Jolie Belle joue **dans une pièce de Racine!**
3. Il va aller voir **un film.**
4. Elle va se marier **avec un jeune homme** de cette classe.
5. Nous avons acheté **une maison** dans votre rue.
6. J'ai besoin **d'un renseignement.**
7. Il y a **un point** que je ne comprends pas.
8. Rencontrons-nous **dans un restaurant.**
9. Je suis brouillé **avec une de vos soeurs.**
10. Il s'intéresse beaucoup **à certaines formes d'art.**
11. J'ai oublié mon parapluie **dans une classe!**

III. Voilà les réponses. Trouvez *la* (ou une) question. La plus logique est
la meilleure:

1. _____ ? Ce monsieur, c'est le directeur de la banque.
2. _____ ? Je voudrais voir le président.
3. _____ ? Il ne sait pas ce qu'il veut.
4. _____ ? C'est une enveloppe qui est par terre.
5. _____ ? Je prendrai celle qui est à gauche.
6. _____ ? C'est d'un tricot que j'ai besoin.
7. _____ ? J'ai besoin de celui de ma soeur.
8. _____ ? Je pense à mon fiancé.
9. _____ ? Il travaille dans une mine d'or, au Canada.
10. _____ ? Je pense à mon mariage.
11. _____ ? Il aura lieu au mois de juin.
12. _____ ? Je porterai une robe de satin blanc.
13. _____ ? Après notre mariage, nous ferons un voyage de noces.

IV. Voilà des questions. Donnez une réponse appropriée:

1. Qui a peur des serpents?
2. De qui avez-vous peur?
3. De quoi avez-vous envie?
4. A qui en voulez-vous?
5. Qu'est-ce que vous faites ce soir?
6. Qu'est-ce qui était le plus agréable pour vous aujourd'hui?
7. A quoi pensez-vous quand vous n'écoutez pas en classe?
8. Un jeune homme est riche, un autre est sympathique. Lequel préférez-vous?
9. Vous avez deux examens le même jour. Auquel pensez-vous le plus?
10. Vous voulez un journal? Lequel?

COMPOSITIONS

Composition orale:

A. Vous avez la permission de sortir et de rentrer à minuit.
Vous rentrez à trois heures du matin. Quelles sont les questions de vos
parents?

B. Vous étiez absent le jour de l'examen. Quelles questions le professeur vous pose-t-il?

C. Vous racontez à un ami (ou une amie) que vous avez rencontré une jeune fille ou un jeune homme formidable. Quelles questions vous pose-t-il (elle)?

(Préparez votre composition sous forme de dialogue, avec quelques mots au commencement pour expliquer les circonstances. N'oubliez pas qu'il y a des quantités d'autres formes de questions que vous connaissez déjà: **Quand? Où? Pourquoi? Comment?** etc.)

Composition écrite, un sujet au choix:

Employez le style de narration pour exposer votre sujet, mais le style direct— dialogue—pour la conversation. N'oubliez pas que la qualité de votre composition dépend de la variété des formes que vous employez autant que de leur correction. Employez des conditionnels et le verbe **devoir.**

A. Vous parlez avec un ami du *Crime de Daru.* Vous n'êtes pas d'accord car vous avez une interprétation de sa morale, et il en a une autre. Vous vous posez mutuellement des questions, et vous y répondez.

B. Un jeune homme demande la main d'une jeune fille. Les parents de celle-ci lui posent beaucoup de questions. Il y répond. La conclusion de cette conversation.

C. Vous avez besoin d'une voiture, et il faut convaincre votre père. Quelles questions vous pose-t-il? Quelles sont vos réponses, et vos questions à vous? Quelle est la conclusion?

D. Vous cherchez du travail et vous allez voir le directeur d'une maison de commerce ou d'une autre entreprise. Quelles questions vous pose-t-il? Lesquelles lui posez-vous à votre tour?

QUATORZIÈME LEÇON

Ce qu'il Faut Faire

quand on Sort

avec une Jeune Fille

PREMIÈRE PARTIE

LE SUBJONCTIF

Le subjonctif irrégulier

Il faut *et le concept de nécessité*

Etudiez les phrases suivantes :

Indicatif	*Subjonctif*
Je fais beaucoup de choses.	Il faut **que je fasse** beaucoup de choses.
Je vais à l'école.	Il faut **que j'aille** à l'école.
Je peux passer mes examens à la fin de l'année.	Il faut **que je puisse** passer mes examens à la fin de l'année.
Je suis toujours à l'heure.	Il faut **que je sois** toujours à l'heure.
Je sais mes leçons.	Il faut **que je sache** mes leçons.
J'ai de bonnes notes.	Il faut **que j'aie** de bonnes notes.
Je veux réussir dans mes études.	Il faut **que je veuille** réussir dans mes études.

Déclaration et question	*Réponse*
Il faut que je fasse mon lit. Et vous, faut-il que **vous fassiez** le vôtre ?	Oui, il faut que je fasse le mien. Il faut que **nous** le **fassions.**
Il faut que j'aille au marché. Faut-il que **vous** y **alliez** aussi ?	Oui, il faut que j'y aille. Il faut que **nous** y **allions.**

495

Ne fermez pas la fenêtre : il faut que **l'air puisse** entrer.

Oui, et il faut que **nous puissions** respirer aussi.

A quelle heure faut-il que **vous soyez** chez vous ?

Il faut que **j'y sois** à six heures, quelqu'un doit me téléphoner. Il ne faut pas que je sois dehors quand il téléphonera.

Faut-il que **vous sachiez** le subjonctif de tous les verbes ?

Non, mais il faut que **nous sachions** les neuf subjonctifs irréguliers. Il faut aussi que **les étudiants sachent** former les autres.

Combien d'argent faut-il que **vous ayez** pour aller en Europe ?

Il faut que **j'aie** mille dollars ; alors, vous voyez qu'il faut que **je fasse** des économies.

Faut-il qu'**un artiste veuille** exprimer la réalité ?

Non, il faut surtout qu'**il veuille** exprimer sa vision du monde. Il faut aussi, d'autre part, que **nous voulions** comprendre ce qu'il exprime.

LECTURE

Ce qu'il faut faire quand on sort avec une jeune fille

Ce qui suit est une conversation entre deux jeunes gens : Michel qui vient d'arriver de France et Bill, américain, son camarade de chambre.

MICHEL. Ecoute, Bill, je sors ce soir. J'ai rendez-vous avec Betty à huit heures. Je vais la chercher chez elle. C'est une fille charmante et j'ai de la veine ! Seulement, il faut que je sache exactement comment on se conduit, en Amérique, quand on sort avec une jeune fille. Alors, je te prie, dis-moi ce qu'il faut que je fasse et ce qu'il ne faut pas que je fasse.

BILL. Ah, alors, tu as beaucoup à apprendre. D'abord, il faut que tu sois à l'heure et que tu sois habillé très correctement. Il faut que ta voiture soit aussi impeccable que toi et surtout qu'il y ait assez d'essence pour ne pas tomber en panne.

MICHEL. C'est dommage... J'aime assez une panne d'essence sur une route déserte, surtout si la jeune fille est blonde: c'est joli, une blonde au clair de lune!

BILL. Il faut que tu aies assez d'essence. Evidemment, si Betty n'est pas pressée, vous pouvez toujours dire à ses parents que vous avez eu une panne d'essence.

MICHEL. Ça va, ça va, tu n'as pas besoin de me faire un dessin. A Paris, mon vieux, nous avons les pannes de métro... Très pratique aussi. Continue.

BILL. Bon. Alors, voyons, où en étions-nous? Ah, oui. Tu arrives chez Betty. Il faut que tu sois très poli avec sa mère, son père, son petit frère et sa grand' mère. Sois même très gentil avec le chien et fais des remarques flatteuses aux poissons rouges dans leur aquarium.

MICHEL. Mais... où sera Betty pendant ce temps?

BILL. Elle ne sera pas prête. Tu ne pensais pas qu'elle serait prête et qu'elle t'attendrait assise dans le salon comme si tu étais le seul garçon sur terre qui veuille sortir avec elle? Non. Betty sait qu'il faut qu'elle te fasse attendre au moins pendant une demi-heure.

MICHEL. Jamais je ne trouverai de sujet de conversation pour passer une demi-heure avec les poissons rouges!

BILL. Oh, ce n'est rien. Quand Betty arrivera, il faut que tu sois saisi d'admiration, absolument stupéfait. Il faudra que tu ailles à sa rencontre et que tu fasses semblant d'être frappé, ébloui. Il faudrait aussi que tu puisses murmurer quelques mots comme: « Incroyable, sensationnel, c'est d'un chic fou... »

MICHEL. Il ne faudrait pas, non plus, que Betty puisse croire que je me moque d'elle... Elle est assez jolie, mais sûrement, elle ne se prend pas pour une déesse...

BILL. Si, justement, elle se prend pour une déesse, mais elle ne le dit pas, parce que c'est une fille intelligente. Mais je continue: alors, il faut que tu sois très prévenant, il faut que tu ouvres la portière pour elle, il faut que tu lui demandes si elle est bien. Il faut aussi que tu saches où l'emmener. Les jeunes filles détestent les garçons qui disent: « Où voulez-vous aller? » Elles savent très bien où elles veulent aller, mais c'est très embarrassant de le dire quand elles ne savent pas combien d'argent on peut dépenser. Alors, il faut que ce soit toi qui saches à l'avance ce que vous allez faire. Oh, j'allais oublier! La conversation… Il faut que tu sois spirituel, cultivé, galant, mais la meilleure façon d'être tout ça, c'est de laisser Betty parler et d'approuver tout ce qu'elle dit.

MICHEL.   Merci, mon vieux. J'ai compris le système. Tu peux commencer à m'appeler Don Juan tout de suite.

QUESTIONS SUR LA LECTURE

1. Michel demande des conseils à Bill. Sur quel sujet? Pourquoi a-t-il besoin de ces conseils?

2. Qu'est-ce que Michel a besoin de savoir? Comment trouve-t-il Betty? Mademoiselle, aimeriez-vous sortir avec Michel? Pourquoi?

3. Quels sont les préparatifs que le jeune homme doit faire avant d'aller chercher la jeune fille? Comment faut-il qu'il s'habille? Est-ce que la jeune fille fait aussi des préparatifs? Lesquels?

4. La question de l'essence… Sujet délicat. Pourquoi? Faut-il avoir une panne d'essence? Pourquoi? Les jeunes gens parisiens n'ont pas tous de voitures. Alors, quel est l'équivalent de la panne d'essence?

5. Michel fait une remarque qui est typiquement française et poétique. Qu'est-ce qu'il dit? Est-ce qu'un jeune homme américain dirait la même chose?

6. Que faut-il que Michel fasse quand il arrivera chez Betty? Pourquoi la conversation est-elle difficile avec des poissons rouges?

7. Pourquoi Betty ne sera-t-elle pas prête? Si elle était prête, qu'est-ce que Michel pourrait penser?

8. Quand Betty arrivera, quelle attitude faudra-t-il que Michel prenne? Pourquoi? De quoi Michel a-t-il peur? Pensez-vous que toutes les jeunes filles se prennent pour des déesses?

9. Faut-il que le jeune homme fasse des projets à l'avance? Pourquoi? Il faut qu'il soit prévenant. Expliquez ce mot par des exemples de ce que fait un jeune homme prévenant.

10. La conversation. Quelles qualités faut-il que le pauvre Michel montre dans sa conversation? Mais… qu'est-ce qu'il n'a qu'à faire pour ça?

11. Que pensez-vous de ces conseils? Bill a-t-il tort ou raison? Pourquoi? Est-ce que les jeunes gens se conduisent vraiment comme ça? Et les jeunes filles? Pourquoi?

12. Etes-vous d'accord sur certains conseils? Pas sur d'autres? Sur lesquels? Expliquez votre opinion.

13. Maintenant que vous connaissez le mot « déesse » pouvez-vous expliquer le nom « D-S » donné à un modèle d'auto?

PRONONCIATION

j'ai/que j'ai¢/qu'il ai⊄

je veux/que je veuille

que nous **ayons** (= cr**ayon**)

EXPLICATIONS

LE SUBJONCTIF

Le subjonctif est un mode, comme l'indicatif. Le subjonctif, comme son nom l'indique, est le mode que prend le verbe quand il est précédé par certains verbes (comme **il faut**), ou certaines expressions qui indiquent une situation **subjective.** Dans cette leçon, nous allons voir le subjonctif employé après **il faut.**

Etudions d'abord les neuf subjonctifs irréguliers.

I. *Les subjonctifs irréguliers*

Il y a neuf verbes qui ont un subjonctif irrégulier:

Avoir	que j'aie	**Pouvoir**	que je puisse	**Vouloir**	que je veuille
Être	que je sois	**Savoir**	que je sache	**Falloir**	qu'il faille
Faire	que je fasse	**Aller**	que j'aille	**Valoir**	qu'il vaille

La conjugaison de ces verbes au subjonctif:

Infinitif	*Présent de l'indicatif*	*Subjonctif*
Avoir:	J'ai	Que j'aie
	Tu as	Que tu aies
	Il a	Qu'il ait
	Nous avons	Que nous ayons
	Vous avez	Que vous ayez
	Ils ont	Qu'ils aient
Être:	Je suis	Que je sois
	Tu es	Que tu sois
	Il est	Qu'il soit
	Nous sommes	Que nous soyons
	Vous êtes	Que vous soyez
	Ils sont	Qu'ils soient
Faire:	Je fais	Que je fasse
	Tu fais	Que tu fasses
	Il fait	Qu'il fasse
	Nous faisons	Que nous fassions
	Vous faites	Que vous fassiez
	Ils font	Qu'ils fassent
Pouvoir:	Je peux	Que je puisse
	Tu peux	Que tu puisses
	Il peut	Qu'il puisse
	Nous pouvons	Que nous puissions
	Vous pouvez	Que vous puissiez
	Ils peuvent	Qu'ils puissent

Savoir:	Je sais	Que je sache
	Tu sais	Que tu saches
	Il sait	Qu'il sache
	Nous savons	Que nous sachions
	Vous savez	Que vous sachiez
	Ils savent	Qu'ils sachent

Aller:	Je vais	Que j'aille
	Tu vas	Que tu ailles
	Il va	Qu'il aille
	Nous allons	**Que nous allions**
	Vous allez	**Que vous alliez**
	Ils vont	Qu'ils aillent

Vouloir:	Je veux	Que je veuille
	Tu veux	Que tu veuilles
	Il veut	Qu'il veuille
	Nous voulons	**Que nous voulions**
	Vous voulez	**Que vous vouliez**
	Ils veulent	Qu'ils veuillent*

| **Falloir:** | Il faut | Qu'il faille |
| **Valoir:** | Il vaut | Qu'il vaille (surtout employé dans l'expression: **il vaut mieux**). |

Terminaisons:

A l'exception de **être** et **avoir,** tous les subjonctifs, réguliers ou irréguliers ont les mêmes terminaisons:

Que je…		e
Que tu…		es
Qu'il…		e
Que nou…		ions
Que vous…		iez
Qu'ils…		ent

* Vous remarquez que pour les verbes **Aller** et **Vouloir,** la racine change à la forme **nous** et **vous** et qu'elle est alors parallèle à celle du présent de l'indicatif:

Nous **all**ons et que nous **all**ions Nous **voul**ons et que nous **voul**ions
Vous **all**ez et que vous **all**iez Vous **voul**ez et que vous **voul**iez

Vous allez retrouver cette caractéristique dans beaucoup d'autres verbes.

II. *Le subjonctif et l'infinitif après **Il faut***

Vous connaissez déjà la construction **il faut** + **l'infinitif:**

> **Il faut manger** pour vivre.
> **Il faut être** à l'heure.
> Si* on est malade, **il faut aller** chez le docteur.
> **Il faut faire** son travail si on ne veut pas avoir de difficultés.

Cette construction a un sens impersonnel, c'est-à-dire général. Il n'y pas de référence à une personne spécifique, elle a un sens semblable à celui de **on,** et on l'emploie souvent en contexte avec **on.**

> Si je suis malade, **il faut que j'aille** chez le docteur.
> **Il faut que je fasse** mon travail si je ne veux pas avoir de difficultés.

La construction de **il faut** + **le subjonctif** s'emploie quand on parle d'une personne spécifique (**je, tu, il, nous, vous, ils**):

> **Il faut que vous soyez** à l'heure.
> **Il faut que les étudiants** de cette classe **sachent** le subjonctif.
> **Il faut que la voiture** que je vais acheter **fasse** du 100 à l'heure.

Il faut + **le subjonctif** s'emploie très souvent en français. **Il faut** s'emploie au sens de *to have to.*

III. *Les différents temps du verbe **Falloir***

1.   **Il a fallu** que j'aille chercher mon copain ce matin: sa voiture était en panne.

    Je ne suis pas sorti le week-end dernier, parce qu'**il fallait** que je fasse des devoirs.

    Il faudra probablement que j'aille dans l'armée quand j'aurai vingt ans.

    Il faudrait que vous fassiez une demi-heure de gymnastique tous les matins.

    Il aurait fallu que je commence à étudier le français à l'école élémentaire. Alors, je le saurais maintenant.

Vous voyez, dans les exemples qui précèdent, le verbe **falloir** employé à ses différents temps. Voyons maintenant chacun de ces temps spécifiquement:

Passé composé

Il a fallu: fait soudain, à un moment précis; nécessité soudaine.

---

* Il n'y a pas de subjonctif en français après **si.**

A huit heures ce matin, **il a fallu** que j'aille chercher mon copain: sa voiture était en panne.

Imparfait

Il fallait: situation, description d'une situation.

Il fallait que je fasse des devoirs **pendant le week-end.**

Futur

Il faudra: nécessité future.

Il faudra sans doute que j'aille dans l'armée **quand j'aurai vingt ans.**

Conditionnel

Il faudrait: ce serait une bonne idée.

Il faudrait que vous fassiez **une demi-heure de gymnastique tous les matins.**

Conditionnel passé

Il aurait fallu: si je l'avais fait, je serais content maintenant.

Il aurait fallu que je commence à étudier le français à l'école élémentaire.

Il faudrait et **il aurait fallu** ont approximativement le même sens que **je devrais** et **j'aurais dû** (*I ought to, and I ought to have...*).

La raison de ce changement de sens du verbe au conditionnel c'est que l'idée de conditionnel diminue celle de la nécessité: une nécessité conditionnelle n'est pas absolue. Donc, il devient synonyme du verbe de l'obligation morale, limitée.

2. **Il ne faut pas**

Vous avez déjà vu que **il faut** a le sens de *to have to* mais que **il ne faut pas** a le sens de *must not* et pas de *not to have to*:

Il ne faut pas dire à une jeune fille qu'elle est laide. Ça ne se fait pas.

Il ne faut pas stationner votre voiture au milieu de la rue.

Il ne faudra pas (ou: il ne faudrait pas) **que vous fassiez** de fautes le jour de l'examen.

L'agent de police a dit qu'**il aurait pas fallu que j'aille** si vite avec ma voiture.

NOTE: Comment exprime-t-on "*I don't have to*"? Employez l'expression: **Je ne suis pas obligé,** ou **je n'ai pas besoin de:**

Sa première classe est à neuf heures, **il n'a pas besoin de** se lever avant sept heures et demie.

J'aime beaucoup ma classe d'archéologie. Le professeur a dit que **nous n'étions pas obligés d'**écrire un rapport; mais dans celle-ci, c'est différent: il faut que nous fassions tout le travail.

IV. *Expressions: **faire semblant; être bien***

Faire semblant: Quelquefois, **on fait semblant** d'avoir compris.
    Si on me donne un cadeau invraisemblable, **je fais semblant d'**être content.

Être bien: Un objet est confortable, une personne est bien.
    On est bien dans ce fauteuil, parce qu'il est confortable.

VOCABULAIRE

Noms

l'essence
une panne, tomber en panne
le clair de lune
un dessin
le métro
une remarque

la rencontre, aller à la rencontre de...
une déesse
la portière
le système
un bidon
un ananas

Adjectifs

charmant(-e)
impeccable
désert(-e)
flatteur, flatteuse
saisi(-e)

ébloui(-e)
embarrassant(-e)
spirituel, spirituelle
galant(-e)
prévenant(-e)

Verbes et expressions verbales

tomber en panne
aller à la rencontre de...
faire semblant de...
être bien
se prendre pour...

laisser, laisser parler
approuver
faire attendre quelqu'un
c'est d'un chic fou!

EXERCICES

I. Quelle est la forme correspondante du subjonctif?

Ex: Je suis.   Que je sois

Je vais	Tu vas	Il fait
Il est	Nous sommes	Tu es
Elle sait	Vous avez	Vous allez
Nous avons	Je veux	Ils font
Je peux	Vous savez	

II. Complétez les phrases suivantes par le verbe au subjonctif:

1. Il faut que les Américains (*aller*) en Europe pour découvrir les origines de leur civilisation.
2. Il ne faut pas que vous (*avoir*) peur de moi.
3. Il aurait fallu que je (*être*) millionnaire pour acheter tout ce dont j'ai envie.
4. Il faudrait que vous (*savoir*) son numéro de téléphone pour lui donner un coup de fil.
5. Hier, panne de métro! Il a fallu que je (*faire*) deux kilomètres à pied. Mais ce n'est rien! Le Président Théodore Roosevelt a dit qu'il fallait que les officiers de l'Infanterie de Marine (*pouvoir*) faire 80 kilomètres à pied. Faut-il encore qu'ils les (*faire*)?
6. J'ai demandé au professeur ce qu'il faudrait que je (*savoir*) pour l'examen. J'ai aussi demandé ce qu'il aurait fallu que je (*faire*) pour avoir un "A" au dernier examen.
7. Il m'a répondu qu'il faudrait que je (*vouloir*) vraiment connaître le sujet. Et il a ajouté d'un air ironique qu'il faudrait que (*aller*) plus souvent à la bibliothèque.

III. Complétez les phrases suivantes par la forme correcte du verbe **falloir:**

1. Je savais qu'il _____ étudier pendant le week-end. Mais ma mère était malade, et il _____ que je fasse la cuisine dimanche soir.
2. Hier, j'ai eu une panne d'essence. Il _____ que j'aille à pied à la station service. La prochaine fois, il _____ que j'aie un bidon d'essence dans la voiture.
3. Je sais très bien qu'il _____ toujours remercier les gens pour

un cadeau, aussi, après avoir reçu celui de ma tante, il _____ la remercier. Mais je suis malheureux quand il _____ écrire des lettres. Alors, j'ai attendu. Enfin, une semaine avant Noël, il _____ que je le fasse, et que j'y ajoute des excuses. Il ne _____ pas que je sois si négligent!

IV. Complétez les phrases suivantes avec imagination:

1. Il faut que je fasse des économies parce que _____ .
2. Il faudra que je sache une langue étrangère si _____ .
3. Faut-il que je fasse la conversation avec les poissons rouges quand _____ ?
4. Je ne savais pas s'il fallait que je sois en costume de ville ou de sport, alors _____ .
5. Mon Dieu! Il n'y a pas de pain pour le dîner! Il aurait fallu que quelqu'un _____ .
6. On m'a dit que dans cette école, il ne fallait jamais qu'on _____ .
7. Il a fallu que j'aille à l'aérodrome _____ .
8. Moi, il faut que _____ .
9. Il a fallu qu'il se fasse au climat tropical depuis que _____ .

V. Répondez aux questions suivantes en quelques phrases:

1. Qu'est-ce qu'il faut que vous fassiez ce soir?
2. Qu'est-ce qu'il ne faut pas que vous fassiez en classe?
3. Où faut-il que vous soyez à midi? A cinq heures de l'après-midi? A minuit? A neuf heures du matin?
4. Qu'est-ce que vous n'avez pas besoin de faire aujourd'hui?
5. Où faudrait-il que vous alliez pour voir (nommez la ville, le pays ou, suivant le cas, la ville et le pays, et répondez par une phrase complète):
    La Tour Eiffel?
    Le Palais de Buckingham?
    Les Pyramides?
    Beaucoup de cerisiers en fleurs?
    Des kangourous en liberté et des ornithorynques?
    Un mur qui divise une ville?
    Le Vatican?
    De grandes plantations d'ananas?
    Le Carnaval?
    L'Acropole?
    Les Jardins de Tivoli?
    Le Mont-Blanc?

COMPOSITIONS

Composition orale:

A. Qu'est-ce qu'il faut absolument que vous fassiez cette semaine?

B. Où faut-il qu'un étranger aille, dans votre ville? Que faut-il qu'il fasse? (Ou dans votre état, ou dans votre université.)

C. Si quelqu'un veut devenir riche, que faut-il qu'il fasse?

Composition écrite:

A. Racontez vos dernières vacances, ou une aventure qui vous est arrivée en employant les subjonctifs que vous avez appris et les différents temps du verbe **falloir** (il fallait... il a fallu... etc.). Employez aussi **devoir.**

B. Ecrivez un lettre à Michel pour lui dire ce que, à votre avis, il faut et il ne faut pas qu'il fasse quand il sortira avec Betty, et faut-il qu'il fasse attention aux conseils de Bill?

DEUXIÈME PARTIE

Ce qu'il ne Fallait pas que Michel Fasse

LE SUBJONCTIF (suite)

La formation du subjonctif régulier

Etudiez les phrases suivantes :

Indicatif	*Subjonctif*
Je regarde la télévision	Il faut **que je regarde** la télévision pour voir le programme dont on m'a parlé.
Je réfléchis avant de répondre.	Il faut **que je réfléchisse** avant de répondre si je veux donner une réponse intelligente.
J'attends la fin du semestre.	Il faut **que j'attende** la fin du semestre pour partir en vacances.
Je viens ici tous les matins.	Il faut **que je vienne** ici tous les matins.
Je prends mes affaires.	Il faut **que je prenne** mes affaires et que je les emporte dans la voiture.
Je bois du café.	Il faut **que je boive** du café, sinon, je vais m'endormir.
Je mets mon nom sur ma boîte aux lettres.	Il faut **que je mette** mon nom sur ma boîte aux lettres, car il ne faut pas que le facteur se trompe.

Déclaration et question	*Réponse*
Nous ne regardons pas souvent la télévision. Quand faut-il **que nous** la **regardions?**	Il faut **que vous** la regardiez quand on donne des pièces classiques.
Je réfléchis à une question difficile. Vous êtes architecte. **Faut-il que vous réfléchissiez** beaucoup avant de faire des plans?	Oui, il faut que je réfléchisse. Il faut **que** tous **ceux** qui font un travail créateur **réfléchissent.**
Combien de temps faut-il attendre une réponse de France?	Avant le courrier aérien, **il fallait qu'on attende** un mois, mais maintenant, il ne faut plus qu'on attende que sept ou huit jours.
Pourquoi faut-il **que vous buviez** du café?	Il faut **que nous buvions** du café, parce qu'il ne faut pas **que nous nous endormions.**
Qu'est-ce qu'il faut que je prenne, dans ce restaurant?	Oh, il faut absolument **que vous preniez** la spécialité maison: c'est la terrine aux truffes.

LECTURE

Ce qu'il ne fallait pas que Michel fasse

Après son rendez-vous avec Michel, qui a scrupuleusement suivi les conseils de Bill, voilà ce que Betty a à dire sur le sujet:

BETTY. Allô, allô, Véronique? Ici, Betty. Vous allez bien?

VÉRONIQUE. Pas mal, merci... Mais c'est à vous qu'il faut le demander! Vous deviez sortir avec ce jeune Français si séduisant, n'est-ce pas?

BETTY. Oh, ne m'en parlez pas! Oui, en effet, je suis sortie avec lui... Et c'était si drôle! Il faut que je vous raconte.

VÉRONIQUE. Attendez un instant. Il faut que je dise à mon frère d'arrêter la radio... Voilà, je vous écoute.

BETTY. Eh bien, d'abord, il faut que je vous explique. Quand il m'a demandé de sortir avec lui, j'ai commencé par prendre des renseignements sur ce qu'un jeune Français attend de la jeune fille avec qui il sort. Par exemple, je savais qu'il fallait que je sois prête quand il arriverait, parce que les Français ne sont pas patients. Quand je suis entrée dans le salon, il était debout devant l'aquarium. Il aurait fallu que vous le voyiez! Je crois qu'il essayait de parler avec les poissons! Et puis, il a eu l'air stupéfait de me voir. Enfin, fallait-il que j'annonce mon arrivée dans ma propre maison? Il a fait quelques pas vers moi... il a murmuré des mots incompréhensibles, quelque chose comme « admiration »... Franchement, je croyais qu'il était devenu fou. Enfin, je me suis dit que c'était peut-être comme ça qu'il fallait faire en France.

VÉRONIQUE. Je vous assure que, moi qui arrive de France, je n'ai jamais rien vu de semblable... Il faut qu'il soit fou, en effet. C'est dommage, il est beau garçon!

BETTY. N'est-ce pas? Alors, nous sommes sortis de la maison: il a couru ouvrir la portière, et quand nous nous sommes mis en route, il m'a demandé dix fois si j'étais bien, si je n'avais ni froid, ni chaud. Fallait-il qu'il ouvre la vitre? Qu'il la ferme? Je ne le reconnaissais pas. Il n'a pas l'habitude d'être aussi prévenant!

VÉRONIQUE. Ça, c'est vrai! Vous vous rappelez, l'autre jour, quand je lui ai demandé d'aller me chercher une autre tasse de café, il m'a dit qu'il fallait que j'y aille moi-même, que j'avais besoin d'exercice et que ça se voyait... J'étais furieuse! Et pourtant, je me demande si ce n'est pas justement pour ça que les Français sont séduisants: ils ont toujours cet air désinvolte,* un peu supérieur et ils sont tour à tour exaspérants et irrésistibles. Parce que, juste après l'histoire de la tasse de café, Michel m'a dit: « J'adore vous voir en colère... Vos yeux deviennent violets »... Mais, pardon, vous allez croire... Continuez!

BETTY. Où en étions-nous? Ah, oui. Eh bien, les choses ont continué comme ça pendant une heure. Il ne disait rien, me regardait avec extase, et il fallait que je lui pose des questions précises pour avoir un mot de lui. Et il n'avait pas d'avis, pas d'opinion. Il attendait la mienne sur tout, et il agitait la tête verticalement, avec un sourire idiot sur les lèvres. J'ai fini par lui

---

* **désinvolte:** c'est à la fois *"casual,"* *"easy"* et un peu moqueur.

demander s'il était souffrant, ou sinon, pourquoi il était si différent du Michel que je connais. Alors, il m'a expliqué, et nous n'avons jamais tant ri!

VÉRONIQUE.   Ah, je savais qu'il fallait qu'il y ait quelque chose! Est-ce qu'il se moquait de vous?

BETTY.   Oh, pas du tout! Il avait simplement demandé à son copain Bill ce qu'il fallait qu'il fasse, qu'il dise, comment il fallait qu'il se conduise et ce qui se fait et ne se fait pas en Amérique. Je ne sais pas exactement ce que Bill lui a expliqué, mais en tout cas, voilà ce que Michel avait compris! Mais, tout va bien maintenant. Nous avons très bien fini la soirée. Et même, quand il me ramenait chez moi, j'avais froid et je lui ai demandé de fermer la vitre. Il m'a répondu qu'au contraire, l'air pur était excellent pour ma santé. Comme vous voyez, il était de nouveau normal. Je suis ravie, et nous sortons ensemble vendredi prochain!

QUESTIONS SUR LA LECTURE

1. Betty téléphone à Véronique. Quelle est l'expression idiomatique que vous connaissez qui veut dire « téléphoner »? Qu'est-ce qu'elle veut lui raconter? Les jeunes filles racontent-elles souvent leur rendez-vous à leurs amies? Pourquoi? Les garçons font-ils la même chose? Pourquoi?

2. Quand Michel a demandé à Betty de sortir avec lui, avait-elle l'impression qu'il fallait qu'elle sache quelque chose? Qu'est-ce qu'on lui a dit qu'il fallait qu'elle fasse? Pourquoi?

3. Betty était-elle prête à l'heure? Qu'a-t-elle vu quand elle est entrée dans le salon? Pourquoi Michel parlait-il aux poissons rouges?

4. Pourquoi Betty pensait-elle que Michel était devenu fou? Etait-il vraiment fou? Pourquoi se conduisait-il de cette façon bizarre quand Betty est entrée?

5. Véronique est-elle d'accord avec Betty? Elle pense que Michel est fou. Pourquoi est-ce dommage?

6. Maintenant, Michel et Betty sont dans la voiture. Est-ce que la conduite de Michel continue à être bizarre? Que fait-il? En réalité, pourquoi se conduit-il de cette façon?

7. Véronique est aussi surprise que Betty de l'attitude de Michel dans la

voiture. Pourquoi? Quelle raison a-t-elle de penser qu'il n'est pas toujours aussi prévenant?

8. Quels sont les sentiments de Véronique envers Michel? Le déteste-t-elle? Expliquez.

9. Si vous étiez à la place de Véronique, voudriez-vous sortir avec Michel? Pourquoi? Aimeriez-vous connaître un jeune Français ou une jeune Française? Pourquoi?

10. Comment était la conversation de Michel? Brillante? Amusante? Pourquoi, encore, se conduisait-il comme ça?

11. Vers la fin de la soirée, Betty ne pense plus que Michel est fou. Elle se demande s'il n'est pas un peu malade. Comment dit-on, si quelqu'un ne se sent pas bien? (Il est... ?) Alors, Michel a expliqué. Qu'est-ce qu'il a expliqué?

12. Comment la soirée s'est-elle terminée? Comment savons-nous que Michel était de nouveau normal? Est-ce que lui et Betty se reverront? Quand?

13. Comment pensez-vous que le prochain rendez-vous se passera? Pourquoi?

14. Si vous étiez à la place de Betty, vous conduiriez-vous de la même façon? Pourquoi?

PRONONCIATION

> j'attends/que j'attende
> je prends/que je prenne/que nous prenions
> je mets/que je mette

EXPLICATIONS

LE SUBJONCTIF (suite)

Vous avez vu dans la dernière leçon qu'il y a neuf subjonctifs irréguliers, et vous avez vu la conjugaison du subjonctif. Dans cette leçon, nous voyons maintenant comment tous les autres verbes forment leur subjonctif, et la conjugaison de celui-ci sur le modèle que vous connaissez déjà.

I. *Le subjonctif des verbes réguliers*

Il faut **que je parle** à mon père.
Il faut **que je réfléchisse** à votre question.
Il faut **que je vende** ma voiture.

Voilà la conjugaison des verbes réguliers des trois groupes:

I **Parler**	II **Réfléchir**	III **Vendre**
Que je parle	Que je réfléchisse	Que je vende
Que tu parles	Que tu réfléchisses	Que tu vendes
Qu'il parle	Qu'il réfléchisse	Qu'il vende
Que nous parlions	Que nous réfléchissions	Que nous vendions
Que vous parliez	Que vous réfléchissiez	Que vous vendiez
Qu'ils parlent	Qu'ils réfléchissent	Qu'ils vendent

RÈGLE: Pour former le subjonctif de tous les verbes (excepté les neuf que nous avons déjà étudiés) on prend **la troisième personne du pluriel du présent de l'indicatif:**

Attendre:	Ils attend/ent	Que j'attend/e
Réfléchir:	Ils réfléchiss/ent	Que je réfléchiss/e
Vendre:	Ils vend/ent	Que je vend/e

II. *Subjonctifs des verbes irréguliers*

Voilà quelques verbes irréguliers. Vous voyez qu'ils forment leur subjonctif de la même manière:

Prendre:	Ils prenn/ent	Que je prenn/e
Mettre:	Ils mett/ent	Que je mett/e
Tenir:	Ils tienn/ent	Que je tienn/e
Venir:	Ils vienn/ent	Que je vienn/e
Boire:	Ils boiv/ent	Que je boiv/e
Écrire:	Ils écriv/ent	Que j'écriv/e
Dire:	Ils dis/ent	Que je dis/e
Devoir:	Ils doiv/ent	Que je doiv/e

Conjugaison du subjonctif des verbes irréguliers:

Infinitif	*Présent de l'indicatif*	*Subjonctif*
	Je prends	Que je prenne
	Tu prends	Que tu prennes
	Il prend	Qu'il prenne
Prendre:	**Nous prenons**	**Que nous prenions**
	Vous prenez	**Que vous preniez**
	Ils prennent	Qu'ils prennent
	Je viens	Que je vienne
	Tu viens	Que tu viennes
	Il vient	Qu'il vienne
Venir:	**Nous venons**	**Que nous venions**
	Vous venez	**Que vous veniez**
	Ils viennent	Qu'ils viennent
	Je bois	Que je boive
	Tu bois	Que tu boives
	Il boit	Qu'il boive
Boire:	**Nous buvons**	**Que nous buvions**
	Vous buvez	**Que vous buviez**
	Ils boivent	Qu'ils boivent

Quand un verbe a une conjugaison irrégulière au présent de l'indicatif (pour le **nous** et le **vous**), le subjonctif suit cette irrégularité.*

REMARQUEZ: La forme **nous** et **vous** du subjonctif est comme la forme **nous** et **vous** de l'imparfait.

Imparfait	*Subjonctif*
Je prenais	Que je prenne
Tu prenais	Que tu prennes
Il prenait	Qu'il prenne
Nous prenions	**Que nous prenions**
Vous preniez	**Que vous preniez**
Ils prenaient	Qu'ils prennent

---

* Vous vous rappelez que vous avez vu la même particularité pour le verbe **aller**:

> Que j'**aille** mais: Que nous all**ions**
> Que vous all**iez**

parce que le subjonctif suit le présent: Nous **all**ons, vous **all**ez.

REMARQUES GÉNÉRALES: Quand le verbe a déjà un **i** dans sa racine (comme **rire, étudier**) il le garde au subjonctif et à l'imparfait. Il a donc deux **i** aux formes **nous** et **vous:**

Present	Imparfait	Subjonctif
Je ris	Je riais	Que je rie
Nous rions	Nous ri**i**ons	Que nous ri**i**ons
Vous riez	Vous ri**i**ez	Que vous ri**i**ez

Quand le verbe prend un **y** pour ses formes **nous** et **vous** au présent de l'indicatif (comme **voir, croire, payer, essayer,** etc.), il aura un **y** et aussi un **i** pour ses formes **nous** et **vous** à l'imparfait et au subjonctif:

Present	Imparfait	Subjonctif
Je crois	Je croyais	Que je croie
Nous croyons	Nous croy**i**ons	Que nous croy**i**ons
Vous croyez	Vous croy**i**ez	Que vous croy**i**ez

VOCABULAIRE

Noms

un sourire

l'extase

une vitre

un avis, à mon avis

Adjectifs

drôle

séduisant(-e)

incompréhensible

désinvolte

semblable

souffrant(-e)

exaspérant(-e)

pur(-e), l'air pur

normal(-e)

stupéfait(-e)

Verbes

murmurer

agiter

reconnaître (comme **connaître**)

j'ai reconnu

EXERCICES

I. Quelle est la forme correspondante du subjonctif?

Ex: Je parle.   Que je parle.

Je finis	Nous voulons	Je comprends
Vous brunissez	Il va	Je promets
Il grandit	Elle sait	Il apprend
Je réponds	Vous dites	Nous tenons
Vous attendez	Elle prend	Vous lisez
Elle perd	Il vient	Il voit

II. Mettez les phrases suivantes au subjonctif après **il faut**:

Ex: Il dort. **Il faut** qu'il dorme.

1. J'obéis à mon père.   Il faut que j' _____ .
2. Vous restez à la maison.   Il faut que vous _____ .
3. Vous vendez votre voiture.   Il faut que vous _____ .
4. Je trouve un crayon.   Il faut que je _____ .
5. Il se réveille à sept heures.   Il faut qu'il _____ .
6. Elle s'arrête au supermarché.   Il faut qu'elle _____ .
7. Je me mets au travail.   Il faut que je _____ .
8. Vous faites un voyage en Europe.   Il faut que vous _____ .
9. Ils sont patients.   Il faut qu'ils _____ .
10. Vous avez du courage.   Il faut que vous _____ .
11. Je sais les nouvelles.   Il faut que je _____ .

III. Imaginez une phrase au subjonctif, avec **il faut, il ne faut pas, il fallait, il a fallu, il faudrait,** etc.:

Ex: Il a commencé à pleuvoir; **il a fallu** que nous fermions la fenêtre.

1. Le téléphone a sonné; _____ .
2. Ma soeur ne trouve pas son sac bleu; _____ .
3. Quand un jeune homme sort avec une jeune fille, il y a une règle essentielle: _____ .
4. Ma mère m'a demandé d'aller à la boîte aux lettres; _____ .
5. Il va y avoir un examen vendredi; _____ .
6. Je n'ai pas fait de voyage l'été dernier; _____ .
7. Michel se conduit de façon bizarre; _____ .

8. Ces enfants sont impossibles. Leur pauvre mère! _____ .
9. Je gagne un peu d'argent et je voudrais avoir un capital à la fin de l'année;
_____ .

IV. Comme dans l'exercice précédent. Imaginez une phrase, mais il faut que
vous employiez **Falloir** et le subjonctif, et **Devoir** et l'infinitif:

Ex: Ma tante m'a envoyé un cadeau. Il faut que je lui écrive pour la
remercier et je devrais le faire tout de suite.

1. Ma voiture était en panne d'essence _____ .
2. L'agent de voyage m'a donné mon itinéraire. Il m'a dit que je partais
demain _____ .
3. Regardez par la fenêtre. Voyez comme il neige! _____ .
4. Je n'ai, hélas! pas beaucoup d'énergie. On m'a dit de faire un effort
_____ .
5. Je regrette, mais je rentre chez moi maintenant _____ .
6. Je ne me suis pas bien amusé à cette soirée, hier _____ .

COMPOSITIONS

Composition orale:

A. Qu'est-ce qu'il faudrait que l'administration de votre école fasse pour
améliorer la condition des étudiants? (système de cours? de notes? d'examens? les repas? les bâtiments? la bibliothèque? le stationnement? les
activités sportives? les distractions? etc.)

B. Vous êtes sorti avec un jeune homme ou une jeune fille qui n'était, hélas!
pas amusant. Qu'est-ce qu'il a fallu que vous fassiez? (Vous aurez peut-être
besoin d'expressions comme **faire semblant de, avoir tendance à,** et
de beaucoup de verbes pronominaux réfléchis comme **s'ennuyer,** etc. et
sûrement des verbes **Falloir** et **Devoir** et du subjonctif.)

Composition écrite:

Employez autant de verbes que possible, pronominaux et autres, réguliers et
irréguliers après **Falloir** à ses différents temps.

A. Qu'est-ce qu'il fait qu'on fasse (ou faudrait...) pour être un étudiant
modèle? (Ou pour être un fils ou une fille modèle) Ou un (une) camarade
modèle?

B. Qu'est-ce qu'il faut (ou faudrait...) qu'on fasse pour avoir du succès auprès du sexe opposé? Voudriez-vous le faire? Pourquoi? Quel serait le résultat?

(N'oubliez pas que vous avez de l'imagination et de l'humour. Cherchez une forme originale et intéressante pour votre composition: C'est peut-être une conversation avec quelqu'un qui vous adresse des réprimandes ou des conseils, c'est peut-être vous qui au contraire en adressez à quelqu'un... Ce sont peut-être les réflexions que vous faites dans certaines circonstances tristes... Voilà, par exemple, un commencement possible pour le sujet B.)

« Tout le monde me dit qu'il faut vraiment que je fasse un effort et qu'il ne faut pas que je dise toujours la vérité aux jeunes filles. Un de mes copains assure même qu'il faudrait que je leur fasse quelquefois des compliments. Moi, je trouve qu'il exagère. Il ne faut pas que je sois trop prévenant, ni que j'aie trop de succès, parce que... »

ROGER VAILLAND

La Jeune Femme qu'il ne Faut pas Être

Nous avons choisi ce passage à cause de son rapport étroit avec les problèmes de la vie moderne.

La société de notre époque est en train de passer par des changements profonds : comme le remarque Roger Vailland, le concept du mariage a changé. De même l'importance de l'argent augmente avec celle de la technologie.

Vous allez voir, dans ce texte, le portrait de la jeune femme qui profite, **aux dépens** de son mari, de la nouvelle société.

* * * * *

Au siècle dernier, le mariage était une institution qui avait pour but d'associer deux personnes pour toute la vie. **Les biens** des deux, leurs fortunes s'ils en avaient, leurs héritages en perspective, leur travail, leur trousseau, allaient être mis en commun. Cela méritait réflexion. Il était logique de consulter les parents, gens d'expérience et qui, par ailleurs, fournissaient les bases de l'établissement du jeune couple, même si ce n'étaient que les six traditionnelles paires de **draps.** Il était logique d'avoir de longues fiançailles. On ne signe pas sans réflexion un contrat qui crée toutes sortes d'obligations pour un si grand nombre d'années.

Mais depuis le début du siècle, et en particulier, depuis la fin de la Première Guerre Mondiale, une nouvelle conception a prévalu. Il est devenu de règle que, quand un jeune homme et une jeune fille « s'aiment » ils se marient. Sans consulter personne. Sans même essayer de réfléchir sur le contenu exact du mot « amour ». Sans se demander ce que c'est qu'un couple, avec ou sans amour, avant ou après la période des amours.

Les jeunes filles **paresseuses** ont tout de suite appris à tirer profit de la nouvelle morale. A dix-huit ans, le garçon fait de la vitesse sur sa moto 500 centimètres cubes ; la fille essaie de ressembler à Brigitte Bardot. Comme, par éducation et par atavisme, la fille sait mieux provoquer et refuser, le garçon finit par se persuader qu'il « aime pour de bon ». Fiançailles. Service militaire.

MARC CHAGALL

La Chatte métamorphosée en femme
Services Culturels Français, New York

... La jeune femme qu'il ne faut pas être.

Le service militaire du garçon, c'est le mauvais temps pour la fille. Elle se lève de bonne heure pour aller au travail, écrit plusieurs fois par semaine à son fiancé qui s'ennuie dans une ville de garnison, et s'en persuade encore plus qu'il aime vraiment pour de bon.

Dès le retour du service, mariage. La jeune femme travaille encore, juste assez longtemps pour faire l'échange de la motocyclette contre une **quatre chevaux d'occasion.** Pour lui, fini le sport. Mais il pourra, le dimanche après-midi, se promener sur les routes de la région avec sa chère petite femme, **bien au chaud** contre lui. Ils iront ainsi, de semaine en semaine, faire une visite à tous leurs cousins.

Après la voiture, on peut se permettre un enfant. La jeune mère cesse d'aller au travail. Elle n'y retournera jamais plus. Il compensera en faisant des heures supplémentaires. Elle dira: «C'est toujours ça de gagné sur le temps qu'il passait au bistro».

Il travaillera dix, douze heures par jour. Mais **elle se plaindra** qu'elle a bien plus de travail à la maison, et que «c'est plus dur». S'il a un peu de tête, il réfléchira que si sa femme savait organiser son travail ménager, elle aurait encore plus de loisirs qu'elle n'en a. Mais comme il est gentil, il ne dira rien. Il lui préparera même son café avant d'aller au travail.

Elle continuera à se plaindre... Pour rendre son travail plus facile, on entrera dans le cycle **aspirateur,** machine à laver, frigidaire, le tout à crédit... Enfin, la télévision. Cette fois son homme est **lié:** lié par la fatigue, par les dettes, et, pour les quelques heures de liberté qui lui restent, **rivé** à elle, les pieds dans ses **pantoufles,** face au petit écran. Son homme pour toujours, qu'elle continuera à manger, gentiment, le cœur en paix.

Extrait de *Les Croqueuses d'Hommes*, dans *La Nef*, janvier-mars, 1961. (Pour *Les Paroles* de Roger Vailland voyez le texte original page 637.)

aux dépens de: le contraire de: **au profit de.**

les biens: les possessions.

une paire de draps: on a besoin d'une paire de draps pour faire un lit. Ils sont généralement blancs.

paresseux (paresseuse): celui (ou celle, comme c'est le cas ici) qui n'aime pas travailler.

d'occasion: qui n'est pas neuf (ou neuve). La quatre chevaux, ou 4CV est une des plus petites et des moins chères parmi les voitures françaises.

bien au chaud: la jeune femme est assise très près de son mari et l'auteur implique qu'elle profite même de sa chaleur.

elle se plaindra: elle se lamentera.

un aspirateur: une machine pour aspirer la poussière (*a vacuum cleaner*).

lié: attaché.

rivé: attaché, mais avec une idée de permanence absolue, comme par un «rivet» de métal.

des pantoufles: les chaussures confortables, pas élégantes, qu'on porte à la maison.

QUESTIONS

1. Est-ce que le concept du mariage a changé? Quand? Comment? Pourquoi?

2. Ce texte ne parle pas de **toutes** les jeunes filles. Quelle est la restriction? Comment la jeune fille sait-elle provoquer la demande en mariage? Etes-vous d'accord avec l'auteur?

3. Que fait la jeune fille pendant le service militaire du garçon? Pourquoi est-ce le «mauvais temps» pour elle? Et lui, de son côté, que fait-il?

4. Comment les jeunes mariés passeront-ils leurs dimanches?

5. Quand la jeune femme cesse-t-elle de travailler? Est-ce définitif ou temporaire? Qu'est-ce que son mari sera obligé de faire alors?

6. Quelle est l'attitude du mari, quand sa femme se plaint? Que fait-il pour lui rendre la vie plus facile?

7. Quel est le point final qui marque la fin absolue de la liberté du jeune mari? Pourquoi est-ce une victoire pour sa femme?

8. Comment trouvez-vous ce texte? Pourquoi?

SUJETS DE COMPOSITION OU DE DISCUSSION

1. Vous êtes d'accord, ou vous n'êtes pas d'accord sur ce que dit Roger Vailland. Expliquez pourquoi.

2. Si cette sorte de mariage, où la femme reste à la maison et ne travaille pas, est aussi désastreux que l'indique l'auteur, quelles sont les autres alternatives? Ont-elles aussi des inconvénients? Lesquels?

3. Tout le monde, actuellement, critique le mariage et les femmes. Et pourtant, il y a plus de mariages que jamais. Pouvez-vous expliquer pourquoi? Est-ce que le rôle de la femme dans le mariage est en train de changer? De quelle manière? Y a-t-il une solution?

QUINZIÈME
LEÇON

Un Cas Sérieux de
Flemmingite Aiguë

LES USAGES DU SUBJONCTIF

Le subjonctif après les expressions d'émotion,

de volonté, de désir et de possibilité

<small>ETUDIEZ LES PHRASES SUIVANTES:</small>

Construction infinitive	*Subjonctif*
Je suis content d'être ici.	**Je suis content que vous soyez** ici.
Mon père est fier d'avoir des fils à l'université.	**Mon père est fier que ses fils aient** de bonnes notes à l'université.
Je suis enchanté de faire votre connaissance.	**Je suis enchanté que vous fassiez** connaissance avec le reste de ma famille.
Cette vieille dame **n'a pas honte d'avoir** des cheveux blancs.	Cette vieille dame **n'a pas honte que ses cheveux soient** blancs.
Je veux (ou: **je voudrais**) **aller** passer mes vacances sur la Côte d'Azur.	**Je voudrais que vous alliez** passer vos vacances sur la Côte d'Azur.
Les Nations-Unies désirent assurer la paix entre les différents pays.	**Les Nations-Unies désirent que les différents pays vivent** en paix.

Quand on passe un examen, **on souhaite faire** de son mieux.

Quand vous passez un examen, **je souhaite que vous fassiez** de votre mieux.

Il est possible de faire la traversée de la Manche à la nage.

Il est possible qu'un excellent nageur fasse la traversée de la Manche à la nage.

Il est triste de ne pas avoir d'amis de son âge.

Il est triste que cet enfant n'ait pas d'amis de son âge.

Il est regrettable de ne pas savoir la langue des pays qu'on visite.

Il est regrettable que nous ne sachions pas le russe.

Je ne suis pas certain d'avoir raison.

Je ne suis pas certain que vous ayez raison (mais: Je suis certain que vous avez raison).

Je doute de pouvoir gagner un million.

Je doute que vous puissiez gagner un million.

Je ne suis pas sûr de faire des économies si j'ai un carnet de chèques.

Je ne suis pas sûr que vous fassiez des économies si vous avez un carnet de chèques (mais: Je suis sûr que vous ferez des économies si vous n'en avez pas.)

LECTURE

Un cas sérieux de flemmingite aiguë*

Cette scène se passe dans le bureau d'un professeur. Jean-Pierre est assis au bord de sa chaise, l'air mal à l'aise. Il est clair que le professeur n'est pas content.

LE PROFESSEUR. Je voudrais que vous puissiez me dire pourquoi vous êtes si souvent absent. Vous savez qu'il faut que vous veniez en classe tous les jours et que vous fassiez toutes les compositions. Je doute que vous compreniez vos responsabilités...

JEAN-PIERRE. Je regrette que vous ayez une si mauvaise opinion de moi, monsieur, et je suis enchanté d'avoir cette occasion de vous expliquer ma situation. Voilà. Mais il faut vous dire que c'est une histoire triste et assez longue...

LE PROFESSEUR. J'espère qu'elle est originale. Je vous écoute, mais vous savez, mon cher, je souhaite que votre explication soit plus vraisemblable que celle des autres étudiants!

JEAN-PIERRE. La mienne est si triste, monsieur, que j'ai peur qu'elle vous fasse pleurer. D'abord, il faut vous dire que j'ai toujours eu une santé délicate. Quand j'étais enfant, j'avais souvent la fièvre, j'avais souvent mal à la tête, mal à l'estomac. J'ai eu les maladies les plus étranges: la rougeole, les oreillons, l'appendicite, la bronchite, la laryngite. (*Le professeur cherche dans son tiroir.*) Pardon, monsieur?

LE PROFESSEUR. Non, non! Je ne voudrais pas vous interrompre, continuez pendant que je cherche mon mouchoir...

JEAN-PIERRE. Et pourtant, monsieur, tout ça, ce n'était rien à côté de ce que j'ai maintenant! J'ai une maladie rare qui exige que je fasse beaucoup d'exercice comme le tennis et que je sois au grand air et au soleil plusieurs heures par jour. Il ne faut pas que je me lève trop tôt, ni que je me couche trop tard. Le docteur me permet de me coucher tard seulement quand il y a une occasion spéciale, comme une soirée ou un bal. Mais alors, naturellement, il veut que je dorme jusqu'à midi le lendemain...

LE PROFESSEUR. Je vois... Savez-vous le nom de cette maladie?

---

* **la flemmingite:** et **la flemme:** encore des termes qui appartiennent au « français quotidien ». **Avoir la flemme,** c'est éprouver le désir insurmontable de ne pas travailler; **la flemmingite,** c'est le nom, scientifique si l'on peut dire, formé à l'imitation de celui de certaines maladies d'ordre plus pathologique: l'appendicite, la gastrite, l'encéphalite. **La flemmingite,** à l'état latent chez beaucoup de gens, devient aiguë quand la nécessité de travailler apparaît...

PABLO PICASSO

Tête d'homme
Etude pour les *Demoiselles d'Avignon*
Collection, The Museum of Modern Art, New York
A. Conger Goodyear Fund

J'ai une maladie rare, avec un nom latin très compliqué ...

JEAN-PIERRE. Hélas, monsieur, c'est un nom latin très compliqué. Il est regrettable que je ne sois pas meilleur latiniste, mais, évidemment, cette maladie m'empêche d'aller souvent à la classe de latin. Aussi, je regrette de vous dire que je ne me rappelle pas le nom. D'ailleurs, comme je vous ai dit, elle est très rare. Heureusement pour les autres!

LE PROFESSEUR. Mais, quels sont les symptômes?

JEAN-PIERRE. Eh bien, le premier symptôme, c'est que la volonté devient très faible. Il est possible que je veuille passer l'après-midi à la bibliothèque, même que je sois en train de faire de grands efforts pour y aller, et que justement, le symptôme typique fasse son apparition. Alors, je ne peux plus continuer. Il faut que je prenne ma voiture et que j'aille à la plage. Arrivé là, je me sens généralement mieux...

LE PROFESSEUR. Je vois... Je regrette maintenant d'avoir aggravé votre cas avec mes exigences idiotes. Mais, ça, c'est un symptôme mental. Est-ce qu'il y a aussi des symptômes physiques? Où avez-vous mal?

JEAN-PIERRE. Des symptômes physiques? Ah, monsieur, il y en a, et ils sont si terribles que je souhaite que la science puisse trouver un remède. Au moins, je suis content que cette horrible maladie ne soit pas contagieuse. Quand la crise commence, j'ai mal partout, mais j'ai surtout mal à la main droite. Mon bras a l'air d'être paralysé. J'ai aussi des douleurs vagues, mais persistantes dans les muscles qui sont en contact avec ma chaise. Si je persiste, car vous savez, monsieur, que j'ai beaucoup de courage...

LE PROFESSEUR. C'est en effet, un fait bien connu. Continuez, continuez.

JEAN-PIERRE. Alors, monsieur, si je persiste, j'ai mal au cœur: je commence à éprouver une nausée terrible. Je fais de mon mieux pour écrire des compositions pour vous, mais j'ai bien peur que mon cas soit compliqué d'une allergie au papier. La vue d'une feuille de papier blanc me rend malade. Certains papiers imprimés aussi. Le papier de mon manuel d'algèbre, en particulier, doit contenir une substance toxique... Ce n'est pas le cas de tous les papiers, pourtant: celui de *Paris-Match* ou d'un roman policier ne me rend pas malade, surtout si je suis allongé confortablement... Ah, monsieur, j'espère que mon histoire ne vous rend pas trop triste. Est-il possible qu'un homme soit obligé de tant souffrir? Comme je voudrais que la science ait enfin un traitement pour me guérir! Mais en attendant, je suis fier de vous dire que moi, je continuerai à faire de mon mieux, et que je viendrai à votre cours, mort ou vivant, au moins trois fois par mois. Je souhaite, monsieur, que vous sachiez apprécier mes efforts.

QUESTIONS SUR LA LECTURE

1. Où se passe la scène ? Entre qui ? Quelles sont les circonstances ?

2. Pourquoi le professeur n'est-il pas content ? Qu'est-ce qu'il voudrait ? Qu'est-ce qu'il pense ?

3. Comment Jean-Pierre commence-t-il à expliquer la situation ? Le professeur exprime un souhait. Qu'est-ce qu'il souhaite ? Pourquoi ?

4. Jean-Pierre a peur. De quoi a-t-il peur ? Avez-vous peur de la même chose ? Pourquoi ?

5. Comment était la santé de Jean-Pierre quand il était enfant ? Est-elle meilleure maintenant ? Quelles maladies a-t-il eues ? Est-ce que ce sont des maladies rares ou extraordinaires ? Les avez-vous eues ? Récemment ?

6. Jean-Pierre ne se plaint pas de ses maladies d'enfance. Pourquoi ? Qu'est-ce que sa maladie présente exige ? Faut-il qu'il passe les nuits à étudier ? Faut-il qu'il se lève de bonne heure ? Quand le docteur lui permet-il de faire une exception ? Que faut-il qu'il fasse, alors ?

7. Pourquoi Jean-Pierre ne sait-il pas le nom de sa maladie ? Qu'est-ce qu'il faudrait qu'il fasse pour le savoir ?

8. Quel est le symptôme mental de cette maladie ? Etes-vous content que ce soit une maladie rare ? Pourquoi ?

9. Y a-t-il un traitement pour ce symptôme mental ? Qu'est-ce qu'il faut faire ? Comment se sent-il quand il est allongé au soleil sur la plage ? Comment vous sentiriez-vous maintenant si vous étiez sur la plage et pas en classe ?

10. Est-ce que le professeur regrette vraiment d'avoir aggravé le cas de Jean-Pierre, ou… ? Quelles sont les exigences idiotes des professeurs ? Est-ce que vos professeurs sont aussi exigeants ? Par exemple, qu'est-ce qu'ils veulent que vous fassiez ?

11. Les symptômes physiques: où Jean-Pierre a-t-il mal ? Où avez-vous mal si vous dansez beaucoup ? Si vous mangez trop de bonbons ? Si vous étudiez beaucoup ?

12. Quelle sorte de papier le rend malade? Pourquoi? Doit-il être allergique au travail ou au papier? Qu'est-ce qui vous rend malade?

13. Est-ce que l'histoire de Jean-Pierre vous rend triste ou sceptique? Y a-t-il un maladie comme celle dont il fait la description? Connaissez-vous des gens qui l'ont?

14. Il est clair que Jean-Pierre a la flemme. Quels sont, à votre avis, les symptômes de la flemme? Quand avez-vous la flemme?

15. Imaginez ce que le professeur pense (Sa pensée commence probablement par: « Ce garçon doit... »).

16. Est-ce que l'histoire de Jean-Pierre est vraie? Un mensonge? Ou une... adaptation de la vérité? Dans quel but veut-il rendre le professeur triste?

PRONONCIATION

je suis malade/une maladie

con/for/ta/ble/ment

na/tu/relle/ment

heu/reu/se/ment

é/vi/de/mment

Evid**emm**ent: dans ce mot, **-emm-** se prononce comme dans **femme**.
Evid**emment** rime avec **amant**; **flemme** rime avec **j'aime**.

EXPLICATIONS

I. *Les emplois du subjonctif*

Vous avez vu qu'on emploie l'infinitif ou le subjonctif après **Il faut.** C'est parce que **Il faut** est une expression de nécessité. Vous allez voir maintenant qu'on emploie l'infinitif (c'est une construction que vous connaissez déjà) ou le subjonctif après certaines expressions « subjectives »: émotion, sentiment après personnel, volonté ou désir, doute, possibilité ou nécessité.

A. Après une expression d'émotion, de sentiment personnel, de volonté ou de désir

1. Après un adjectif ou un nom:

Je suis heureux **de savoir** le français.

Je suis heureux **que vous sachiez** le français.

Il est fier **d'avoir** de bonnes notes.

Il est fier **que vous ayez** de bonnes notes.

J'ai hâte **de finir** mes études.

J'ai hâte **que vous finissiez** vos études.

Vous remarquez que, s'il n'y a pas de changement de sujet, il y a un infinitif après **de** (vous n'avez pas oublié qu'un adjectif ou un nom gouverne un infinitif avec **de**).

S'il y a un changement de sujet, on emploie le subjonctif.

Voilà quelques adjectifs et quelques noms qui gouvernent un subjonctif quand il y a changement de sujet:

Adjectifs

On est content	fier
enchanté	triste
ravi	désolé
heureux	flatté
étonné	embarrassé
surpris	gêné
ému	enthousiasmé

Noms

On a peur	besoin
honte	envie
hâte	

Exemples:

Les parents sont **fiers que** leurs enfants **viennent** leur demander des conseils. Par exemple, mon père est **flatté que je veuille** avoir son opinion sur le choix de ma carrière et **il est enchanté** de me la donner.

Ma chère Cécile,

J'ai envie d'être sur la Côte d'Azur comme l'été dernier et j'ai surtout envie **que vous y soyez** avec moi. J'ai besoin d'entendre votre voix, j'ai besoin **que vous me disiez** que vous m'aimez.

2. Après un verbe:

Ma mère n'aime pas **sortir.**

Ma mère n'aime pas **que je sorte.**

Elle préfère **faire** la cuisine.	Elle préfère que **je fasse** la cuisine.
Elle veut (ou elle voudrait) **aller** se coucher à 9 heures tous les soirs.	Elle veut (ou elle voudrait) **que j'aille** me coucher à 9 heures tous les soirs.
Elle souhaite **vivre** comme ça tout le temps.	Elle souhaite **que je vive** comme ça tout le temps. •
Elle aime mieux **avoir** la sécurité que l'aventure et elle désire surtout **être** calme et tranquille.	Elle aime mieux **que j'aie** la sécurité que l'aventure et elle désire surtout **que je sois** heureuse et tranquille.
Elle regrette de me **voir** si différente d'elle (Elle déplore…).	Elle regrette **que je sois** si différente d'elle.

NOTE: Remarquez **déplorer de, regretter de.** Les autres verbes de ces exemples ne prennent pas **de:**

$$\left.\begin{array}{l} \text{J'aime} \\ \text{Je voudrais} \\ \text{Je préfère} \\ \text{Je souhaite} \\ \text{Je désire} \end{array}\right\} + \textbf{l'infinitif sans préposition.}$$

Vous remarquez que (comme après un adjectif ou un nom), s'il n'y a pas de changement de sujet, il y a un infinitif. C'est d'ailleurs une construction familière.

Par contre (comme après un adjectif ou un nom), s'il y a un changement de sujet, on emploie le subjonctif.

Voilà quelques verbes qui gouvernent un subjonctif quand il y a changement de sujet:

Aimer et aimer mieux	Regretter de
Préférer	Déplorer de
Souhaiter	
Désirer	

Exemples:

Les Nations-Unies voudraient que tous les pays **soient** d'accord sur les questions de politique internationale. Dans un discours, l'autre jour, le Secrétaire Général regrettait d'être obligé d'arbitrer une dispute entre deux puissances voisines, il regrettait aussi que la guerre **paraisse** si souvent la seule solution à ces conflits. Il souhaitait rétablir la paix et désirait que les puissances totalitaires **fassent** un effort pour maintenir celle-ci.

NOTE: Au cas où vous auriez oublié, et où vous seriez tenté de confondre les verbes de désir ou de volonté (**vouloir, désirer,** etc.) et ceux de communication (**dire, demander,** etc.), voilà un exemple pour bien vous montrer la différence:

> Je vous **dis de faire** un effort.
>
> Je **veux** (ou: je voudrais) **que vous fassiez** un effort.

Vous connaissez depuis longtemps la construction des verbes de communication: on dit **à** quelqu'un **de** faire quelque chose = on **lui** dit **de** le faire. **Il n'y a généralement pas de subjonctif après les verbes qui expriment la communication:**

> Jean-Pierre **m'**a demandé **de** l'attendre.
>
> Mon père répète souvent **à** ma mère **d'**être plus stricte avec les enfants.
>
> J'ai écrit **à** ma tante **de** ne plus m'envoyer de trains électriques: j'ai 18 ans!

B. Après une expression de possibilité, de doute, de nécessité

Il est possible **d'aller** dans la lune.	Il est possible que des astronautes **aillent** dans la lune.
Je ne suis pas certain **de pouvoir** faire ce que vous me demandez.	Je ne suis pas certain que Jean-Pierre **puisse** faire ce que vous lui demandez.
Je doute **d'avoir** le temps de prendre des vacances cette année.	Je doute **que vous ayez** le temps de prendre des vacances cette année.
Il est nécessaire **de** (ou: il est in-dispensable **de,** ou: il faut) **savoir** employer le subjonctif.	Il est nécessaire (ou: il est indis-pensable, ou: il faut) **que vous sachiez** employer le subjonctif.

Vous remarquez que (comme après les expression de sentiment personnel ou de désir), s'il n'y a pas de changement de sujet, il n'y a pas de subjonctif. C'est une construction que vous connaissez depuis longtemps. Par contre (comme après les expressions de sentiment personnel et de désir), s'il y a un changement de sujet après une expression de possibilité, de doute, de nécessité, on emploie le subjonctif.

Voilà quelques expressions qui gouvernent le subjonctif:

Adjectifs	*Verbes*
Il est possible	Il se peut que... (= il est possible
douteux	que...) douter
impossible	
vraisemblable, invraisemblable	

On n'est pas certain
  sûr

NOTE: On est certain et **On est sûr** ne gouvernent pas de subjonctif, car dans ce cas-là, il n'y a pas de doute:

Je suis sûr que vous pouvez faire ça.
Vous êtes certain qu'elle ira au rendez-vous.

Exemple:

Depuis qu'il est possible de sortir de l'atmosphère, on pense qu'il est vraisemblable que des astronautes **aillent** dans la lune. Certains savants doutent que ce voyage **soit** utile, car ils ne sont pas certains qu'il y **ait** quelque chose d'important pour nous sur la lune. Il se peut qu'ils **aient** raison. Pourtant, disent les autres, il est nécessaire que l'homme **fasse** l'exploration des limites de son univers.

II. *Les expressions qui concernent la santé*

Question	*Réponse*
Comment allez-vous?	Je vais bien.
	Je vais mieux.
	Je vais mal.
	Je vais plus mal.
Qu'est-ce que vous avez?	J'ai la grippe.
	J'ai un rhume.
	J'ai une maladie grave.
Où avez-vous mal?	J'ai mal à la tête.
	à la main.
	à la gorge.
	à l'estomac.
	aux dents.
	au bras.
	aux pieds.
	au cœur (= j'ai la nausée).
	partout.

Avez-vous de la fièvre?   Oui, j'ai de la fièvre.

Avoir mal à: Vous remarquez que, quand on parle d'une partie du corps, on n'emploie pas l'adjectif possessif. On ne dit pas: J'ai mal à **ma** tête; on dit: J'ai mal à **la** tête.

On tombe malade. On a besoin du médecin (ou du docteur), de médicaments, de repos.

On va mieux. Enfin, on finit par **guérir** (conjugué comme **finir**).

Quand votre maladie est finie, vous êtes guéri.

VOCABULAIRE

Noms

la fièvre	le symptôme
la tête	l'exigence
l'estomac	le remède
la maladie	le bras
la santé	la douleur
la rougeole	le muscle
les oreillons	le cas
l'appendicite	la flemme
la bronchite	la flemmingite
la laryngite	le traitement
le mouchoir	le roman policier

Adjectifs

délicat(-e)	mentale, mentales
étrange	contagieux, contagieuse
faible	malade
mental, mentaux	imprimé(-e)

Verbes

pleurer

se sentir (bien, mal, malade, fatigué, en forme, etc.) conjugué comme **partir**

empêcher (on empêche quelqu'un de...)

contenir (conjugué comme **tenir**)

aggraver

éprouver

Expressions verbales

être à l'aise, être mal à l'aise   avoir mal à

EXERCICES

I. Complétez les phrases suivantes (et variez vos verbes):

1. On vous répète constamment de _____ .
2. Le Secrétaire des Nations-Unies voudrait que _____ .
3. Etes-vous triste de _____ et que _____ ?
4. Généralement, on est enchanté de _____ et que _____ .
5. Les élèves de cette classe sont fiers que _____ .
6. Il est impossible de _____ . Mais il se peut que _____ .
7. Voulez-vous _____ et que _____ ?

II. Avec deux phrases, faites-en une dans laquelle vous emploierez le subjonctif s'il est nécessaire, l'infinitif dans les autres cas (avec **de** ou sans **de**):

Ex: Vous êtes désolé.   Le père de votre ami est mort.
Vous êtes désolé que le père de votre ami soit mort.

Vous avez peur.   Vous êtes en retard.
Vous avez peur d'être en retard.

1. Les voyageurs sont contents.   Ils arrivent à destination.

2. Jean-Pierre regrette.   Il est obligé de raconter cette triste
histoire.

3. Nous serons bien contents.   Vous êtes guéri.

4. Il est invraisemblable.   Marie-Antoinette invite les révolutionnaires à dîner!

5. Sa mère ne veut pas.   Elle va passer le week-end sans chaperon.

6. Les touristes sont étonnés.   Les Parisiens ne savent pas les dimensions
de la Tour Eiffel.

7. Je suis surpris.   Le film n'est pas du tout comme le roman.

8. Il se peut.   Ce jeune homme a une crise de flemmingite aiguë.

9. Je doute beaucoup.   Il peut venir en classe demain.

III. Exprimez votre sentiment personnel ou votre désir sur chacune des décla-
rations suivantes (avec autant de variété que possible) et avec une explication de votre opinion si c'est nécessaire :

Ex : Il fait très froid.
> Il est impossible qu'il fasse froid : nous sommes en Floride au mois
> d'août !

ou : Voilà un « F ».
> Je doute que vous appréciez du bon travail quand vous en voyez !

1. Jean-Pierre a une maladie grave.
2. Vous êtes l'étudiant le plus brillant de la classe.
3. Voilà un « A + ».
4. La bibliothèque est toujours fermée le mardi, le jeudi et le vendredi.
5. Il y a du champagne au restaurant des étudiants.
6. Je vous admire. Je vais demander à l'administration de mettre votre statue
devant ce bâtiment.
7. Ma belle-mère et moi, nous ne nous entendons pas du tout.
8. Vous allez bien souvent danser !
9. Richard Legrand manque de sincérité, dit Jolie Belle. Et il n'a pas de talent
non plus.
10. Je ne sais pas ce que j'ai : j'ai mal à la tête, mal au cœur, mal partout.

COMPOSITIONS

Composition orale :

A. Relisez attentivement l'histoire tragique de ce pauvre Jean-Pierre. Qu'est-ce
qui est invraisemblable ? Possible ? Probable ? Qu'est-ce qu'il est possible
que le professeur fasse ?

B. De quoi est-on fier, dans votre ville ? De quoi est-on heureux ? Surpris ?
Que'est-ce qu'on voudrait ? Qu'est-ce qu'on regrette ?

Composition écrite :

A. Vous ne vous sentez pas bien : ce sont les premiers symptômes d'une maladie.
Quels sont ces symptômes ? De quoi avez-vous peur ? Qu'est-ce qui est
probable ? Vraisemblable ? Douteux ? De quoi êtes-vous surpris ? Content ?
Triste ?

Ex: Depuis hier soir, j'ai mal à la tête, mal au coeur et je commence même à avoir mal partout. J'ai peur que ce soit la grippe. Il est possible que je sois obligé de rester chez moi demain, etc.

B. En vous inspirant de la triste histoire de Jean-Pierre, imaginez la visite d'un (ou d'une) malade imaginaire chez le médecin ou chez le psychiâtre.

Ex: Docteur, il se peut que j'aie un complexe de persécution et j'ai également peur d'avoir un complexe d'infériorité. J'ai peur aussi que personne ne me comprenne et ne m'apprécie, etc.

SEIZIÈME
LEÇON

Un Discours Électoral

LES USAGES DU SUBJONCTIF (suite)

Le subjonctif après **Penser, Croire, Espérer, Trouver** **Il paraît** et **Il me semble**

Le passé du subjonctif

ETUDIEZ LES PHRASES SUIVANTES:

Déclaration et question	*Réponse*
Le professeur **pense que vous comprenez. Pense-t-il que vous compreniez** tout ce qu'il dit?	**Il ne pense pas que je comprenne** tout. Il pense que je comprends l'essentiel.
Je crois que Jean-Pierre a la flemme. **Croyez-vous** aussi **qu'il ait** la flemme?	Oui, je crois qu'il a la flemme. **Je ne crois pas qu'il soit** vraiment si malade que ça.
J'espère que votre père sera content de vos notes. **Espérez-vous qu'il soit** content?	Oui, j'espère aussi qu'il sera content, mais **je n'espère pas qu'il soit** content quand il verra ce qui est arrivé à ma voiture.
Je trouve que cette jeune fille est très jolie. Et vous, **trouvez-vous qu'elle soit** jolie?	Je trouve qu'elle est assez ordinaire; **je ne trouve pas qu'elle soit** très jolie.

541

Il me semble que Jean-Pierre est paresseux. Et vous, vous semble-**t-il qu'il soit** malade ou qu'il soit paresseux ?

Il me semble qu'il est paresseux. **Il ne me semble pas qu'il soit** malade du tout.

Il paraît que vous savez cinq langues et que vous en apprenez une sixième !

(La négation et la question ne sont pas souvent employées.)

. . . .

Indicatif	*Subjonctif*
Je pense qu'**il comprend**.	**Je ne pense pas** qu'**il comprenne**.
Je pensais qu'**il comprenait** ce que nous disions.	**Je ne pensais pas** qu'**il comprenne** ce que nous disions.
Je pense qu'**il a compris**.	**Je ne pense pas** qu'**il ait compris**.
Je pense qu'**il avait compris** avant de lire l'explication.	**Je ne pense pas** qu'**il ait compris** avant de lire l'explication.
Je pense qu'**il comprendra** très vite si vous lui expliquez.	**Je ne pense pas** qu'**il comprenne** très vite même si vous lui expliquez.

LECTURE

Un discours électoral ou la plate-forme du candidat du parti Conservateur-Progressiste

Un des sujets qui passionne notre école, tous les ans, au printemps, c'est celui des élections. Les étudiants doivent voter pour élire un président pour chaque classe : celle de Première, celle de Deuxième, celle de Troisième, et celle de Quatrième année.

Chaque candidat a ses partisans qui pensent, bien entendu, que sa plate-forme est la meilleure et qui ne croient pas que celle de ses adversaires ait grand'chose à offrir, ni qu'elle soit dans l'intérêt des étudiants. Le candidat du parti Conservateur-Progressiste prononce aujourd'hui un discours sur les marches de la bibliothèque. Une foule d'étudiants s'est rassemblée pour l'entendre. Ecoutez, vous aussi, le discours de ce candidat à la présidence de la Classe de Première Année. Si vous entendez quelques phrases qui vous semblent être des clichés et si vous croyez les avoir déjà entendues ailleurs, c'est sans doute parce qu'elles font partie de la rhétorique particulière aux politiciens.

Mesdames, Mesdemoiselles, Messieurs,
Mes chers camarades et condisciples,

Je suis heureux de me trouver aujourd'hui entouré de votre groupe éclairé et enthousiaste. Je suis fier aussi que vous soyez venus en grand nombre écouter et applaudir celui qui a l'intention d'apporter à notre splendide école la lumière d'une pensée à la fois pratique et brillante, ainsi que le soleil de réformes qui sont depuis longtemps nécessaires.

Messieurs: l'étudiant, l'élite de la société de tous les temps, mérite qu'on l'apprécie, qu'on lui montre de la reconnaissance pour le sacrifice qu'il fait de son confort personnel, dans l'intérêt de l'avenir de notre société (*Applaudissements*). Faut-il qu'on attende la vieillesse d'un homme pour lui rendre les honneurs qu'il mérite? Non. Je propose donc que la rue centrale de notre campus soit prolongée dans les deux sens jusqu'à la mer, portant ainsi aux extrémités du continent la gloire de ceux qui y passent chaque jour, chargés de pensées profondes. (*Applaudissements frénétiques. Cris:* Bravo! C'est ça! Jusqu'à la mer! *etc.*)

Je ne crois pas que les étudiants de Première Année soient traités maintenant avec les égards qu'ils peuvent espérer. On devrait se rendre compte que, sans la classe de Première Année, cette noble institution cesserait vite d'exister. Il me semble que chaque étudiant de Première Année devrait pouvoir choisir, parmi ceux des autres classes, un serviteur personnel (*Enthousiasme de l'auditoire*). Je voudrais que celui-ci comprenne, à son tour, l'honneur qu'il reçoit ainsi. Il montrerait sa gratitude en nous rendant tous les petits services si appréciables: il porterait nos affaires, ferait les compositions qui nous ennuient et à l'occasion, quand le dîner serait insuffisant ou particulièrement bon, nous donnerait le sien. Je trouve qu'il est triste de voir les étudiants de Première Année, cette élite de l'élite, obligés de porter leurs propres livres et cahiers, obligés de passer des heures précieuses à écrire des devoirs et des compositions. Il faut que cette situation intolérable change! Votez tous pour le candidat qui vous donnera cette marque suprême de la démocratie en action: un serviteur personnel pour chacun de vous.

HANS HARTUNG

Painting
Collection, The Museum of Modern Art, New York
Gift of John L. Senior, Jr.

*Si vous remarquez la croix, en bas, à droite, vous penserez
à un bulletin de vote et … le reste vous suggérera l'état
d'esprit de l'électeur après avoir entendu les discours
électoraux!*

Bien entendu, il existe d'autres points de vue: mon adversaire, le candidat du parti Rétrograde-Libéral n'est pas d'accord. Lui, il croit que le modèle de la vie universitaire se trouve dans les universités médiévales et il propose l'abolition de tous les cours, excepté ceux de Théologie et de Philosophie. Il ne lui semble pas que les cours de Math, de Sciences et de Chimie aient de valeur. «Et pourquoi», dit-il, «faut-il que nous lisions des centaines de livres? Est-ce qu'Aristote ne suffit plus?» On dit même, mais je ne crois vraiment pas que ce soit vrai, qu'il aurait parlé de brûler la bibliothèque...

Le troisième candidat, celui du Parti des Chrétiens-Athées, malgré le nom clair et explicite que porte son parti, semble avoir une plate-forme vague et contradictoire... Il croit qu'il faut avoir une religion mais il ne pense pas qu'il faille croire en Dieu. Je respecte cet idéal sans le partager car j'admire, comme le fait le poète Prévert:

> Ceux qui croient
> Ceux qui croient croire
> Ceux qui croâ-croâ*

Mais loin de moi l'idée d'attaquer ceux qui n'ont pas, hélas! l'avantage d'un esprit juste, objectif et supérieur comme le mien. Au contraire! Considérons ensemble un moment la somme de leurs positions: croyez-vous que nous devions rétrograder, ou suivre le Progrès? (*Cris:* Progrès! Progrès!)

Le dernier candidat, celui du parti Pacifiste-Unifié déclare que, s'il est élu, il faut que nous annexions l'autre école, notre rivale, dont je ne prononcerai pas ici le nom (*Cris de haine l'auditoire*), par des moyens de persuasion et sinon, de force. Je proteste contre cette proposition: que resterait-il de notre célèbre rivalité? De nos matchs de football historiques? Que feraient les jeunes braves de notre vaillante classe, par les nuits sans lune, s'il ne pouvaient aller, armés d'un pot de peinture et de leur noble dévouement au progrès, inscrire les initiales de leur fraternité sur les murs de l'ennemi?

(Il est impossible d'entendre le reste du discours, à cause des cris d'enthousiasme de l'auditoire. Le candidat sort, porté en triomphe.)

---

* Ces vers sont tirés de «Dîner de Têtes à Paris» (*Paroles*) de Jacques Prévert. Le poète y fait une énumération extrêmement amusante des invités à un banquet officiel: tous les gens pompeux, les politiciens sans convictions, tous ceux qui vivent de clichés et de grands mots vides y sont. Ce long poème est une attaque mordante contre tout ce qui est faux, inauthentique, prétentieux. Il est inutile de préciser que l'auteur de votre livre s'amuse et que Prévert **n**'admire **pas** ceux qui «croient croire» et pas davantage «ceux qui croâ-croâ»!
«Croâ-croâ» est le son que fait la grenouille.

QUESTIONS SUR LA LECTURE

1. Quel est l'événement qui a lieu au printemps et dont parle le texte? Y a-t-il des élections dans votre école? Pensez-vous qu'elles soient importantes? Pourquoi?

2. Comment le candidat appelle-t-il les autres étudiants? Quels «clichés» remarquez-vous dans le premier paragraphe? Il promet des réformes. Croyez-vous que ce soit original? Pourquoi?

3. Quels sont, en résumé, les deux points essentiels de la plate-forme du candidat conservateur-progressiste? (Il voudrait...)

4. Pourquoi faut-il que les étudiants de Première Année soient traités avec beaucoup d'égards? Trouvez-vous que ce soit une bonne idée? Pourquoi?

5. Quelles seraient les responsabilités du «serviteur personnel» de l'étudiant de Première Année? Pourquoi est-il amusant de lire que, «ce serait la marque suprême de la démocratie en action?»

6. Quels sont les autres partis qui sont aussi en campagne pour la présidence de la classe? Y a-t-il vraiment des partis politiques dans les élections d'une école? Pourquoi?

7. Quelle est la plate-forme du candidat Rétrograde-Libéral? Pensez-vous qu'elle soit dans l'intérêt des étudiants? Pourquoi?

8. Relisez la citation de Prévert. S'agit-il vraiment des gens qui «croient» ou de ceux qui font semblant de croire? Est-elle ironique? Pourquoi?

9. Pourquoi le candidat conservateur-progressiste ne veut-il pas attaquer les candidats des autres partis? Le fait-il quand même?

10. Quel est le parti du dernier candidat? Trouvez-vous que sa proposition soit en accord avec le nom de son parti? Pourquoi?

11. Pourquoi ne faut-il pas qu'on annexe «l'autre» école, la rivale traditionnelle? Y a-t-il une «autre» école dans votre ville aussi? Comment se marque la rivalité entre celle-ci et la vôtre? Croyez-vous qu'on devrait l'annexer? Pourquoi?

12. Qu'est-ce qui se passerait si on annexait «l'autre» école? Est-ce que ce serait triste? Pourquoi?

13. Trouvez-vous que certaines choses de ce discours soient amusantes? Lesquelles? Pourquoi?

14. Seriez-vous content que ce candidat soit élu? Pourquoi? Sinon, lequel devrait être élu à votre avis? Pourquoi?

15. Où a lieu le discours du candidat? Qui est venu l'écouter? Trouvez-vous que ce soit une bonne idée d'aller écouter les vrais discours politiques? Pourquoi?

16. Pouvez-vous imaginer quelques autres noms de « partis »? Imaginez quelle serait leur plate-forme électorale.

17. Que pensez-vous d'un texte comme celui-là? Vous amuse-t-il? Seriez-vous, au contraire plus content d'avoir uniquement des textes sérieux dans votre livre de français? Pourquoi?

PRONONCIATION

Exercice de prononciation du **é**: entouré
                                        éclairé
                                        traité

Premi**è**re ann**é**e
Deuxi**è**me ann**é**e
(Comparer et bien marquer la différence entre **è** et **é**).

Je suis oblig**é** de port**er** d**es** cah**iers** pour l'**é**tudiant de Première ann**é**e.

EXPLICATIONS

LES USAGES DU SUBJONCTIF (suite)

I. *Le subjonctif après les verbes d'opinion*

Vous avez déjà vu qu'on emploie le subjonctif après les expressions d'**émotion** (Je suis heureux, fier, triste que, etc...., j'ai peur, j'ai honte que, etc.), après celles de **volonté** ou de **désir** (je veux que...; je souhaite que..., etc.) et de **possibilité** (il se peut que..., il est possible que..., etc.)

Maintenant, étudiez les phrases suivantes:

Je crois que Jean-Pierre **est** paresseux, mais **je ne crois pas qu'il soit** malade. **Croyez-vous qu'il soit** malade?

Je pense qu'il fait froid. Mais **je ne pense pas qu'il fasse** aussi froid que l'hiver dernier. **Pensez-vous qu'il fasse** aussi froid qu'en Alaska?

J'espère que vous viendrez me voir dans mon nouvel appartement, mais **n'espérez pas qu'il soit** aussi élégant que le vôtre!

Vous remarquez qu'après les verbes **penser, croire, espérer** il n'y a pas de subjonctif. Il y a un subjonctif seulement à la forme négative et interrogative.

La même règle s'applique après les verbes: **je trouve que...; il me semble que..., il paraît que...**

Je trouve que **vous avez** tort. **Je ne trouve pas que ce soit** prudent de conduire aussi vite que ça. **Trouvez-vous que ce soit** raisonnable de mettre votre vie et celle des autres en danger?

Il me semble que le monde **devient** plus petit. **Vous semble-t-il** aussi **qu'il devienne** plus petit? Non, **il ne me semble pas qu'il devienne plus petit,** c'est simplement que les voyages sont plus rapides.

REMARQUE: Quelle est la raison de cet usage ou de l'omission du subjonctif? Probablement celle-ci: quand on dit: **je pense, je crois, j'espère, je trouve, il me semble...** on exprime, en réalité ce qui est pour vous **un fait.** Le subjonctif s'emploie à la forme négative ou interrogative quand le doute apparaît.

Il est possible dans certains cas de ne pas employer de subjonctif après ces verbes, même à la forme interrogative et négative s'il n'y a aucun doute dans l'esprit de celui qui parle:

Le candidat **ne pense pas** que son adversaire **a** raison. (En fait, **il est sûr** que celui-ci a complètement tort!)

Un chose est certaine et fixe: **Il n'y a pas de subjonctif après les verbes suivants à la forme affirmative:**

Je pense
Je crois
J'espère   que **c'est** une
Je trouve   bonne idée
Il me (te, lui, nous, vous, leur) semble
Il paraît*

RÉCAPITULONS

Une expression **affirmative** d'opinion après ces verbes est suivie de **l'indicatif.**

Une expression **négative** d'opinion après ces verbes est **généralement** suivie du **subjonctif.**

II. *Les temps du subjonctif*

Vous avez étudié jusqu'à maintenant le présent du subjonctif et vous l'employez dans des phrases au présent, au passé et au futur:

Je suis fier que **vous soyez** mon ami.

---

* **Il paraît que** est suivi d'un indicatif. La forme négative (et interrogative) est très rare.

J'étais fier que **vous soyez** mon ami.
Je serai fier que **vous soyez** mon ami.

Vous vous demandez sans doute si la règle de la concordance des temps dont nous parlons depuis le début du semestre existe en ce qui concerne l'emploi du subjonctif.

Cette règle existe, mais avec les modifications que nous allons voir.

A. Le subjonctif a **quatre** temps : présent, parfait ou passé composé, imparfait et plus-que-parfait.

Voilà, par exemple, le présent et l'imparfait du subjonctif du verbe **Être:**

Présent	*Imparfait* (littéraire)
Que je sois	Que je fusse
Que tu sois	Que tu fusses
Qu'il soit	Qu'il fût
Que nous soyons	Que nous fussions
Que vous soyez	Que vous fussiez
Qu'ils soient	Qu'ils fussent

Vous avez peut-être déjà vu cette forme, celle de l'imparfait du subjonctif, dans vos lectures. En réalité, elle est surtout réservée à la littérature et on ne l'emploie pas dans la conversation ou dans le style sans prétentions littéraires. On remplace l'imparfait du subjonctif par le présent:

(Style littéraire classique): Corneille voulait que ses personnages **fussent** tous des héros.

(Expression moderne courante): Corneille voulait que ses personnages **soient** tous des héros.

Je voulais que vous **soyez** content.

Passé composé (Parfait)	*Plus-que-parfait* (littéraire)
Que j'aie été	Que j'eusse été
Que tu aies été	Que tu eusses été
Qu'il ait été	Qu'il eût été
Que nous ayons été	Que nous eussions été
Que vous ayez été	Que vous eussiez été
Qu'ils aient été	Qu'ils eussent été

Vous avez peut-être déjà vu le plus-que-parfait du subjonctif dans vos lectures. Cette forme, comme l'imparfait du subjonctif, est strictement réservée à l'expression hautement littéraire, et comme l'imparfait du subjonctif, s'emploie de moins en moins dans la littérature moderne. Il est fort possible que ces deux temps finissent par disparaître complètement de la langue. On remplace le plus-que-parfait du subjonctif par le passé composé.

Exemple:
(Sans le subjonctif, pour vous montrer clairement le plus-que-parfait de l'indicatif)

Le pays entier **pensait** que le Président **avait été** victime d'un fou.
Voilà le même exemple au subjonctif:

Le pays entier **ne pensait pas** que le Président **eût été** victime d'un fou.
(Certains croyaient qu'il y avait eu une machination politique.)

Maintenant, voilà comment un Français d'aujourd'hui exprimera probablement cette idée (en parlant ou en écrivant):

Le pays entier **ne pensait pas** que le Président **ait été** victime d'un fou.
(Certains croyaient qu'il y avait eu une machination politique.)

La formation du passé composé (ou parfait) du subjonctif:

1. Tous les verbes qui forment leurs temps composés avec **Avoir:**
   Subjonctif de avoir + participe passé

Regarder:	Que j'aie regardé
	Que tu aies regardé
	Qu'il ait regardé
	Que nous ayons regardé
	Que vous ayez regardé
	Qu'ils aient regardé
Voir:	Que j'aie vu
	etc.
Prendre:	Que j'aie pris
	etc.
Vendre:	Que j'aie vendu
	etc.

2. Les verbes de mouvement qui forment leurs temps composés avec **Être:**
   Subjonctif de être + participe passé

Aller:	Que je sois allé
	Que tu sois allé
	Qu'il soit allé
	Que nous soyons allés
	Que vous soyez allés
	Qu'ils soient allés

Entrer: Que je sois entré(e)
etc.

Venir: Que je sois venu(e)
etc.

Sortir: Que je sois sorti(e)
etc.

NOTE: Les verbes qui forment leurs temps composés avec **Être** sont: **aller, arriver, entrer, rentrer, venir, sortir, partir, revenir, devenir, retourner, monter, descendre, tomber, rester.**

B. Le français moderne, parlé et écrit, emploie seulement deux temps du subjonctif:

Le présent du subjonctif qui remplace aussi l'imparfait et le futur.

Le passé composé du subjonctif qui remplace aussi le plus-que-parfait et le futur antérieur.

C. Le subjonctif dans le discours indirect

1. *Présent:*

Voilà d'abord un exemple à l'indicatif:

«**Je pense** que **vous êtes** intelligents» dit le candidat à ses électeurs.

Le candidat a dit à ses électeurs qu'**il pensait** que ceux-ci **étaient** intelligents.

Maintenant une phrase semblable avec le subjonctif:

«**Je ne pense pas** que mon adversaire **soit** honnête» dit le candidat à ses électeurs.

Le candidat a dit à ses électeurs qu'**il ne pensait pas** que son adversaire **soit** honnête. (Le présent du subjonctif remplace l'imparfait.)

2. *Passé composé:*

Voilà d'abord un exemple à l'indicatif:

«**Je pense** que vous **avez compris** ma politique» dit le candidat à ses électeurs.

Le candidat a dit à ses électeurs qu'**il pensait** qu'**ils avaient compris** sa politique.

Maintenant une phrase semblable, mais avec le subjonctif:

«**Je ne pense pas** que **vous ayez compris** la politique de mon adversaire» dit le candidat à ses électeurs.

Le candidat a dit à ses électeurs qu'**il ne pensait pas** qu'**ils aient compris** la politique de son adversaire. (Le passé composé du subjonctif remplace le plus-que-parfait de l'indicatif.)

RÉCAPITULONS

Le subjonctif ne change pas de temps quand on passe du discours direct au discours indirect.

Lisez le petit paragraphe suivant :

(C'est l'actrice Jolie Belle qui parle :)

« Je regrette que mon mari, Richard, **n'ait pas compris** que c'est moi qui suis la plus grande actrice du monde et **qu'il ait voulu** que les journaux **écrivent** aussi des articles à son sujet à lui. Je déplore **qu'il ait** ainsi **montré** son manque de goût et de modestie. »

(L'article dans *Ciné-Vérité* :)

Au cours d'une récente interview, Mlle Jolie Belle a déclaré **qu'elle regrettait** que son mari, Richard, **n'ait pas compris** que c'était elle qui était la plus grande actrice du monde et **qu'il ait voulu** que les journaux **écrivent** aussi des articles à son sujet à lui. Les larmes aux yeux, et faisant un courageux effort pour contrôler son émotion, elle a ajouté qu'**elle déplorait qu'il ait** ainsi **montré** son manque de goût et de modestie.

D. Le subjonctif remplace le futur. Il n'y a pas de subjonctif futur :

Je crois que **nous arriverons** avant six heures.
Je ne crois pas que **nous arrivions** avant six heures.

VOCABULAIRE

Noms

un candidat	la reconnaissance
un partisan	des applaudissements (*m.*)
une plate-forme (électorale)	des égards (*m.*)
un parti (politique)	un honneur
les marches (de la bibliothèque) (*f.*)	un pot de peinture

Adjectifs

éclairé(-e)	contradictoire
enthousiaste	passionnant(-e)
clair(-e)	

Verbes

élire (conjugué comme **lire**: Les électeurs **ont élu** le président. Ou à sa forme
   d'adjectif: Le président est **élu** en novembre)

passionner	respecter
mériter	partager
cesser de	suivre (je suis, tu suis, il suit, nous suivons, etc.; j'ai suivi)

EXERCICES

I. Mettez les verbes indiqués à la forme négative.

(Attention! Dans certaines, vous emploierez le subjonctif. L'emploierez-vous dans toutes?):

1. Je **crois** que son histoire est vraie.
2. On **trouve** qu'il faut souvent changer d'avis si on réfléchit avant de prendre une position.
3. Nous **savons** tous que Jean-Pierre est paresseux.
4. Il me **semble** que vous faites des progrès.
5. Ses parents **croient** qu'il restera à la maison.
6. Le candidat **demande** à ses électeurs de brûler la bibliothèque.
7. Je **suis** sûr que vous aurez une bonne note.
8. Le candidat **croit** que les électeurs ont compris sa plate-forme.
9. Il **est** certain que l'avion arrivera à l'heure.
10. Nous **sommes** sûrs que demain, à cette heure-ci, vous serez installés dans votre hôtel à Paris.
11. La mère de cette jeune femme **pense** que le divorce a eu lieu à cause des caprices de sa fille.
12. Je **pense** que Roméo et Juliette se sont aimés plus que d'autres jeunes gens. Il me **semble** que leur histoire d'amour est extraordinaire.

II. Récapitulation des formes et usages du subjonctif que vous avez étudiés jusqu'à présent:

Mettez le verbe à la forme correcte (subjonctif quand il est nécessaire):

1. Savez-vous à quelle heure il (*arriver*)?
2. Restez! Je ne veux pas que vous (*partir*)!
3. Je crois qu'il (*faire*) beau demain. Je ne crois pas qu'il (*faire*) froid.

4. Pensez-vous que son père (*vouloir*) lui prêter la voiture? Il est possible qu'il (*vouloir*) sortir lui aussi, samedi soir.
5. Croyez-vous qu'il (*falloir*) faire la conversation avec les poissons rouges quand on attend une jeune fille?
6. Madame Musset a dit à Michel de (*venir*) chercher ses filles à huit heures.
7. Le candidat est sûr (*être élu*).
8. Etes-vous content d'être célèbre et que tant de gens (*savoir*) votre nom? Etes-vous fier (*savoir*) que vous allez avoir votre statue sur la place publique?
9. Jolie Belle regrettait beaucoup que, par ses actions stupides du mois précédent, Richard (*faire*) une si mauvaise impression sur le public.
10. Les élections (*avoir lieu*) le mois prochain. Voudriez-vous qu'elles (*avoir lieu*) plus souvent? Croyez-vous qu'elles (*avoir lieu*) à la même date l'année dernière?

III. Complétez les phrases suivantes. (Espérons qu'il vous reste encore beaucoup d'imagination):

1. Moi, je voudrais bien que _____ .
2. Croyez-vous que les étudiants _____ ?
3. Vous, avant un examen, vous pensez _____ !
4. Vous semble-t-il que la plate-forme des Chrétiens-Athées _____ ?
5. Trouvez-vous que cette classe _____ ?
6. Saviez-vous que _____ ?
7. Pour me faire plaisir, on devrait bien _____ .
8. Il faudrait que les hommes politiques _____ .

COMPOSITIONS

Composition orale:

Exprimez votre opinion sur un sujet d'actualité (question politique, nouvelle dont on parle beaucoup, ou tout autre sujet) en commençant vos phrases par les expressions suivantes:

Moi, il me semble ... .
Ne croyez-vous pas d'ailleurs ... .
Il faudrait peut-être ... . Alors, il serait possible ... .
D'autre part, il paraît ... .

On devrait bien, aussi … .
Alors, on finirait par … .

Composition écrite:

A. Vous faites un discours électoral pour un autre parti.

B. Vous faites un discours polémique (la polémique est l'art de convaincre les gens) sur un sujet qui vous passionne.

Employez toutes les expressions possibles d'opinion, d'émotion, etc. dont vous aurez besoin pour exposer votre point de vue. Anticipez les objections de votre auditoire.

(Ex: Les petits esprits me diront que c'est impossible. Ne vous semble-t-il pas, au contraire, que ce soit nécessaire?)

Employez aussi les termes de cohérence qui seront nécessaires, des négations irrégulières, le discours indirect au moins une fois. Bref, montrez que vous savez employer tout ce que vous avez appris.

La Pensée de . . .

JEAN-PAUL SARTRE

sur

L'Ecrivain et la Littérature

Jean-Paul Sartre est surtout célèbre comme philosophe existentialiste. L'Existentialisme, dit Sartre, c'est essentiellement une façon de considérer le rôle et la place de l'homme dans le monde, en admettant le fait qu'il est libre.

Libre oui, mais entouré de circonstances, d'autres hommes, dans un contexte changeant, «en situation», il choisit ses actions. De celles-ci dépendra sa définition, sa nature. Car, dit Sartre, l'homme a d'abord son «**existence**», c'est-à-dire sa vie. La façon dont il agira, les «choix» qu'il fera détermineront son «**essence**», c'est-à-dire sa définition. Or, la définition de chaque homme contribue à la définition de l'humanité. Donc, chaque homme est responsable pour sa part dans «l'essence» universelle de l'homme.

Nous avons «choisi» ce passage tiré de *Qu'est-ce que la littérature?* pour vous montrer comment Sartre applique ses idées sur la liberté, la responsabilité, la solidarité humaine et le dynamisme de l'existence, à ses considérations sur l'écrivain et le critique.

* * * * * *

L'écrivain sait que la parole est action. Il sait que les mots sont «des pistolets chargés». S'il parle, **il tire.** Il peut **se taire,** mais s'il a choisi de parler, il faut que ce soit comme un homme, **en visant des cibles,** et non comme un enfant, en fermant les yeux pour le seul plaisir d'entendre des détonations. L'écrivain qui a choisi* d'écrire a pris une responsabilité envers lui-même et envers les autres: ce qu'il écrit représente ce qu'il a choisi* de dire, et son silence sur certains sujets est aussi une position. Se taire, ce n'est pas être muet, c'est refuser de parler.

Tout cela n'empêche pas qu'il y ait la manière d'écrire. On n'est pas écrivain pour avoir choisi* de dire certaines choses, mais pour avoir choisi* de les dire d'une certaine façon. Et le style, bien sûr, fait la valeur de la prose. Mais il ne faut pas qu'on le remarque. La beauté **éclate** dans un tableau; dans un livre, elle se cache, elle agit par persuasion et on croit souvent céder aux arguments quand on est sollicité par un charme qu'on ne voit pas. Il est vrai que les sujets proposent le style: mais ils ne le commandent pas. En un mot, il s'agit de savoir de quoi on veut écrire: sur **les papillons** ou sur la condition des minorités. Et quand on le sait, il reste à décider comment on écrira.

---

* a choisi: remarquez l'emploi fréquent que fait Sartre de ce verbe, pour insister sur **la liberté** et **la responsabilité** de l'écrivain.

Souvent, les deux choix ne font qu'un, mais jamais, chez les bons auteurs, le second ne précède le premier. Et, **de même que** la physique formule aux mathématiciens des problèmes nouveaux qui les obligent à produire un symbolisme neuf, de même les exigences de la société moderne obligent l'écrivain à trouver une langue neuve et des techniques nouvelles. Si nous n'écrivons plus comme au XVIIème siècle, c'est parce que la langue de **Racine** ne se prête pas à parler de locomotives ou du prolétariat. Les puristes nous interdiront peut-être d'écrire sur les locomotives. Mais l'art n'a jamais été du côté des puristes.

* * * * * *

Et les critiques? Il faut se rappeler que la plupart des critiques sont des gens qui n'ont pas eu beaucoup de chance, et qui, au moment où ils allaient désespérer, ont trouvé une petite place tranquille de **gardien de cimetière.** Dieu sait si les cimetières sont paisibles! Il n'y en a pas de plus agréable qu'une bibliothèque. Les morts sont là, ils ont écrit, c'est tout. Ils sont lavés du **péché** de vivre, et d'ailleurs, on ne connaît leur vie que par d'autres livres que d'autres morts ont écrits sur eux. Quand le critique ouvre un de ces petits **cercueils** que sont les livres, il y trouve des **taches** d'encre sur du papier jauni, et quand **il ranime** ces taches, quand il en fait des lettres et des mots, elles lui parlent de passions qu'il n'éprouve pas, de colères sans objet, de peurs et d'espoirs défunts. C'est pourquoi il pense que la nature imite l'art, et quand un écrivain meurt, c'est une grâce qu'il fait au critique: ses livres trop **crus,** trop vivants, passent de l'autre côté, ils vont peupler le ciel de nouvelles « valeurs »… Quant aux écrivains qui s'obstinent à vivre, on leur demande seulement de ne pas trop **bouger** et d'essayer déjà de ressembler aux morts qu'ils seront.

* * * * * *

Pourquoi écrit-on? Chacun a ses raisons: pour celui-ci, l'art est une **fuite;** pour un autre, un moyen de conquête. Mais on peut fuir dans un ermitage, dans la folie, dans la mort; on peut conquérir par les armes. Pourquoi, justement, « écrire », faire par écrit ses conquêtes et ses évasions? Un des principaux motifs de la création artistique est certainement le besoin de nous sentir essentiels **par rapport** au monde. On n'écrit pas pour soi-même: ce serait **le pire échec:** l'opération d'écrire implique celle de lire, et ces deux actes impliquent deux agents distincts. C'est l'effort conjugué de l'auteur et du lecteur qui **fera surgir** cet objet concret et imaginaire qu'est **l'ouvrage** de l'esprit. IL N'Y A D'ART QUE POUR ET PAR AUTRUI.

Jean-Paul Sartre dans *Qu'est-ce que la littérature?*
(Situations II) Gallimard.

il tire: c'est une image de style qui continue la comparaison du mot avec un pistolet chargé. On **tire** un canon, un revolver, un pistolet.

se taire: ne pas parler, ne rien dire.

en visant des cibles: la cible est l'objet sur lequel on tire. On ne tire pas sans savoir sur quoi. On **vise**, c'est-à-dire qu'on tire dans une direction précise.

éclate: est manifestement apparente.

un papillon: un insecte avec de belles couleurs, qui vit en été, sur les fleurs. Le papillon représente le sujet littéraire sans préoccupations humaines; la condition des minorités, le sujet «humain».

de même que: comme.

Racine: le plus célèbre écrivain français du XVIIème siècle, auteur de tragédies en vers (*Phèdre*, *Andromaque*). On identifie souvent le «bon» français avec la langue de Racine.

gardien de cimetière: l'homme qui est responsable d'un cimetière. Voyez que Sartre identifie les bibliothèques aux cimetières. Pensez à l'importance de «l'existence» de l'homme pour Sartre; cette existence est absente des cimetières comme des bibliothèques.

un péché: mauvaise action du point de vue religieux.

un cercueil: la boîte oblongue dans laquelle on enterre les morts.

une tache: une marque.

il ranime: il donne de nouveau de la vie.

crus: sans raffinements.

bouger: s'agiter, changer de place. Ici, veut probablement exprimer aussi: changer d'idées, évoluer, entrer dans des controverses, etc.

une fuite: une évasion.

par rapport: en relation avec.

le pire échec: le manque de réussite absolu.

faire surgir: matérialiser.

l'ouvrage: le travail, au sens de «production».

QUESTIONS

1. Est-ce que l'écrivain est responsable de ce qu'il écrit? Pourquoi?

2. Faut-il choisir d'abord son style ou son sujet? Pourquoi?

3. Est-ce que le style, comme l'homme, est fixe, ou au contraire, subit-il des changements, des évolutions? Pourquoi?

4. Qu'est-ce que Sartre pense des «puristes»? Est-ce un compliment?

5. A quoi compare-t-il le critique littéraire? A-t-il raison ou tort et expliquez pourquoi.

6. Pourquoi est-il plus facile pour le critique d'étudier un écrivain mort?

7. Pourquoi le critique voudrait-il que l'écrivain qui est encore vivant ne «bouge» pas trop? Que faut-il comprendre par ce mot?

8. D'après Sartre, pourquoi écrit-on?

SUJETS DE DISCUSSION OU DE COMPOSITION

1. Quelles idées trouvez-vous dans le texte qui expliquent, illustrent et se rapportent aux principes suivants de l'existentialisme:
   —l'homme est libre.
   —il est responsable de ses actions.
   —son « existence », c'est-à-dire sa vie, individuelle et « en situation », est sa seule réalité.
   —les hommes agissent toujours par rapport aux autres hommes.

2. Etes-vous d'accord avec Sartre? Pourquoi? Trouvez des exemples dans la littérature qui illustrent ou qui réfutent ce que dit Sartre.

DIX-SEPTIÈME LEÇON

Une Séance aux Nations-Unies

LES USAGES DU SUBJONCTIF (suite et fin)

Le subjonctif après les conjonctions adverbiales

Le subjonctif (facultatif) après le superlatif

Etudiez les phrases suivantes:

Indicatif	*Subjonctif*
J'écoute toujours un discours **jusqu'à la fin.**	Je n'écoute pas toujours un discours jusqu'à la fin. Je l'écoute seulement **jusqu'à ce que je sache** ce que le candidat veut dire.
Je fais toutes ces explications **pour rendre** le subjonctif clair.	Je fais toutes ces explications **pour que vous sachiez** employer le subjonctif.
Je finis toujours mon travail **avant de sortir.**	Je voudrais vous voir **avant que vous** (ne) **sortiez.**
Cette jeune fille relit son examen **de peur de laisser** des fautes.	Ce professeur relit toujours les examens corrigés par son assistant, **de peur que celui-ci** (ne) **laisse** ou: (n') ait laissé, des fautes.
Je n'arriverai pas à destination **à moins de mettre** de l'essence dans ma voiture au prochain poste d'essence.	Nous n'arriverons pas à destination **à moins que vous** (ne) **mettiez** de l'essence dans votre voiture au prochain poste d'essence.
	Bien que je fasse des efforts, j'ai beaucoup de difficultés avec les math!

Qui que vous soyez
Où que vous alliez
Quoi que vous fassiez
Quelle que soit votre opinion

il faut que vous mainteniez l'honneur de cette noble institution, dit le candidat.

. . . . . .

Indicatif

Vous êtes **la meilleure classe que j'ai** jamais **eue!**

Subjonctif

Il me semble que c'est la meilleure explication **qu'il y ait** de ce phénomène de physique.

Quand ce politicien a perdu les élections, il a aussi perdu tous ses amis. **Le seul qui lui est** fidèle, c'est son chien.

Quand un politicien perd les élections, il perd souvent aussi ses amis. **Les seuls qui lui soient** fidèles sont ceux qui étaient sincères.

C'est bien **le premier** ornithorynque que **j'ai vu** de ma vie!

« La Révolution n'aura pas lieu », est-ce bien **le premier** film vraiment historique **que vous ayez vu?**

LECTURE

Une séance aux Nations-Unies

Nous sommes au Palais des Nations-Unies. Comme vous le savez, le but de cette institution c'est de maintenir la paix entre les différentes nations. Quand un pays considère qu'il a des raisons de ne pas être satisfait d'un de ses voisins, son délégué fait un rapport aux Nations-Unies. Le Secrétaire Général et les représentants des autres pays l'écoutent. Ils écoutent aussi le discours de l'adversaire et proposent généralement l'arbitration impartiale d'une commission formée de représentants de quelques autres pays.

Même si vous n'avez pas visité les Nations-Unies, vous savez qu'il y a quatre langues officielles: l'anglais, le français, le russe et l'espagnol. Chaque délégué s'exprime dans sa propre langue—qui n'est pas nécessairement une des langues officielles. Les interprètes, placés dans des cabines qui dominent la salle, entendent les discours au moyen de leurs écouteurs et donnent, dans le micro placé devant eux, une traduction simultanée de ce qu'ils entendent. C'est la forme de traduction la plus difficile qui soit. Mais, grâce à cette traduction simultanée, les délégués et même les visiteurs peuvent choisir la langue qu'ils comprennent le mieux sur le sélecteur de la machine placée devant eux et entendre, à leurs écouteurs, la version anglaise, espagnole, russe ou française du discours que quelqu'un est en train de prononcer.

N'aimeriez-vous pas devenir interprète aux Nations-Unies? Ne pensezvous pas que ce soit un métier passionnant? En attendant ce moment, imaginez que vous êtes en train de prendre un siège dans la Grande Salle de Délibérations. Par exemple, quand le représentant de l'Allemagne parle, comprenez-vous ce qu'il dit? Non? Eh bien, puisque vous comprenez le français, écoutez la traduction française.

LE REPRÉSENTANT DE L'ALLEMAGNE DE L'OUEST. Mon gouvernement ne pense pas qu'il lui soit possible de tolérer plus longtemps la situation qui existe maintenant à Berlin. Quand le gouvernement de l'Allemagne de l'Est a bâti le mur qui sépare notre ville en deux parties, nous pensions que c'était la dernière chose qu'il puisse faire pour rendre la vie, le commerce et les transports difficiles. Mais nous avions tort. Car ils nous menacent maintenant de bâtir un autre mur, cette fois autour de la Zone Ouest de Berlin, et de couper ainsi toutes nos communications avec l'extérieur. Il est clair que cette action leur est suggérée par les membres de la délégation commerciale russe, maintenant en visite officielle dans la Zone Est de Berlin...

LE DÉLÉGUÉ RUSSE. (*Il se lève et interrompt avec indignation*) Je proteste! C'est inadmissible! Mon gouvernement n'accepte pas cette assertion à moins qu'on ne puisse prouver qu'elle est basée sur des faits. Je répète que la position du gouvernement des Soviets est la plus neutre, la plus impartiale qui soit dans cette affaire...

LE SECRÉTAIRE GÉNÉRAL. Je regrette d'être obligé de demander à l'honorable délégué de L'URSS de ne pas interrompre, à moins qu'il ne veuille courir le risque d'un vote de blâme du Comité Exécutif. Continuez, s'il vous plaît.

LE RÉPRÉSENTANT DE L'ALLEMAGNE DE L'OUEST. Je veux bien laisser de côté la question de responsabilité, mais je demande, au nom de mon gouvernement, la nomination d'une commission impartiale. Il faudrait que celle-ci soit formée de représentants de pays neutres et qu'elle vienne à Berlin où elle resterait jusqu'à ce qu'un rapport sur la situation soit établi.

LE SECRÉTAIRE GÉNÉRAL. Je vais demander aux délégués des nations suivantes de répondre au nom de leur gouvernement et d'indiquer s'ils acceptent de faire partie de la commission internationale chargée du rapport sur la situation à Berlin.

Le Délégué de la République du Nicaragua?

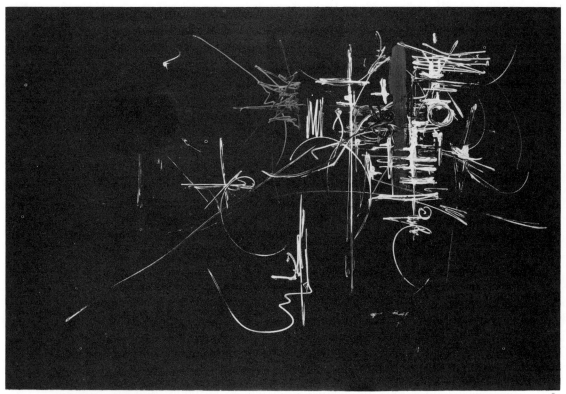

GEORGES MATHIEU

Peinture
The Solomon R. Guggenheim Museum, New York

*Est-ce un alphabet bizarre? La transcription graphique d'un
état d'esprit tumultueux? Ou les notes prises par un des
délégués pendant les discours de ses collègues?*

LE DÉLÉGUÉ DU NICARAGUA. J'approuve au nom de mon gouvernement la formation de cette commission. Il est possible que le gouvernement de l'Allemagne de l'Est veuille, une fois encore, abuser de la situation précaire de Berlin-Ouest. Je souhaite qu'on fasse tous les efforts possibles pour que la justice soit maintenue. J'accepte de faire partie de la commission.

LE SECRÉTAIRE GÉNÉRAL. Vote affirmatif de la République de Nicaragua. Le délégué de la République de Chine ?

LE DÉLÉGUÉ DE LA RÉPUBLIQUE DE CHINE DANS L'ÎLE DE FORMOSE. Mon pays est le seul ici qui connaisse vraiment l'étendue du danger communiste. Mon gouvernement considère qu'il est de son devoir d'aider les pays libres dans leur lutte constante contre les puissances totalitaires. J'accepte de faire partie de cette commission, où qu'elle aille et quoi qu'elle fasse et je souhaite que les coupables soient sévèrement punis.

LE SECRÉTAIRE GÉNÉRAL. Vote affirmatif de la République de Chine. Le délégué des Indes ?

LE DÉLÉGUÉ DES INDES. (*Avec hésitation*) Bien que j'approuve le principe de cette commission, je ne crois pas que je puisse approuver sa nomination dans ce cas particulier. Je ne crois pas qu'il y ait de lois qui interdisent la construction d'un mur autour d'une ville... Il est possible que l'Allemagne de l'Est veuille se protéger contre une agression possible... Bien qu'il n'y ait pas de nation qui veuille, plus que la mienne, maintenir l'indépendance et la neutralité des peuples, je ne voudrais pas non plus qu'on prenne de mesures qui puissent avoir des conséquences regrettables... Je ne peux pas accepter de faire partie de cette commission, mais j'accepte de l'accompagner à Berlin comme observateur neutre.

LE DÉLÉGUÉ DU PAKISTAN. (*Il se lève, et très agité, interrompt.*) Si les Indes sont représentées par un observateur neutre, je demande alors que mon gouvernement soit représenté par un autre observateur, afin que celui-ci puisse observer les observateurs! Il faut que le droit international soit respecté...

LE REPRÉSENTANT DE L'ALLEMAGNE DE L'OUEST. (*Il se lève à son tour et interrompt.*) Je proteste! Il ne faut pas que la question de l'intégrité territoriale de Berlin-Ouest fournisse un champ de bataille aux autres puissances. Je refuse, au nom de mon gouvernement, la nomination d'observateurs. L'heure est grave, le péril est pressant, des décisions rapides vont être nécessaires. Faut-il que nous discutions jusqu'à ce qu'il soit trop tard? Non. Il ne s'agit pas maintenant de vagues querelles politiques. C'est l'existence même des lois et du droit international qui est menacée. Je fais appel à ce tribunal international et je demande justice et sécurité contre l'agression et la persécution.

QUESTIONS SUR LA LECTURE

1. Qu'est-ce que les Nations-Unies? Où se trouve le Palais des Nations-Unies? L'avez-vous visité? Quel est le but des Nations-Unies?

2. Supposez qu'un pays en attaque un autre. Que peut faire le pays victime?

3. Quelles sont les langues officielles des Nations-Unies? Y entend-on parler d'autres langues? Comment fait-on pour comprendre ce qu'on entend?

4. Que fait un interprète simultané aux Nations-Unies? Expliquez son travail.

5. Que pensez-vous de cette profession? Aimeriez-vous être interprète simultané aux Nations-Unies? Pourquoi?

6. De quoi s'agit-il dans cette séance des Nations-Unies? (Il s'agit de la menace par... de...). Est-ce une possibilité, ou est-ce invraisemblable? Pourquoi?

7. Quelle est l'attitude du délégué russe? Pourquoi?

8. Que demande le représentant de l'Allemagne de l'Ouest? Pourquoi? Que veut-il que cette commission fasse?

9. Est-ce qu'on a le droit d'interrompre quelqu'un qui parle aux Nations-Unies? Qu'est-ce qui peut arriver si on le fait? Est-ce aussi grave ou plus grave que d'interrompre le professeur? Pourquoi?

10. Quelle est l'attitude du délégué du Nicaragua? Accepte-t-il de faire partie de la commission? Pourquoi?

11. Est-ce que la Chine (de Formose) peut comprendre la position de Berlin-Ouest? Pourquoi?

12. Quelle est l'attitude du délégué des Indes? Veut-il prendre une position pour ou contre? Pourquoi?

13. Pourquoi le délégué du Pakistan (je suppose que vous avez lu les journaux et que vous avez aussi vu des cartes du monde) veut-il qu'on observe les observateurs hindous? A-t-il peur qu'ils fassent quelque chose? Pourquoi? Quels sont les rapports du Pakistan et des Indes?

14. Est-ce que le représentant de l'Allemagne de l'Ouest est content de voir comment tourne la discussion? Pourquoi? De quoi a-t-il peur? A-t-il raison?

15. Avez-vous une idée de ce qui va arriver ensuite? Essayez d'imaginer ce qui est possible: que fera la commission? Est-ce que les Allemands de l'Est bâtiront un mur autour de Berlin? etc.

PRONONCIATION

> L'Allemagne/L'Allemagne de l'Ouest /L'Allemagne de l'Est
>
> Le représentant de l'Allemagne de l'Ouest
>
> Une commission internationale
>
> Un comité exécutif
>
> Une agression injustifiée

EXPLICATIONS

Les usages du subjonctif (suite et fin)

I. *Le subjonctif après certaines conjonctions adverbiales*

1.   La commission restera à Berlin **jusqu'aux** élections.
   La commission restera à Berlin **jusqu'à ce qu'elle ait** un rapport complet sur la situation.

   Vous connaissez déjà la conjonction **jusqu'à:**
   Jusqu'à demain; jusqu'à la maison; jusqu'à la fin, etc.
   Elle est employée suivie d'un nom, d'un pronom ou d'un adverbe.
   Vous voyez maintenant **jusqu'à ce que:**

   Jusqu'à ce **qu'elle ait** un rapport...
   Jusqu'à ce **que je comprenne**...
   Jusqu'à ce **qu'il** ne **pleuve** plus...

C'est dans ce cas une conjonction adverbiale. Elle est employée suivie d'un verbe et celui-ci est au subjonctif.

   Voilà la liste des conjonctions adverbiales les plus employées:

> **jusqu'à ce que**
> **pour que** (aussi: **afin que** et **de sorte que,** qui ont le
> même sens)
> **à moins que**
> **de peur que**
> **avant que**
> **bien que** (aussi: **quoique,** qui a le même sens)

Exemples:

Il travaille **pour gagner** sa vie.

Il travaille **pour que** sa famille **ait** tout ce qu'il lui faut.

Vous ne ferez pas d'économies **à moins de mettre** votre argent à la banque.

Vous ne ferez pas d'économies **à moins que** quelqu'un (ne) **prenne** votre argent et (ne) le **mette** à la banque.

Je répète ma leçon en route **de peur de l'oublier.**

« Faut-il dire à une jeune fille qu'elle est jolie **de peur qu'elle** (ne) **le sache pas,** ou de **peur qu'elle** (ne) **l'oublie** »? demande Michel à son copain. Celui-ci répond: «Non, de peur qu'elle ne sache pas que tu le sais»!

Je passerai vous voir **avant de partir** (= avant mon départ).

Je voudrais que vous passiez me voir **avant que vous** (ne) **partiez** (= avant votre départ).

Quoique tout le monde **me dise** que j'ai tort et **bien que je sache** que peute-être je le regretterai, je vais prêter de l'argent à ce monsieur.

REMARQUEZ: Toutes les conjonctions adverbiales ne gouvernent pas le subjonctif. Vous en connaissez déjà beaucoup qui gouvernent un indicatif. Par exemple:

parce que:	Il rit **parce qu'**il est content.
depuis que:	Betty et Michel s'entendent bien **depuis qu'**ils ne demandent de conseils à personne.
pendant que:	La cigale (*the grasshopper*) chantait **pendant que** la fourmi travaillait.
après que:	Non, je ne me suis pas mouillé: la pluie a commencé **après que** je suis arrivé.

Qu'est-ce qui explique cette différence? Pourquoi certaines conjonctions gouvernent-elles un subjonctif, alors que d'autres n'en gouvernent pas?

Les conjonctions qui gouvernent un subjonctif ont **toutes** une idée de **but**

inaccompli (*unaccomplished aim or goal*). Il est toujours question de quelque chose de futur, de probable, de désirable ou non, mais jamais de quelque chose de certain comme pour les conjonctions qui gouvernent un indicatif.

2. Le **ne** pléonastique (facultatif)

> Vous avez observé ce **ne** que nous plaçons entre parenthèses dans les phrases modèles et dans les exemples de la leçon ci-dessus, pour vous montrer clairement qu'il n'est pas indispensable. Vous n'êtes pas obligé de l'employer, mais quand vous le verrez dans vos lectures il faut comprendre ce qu'il veut dire.

> Voyez l'exemple suivant:

> L'agent de police vous dit de conduire plus lentement de peur que vous **n'**ayez un accident.

> Ce **ne** s'emploie quand, dans une phrase affirmative, il y a une idée de négation et qu'on pourrait dire la même chose dans une phrase négative:

> Conduisez plus lentement pour **ne pas avoir** d'accident.

> L'idée de **ne pas avoir** d'accident est claire.

> A moins que vous **ne** mettiez de l'essence dans la voiture (= si vous ne mettez pas d'essence) nous serons en panne dans dix minutes.

> Essayez de finir avant que vous **ne** partiez (= ne partez pas avant d'avoir fini).

II. *Le subjonctif après* **qui que** *(whoever),* **quoi que** *(whatever),* **où que** *(wherever).*

Qui que vous soyez, dans une démocratie, vous êtes soumis aux lois de votre pays.

Oh, maintenant, avec le progrès, **où qu'on aille,** tous les pays se ressemblent!

Quoi que je fasse, je n'arrive pas à faire d'économies.

Il y a d'autres constructions semblables, bien que celles qui précèdent soient les plus employées. Les voilà:

Quelle que soit la vérité sur cette affaire, ce n'est sûrement pas ce qu'on a lu dans les journaux.

Quelqu'intelligent qu'on soit, et **quelqu'effort qu'on fasse** on ne réussit pas si on ne sait pas organiser son temps et son travail.

III. *Le subjonctif (facultatif) après une expression de superlatif.*

Vous êtes peut-être le meilleur ami que **j'aie.**
Vous êtes certainement le meilleur ami que **j'ai.**

On emploie le subjonctif après le superlatif quand il y a une idée de doute, de probabilité, mais quand il y a une idée de certitude, on emploie l'indicatif.

Vous êtes le seule personne qui **puisse** le faire. (Je ne sais pas où sont les autres.)
Vous êtes la seule personne qui **peut** le faire. (Les autres ne peuvent pas, je leur ai demandé.)

On peut, dans le même ordre d'idées, employer (mais ce n'est pas obligatoire non plus) le subjonctif après les expressions:

Premier; seul; unique; rien; personne; ne ... que:

Il **n'y a que** vous qui sachiez le russe ici, n'est-ce pas?
Oui, il n'y a **que** moi qui sait le russe.*

Nous espérons que cette introduction au français vous a permis de former une connaissance utile du français parlé et écrit et que vous voudrez continuer vos études de cette langue dans laquelle vous êtes déjà avancé.

VOCABULAIRE

Noms

un interprète	l'étendue
une cabine	une lutte
un écouteur	le principe
une traduction	une nomination
une version	un cas
un métier	un observateur
un siège	un champ de bataille
la zone	une loi
une assertion	le droit
un vote de blâme	

---

* Il y a d'autres usages du subjonctif, mais ceux que vous venez d'étudier sont les plus fréquents et les plus importants. Vous verrez les autres, ainsi que d'autres constructions plus complexes dans votre prochain cours de français.

Adjectifs

simultané(-e)	international, internationaux
neutre	internationale, internationales
pressant(-e)	agité(-e)
impartial, impartiaux	précaire
impartiale, impartiales	totalitaire

Verbes et expressions verbales

interdire	prendre des mesures pour
courir le risque de	(ou: contre)
menacer quelqu'un de	faire appel à
avoir le droit de	faire partie de
(ou: ne pas avoir le droit de)	

EXERCICES

I. Complétez les phrases suivantes (encore un effort d'imagination, c'est la dernière leçon!):

1. Je vais rester dans cette ville jusqu'à ...
   jusqu'à ce que ...
2. Les Nations-Unies délibèrent pour ...
   pour que ...
3. Il faut que votre mère réfléchisse avant de ...
   avant que ...
4. Vous ne parlez pas clairement. On ne vous comprendra pas à moins de ...
   à moins que ...
5. Michel demande des conseils à son copain de peur de ...
   de peur que ...

II. Faites une phrase avec les deux phrases qui vous sont proposées en les joignant par une conjonction adverbiale:

Ex: Il réussit.   Il travaille.
   Il réussit parce qu'il travaille.

   Ils sont fiancés.   On ne les voit jamais ensemble.
   Bien qu'ils soient fiancés, on ne les voit jamais ensemble.

1. La commission internationale restera à Berlin.
   La commission ne partira pas avant d'avoir un rapport complet.
2. Je relis tout ce que j'écris.
   Je ne veux pas faire de fautes.
3. Il apporte souvent des fleurs à sa femme.
   Elle est contente de lui.
4. Ce jeune ménage s'entend bien.
   Ils ne s'entendaient pas bien quand la belle-mère était avec eux.
5. Vous n'êtes pas gentil avec moi.
   Je vous aime beaucoup.

III. Traduction (facultative) :

1. *Wherever you go, and although you know English, you will see that it is not enough to communicate with people of other countries.*
2. *Whatever you say, whatever you do, he never changes his mind.*
3. *Although you have been gone for a long time, I miss you and think of you.*
4. *The most useful book I have read is* Parole et Pensée.
5. *The United Nations will study the case until they can arbitrate the problem.*
6. *Jolie Belle does not eat, for fear of getting fat; she does not speak to Richard, either, for fear that she might lose her sense of history.*
7. *You have to see this monument! It must be the most beautiful we have seen, or at least, I think it must be the oldest.*

COMPOSITIONS

Composition orale :

A. Que pensez-vous des Nations-Unies ? Que faudrait-il changer pour qu'elles soient plus efficaces ? Pourquoi n'empêchent-elles pas toutes les guerres ?

B. Donnez des conseils à un étudiant plus jeune que vous qui va commencer à étudier le français l'année prochaine.

Composition écrite :

A. Cherchez dans le journal un problème d'ordre politique, économique ou militaire. Expliquez sa cause, sa solution possible.

B. En vous inspirant de la *Séance aux Nations-Unies*, décrivez une séance de délibérations devotre club ou du gouvernement des étudiants, ou simplement la conversation de deux étudiants qui ne sont pas contents du système dans votre école.

C. Racontez la séance aux Nations-Unies au discours indirect passé, en employant les termes de cohérence et en transformant le dialogue en une narration pittoresque et bien composée.

Employez des conjonctions adverbiales: **jusqu'à** et **jusqu'à ce que, de peur de** et **de peur que, à moins de** et **à moins que,** etc.

Employez aussi les verbes **falloir** et **devoir** à différents temps: **on devrait, il aurait fallu,** etc.

Bref, employez avec variété et imagination tout ce que vous avez appris dans ce cours pour montrer à votre professeur le grand profit que vous avez tiré de sa classe.

HENRI MATISSE

La Danse (Première version)
Collection, The Museum of Modern Art, New York
Gift of Nelson A. Rockefeller in honor of
Alfred H. Barr, Jr.

« *J'explique sans les mots le pas qui fait la ronde*
J'explique le pied nu qu'a le vent effacé
J'explique sans mystère un moment de ce monde … »

Louis Aragon (1897–   )

Louis Aragon est un des grands poètes français contemporains.
Dans ce poème, il donne la parole au peintre Matisse qui « parle » de sa peinture.
Cette peinture « explique » la réalité, c'est-à-dire qu'elle la rend plus claire, plus
visible, elle interprète les qualités des choses.

*   *   *   *   *   *

MATISSE PARLE . . .

J'explique sans les mots le pas qui fait la ronde
J'explique le pied nu qu'a le vent effacé
J'explique sans mystère un moment de ce monde
J'explique le soleil sur l'épaule pensée

J'explique un dessin noir à la fenêtre ouverte
J'explique les oiseaux, les arbres, les saisons
J'explique le bonheur muet des plantes vertes
J'explique le silence étrange des maisons

J'explique infiniment l'ombre et la transparence
J'explique le toucher des femmes, leur éclat
J'explique un firmament d'objets par différence
J'explique le rapport des choses que voilà

J'explique le parfum des formes passagères
J'explique ce qui fait chanter le papier blanc
J'explique ce qui fait qu'une feuille est légère
Et les branches qui sont des bras un peu plus lents

Le Nouveau Crève-Coeur
Reproduit avec la gracieuse permission de l'auteur.

APPENDIXES

APPENDIX
A

A Few Principles of French Spelling and Pronunciation

I. General Principles

A good pronunciation cannot be acquired without the help of a competent teacher. We will give below only the most general principles to guide the students and serve as reference.

A. Diacritical marks

The French alphabet is similar to the English alphabet, but French uses a number of diacritical marks which usually influence pronunciation.

These marks never indicate that a syllable should be stressed. They are:

1. *the acute accent:* ´ **é** (accent aigu). It appears only on the vowel **e: été, téléphone, éléphant, élevé**

2. *the grave accent:* ` **è** (accent grave). It is used most often in the combination: *è + consonant + mute e* at the end of a word. Whenever this combination of *è + consonant + mute e* occurs at the end of a word, the **e** *must have a grave accent:*

    > fr**è**re, pi**è**ce, p**è**se, ach**è**te, etc.

    The grave accent also appears in a few specific words, without altering the pronunciation. These are: **à** (preposition) to distinguish it from **a** (verb *to have* 3rd person singular present), **là** (adverb) to distinguish it from **la** (article) and **où** (adverb) to distinguish it from **ou** (conjunction).

3. *the circumflex accent:* ^ **ê â ô î û** (accent circonflexe). It is used on all vowels, but most often on **e:**

    > **tête, fête, quête,** (often before a **t**) **âtre, âme, sûr, vôtre, plaît**

4. *the cedilla:* ¸ **ç** (la cédille). It is used only under a **c** to indicate that it is pronounced **s** and before **a, o, u:**

    > **français, garçon, reçu**

5. *the diaeresis:* ¨ **ë** (le tréma). It is used in a few instances and shows that the vowel on which it is placed should be pronounced clearly separated from the preceding one:

    > **Noël, égoïste, naïf**

B. Elision

Elision occurs when a vowel is dropped before another word beginning with a vowel:

l'ami **d'E**rnest dit **qu'il** prend **l'**auto.
(le) **(de)** **(que)** **(la)**

Elision occurs only for some vowels and in specific cases. These will elide:

—final **e** of words of one syllable:

je (j'ai), **me** (il **m'a** dit), **te**, **ce** (**c'e**st), **se**, **de** (l'ami **d'E**rnest), **le**, **ne** (ce **n'est** pas), **que** (il dit **qu'il**)

—**a** elides only in the case of **la:**

l'auto, **l'**enveloppe, **l'**adresse
(la) **(la)** **(la)**

—**i** elides only in *one* case:

si followed by **il(s): s'il** but: **qui il**

—There is elision in front of words beginning with **h,** since **h** is usually mute:

l'homme, **l'h**uître

A few words beginning with **h** will not cause elision, because the **h** is aspirate (these are usually words of Germanic origin):

la Hollande, **la hutte,** **la hache,** **le hibou**

C. Linking of words, or liaison

Words closely connected by meaning are run together as one word: this means that the last consonant of an individual word—which is not pronounced otherwise—becomes the introductory consonant of the following word.

Liaison happens mostly with the following letters:

—**s**
—**x** ⎬ all pronounced **z: les amis,** **dix amis,**
—**z** **chez eux,** **ils ont**

—**d** ⎫ both pronounced **t: un petit ami,** **un grand ami,**
—**t** ⎭ **quand il**

—**n** pronounced **n: un ami** **en avion** **il y en a**

The liaison is necessary

—between the article and the noun:

les amis, **les hommes,** **un homme**

—between an adjective and the following noun:

un petit ami,   un grand ami,   de beaux enfants

—between subject pronoun and verb, or between verb and subject pronoun:

ils ont,   ont-elles?   elles arrivent,   nous irons,   iront-ils?

—between a monosyllabic preposition and its object:

chez elle

The liaison is absolutely forbidden after the conjunction **et**

Mon frère et / / un ami

D. Accentuation

It is often difficult to distinguish individual words in spoken French, because a sentence is composed of a series of *stress-groups*, each composed of words expressing a very simple idea:

Il ne veut pas/sortir avec moi.
J'ai envie/d'aller voir/un bon film.

There are no accented syllables in French words, as there are in English words. Each syllable has the same stress. But there is a stress on the last syllable of each stress group.

Je suis étud**ian**t.
Je suis étudiant de fran**çai**s.
Marie part en vac**an**ces.
Les vacances de Ma**rie** / / ont commencé h**ier.**

E. The syllable

French words can be divided into syllables (in French poetry, the meter of the verse is based upon the number of syllables, not of accents, as in English).

A syllable is a group of letters which are uttered together. In dividing French words into syllables, each syllable should begin with a consonant and end with a vowel, whenever possible. This means that, in pronunciation exercises, you must avoid anticipating the next consonant while pronouncing the words. For instance, compare

English: an-i-mal	French: **a-ni-mal**
per-im-e-ter	**pé-ri-mè-tre**
sal-ad	**sa-lade**
pres-i-dent	**pré-si-dent**

This division applies to writing, where a word must never be cut in such a way that a vowel would be the first letter on the next line:

aca-démie   uni-versité

In the case of two consonants:

pas-ser   par-tir   pa-trie

II. The French Alphabet and its Sounds

A. The vowels

Each vowel represents a fixed sound. The French vowel has a pure sound, as compared to the English vowel which represents a combination of several sounds. There is no gliding from one sound to another, as in English, and therefore, no diphthongs: To utter a vowel sound, it is often necessary to advance and round the lips, and hold the position firmly, but with great mobility to go from one sound to another.

If you master the vowels, you will be very close to having mastered the pronunciation of French.

a: la gare,   l'accident,   papa,   la table,   Paris

e: je,   me,   le,   que,   de venir,   demain,   cheval
i: ici,   Virginie,   la ville,   visite,   machine,   petit
o: joli,   l'école,   objet,   la robe,   location

or, when followed by a silent final consonant:
le mot,   le dos,   gros

or by a **z** sound:
la rose,   la chose,   poser,

u: sur,   la rue,   du café,   il a bu

B. Consonants

For practical purposes, there is less difference between the sound of French and English consonants, than in the case of vowels. Note the following facts:

The final consonant is usually silent:

le hasard   trop   le départ   vers

The "s" of the plural is also silent:

parent = parents   ami = amis   fleur = fleurs

There may be two final silent consonants:

le temps   vingt   le doigt   quatre-vingts
les doigts

The only final consonants which are usually pronounced are: **c r f l** (think of the word CaReFuL).

avec   l'hôtel   pour   le chef

h is silent:

l'histoire   l'homme   la honte   la Hollande

qu, a very common spelling combination in French, is pronounced like a **k**:

quart = kar   **quand   quelque**
qu'est-ce que c'est?

s is pronounced **z** between two vowels:

la rose   la chose   une pause
animosité   les amis

and **s** in all other cases:

double: la tasse   la bosse   la tresse
        impossible
initial: **S**uzanne   **s**ociété   **s**plendide
between vowel and consonant:
        socialisme   aspérité   obsession

w which is found only in a few words is pronounced **v**

C. Nasal vowels

The nasal vowel is a very distinctive sound of French. It occurs when a vowel is followed by an **n** or **m** in the same syllable. Then, the vowel is nasalized and the **n** or **m** is not pronounced. There are *several spellings for each nasal vowel, but only one sound for each.*

an: grand Jean anglais allemand	(an)	
ambulance chambre champ	(am)	
enfant la dent vendre	(en)	one sound: **an**
emporter le temps ensemble	(em)	
in: matin jardin invite fin	(in)	
impossible timbre	(im)	
peintre teint	(ein)	
examen européen citoyen	(-en)	one sound: **in**
pain demain bain	(ain)	
faim	(aim)	
on: mon bâton garçon onze	(on)	
compter le nombre le nom	(om)	one sound: **on**
un: un lundi chacun	(un)	
parfum	(um)	one sound: **un**

When the **n** or **m** is double or when it is followed by a vowel, there is usually no nasal sound:

un	but:	**u/ne u/nanime chacu/ne**
an	but:	**â/ne A/nne a/nnée animal**
bon	but:	**bo/nne co/mité bo/ni/ment co/mme**
fin	but:	**fi/ne i/mmobile pei/ne**

Compare:

nasal	no nasal
américain	**américai/ne**
européen	**europée/nne**
bon	**bo/nne**
Simon	**Simo/ne**
chacun	**chacu/ne**
un	**u/ne**

Note: the sound of -emm (=amm) in **femme** and in some adverbs:

prud**emm**ent   intellig**emm**ent

D. Letter groups with a single sound

There are certain groups of letters which have a certain fixed, invariable sound:

au or **eau**	: chât**eau** **au** **au**jourd'hui bat**eau** **au**to
oi	: m**oi** le d**oi**gt la b**oî**te une f**oi**s
eu or **œu**	: n**eu**f l**eu**r j**eu**ne la s**œu**r un **œu**f
ai or **ei**	: m**ai**son j'av**ai**s une ch**ai**se la p**ei**ne la n**ei**ge
gn	: monta**gn**e ga**gn**er pei**gn**e
ill, or when final	
may be **il**	**:** la fam**ill**e la f**ill**e je trava**ill**e le trava**il**

You see here one of the major differences between French and English. In French, a fixed group of letters will usually have one sound and keep that one sound in different words. (Think of letter groups like "ough" in English, and of all the sounds they may have. In French, it is rare that a letter group changes its sound.)

E. Word ending and gender

We have already mentioned that the final consonant is usually silent in French.

There are several and common word endings which have the same sound, although they have different spellings:

—**er***	pap**ier** all**er** march**er**		
—**et**†	cabar**et** ball**et** poul**et**	have one sound	
—**ed**	pi**ed** assi**ed**	**é**	
—**ez**	n**ez** ch**ez** av**ez**		

Also having the same sound: **-es** in:

l**es** m**es** t**es** d**es** s**es** c**es**

The **s** of the plural, as we have seen, is silent unless it is followed by a word with which it must be linked:

ils parlent
ils arrivent

F. Gender

All nouns in French are either masculine or feminine. In some cases, the ending may indicate the gender:

-er	le cah**ier** le pap**ier**	
-et	le ball**et** le cabin**et**	
-ed	le pi**ed**	
-ez	le n**ez**	
-eau**	le chap**eau** le gât**eau**	are masculine
-2 consonants:		
	le ba**nc** le rena**rd**	
	le tem**ps** le restaura**nt**	
-tion	la soustrac**tion** la multiplica**tion**	are feminine
-té	la beau**té** la générosi**té** la chari**té**	

Often, but by no means always, a mute **e** ending indicates a feminine gender:

la vach**e** la tabl**e** la port**e** la fenêtr**e**
la blous**e** la rob**e** la chais**e** la ros**e** etc.
(but: le livr**e** le beurr**e** etc.)

---

* —**er**. This is true for all verb endings in **-er** and for other words ending in **-er** unless they are "short" words (usually one syllable). The **r** is pronounced:
la m**er** le f**er** f**ier** ch**er** and in am**er**
† **-et**. Phoneticians may disagree. It is true that **-et** has a closed **e** sound except in the conjunction **et**. But the above is meant as helpful hints on pronunciation for the beginning student and it is far better for the novice to pronounce "cabaret" with an open **e** than to diphthongize the sound into "cabaray."
** **eau**. Exception: **l'eau** (water) and **la peau** (skin) are feminine.

Note: A final **e** without an accent is always silent.

    je   qu**e**   il parl**e**   **je** regard**e**   un**e**   rob**e**   blanch**e**

The **-ent** *ending of the 3rd person plural of verbs is silent:*

    il parl~~ent~~

    ils parlai~~ent~~

    ils parlerai~~ent~~

    ils parlèr~~ent~~

APPENDIX
B

Le Système de Conjugaison
des Verbes

I. Généralités.

Chaque verbe a :

A. *Des formes verbales :* infinitif présent et passé
                               participe présent et passé

B. *Des modes :* le mode indicatif
                  le mode impératif
                  le mode subjonctif
                  le mode conditionnel

C. *Des temps :* présent, passé, futur, conditionnel. A chaque temps simple correspond un temps composé qui est formé de l'auxiliaire et du participe passé. Par exemple, au présent, correspond le passé composé ; à l'imparfait, correspond le plus-que-parfait ; au futur, correspond le futur antérieur etc.

D. *Une conjugaison* des différentes personnes pour chaque temps du verbe.

II. Les verbes auxiliaires **Avoir** et **Être**.

Il y a deux verbes auxiliaires, **Avoir** et **Être**.
Voilà les différentes formes de ces verbes :

FORMES VERBALES

Infinitif présent : avoir	être	*Participe présent :* ayant	étant
passé : avoir eu	avoir été	*passé :* eu	été

INDICATIF
Présent

j'ai	nous avons	je suis	nous sommes
tu as	vous avez	tu es	vous êtes
il a	ils ont	il est	ils sont

Passé composé

j'ai eu		j'ai été	
tu as eu		tu as été	
etc.		etc.	

Imparfait

j'avais	nous avions	j'étais	nous étions
tu avais	vous aviez	tu étais	vous étiez
il avait	ils avaient	il était	ils étaient

Plus-que-parfait

j'avais eu		j'avais été	
tu avais eu		tu avais été	
etc.		etc.	

Futur

j'aurai	nous aurons	je serai	nous serons
tu auras	vous aurez	tu seras	vous serez
il aura	ils auront	il sera	ils seront

Futur antérieur

j'aurai eu	j'aurai été
tu auras eu	tu auras été
etc.	etc.

Passé défini (littéraire)

j'eus	nous eûmes	je fus	nous fûmes
tu eus	vous eûtes	tu fus	vous fûtes
il eut	ils eurent	il fut	ils furent

Passé antérieur (littéraire)

j'eus eu	j'eus été
tu eus eu	tu eus été
etc.	etc.

CONDITIONNEL
Conditionnel présent

j'aurais	nous aurions	je serais	nous serions
tu aurais	vous ariez	tu serais	vous seriez
il aurait	ils auraient	il serait	ils seraient

Conditionnel antérieur

j'aurais eu	nous aurions eu	j'aurais été	nous aurions été
tu aurais eu	vous auriez eu	tu aurais été	vous auriez été
il aurait eu	ils auraient eu	il aurait été	ils auraient été

IMPÉRATIF

aie	sois
ayons	soyons
ayez	soyez

SUBJONCTIF
Présent

que j'aie	que nous ayons	que je sois	que nous soyons
que tu aies	que vous ayez	que tu sois	que vous soyez
qu'il ait	qu'ils aient	qu'il soit	qu'ils soient

Parfait

qu j'aie eu	que j'aie été
que tu aies eu	que tu aies été
etc.	etc.

Imparfait (littéraire)

que j'eusse	que nous eussions	que je fusse	que nous fussions
que tu eusses	que vous eussiez	que tu fusses	que vous fussiez
qu'il eût	qu'ils eussent	qu'il fût	qu'ils fussent

Plus-que-parfait (littéraire)

que j'eusse eu	que j'eusse été
que tu eusses eu	que tu eusses été
etc.	etc.

III. Les verbes réguliers.

Les trois groupes de verbes.

On classifie les verbes suivant la terminaison de leur infinitif. L'infinitif d'un verbe se termine par: **-er, -ir, -re.** Il y a donc trois groupes de verbes: le premier groupe, celui des verbes qui ont leur infinitif en **-er,** le deuxième groupe, celui des verbes qui ont leur infinitif en **-ir,** et le troisième groupe celui des verbes qui ont leur infinitif en **-re.**

I	II	III
Donn**er**	Fin**ir**	Attend**re**

FORMES VERBALES

Infinitif présent:

donner	finir	attendre

Infinitif passé:

avoir donné	avoir fini	avoir attendu

Participe présent:

donnant	finissant	attendant

Participe passé:

donné	fini	attendu

INDICATIF

Présent

je donn	je fin is	j' attend s
tu donn es	tu fin is	tu attend s
il donn e	il fin it	il attend
nous donn ons	nous fin iss ons	nous attend ons
vous donn ez	vous fin iss ez	vous attend ez
ils donn ent	ils fin iss ent	ils attend ent

Passé composé : le passé composé est formé du *présent* de l'auxiliaire et du participe passé du verbe.

j' ai donné	j' ai fini	j' ai attendu
tu as donné	tu as fini	tu as attendu
etc.	etc.	etc.

Imparfait

je donn ais	je fin iss ais	j' attend ais
tu donn ais	tu fin iss ais	tu attend ais
il donn ait	il fin iss ait	il attend ait
nous donn ions	nous fin iss ions	nous attend ions
vous donn iez	vous fin iss iez	vous attend iez
ils donn aient	ils fin iss aient	ils attend aient

Plus-que-parfait : le plus-que-parfait est formé de l'*imparfait* de l'auxiliaire et du participe passé du verbe.

j' avais donné	j' avais fini	j' avais attendu
tu avais donné	tu avais fini	tu avais attendu
etc.	etc.	etc.

Futur

je donner ai	je finir ai	j' attendr ai
tu donner as	tu finir as	tu attendr as
il donner a	il finir a	il attendr a
nous donner ons	nous finir ons	nous attendr ons
vous donner ez	vous finir ez	vous attendr ez
ils donner ont	ils finir ont	ils attendr ont

Futur antérieur : le futur antérieur est formé du **futur** de l'auxiliaire et du participe passé du verbe.

j' aurai donné	j' aurai fini	j' aurai attendu
tu auras donné	tu auras fini	tu auras attendu
etc.	etc.	etc.

Passé défini (littéraire)

je donn ai	je fin is	j' attend is
tu donn as	tu fin is	tu attend is
il donn a	il fin it	il attend it
nous donn âmes	nous fin îmes	nous attend îmes
vous donn âtes	vous fin îtes	vous attend îtes
ils donn èrent	ils fin irent	ils attend irent

Passé antérieur (littéraire) : le passé antérieur est formé du *passé défini* de l'auxiliaire et du participe passé du verbe.

j' eus donné	j' eus fini	j' eus attendu
tu eus donné	tu eus fini	tu eus attendu
etc.	etc.	etc.

CONDITIONNEL

Présent :

je donner ais	je finir ais	j' attendr ais
tu donner ais	tu finir ais	tu attendr ais
il donner ait	il finir ait	il attendr ait
nous donner ions	nous finir ions	nous attendr ions
vous donner iez	vous finir iez	vous attendr iez
ils donner aient	ils finir aient	ils attendr aient

Antérieur (*ou passé*) : le conditionnel antérieur est formé du *conditionnel présent* de l'auxiliaire et du participe passé du verbe.

j' aurais donné	j' aurais fini	j' aurais attendu
tu aurais donné	tu aurais fini	tu aurais attendu
etc.	etc.	etc.

SUBJONCTIF

Présent :

que je donn e	que je fin iss e	que j' attend e
que tu donn es	que tu fin iss es	que tu attend es
qu' il donn e	qu' il fin iss e	qu' il attend e
que nous donn ions	que nous fin iss ions	que nous attend ions
que vous donn iez	que vous fin iss iez	que vous attend iez
qu' ils donn ent	qu' ils fin iss ent	qu' ils attend ent

Parfait : le subjonctif parfait, ou passé composé du subjonctif, est formé du *subjonctif présent* de l'auxiliaire et du participe passé du verbe.

que j' aie donné	que j' aie fini	que j'aie attendu
que tu aies donné	que tu aies fini	que tu aies attendu
qu' il ait donné	qu' il ait fini	qu' il ait attendu
etc.	etc.	etc.

Imparfait (littéraire) :

que je donn asse	que je fin isse	que j' attend isse
que tu donn asses	que tu fin isses	que tu attend isses
qu' il donn ât	qu' il fin ît	qu' il attend ît
que nous donn assions	que nous fin issions	que nous attend issions

| que vous donn assiez | que vous fin issiez | que vous attend issiez |
| qu' ils donn assent | qu' ils fin issent | qu' ils attend issent |

Plus-que-parfait (littéraire) : Le plus-que-parfait du subjonctif est formé de l'*imparfait du subjonctif* de l'auxiliaire et du participe passé du verbe.

que j' eusse donné	que j' eusse fini	que j' eusse attendu
que tu eusses donné	que tu eusses fini	que tu eusses attendu
qu' il eût donné	qu' il eût fini	qu' il eût attendu

IMPÉRATIF

donn e	fin is	attend s
(qu'il donn e)	(qu'il fin iss e)	(qu'il attend e)
donn ons	fin iss ons	attend ons
donn ez	fin iss ez	attend ez
(qu'ils donn ent)	(qu'ils fin iss ent)	(qu'ils attend ent)

La troisième personne de l'impératif n'existe pas. On la remplace par la troisième personne du subjonctif.

IV. Les verbes irréguliers

A. Verbes en **-er** (premier groupe)

Ce groupe est, de beaucoup, le plus vaste des trois groupes. Tous les verbes de ce groupe sont réguliers, excepté **aller** et **envoyer.**

Certains verbes de ce groupe sont soumis à un système de modifications orthographiques qui sont prévisibles et ne sont pas des irrégularités. Pour ces modifications, voir appendice page 622.

1. **Aller,** to go

Infinitif présent: aller   *Participe présent:* allant
    passé: être allé   *passé:* allé

INDICATIF

Présent	*Futur*	*Imparfait*	*Passé défini*
je vais	j'irai	j'allais	j'allai
tu vas	etc.	etc.	tu allas
il va			il alla
nous allons			nous allâmes
vous allez			vous allâtes
ils vont			ils allèrent

SUBJONCTIF

Présent	*Imparfait*
que j' aille	que j' allasse
tu ailles	tu allasses
il aille	il allât
nous allions	nous allassions
vous alliez	vous allassiez
vous alliez	vous allassiez
ils aillent	ils allassent

CONDITIONNEL *présent:* j'irais   IMPÉRATIF: va, allons, allez
             etc.

2. Envoyer, to send

Infinitif présent: envoyer   *Participe présent:* envoyant
          passé: avoir enboyé   *passé:*   envoyé

INDICATIF

Présent	*Futur*	*Imparfait*	*Passé défini*
j' envoie	j'enverrai	j'envoyais	j'envoyai
tu envoies	etc.	etc.	tu envoyas
il envoie			il envoya
nous envoyons			nous envoyâmes
vous envoyez			vous envoyâtes
ils envoient			ils envoyèrent

SUBJONCTIF

Présent	*Imparfait*
que j' envoie	que j' envoyasse
tu envoies	tu envoyasses
il envoie	il envoyât
nous envoyions	nous envoyassions
vous envoyiez	vous envoyassiez
ils envoient	ils envoyassent

CONDITIONNEL *présent:* j'enverrais   IMPÉRATIF: envoie
                    etc.   envoyons
                                              envoyez

Comme **Envoyer: Renvoyer,** to send away, to send back

B. Verbes en **-ir** (deuxième groupe)
    Les verbes réguliers de ce groupe prennent l'infixe **-iss** (finir, nous fin**iss**ons).
    Il faut remarquer un assez large groupe de verbes avec l'infinitif en **-ir,** qui
    sans être absolument irréguliers, n'ont pas l'infixe **-iss.**

3. Dormir, to sleep

Infinitif présent: dormir		*Participe présent:* dormant
passé: avoir dormi		*passé:* dormi

INDICATIF

Présent	*Futur*	*Imparfait*	*Passé défini*
je dors	je dormirai	je dormais	je dormis
tu dors	etc.	etc.	tu dormis
il dort			il dormit
nous dormons			nous dormîmes
vous dormez			vous dormîtes
ils dorment			ils dormirent

SUBJONCTIF

Present	*Imparfait*
que je dorme	que je dormisse
tu dormes	tu dormisses
il dorme	il dormît
nous dormions	nous dormissions
vous dormiez	vous dormissiez
ils dorment	ils dormissent

CONDITIONNEL *présent:* je dormirais   IMPÉRATIF: dors, dormons
etc.   dormez

Comme **Dormir: Endormir (s')** to go to sleep
Partir
Sentir
Servir
Sortir

Remarquez le présent de l'indicatif de ces verbes (qui suivent le modèle de **Dormir**):

Partir	**Servir**	**Sentir**	**Sortir**
je pars	je sers	je sens	je sors
tu pars	tu sers	tu sens	to sors
il part	il sert	il sent	il sort
nous partons	nous servons	nous sentons	nous sortons
vous partez	vous servez	vous sentez	vous sortez
ils partent	ils servent	ils sentent	ils sortent

4. **Conquerir,** to conquer

Infinitif présent: conquérir   *Participe présent:* conquérant
      passé: avoir conquis   *passé:*   conquis

INDICATIF

Présent	*Futur*	*Imparfait*	*Passé défini*
je conquiers	je conquerrai	je conquérais	je conquis
tu conquiers	etc.	etc.	tu conquis
il conquiert			il conquit
nous conquérons			nous conquîmes
vous conquérez			vous conquîtes
ils conquièrent			ils conquirent

SUBJONCTIF

Présent	*Imparfait*
que je conquière	que je conquisse
tu conquières	tu conquisses
il conquière	il conquît
nous conquérions	nous conquissions
vous conquériez	vous conquissiez
ils conquièrent	ils conquissent

CONDITIONNEL *présent:* je conquerrais   IMPÉRATIF: conquiers,
                                              conquérons
                                              conquérez

Comme **Conquérir: Acquérir,** to acquire

5. **Courir,** to run

Infinitif présent: courir   *Participe présent:* courant
      passé: avoir couru   *passé:*   couru

INDICATIF

Présent	*Futur*	*Imparfait*	*Passé défini*
je cours	je courrai	je courais	je courus
tu cours	etc.	etc.	tu courus
il court			il courut
nous courons			nous courûmes
vous courez			vous courûtes
ils courent			ils coururent

SUBJONCTIF

Présent	*Imparfait*
que je coure	que je courusse
tu coures	tu courusses
il coure	il courût
nous courions	nous courussions
vous couriez	vous courussiez
ils courent	ils courussent

CONDITIONNEL *présent:* je courrais   IMPÉRATIF: cours, courons, courez
etc.

6. Fuir, to flee

Infinitif présent: fuir   *Participe présent:* fuyant
          passé: avoir fui   *passé:* fui

INDICATIF

Présent	*Futur*	*Imparfait*	*Passé défini*
je fuis	je fuirai	je fuyais	je fuis
tu fuis	etc.	etc.	tu fuis
il fuit			il fuit
nous fuyons			nous fuîmes
vous fuyez			vous fuîtes
ils fuient			ils fuirent

SUBJONCTIF

Présent	*Imparfait*
que je fuie	que je fuisse
tu fuies	tu fuisses
il fuie	il fuît
nous fuyions	nous fuissions
vous fuyiez	vous fuissiez
ils fuient	ils fuissent

CONDITIONNEL *présent:* je fuirais   IMPÉRATIF: fuis, fuyons, fuyez
etc.

Comme **Fuir: S'enfuir,** to escape, to flee, to run away

7. Mourir, to die

Infinitif présent: mourir	*Participe présent:* mourant
passé: être mort	*passé:* mort

INDICATIF

Présent	*Futur*	*Imparfait*	*Passé défini*
je meurs	je mourrai	je mourais	je mourus
tu meurs	etc.	etc.	tu mourus
il meurt			il mourut
nous mourons			nous mourûmes
vous mourez			vous mourûtes
ils meurent			ils moururent

SUBJONCTIF

Présent	*Imparfait*
que je meure	que je mourusse
tu meures	tu mourusses
il meure	il mourût
nous mourions	nous mourussions
vous mouriez	vous mourussiez
ils meurent	ils mourussent

CONDITIONNEL *présent:* je mourrais   IMPÉRATIF: meurs, mourons,
etc.   mourez

Remarquez: la voyelle de la racine du verbe **ou** (m**ou**rir) devient **eu** quand elle est dans une position accentuée.

8. Ouvrir, to open

Infinitif présent: ouvrir	*Participe présent:* ouvrant
passé: avoir ouvert	*passé:* ouvert

INDICATIF

Présent	*Futur*	*Imparfait*	*Passé défini*
j' ouvre	j'ouvrirai	j' ouvrais	j' ouvris
tu ouvres	etc.	etc.	tu ouvris
il ouvre			il ouvrit
nous ouvrons			nous ouvrîmes
vous ouvrez			vous ouvrites
ils ouvrent			ils ouvrirent

SUBJONCTIF

Présent	*Imparfait*
que j' ouvre	que j' ouvrisse
tu ouvres	tu ouvrisses
il ouvre	il ouvrît
nous ouvrions	nous ouvrissions
vous ouvriez	vous ouvrissiez
ils ouvrent	ils ouvrissent

CONDITIONNEL *present:* j'ouvrirais   IMPÉRATIF: ouvre, ouvrons, ouvrez
etc.

Comme **Ouvrir: Couvrir** (couvert), to cover
  Decouvrir (découvert), to discover, to uncover
  Offrir (offert), to offer
  Souffrir (souffert), to suffer

9. Venir, to come

Infinitif présent: venir   *Participe présent:* venant
        passé: être venu   *passé:* venu

INDICATIF

Présent	*Futur*	*Imparfait*	*Passé défini*
je viens	je viendrai	je venais	je vins
tu viens	etc.	etc.	tu vins
il vient			il vint
nous venons			nous vînmes
vous venez			vous vîntes
ils viennent			ils vinrent

SUBJONCTIF

Présent	*Imparfait*
que je vienne	que je vinsse
tu viennes	tu vinsses
il vienne	il vînt
nous venions	nous vinssions
vous veniez	vous vinssiez
ils viennent	ils vinssent

CONDITIONNEL *présent:* je viendrais   IMPÉRATIF: viens, venons, venez
etc.

Comme **Venir: Devenir,** to become
Revenir, to come back, to come again, to return.

Aussi comme **Venir** mais qui forment leurs temps composés avec avoir:
Tenir, to hold
Maintenir, to maintain
Soutenir, to uphold
Obtenir, to obtain
Retenir, to hold back
etc.

C.   Verbes en **-re** (troisième groupe)

10. Boire, to drink

Infinitif présent: boire   *Participe présent:* buvant
passé: avoir bu   *passé:*   bu

INDICATIF

Présent	*Futur*	*Imparfait*	*Passé défini*
je bois	je boirai	je buvais	je bus
tu bois	etc.	etc.	tu bus
il boit			il but
nous buvons			nous bûmes
vous buvez			vous bûtes
ils boivent			ils burent

SUBJONCTIF

Présent	*Imparfait*
que je boive	que je busse
tu boives	tu busses
il boive	il bût
nous buvions	nous bussions
vous buviez	vous bussiez
ils boivent	ils bussent

CONDITIONNEL *présent:* je boirais   IMPÉRATIF: bois, buvons, buvez
etc.

11. Conduire, to drive (**Se Conduire,** to behave)

Infinitif présent: conduire   *Participe présent:* conduisant
          passé: avoir conduit   *passé:* conduit

INDICATIF

Présent	*Futur*	*Imparfait*	*Passé défini*
je conduis	je conduirai	je conduisais	je conduisis
tu conduis	etc.	etc.	tu conduisis
il conduit			il conduisit
nous conduisons			nous conduisîmes
vous conduisez			vous conduisites
ils conduisent			ils conduisirent

SUBJONCTIF

Présent	*Imparfait*
que je conduise	que je conduisisse
tu conduises	tu conduisisses
il conduise	il conduisît
nous conduisions	nous conduisissions
vous vonduisiez	vous conduisissiez
ils conduisent	ils conduisissent

CONDITIONNEL *présent:* je conduirais   IMPÉRATIF: conduis, conduisons,
                    etc.   conduisez

Comme **Conduire: Construire,** to construct, to build
                Cuire, to cook
                Détruire, to destroy
                Produire, to produce
                Traduire, to translate

12. Connaître, to know

Infinitif présent : connaître   *Participe présent :* connaissant
         passé :   avoir connu   *passé :*   connu

INDICATIF

Présent	*Futur*	*Imparfait*	*Passé défini*
je connais	je connaîtrai	je connaissais	je connus
tu connais	etc.	etc.	tu connus
il connaît			il connut
nous connaissons			nous connûmes
vous connaissez			vous connûtes
ils connaissent			ils connurent

SUBJONCTIF

Présent	*Imparfait*
que je connaisse	que je connusse
tu connaisses	tu connusses
il connaisse	il connût
nous connaissions	nous connussions
vous connaissiez	vous connussiez
ils connaissent	ils connussent

CONDITIONNEL *présent :* je connaîtrais   IMPÉRATIF: connais, connaissons,
                  etc.   connaissez

Comme **Connaître: Reconnaître,** to recognize
                    Paraître, to appear, to seem

13. Craindre, to fear

Infinitif présent : craindre   *Participe présent :* craignant
         passé :   avoir craint   *passé :*   craint

INDICATIF

Présent	*Futur*	*Imparfait*	*Passé défini*
je crains	je craindrai	je craignais	je craignis
tu crains	etc.	etc.	tu craignis
il craint			il craignit
nous craignons			nous craignîmes
vous craignez			vous craignîtes
ils craignent			ils craignirent

SUBJONCTIF

Présent	*Imparfait*
que je craigne	que je craignisse
tu craignes	tu craignisses
il craigne	il craignît
nous craignions	nous craignissions
vous craigniez	vous craignissiez
ils craignent	ils craignissent

CONDITIONNEL *présent:* je craindrais etc. IMPÉRATIF: crains, craignons, craignez

Comme **Craindre: Peindre,** to paint
Plaindre, to pity
Se Plaindre, to complain

14. Croire, to believe

Infinitif présent: croire *Participe présent:* croyant
passé: avoir cru *passé:* cru

INDICATIF

Présent	*Futur*	*Imparfait*	*Passé défini*
je crois	je croirai	je croyais	je crus
tu crois	etc.	etc.	tu crus
il croit			il crut
nous croyons			nous crûmes
vous croyez			vous crûtes
ils croient			ils crurent

SUBJONCTIF

Présent	*Imparfait*
que je croie	que je crusse
tu croies	tu crusses
il croie	il crût
nous croyions	nous crussions
vous croyiez	vous crussiez
ils croient	ils crussent

CONDITIONNEL *présent:* je croirais etc. IMPÉRATIF: crois, croyons, croyez

15. Dire, to say, to tell

Infinitif présent: dire   *Participe présent:* disant
       passé: avoir dit   *passé:*   dit

INDICATIF

Présent	*Futur*	*Imparfait*	*Passé défini*
je dis	je dirai	je disais	je dis
tu dis	etc.	etc.	tu dis
il dit			il dit
nous disons			nous dîmes
vous dites			vous dîtes
ils disent			ils dirent

SUBJONCTIF

Présent	*Imparfait*
que je dise	que je disse
tu dises	tu disses
il dise	il dît
nous disions	nous dissions
vous disiez	vous dissiez
ils disent	ils dissent

CONDITIONNEL *présent:* je dirais   IMPÉRATIF: dis, disons, dites
                  etc.

16. Ecrire, to write

Infinitif présent: écrire   *Participe présent:* écrivant
       passé: avoir écrit   *passé:*   écrit

INDICATIF

Présent	*Futur*	*Imparfait*	*Passé défini*
j' écris	j'ecrirai	j'écrivais	j' écrivis
tu écris	etc.	etc.	tu écrivis
il écrit			il écrivit
nous écrivons			nous écrivîmes
vous écrivez			vous écrivîtes
ils écrivent			ils écrivirent

SUBJONCTIF

Présent	*Imparfait*
que j' écrive	que j' écrivisse
tu écrives	tu écrivisses
il écrive	il écrivît
nous écrivions	nous écrivissions
vous écriviez	vous écrivissiez
ils écrivent	ils écrivissent

CONDITIONNEL *présent:* j'écrivais
etc.

IMPÉRATIF: écris, écrivons, écrivez

Comme **Ecrire: Décrire,** to describe

17. Faire, to do, to make

Infinitif présent: faire
passé: avoir fait

Participe présent: faisant
passé: fait

INDICATIF

Présent	*Futur*	*Imparfait*	*Passé défini*
je fais	je ferai	je faisais	je fis
tu fais	etc.	etc.	tu fis
il fait			il fit
nous faisons			nous fîmes
vous faites			vous fîtes
ils font			ils firent

SUBJONCTIF

Présent	*Imparfait*
que je fasse	que je fisse
tu fasses	tu fisses
il fasse	il fît
nous fassions	nous fissions
vous fassiez	vous fissiez
ils fassent	ils fissent

CONDITIONNEL *présent:* je ferais
etc.

IMPÉRATIF: fais, faisons, faites

18. Lire, to read

Infinitif présent: lire	*Participe présent:* lisant
passé: avoir lu	*passé:* lu

INDICATIF

Présent	*Futur*	*Imparfait*	*Passé défini*
je lis	je lirai	je lisais	je lus
tu lis	etc.	etc.	tu lus
il lit			il lut
nous lisons			nous lûmes
vous lisez			vous lûtes
ils lisent			ils lurent

SUBJONCTIF

Présent	*Imparfait*
que je lise	que je lusse
tu lises	tu lusses
il lise	il lût
nous lisions	nous lussions
vous lisiez	vous lussiez
ils lisent	ils lussent

CONDITIONNEL *présent:* je lirais	IMPÉRATIF: lis, lisons, lisez
etc.	

19. Mettre, to put, to place

Infinitif présent: mettre	*Participe présent:* mettant
passé: avoir mis	*passé:* mis

INDICATIF

Présent	*Futur*	*Imparfait*	*Passé défini*
je mets	je mettrai	je mettais	je mis
tu mets	etc.	etc.	tu mis
il met			il mit
nous mettons			nous mîmes
vous mettez			vous mîtes
ils mettent			ils mirent

SUBJONCTIF

Présent	*Imparfait*
que je mette	que je misse
tu mettes	tu misses
il mette	il mît
nous mettions	nous missions
vous mettiez	vous missiez
ils mettent	ils missent

CONDITIONNEL *présent :* je mettrais
etc.

IMPÉRATIF: mets, mettons,
mettez

Comme **Mettre: Permettre,** to allow
Promettre, to promise

20. Naître, to be born

Infinitif présent : naître *Participe présent :* naissant
passé : être né *passé :* né

INDICATIF

Présent	*Futur*	*Imparfait*	*Passé défini*
je nais	je naîtrai	je naissais	je naquis
tu nais	etc.	etc.	tu naquis
il naît			il naquit
nous naissons			nous naquîmes
vous naissez			vous naquîtes
ils naissent			ils naquirent

SUBJONCTIF

Présent	*Imparfait*
que je naisse	que je naquisse
tu naisses	tu naquisses
il naisse	il naquît
nous naissions	nous naquissions
vous naissiez	vous naquissiez
ils naissent	ils naquissent

CONDITIONNEL *présent :* je naîtrais
etc.

IMPÉRATIF: nais, naissons, naissez

21. Plaire, to please, to attract

    Infinitif présent: plaire   *Participe présent:* plaisant

              passé: avoir plu   *passé:* plu

INDICATIF

Présent	*Futur*	*Imparfait*	*Passé défini*
je plais	je plairai	je plaisais	je plus
tu plais	etc.	etc.	tu plus
il plaît			il plut
nous plaisons			nous plûmes
vous plaisez			vous plûtes
ils plaisent			ils plurent

SUBJONCTIF

Présent	*Imparfait*
que je plaise	que je plusse
tu plaises	tu plusses
il plaise	il plût
nous plaisions	nous plussions
vous plaisiez	vous plussiez
ils plaisent	ils plussent

CONDITIONNEL *présent:* je plairais   IMPÉRATIF: plais, plaisons, plaisez
                              etc.

22. Prendre, to take

    Infinitif présent: prendre   *Participe présent:* prenant

              passé: avoir pris   *passé:* pris

INDICATIF

Présent	*Futur*	*Imparfait*	*Passé défini*
je prends	je prendrai	je prenais	je pris
tu prends	etc.	etc.	tu pris
il prend			il prit
nous prenons			nous prîmes
vous prenez			vous prîtes
ils prennent			ils prirent

SUBJONCTIF

Présent	*Imparfait*
que je prenne	que je prisse
tu prennes	tu prisses
il prenne	il prît
nous prenions	nous prissions
vous preniez	vous prissiez
ils prennent	ils prissent

CONDITIONNEL *présent:* je prendrais   IMPÉRATIF: prends, prenons, prenez
etc.

Comme **Prendre: Apprendre,** to learn
Comprendre, to understand
Suprendre, to surprise

23. **Rire,** to laugh

Infinitif présent: rire   *Participe présent:* riant
passé: avoir ri   *passé:* ri

INDICATIF

Présent	*Futur*	*Imparfait*	*Passé défini*
je ris	je rirai	je riais	je ris
tu ris	etc.	etc.	tu ris
il rit			il rit
nous rions			nous rîmes
vous riez			vous rîtes
ils rient			ils rirent

SUBJONCTIF

Présent	*Imparfait*
que je rie	que je risse
tu ries	tu risses
il rie	il rît
nous riions	nous rissions
vous riiez	vous rissiez
ils rient	ils rissent

CONDITIONNEL *présent:* je rirais   IMPÉRATIF: ris, rions, riez
etc.

Comme **Rire: Sourire,** to smile

24. Suivre, to follow

Infinitif présent: suivre   *Participe présent:* suivant
　　　　passé: avoir suivi   *passé:*   suivi

INDICATIF

Présent	*Futur*	*Imparfait*	*Passé défini*
je suis	je suivrai	je suivais	je suivis
tu suis	etc.	etc.	tu suivis
il suit			il suivit
nous suivons			nous suivîmes
vous suivez			vous suivîtes
ils suivent			ils suivirent

SUBJONCTIF

Présent	*Imparfait*
que je suive	que je suivisse
tu suives	tu suivisses
il suive	il suivît
nous suivions	nous suivissions
vous suiviez	vous suivissiez
ils suivent	ils suivissent

CONDITIONNEL *présent:* je suivrais   IMPÉRATIF: suis, suivons, suivez
　　　　　　　　　　etc.

25. Vivre, to live

Infinitif présent: vivre   *Participe présent:* vivant
　　　　passé: avoir vécu   *passé:*   vécu

INDICATIF

Présent	*Futur*	*Imparfait*	*Passé défini*
je vis	je vivrai	je vivais	je vécus
tu vis	etc.	etc.	tu vécûs
il vit			il vécût
nous vivons			nous vécûmes
vous vivez			vous vécûtes
ils vivent			ils vécurent

SUBJONCTIF

Présent	*Imparfait*
que je vive	que je vécusse
tu vives	tu vécusses
il vive	il vécût
nous vivions	nous vécussions
vous viviez	vous vécussiez
ils vivent	ils vécussent

CONDITIONNEL *présent:* je vivrais   IMPÉRATIF: vis, vivez
etc.

D. Verbes en **-oir**

Ces verbes n'appartiennent en réalité à aucun groupe et ils sont tous irréguliers.

26. **Asseoir,** to seat, or **S'asseoir,** to sit

(Il y a deux conjugaisons alternées pour ce verbe. Nous donnons ici seulement celle qui s'emploie le plus fréquemment.)

Infinitif présent: (s') asseoir   *Participe présent:* (s') asseyant

passé: {avoir assis   *passé:* assis
{s'être assis

INDICATIF

Présent	*Futur*	*Imparfait*	*Passé défini*
j' assieds	j'assiérai	j'asseyais	j' assis
tu assieds	etc.	etc.	tu assis
il assied			il assit
nous asseyons			nous assîmes
vous asseyez			vous assîtes
ils asseyent			ils assirent

SUBJONCTIF

Présent	*Imparfait*
que j' asseye	que j' assisse
tu asseyes	tu assisses
il asseye	il assît
nous asseyions	nous assissions
vous asseyiez	vous assissiez
ils asseyent	ils assissent

CONDITIONNEL *présent:* j'assiérais   IMPÉRATIF: assieds, asseyons,
etc.   asseyez

27. Devoir, to owe, to be supposed to

Infinitif présent: devoir	*Participe présent:* devant
passé: avoir dû	*passé:* dû

INDICATIF

Présent	*Futur*	*Imparfait*	*Passé défini*
je dois	je devrai	je devais	je dus
tu dois	etc.	etc.	tu dus
il doit			il dut
nous devons			nous dûmes
vous devez			vous dûtes
ils doivent			ils durent

SUBJONCTIF

Présent	*Imparfait*
que je doive	que je dusse
tu doives	tu dusses
il doive	il dût
nous devions	nous dussions
vous deviez	vous dussiez
ils doivent	ils dussent

CONDITIONNEL *présent:* je devrais   IMPÉRATIF: dois, devons, devez
etc.

28. Falloir, to have to, to be necessary

Infinitif présent: falloir	*Participe présent:* (pas de participe
passé: avoir fallu	présent)
	passé: fallu

INDICATIF

Présent	*Futur*	*Imparfait*	*Passé défini*
il faut	il faudra	il fallait	il fallut

SUBJONCTIF

Présent	*Imparfait*
qu'il faille	qu'il fallût

CONDITIONNEL *présent:* il faudrait   IMPÉRATIF: (pas d'impératif)

29. **Pleuvoir,** to rain

Infinitif présent: pleuvoir *Participe présent:* pleuvant
passé: avoir plu *passé:* avoir plu

INDICATIF

Présent *Futur* *Imparfait* *Passé défini*
il pleut il pleuvra il pleuvait il plut

SUBJONCTIF

Présent *Imparfait*
qu'il pleuve qu'il plût

CONDITIONNEL *présent:* il pleuvrait IMPÉRATIF: (pas d'impératif)

30. **Pouvoir,** to be able, can

Infinitif présent: pouvoir *Participe présent:* pouvant
passé: avoir pu *passé:* pu

INDICATIF

Présent	*Futur*	*Imparfait*	*Passé défini*
je peux*	je pourrai	je pouvais	je pus
tu peux	etc.	etc.	tu pus
il peut			il put
nous puvons			nous pûmes
vous pouvez			vous pûtes
ils peuvent			ils purent

SUBJONCTIF

Présent	*Imparfait*
que je puisse	que je pusse
tu puisses	tu pusses
il puisse	il pût
nous puissions	nous pussions
vous puissiez	vous pussiez
ils puissent	ils pussent

CONDITIONNEL *présent:* je pourrais IMPÉRATIF: (pas d'impératif)
etc.

* **Je peux** ou **je puis** (généralement: **Puis-je?** au sens de May I? et **je peux** le reste de temps).

31. Recevoir, to receive, to entertain

Infinitif présent: recevoir   *Participe présent:* recevant
passé: avoir reçu   *passé:* reçu

INDICATIF

Présent	*Futur*	*Imparfait*	*Passé défini*
je reçois	je recevrai	je recevais	je reçus
tu reçois	etc.	etc.	tu reçus
il reçoit			il reçut
nous recevons			nous reçûmes
vous recevez			vous reçûtes
ils reçoivent			ils reçurent

SUBJONCTIF

Présent	*Imparfait*
que je reçoive	que je reçusse
tu reçoives	tu reçusses
il reçoive	il reçût
nous recevions	nous reçussions
vous receviez	vous reçussiez
ils reçoivent	ils reçussent

CONDITIONNEL *présent:* je recevrais   IMPÉRATIF: reçois, recevons, recevez
etc.

32. Savoir, to know

Infinitif présent: savoir   *Participe présent:* sachant
passé: avoir su   *passé:* su

INDICATIF

Présent	*Futur*	*Imparfait*	*Passé défini*
je sais	je saurai	je savais	je sus
tu sais	etc.	etc.	tu sus
il sait			il sut
nous savons			nous sûmes
vous savez			vous sûtes
ils savent			ils surent

SUBJONCTIF

Présent	*Imparfait*
que je sache	que je susse
tu saches	tu susses
il sache	il sût
nous sachions	nous sussions
vous sachiez	vous sussiez
ils sachent	ils sussent

CONDITIONNEL *présent :* je saurais etc.   IMPÉRATIF: sache, sachons, sachez

33. Valoir, to be worth

Infinitif présent : valoir   *Participe présent :* valant
      passe :   avoir valu   *passé :*   valu

INDICATIF

Présent	*Futur*	*Imparfait*	*Passé défini*
je vaux	je vaudrai	je valais	je valus
tu vaux	etc.	etc.	tu valus
il vaut			il valut
nous valons			nous valûmes
vous valez			vous valûtes
ils valent			ils valurent

SUBJONCTIF

Présent	*Imparfait*
que je vaille	que je valusse
tu vailles	tu valusses
il vaille	il valût
nous vallions	nous valussions
vous valliez	vous valussiez
ils vaillent	ils valussent

CONDITIONNEL *présent :* je vaudrais   IMPÉRATIF: vaux, valons, valez
                  etc.

34. Voir, to see

Infinitif présent : voir   *Participe présent :* voyant
          passé : avoir vu   *passé :* vu

INDICATIF

Présent	*Futur*	*Imparfait*	*Passé défini*
je vois	je verrai	je voyais	je vis
tu vois	etc.	etc.	tu vis
il voit			il vit
nous voyons			nous vîmes
vous voyez			vous vîtes
ils voient			ils virent

SUBJONCTIF

Présent	*Imparfait*
que je voie	que je visse
tu voies	tu visses
il voie	il vît
nous voyions	nous vissions
vous voyiez	vous vissiez
ils voient	ils vissent

CONDITIONNEL *présent :* je verrais   IMPÉRATIF : vois, voyons, voyez
                          etc.

35. Vouloir, to want, to will, to wish

Infinitif présent : vouloir   *Participe présent :* voulant
          passé : avoir voulu   *passé :* voulu

INDICATIF

Présent	*Futur*	*Imparfait*	*Passé défini*
je veux	je voudrai	je voulais	je voulus
tu veux	etc.	etc.	tu voulus
il veut			il voulut
nous voulons			nous voulûmes
vous voulez			vous voulûtes
ils veulent			ils voulurent

SUBJONCTIF

Présent	*Imparfait*
que je veuille	que je voulusse
tu veuilles	tu voulusses
il veuille	il voulût
nous voulions	nous voulussions
vous vouliez	vous voulussiez
ils veuillent	ils voulussent

CONDITIONNEL *présent :* je voudrais etc.

IMPÉRATIF : veuille, veuillons, veuillez

LA LISTE DES VERBES IRRÉGULIERS LES PLUS EMPLOYÉS

	Numéro de référence		Numéro de référence
Acquérir	4	Découvrir	8
Aller	1	Décrire	16
Apprendre	22	Devenir	9
Asseoir (S'asseoir)	26	Détruire	11
Boire	10	Devoir	27
		Dire	15
Comprendre	22	Dormir	3
Conduire	11		
Connaître	12	Ecrire	16
Conquérir	4	Endormir	3
Construire	11	Enfuir (s')	6
Courir	5	Envoyer	2
Couvrir	8		
Craindre	13	Faire	17
Croire	14	Falloir	28
Cuire	11	Fuir	6

	Numéro de référence		Numéro de référence
Lire	18	Recevoir	31
		Renvoyer	2
Maintenir	9	Retenir	9
Mettre	19	Revenir	9
Mourir	7	Rire	23
Naître	20	Savoir	32
		Sentir	3
Obtenir	9	Servir	3
Offrir	8	Sortir	3
Ouvrir	8	Souffrir	8
		Sourire	23
Paraître	12	Soutenir	9
Partir	3	Suivre	24
Peindre	13	Surprendre	22
Permettre	19	Tenir	9
Plaindre (se plaindre)	13	Traduire	11
Plaire	21		
Pleuvoir	29	Valoir	33
Produire	11	Venir	9
Pouvoir	30	Vivre	25
Prendre	22	Voir	34
Promettre	19	Vouloir	35

LISTE DES VERBES LES PLUS EMPLOYÉS QUI SONT SUIVIS D'UN INFINITIF SANS PRÉPOSITION, OU AVEC LA PRÉPOSITION **A** OU **DE**

I. Verbes qui sont suivis d'un infinitif sans préposition.

Modèle: **J'aime aller** au cinéma.

Je n'ose pas inviter cette jeune fille.

Aimer, to like or love
Aller, to go
Arriver, to arrive or happen

Courir, to run
Croire, to think
Désirer, to wish

Devoir, to be supposed to
Envoyer, to send
Espérer, to hope
Ecouter, to listen
Entendre, to hear
Faire, to do or make
Falloir, to have to
Laisser, to let or leave
Monter, to go or come up
Oser, to dare
Paraître, to seem or appear

Penser, to think
Préférer, to prefer
Se rappeler, to recall
Regarder, to look at
Rentrer, to go (come) home
Retourner, to go back
Savoir, to know
Valoir mieux, to be better
Venir, to come
Voir, to see
Vouloir, to want

II. Verbes qui sont suivis de la préposition **à** devant un infinitif.
Modèle: **J'apprends à jouer** du piano.
Je commence à savoir le français.

Aider, to help
S'amuser, to have fun
Apprendre, to learn
Chercher, to seek or try
Commencer, to begin
Condamner, to condemn
Continuer, to continue
Enseigner, to teach

S'exercer, to practice
Hésiter, to hesitate
Inviter, to invite
Se mettre, to begin
Passer, to spend time
Penser, to think of (doing something
Réussir, to succeed

III. Verbes qui sont suivis de la préposition **de** devant un infinitif.
Modèle: **Je décide de rester.**
J'oublie de prendre mes affaires.

S'arrêter, to stop
Cesser, to stop
Conseiller, to advise
Craindre, to fear
Décider, to decide
Demander, to ask
Se dépêcher, to hurry
Dire, to tell
Empêcher, to prevent
Essayer, to try
Finir, to finish

Menacer, to threaten
Mériter, to deserve
Obliger, to oblige
Offrir, to offer
Ordonner, to order
Oublier, to forget
Proposer, to propose
Refuser, to refuse
Regretter, to regret
Risquer, to risk
Venir, to have just

LES MODIFICATIONS ORTHOGRAPHIQUES DE CERTAINS VERBES DU PREMIER GROUPE

Nous avons déjà vu que les verbes du premier groupe (de beaucoup le plus vaste des trois) sont tous réguliers, excepté **Aller** et **Envoyer.** Plusieurs de ces verbes réguliers, cependant, sont soumis à des modifications orthographiques. Celles-ci sont prévisibles.

I. Verbes avec un changement d'accent:

Quand un mot se termine par la combinaison:

e + consonne + e muet

il y a toujours un accent grave sur le **e** qui précède la consonne; donc, cette terminaison est toujours:

è + consonne + e muet

Cette règle s'applique aussi bien aux verbes qu'à tous les autres mots.

Préférer	**Acheter**	**Régler** (les deux consonnes on le rôle d'une seule)
je préf**è**re	j'ach**è**te	je r**è**gle
tu préf**è**res	tu ach**è**tes	tu r**è**gles
il préf**è**re	il ach**è**te	il r**è**gle
nous préférons	nous achetons	nous réglons
vous préférez	vous achetez	vous réglez
ils préf**è**rent	ils ach**è**tent	ils r**è**glent

Les formes du **nous** et **vous** ne sont pas suivies d'un **e** muet. Donc, on garde l'orthographe de la racine du verbe. Toutes les autres personnes sont suivies d'un e muet (ou d'un son muet).

Futur: je préférerai*
        j'achèterai
        je réglerai*

Imparfait: je préférais
        accent aigu à toutes les
        personnes

* Les verbes qui ont déjà un accent à l'infinitif (comme répéter, céder, préférer, espérer, régler) gardent **l'accent aigu** au futur et au conditionnel. L'accent ne change qu'au présent de l'indicatif et du subjonctif. Les verbes qui n'ont pas d'accent à l'infinitif (comme lever, acheter) et qui ajoutent un accent, en ajoutent toujours un **grave,** même au futur et au conditionnel.

Conditionnel: je préférerais   *Participe passé:* préféré
    j'achèterais
    je réglerais

  (accent grave à toutes les personnes)

Dans cette catégorie: **Répéter, Céder, Espérer, Mener, Emmener,** etc.

II. Verbes qui doublent la consonne (exceptionnel):

Quelques verbes, au lieu d'ajouter un accent grave (comme **Acheter**), doublent la consonne (**l** ou **t**). Cela a lieu exactement pour la même raison, car le son de e devant une double consonne est le même que celui de **è**.

Jeter	**Appeler** (comme **Appeler, Epeler**)
je je**tt**e	j'appe**ll**e
tu je**tt**es	tu appe**ll**es
il je**tt**e	il appe**ll**e
nous jetons	nous appelons
vous jetez	vous appelez
ils je**tt**ent	ils appe**ll**ent

Les formes du **nous** et du **vous** ne sont pas suivies d'un **e** muet. Donc, on garde l'orthographe de la racine du verbe.

Toutes les autres personnes sont suivies d'un **e** muet (ou d'un son muet).

Futur: je jetterai   *Participe passé:* jeté
   j'appellerai   appelé

  (double consonne à toutes les
    personnes)

Conditionnel: je jetterais
     j'appellerais

    (double consonne à
     toutes les personnes)

III. Verbes où le **y** devient **i:**

Le **y** des verbes qui se terminent par **-yer** à l'infinitif devient **i** quand il est suivi d'un **e** muet.

Payer	**Envoyer**	**Ennuyer**
je paie	j'envoie	j'ennuie
tu paies	tu envoies	tu ennuies
il paie	il envoie	il ennuie
nous payons	nous envoyons	nous ennuyons
vous payez	vous envoyez	vous ennuyez
ils paient	ils envoient	ils ennuient

Futur:

    je paierai

    j'enverrai (c'est un des deux verbes
       irréguliers de ce groupe)

    j'ennuierai

    (**i** à toutes les personnes)

Conditionnel:

    je paierais

    etc.

    (**i** à toutes les personnes)

Imparfait:

    je payais

    j'envoyais

    j'ennuyais

    (**y** à toutes les personnes)

Participe passé:

    payé

    envoyé

    ennuyé

IV. Verbes qui ajoutent une cédille:

    Quand un verbe se termine par **-cer** à l'infinitif, on ajoute un cédille sous le **c** devant **a, o,** et **u** pour garder le son **s,** comme à l'infinitif.

Commencer

    je commence
    tu commences
    il commence
    nous commen**ç**ons
    vous commencez
    ils commencent

Futur: je commencerai

Conditionnel: je commencerais

Imparfait: Je commen**ç**ais

    (avec **cédille** à toutes les personnes excepté **nous** et **vous**)

Participe passé: commencé

V. Verbes qui ajoutent un **e:**

    Quand un verbe se termine par **-ger** à l'infinitif, on ajoute un **e** devant **a** ou **o** pour garder le son **j** comme à l'infinitif.

Manger

    je mange
    tu manges
    il mange
    nous mang**e**ons
    vous mangez
    ils mangent

Futur: je mangerai

Conditionnel: je mangerais

Imparfait: je mangeais

    (avec **e** à toutes les personnes)

Participe passé: mangé

APPENDIX
C

Textes Originaux

Les Paroles d'...

ANDRÉ SIEGFRIED

sur

La Géographie de la France et la Race Française

...La France a trois versants et, du fait de cette triple orientation, elle est à la fois occidentale, continentale, méditerranéenne. Il en résulte un équilibre original et peut-être unique.

Par son front atlantique, elle regarde vers le dehors, avec une fenêtre ouverte sur le grand large: elle subit de ce fait des attractions extra-continentales, la tentation des aventures lointaines. Cette France maritime, coloniale, expansionniste, appartient au groupe libéral des civilisations anglo-américaines et c'est sous cet aspect qu'elle apparaît authentiquement occidentale. Le vent d'Ouest persistant qui souffle sur ses rivages lui apporte bien autre chose que la douceur humide et purifiante de l'océan. En revanche, en tant que continentale, elle tient à l'Europe par un lien de chair impossible à rompre, bien différente en cela de l'insulaire Angleterre. Toute la bande orientale du pays, celle qui dans le partage de Charlemagne échut à Lothaire, est déjà d'Europe centrale, par nombre de traits géographiques ou moraux, ne pouvant échapper à l'observateur. De ce point de vue nous ne sommes plus atlantiques mais continentaux, terriens, essentiellement européens. Toute l'histoire, ancienne et récente, impose cette conclusion qu'il n'y a pas de France sans Europe, mais qu'il ne peut davantage y avoir d'Europe sans la France. C'est une pièce indispensable de tout système continental.

Par son front méditerranéen enfin, la France est en contact immédiat avec l'Afrique, l'Asie, l'Orient, l'Extrême-Orient, c'est-à-dire, dans l'espace, avec un monde exotique et prestigieux, et dans le temps avec le passé le plus illustre de l'humanité. On sait l'unité foncière de la Méditerranée; partout elle est la même, de Marseille à Beyrouth, de Smyrne à Barcelone. Nous nous apparentons ainsi à des sociétés qui ne nous sont plus contemporaines, à des formes de culture que l'Europe nordique estime lui être étrangères, mais auxquelles une secrète sympathie nous relie. Alors que notre paysan est si loin de l'entrepreneur de culture mécanisé du nouveau monde, on peut lui trouver quelque ressemblance avec le cultivateur chinois. Les «planches», les «restanques» de notre Riviera reflètent le patient labeur de générations innombrables: ces terrasses artificielles évoquent une humanité éternelle, échappant aux révolutions du temps.

Le caractère unique de la psychologie française provient justement de cette diversité, que les siècles ont fini par fondre en une nouvelle unité. Il s'agit du reste d'un ensemble contradictoire, orienté à la fois vers l'Orient et l'Occident, vers le passé et vers l'avenir, vers la tradition et vers le progrès. Pas de pays plus hardi dans ses conceptions, pas de pays plus routinier dans ses habitudes: avec la France, selon le point de vue, il y a toujours quelque chose à critiquer, mais aussi toujours quelque chose à admirer.

Il n'est pas plus simple de nous situer ethniquement. Il n'y a pas de race française, à tel point que l'expression, quand on l'emploie, ne signifie rien. Il y a des Germains dans le Nord, des Celtes (ou si l'on veut des Alpins) dans le plateau central et dans l'Ouest, des Méditerranéens dans le Sud. Nous sommes une race de métis, mais on sait qu'une sélection trop stricte ne développe pas l'intelligence et que tous les mélanges ne donnent pas de mauvais résultats. Le peuple français paraît s'être plutôt enrichi de ces apports variés: nous devons aux Latins notre lucidité intellectuelle, notre don d'expression; aux Celtes notre esprit artistique, notre individualisme poussé à l'occasion jusqu'à l'anarchie; aux Germains ce que nous avons de génie organisateur et constructif...

L'unité nationale à laquelle nous sommes parvenus n'est pas fondée sur la race. Les origines ethniques peuvent être distinctes, mais il n'est aucune des races qui ait dominé les autres: tous les Français, qu'ils se rattachent au tronc germain, alpin ou méditerranéen, se considèrent comme étant français au même degré, sans aucune inégalité résultant du sang qui coule dans leurs veines... L'unité nationale provient bien davantage de l'adaptation séculaire au sol, au climat, d'une tradition historique ayant suscité et consolidé soit un genre de vie, soit une culture. C'est social plus que politique, la force de la nation n'étant pas dans l'Etat, mais la famille et surtout l'individu.

André Siegfried dans *L'Ame des Peuples*,
Librairie Hachette, Editeur. Paris.

Les Paroles de...
JEAN PAULHAN
sur
La Peinture Moderne

Parmi les repoches que l'on adresse chaque jour à la peinture moderne, la plupart sont trop bêtes pour valoir qu'on s'y attarde plus d'un instant. Le monsieur qui trouve, par exemple, qu'on ne doit pas peindre de cubes, de vaches vertes ni de femmes à pinces de crabe parce que les femmes ont de jolies petites mains et que les cubes et les vaches vertes ne se voient pas dans la nature, ce monsieur ne mérite même pas qu'on lui fasse une réponse sérieuse. Autant vaudrait reprocher à Fra Angelico d'avoir peint des anges, à Delacroix la Liberté. Soit, il n'existe pas d'anges, ni de Liberté, si l'on veut. Non. Mais il se passe dans la nature des événements si étranges qu'il faudrait, à défaut de Liberté, renoncer à y rien comprendre;... Or, la peinture est précisément faite pour... nous rappeler ces événements: pour nous permettre d'y croire. Je ne sais s'il y a trop de tableaux dans le monde, je ne le crois pas. Mais n'y en eût-il qu'un seul, on y verrait un ange à cheval sur une vache verte...

Et pourtant, il y a une âme de vérité dans ces reproches absurdes: il est bien vrai que la peinture moderne a son danger, et son défaut: elle a certes raison de peindre des vaches vertes ou des cubes. Mais peut-être s'en contente-t-elle un peu plus qu'il ne faudrait. Avec trop d'insistance. Avec trop, dirait-on, d'indiscrétion. Fra Angelico peignait des anges comme si les anges étaient tout naturels. Mais les peintres d'aujourd'hui pour la plupart ont ce trait au moins de commun avec leurs ennemis: ils ont l'air de penser que c'est extraordinaire de peindre des pinces de crabe et des cubes; que c'est le comble de la hardiesse, et qu'il n'en faut pas davantage pour être fiers...

Car ils ont fait une grande découverte; ils n'ont rien trouvé de moins que le secret de la peinture. Seulement, c'est une découverte à laquelle ils se sont aussitôt montrés inégaux. Dont il faut croire qu'ils n'étaient pas tout à fait dignes. Car Juan Gris (par exemple) a très bien remarqué qu'il n'était point d'oeuvre classique qui ne cachât un minutieux calcul de plans et d'élévations et de sections d'or. Mais Juan Gris, lui, n'a pas toujours caché ses calculs... Fernand Léger dit avec raison qu'une belle toile est nécessairement pleine d'allusions délicates à des sphères et des cubes; malheureusement Fernand Léger, s'il a le sens de la couleur, n'a sûrement pas le sens de l'allusion délicate... Bref, les peintres ont découvert, entre dix-neuf cents et dix-neuf cent trente, que la bonne peinture avait eu de tout temps son secret. Et ce secret, ils n'ont eu rien de plus pressé que de le crier sur les toits...

* * * * * *

J'ai fait allusion aux impressionnistes. Il faut y revenir. Je ne suis pas de ces gens timorés qui voudraient à tout prix interdire aux peintres de nous montrer, s'il leur plaît, des ombres violettes et des vaches vertes. Il me semble qu'une vache verte a son charme; elle peut même avoir sa raison. Mais cette raison n'est sûrement pas celle que nous donnaient les peintres du dix-neuvième siècle, et qui m'a toujours paru d'une pénible faiblesse.

Car Monet ou Signac se sont obstinés à démontrer qu'il leur fallait peindre des ombres violettes (par exemple) parce que les ombres étaient violettes en réalité (et non pas noires comme les voit le sens commun)... Le peintre... ne prétendait pas du tout qu'il n'était pas libre de ne pas peindre des vaches vertes — puisque c'est ainsi, disait-il, que le soleil se joue de nous. (Et qui oserait faire une objection au soleil?)...

*   *   *   *   *   *

Les peintres changent à nos yeux le monde; l'homme ne voit plus tout à fait les mêmes nuages après Turner, les mêmes citrons après Braque. L'art, on le sait, imite moins la nature que la nature n'imite l'art. Mais il se peut que la raison en soit toute simple. C'est qu'il est au principe même de la vision un acte absurde et paradoxal: de pur arbitraire... un choix proprement humain, un choix de peintre.

Jean Paulhan dans *Braque le Patron*,
© Editions Gallimard 1952.

PAUWELS ET BERGIER

Reste-t-il Quelque Chose à Découvrir?

L'histoire n'a pas retenu son nom, et c'est dommage. Il était directeur du Patent Office américain et c'est lui qui sonna le branle-bas. En 1875, il envoya sa démission au Secrétaire d'Etat au Commerce. Pourquoi rester? disait-il en substance, il n'y a plus rien à inventer.

Douze ans après, en 1887, le grand chimiste Berthelot écrivait: « L'univers est désormais sans mystère ». Pour obtenir du monde une image cohérente la science avait fait la perfection par l'omission. La matière était constituée par un certain nombre d'éléments impossibles à transformer les uns dans les autres. Mais tandis que Berthelot repoussait dans son savant ouvrage les rêveries alchimiques, les éléments, qui ne le savaient pas, continuaient à se transmuter sous l'effet de la radio-activité naturelle.

Un Allemand, nommé Zeppelin, tenta d'intéresser des industriels à la direction des ballons: « Malheureux! ne savez-vous pas qu'il y a trois sujets sur lesquels l'Académie des Sciences française n'accepte plus de mémoires: la quadrature du cercle, le tunnel sous la Manche et la direction des ballons? » Un autre Allemand, Herman Gaswindt, proposait de construire des machines volantes plus lourdes que l'air, propulsées par des fusées. Sur le cinquième manuscrit, le Ministre de la Guerre allemand, après avoir pris avis des techniciens, écrivit, avec la douceur de sa race et de sa fonction: « Quand donc cet oiseau de malheur crèvera-t-il enfin? »

Les Russes, eux, s'étaient débarrassés d'un autre oiseau de malheur: Kibaltchich, lui aussi partisan des machines volantes à fusée: Peloton d'exécution. Il est vrai que Kibaltchich avait usé de ses qualités de technicien pour fabriquer une bombe qui venait de découper en petits morceaux l'empereur Alexandre II. Mais il n'y avait pas de raison d'envoyer au poteau le professeur Langley, du Smithsonian Institute américain, qui proposait, lui, des machines volantes actionnées par les moteurs à explosion de fabrication récente. On le déshonora, on le ruina, on l'expulsa du Smithsonian, et le professeur Newcomb démontra mathématiquement l'impossibilité du plus lourd que l'air.

Inutile de chercher plus loin: les merveilles du siècle étaient la machine à vapeur et la lampe à gaz, jamais l'humanité ne ferait une plus grand invention. L'électricité? Simple curiosité technique. Un fou, Maxwell, avait prétendu qu'au moyen de l'électricité ou pourrait produire des rayons lumineux invisibles: pas sérieux. L'Allemand Clausius démontrait qu'aucune source d'énergie autre que le feu n'était concevable. L'homme était au sommet définitif de l'évolution. La biologie, elle aussi, était finie. M. Claude Bernard en avait épuisé les possibilités et l'on avait conclu que le cerveau sécrète la pensée, comme le foie, la bile.

Dans cet univers organisé, compréhensible et d'ailleurs condamné, pas d'utopie et pas d'espoir. Jamais l'homme ne volera, jamais il ne voyagera dans l'espace. Jamais non plus il ne visitera le fond des mers. Étrange interdiction! C'est l'époque des inventeurs isolés, révoltés, traqués. Les experts de Napoléon III prouvent que la dynamo de Gramme ne tournera jamais. Pour les premières automobiles, pour le sous-marin, pour le dirigeable, les doctes académies ne se dérangent pas.

Tel est l'esprit dans les sciences, et ce esprit s'étend à tout, crée le climat dans lequel baigne toute l'intelligence de ce siècle. Siècle petit? Non. Grand, mais étroit.

Brusquement, les portes soigneusement fermées par le XIXème siècle sur les infinies possibilités de l'homme, de l'énergie, de l'espace et du temps, vont voler en éclats. Les sciences et les techniques vont faire un bond formidable et la nature même de la connaissance va être remise en question. Aujourd'hui dans tous les domaines, toutes les formes de l'imagination sont en mouvement. Jeunesse, Jeunesse! Allez dire à tout le monde que les ouvertures sont faites et que déjà, le Dehors est entré!

Pauwels et Bergier dans *Le Matin des Magiciens*,
© Editions Gallimard 1960.

Les Paroles de...

JEAN DUTOURD

sur

Le Quatorze Juillet

Une chose bien remarquable, c'est le caractère populaire que la fête du 14 juillet a toujours revêtu en France. Cette commémoration officielle n'a rien de poussiéreux, ni d'embaumé, comme la plupart des commémorations. Même lorsque la nation est très divisée, et n'a pas, en dépit du suffrage universel, le gouvernement qu'elle désire, il semble qu'une trêve intervienne ce jour-là. Tout le monde est content sans trop savoir pourquoi. Je ne pense pas que la cause de cette joie soit la prise de la Bastille. Cet événement a eu lieu il y a cent soixante-huit ans, et l'on en a un peu oublié les détails. De même le plaisir d'avoir détruit l'Ancien Régime, et de l'avoir remplacé par les « Temps modernes » s'est passablement émoussé. Non : il s'agit de quelque chose de plus profond et de plus vague. Le 14 juillet, c'est l'anniversaire d'un jour où le peuple français s'est bien amusé. Cela se situe très bien dans l'année : au coeur de l'été ; ordinairement il fait beau, le soleil brille, les femmes sont vêtues de robes légères et les hommes vaquent à leurs occupations en bras de chemise ; le mot «juillet» lui-même a quelque chose de plaisant, de gai, d'heureux. Le 14 juillet 1789, en quelque sorte, le peuple français est devenu majeur, et il ne se lasse pas de fêter cette majorité.

Les 14 juillet de mon enfance m'ont laissé des souvenirs grandioses. On voyait le général Gouraud galoper sur un cheval blanc. Comme il n'avait qu'un bras, la manche vide de sa vareuse flottait derrière lui, ce qui était incroyablement héroïque. Il avait un sourire très gentil, et quand il passait, la foule criait : « Vive Gouraud ! » Etait-ce parce que j'avais cinq ans ? Il me semble que les défilés de 1925 étaient immenses. Mon père m'installait à califourchon sur ses épaules, et je voyais des océans de soldats bleus déferler devant moi. Je rentrais à la maison absolument ivre de musique militaire, dans un état de bonheur et d'exaltation inouï : j'avais applaudi des régiments qui n'avaient rien à envier à la garde impériale ni aux cavaliers de Condé. Les petits garçons de cinq ans, aujourd'hui, n'ont plus de ces émerveillements.

La nuit du 14 juillet, tout est permis. Les garçons invitent à danser des filles qu'ils ne connaissent pas, et qui ne sont descendues dans la rue que pour eux. Vers minuit, un peu de tendresse s'insinue dans la joie populaire, et la fête nationale devient une fête sentimentale. Il serait intéressant de savoir combien de mariages se font, en France, chaque année, à cause du 14 juillet. Voilà le type de statistique passionnante, et que l'on ne trouve jamais nulle part.

Jean Dutourd dans *Le Fond et la Forme*,
© Editions Gallimard 1958.

Les Paroles du...

MAJOR THOMPSON
(Pierre Daninos)

sur

La France au Volant

Il faut se méfier des Français en général, mais sur la route en particulier.

Pour un Anglais qui arrive en France, il est indispensable de savoir d'abord qu'il existe deux sortes de Français: les à-pied et les en-voiture. Les à-pied exècrent les en-voiture, et les en-voiture terrorisent les à-pied, les premiers passant instantanément dans le camp des seconds si on leur met un volant entre les mains. (Il en est ainsi au théâtre avec les retardataires qui, après avoir dérangé douze personnes pour s'asseoir, sont les premiers à protester contre ceux qui ont le toupet d'arriver plus tard.)

Les Anglais conduisent plutôt mal, mais prudemment. Les Français conduisent plutôt bien, mais follement. La proportion des accidents est à peu près la même dans les deux pays. Mais je me sens plus tranquille avec des gens qui font mal des choses bien qu'avec ceux qui font bien de mauvaises choses.

Les Anglais et les Américains sont depuis longtemps convaincus que la voiture va moins vite que l'avion. Les Français, et la plupart des Latins, semblent encore vouloir prouver le contraire.

Il y a au fond de beaucoup de Français, un Nuvolari qui sommeille et que réveille le simple contact du pied sur l'accélérateur. Le citoyen paisible qui vous a obligeamment invité à prendre place dans sa voiture peut se métamorphoser sous vos yeux en pilote démoniaque. Jérôme Charnelet, bon père de famille qui n'écraserait pas une mouche contre une vitre, est tout prêt à écraser un piéton, pourvu qu'il se sente dans son droit. Au signal vert, il voit rouge.

On pourrait croire que l'appétit de vitesse du Français est fonction de la puissance de sa voiture. Erreur. Plus la voiture est petite, plus l'homme veut aller vite. En ce royaume des paradoxes, les automobiles les moins dangereuses sont les plus puissantes, leurs conducteurs, blasés, étant les seuls qui se paient le luxe de rouler plutôt « en-dedans de leurs possibilités » et d'aller plus vite que tout le monde « sans pousser ».

Quant aux Françaises, il faut leur rendre cette justice: elles conduisent plus lentement que les hommes. Un Anglais pourrait donc, en toute logique, se croire plus en sécurité avec elles. Nouvelle erreur. Dans un pays où tout le monde va vite, cette lenteur constitue le plus terrible des dangers. Si l'on y ajoute ce charmant esprit d'indécision grâce auquel on peut déduire de l'allumage du clignotant gauche qu'une conductrice va tourner à droite (encore n'est-ce pas tout à fait sûr), on concevra que rien n'est plus risqué que d'être piloté par une femme.

*   *   *   *   *   *

... Un automobiliste anglais arrivant en France a parfois quelque peine à savoir où rouler. Il lui faudrait, en réalité, aller jusqu'au Kenya pour retrouver des gens normaux qui conduisent à gauche, calculent en milles et dont la température normale est 98.4. En France, le kilomètre reste tout bonnement mille mètres alors que chez nous un mille devient merveilleusement huit furlongs, un furlong deux cent vingt yards, un yard trois pieds, un pied douze pouces...

Les Français ont une façon de tenir leur droite en glissant toujours vers la gauche qui rappelle étrangement leur penchant en politique, où les pires conservateurs ne veulent, à aucun prix, être dits «de droite». Ce n'est qu'à bout de ressources, et après avoir subi une klaxonnade nourrie, qu'il consentira, de mauvaise grâce, à abandonner le milieu de la chaussée. Les Anglais tiennent leur gauche, la plupart des autres peuples leur droite. Les Français, eux, sont pour le milieu, qui, cette fois, n'est pas le juste.

Pierre Daninos dans <i>Les Carnets du Major Thompson</i>,
Librairie Hachette. Editeur. Paris.

Les Paroles de...

ROGER VAILLAND

sur

La Jeune Femme qu'il ne Faut pas Être

Au siecle dernier, le mariage était une institution qui avait pour but d'associer deux êtres, pour le meilleur et pour le pire, une vie durant, ou un long fragment de vie. Les biens des deux, leurs fortunes mobilières et immobilières, les héritages en perspective... leur travail, leur trousseau... allaient être mis en commun. Cela méritait réflexion. Il était logique de consulter les parents, gens d'expérience, et qui, par ailleurs, fournissaient les bases de l'établissement du jeune couple, ne seraient-ce que les six traditionnelles paires de draps. Il était logique de s'éprouver par de longues fiançailles. On ne signe pas à la légère un contrat qui crée toutes sortes d'obligations pour un si grand nombre d'années.

* * * * * *

Mais, depuis le début du siècle, et en particulier, depuis la fin de la Première Guerre Mondiale, une nouvelle conception a prévalu. Il est devenu de règle que, quand un jeune homme et une jeune fille **s'aiment,** ils se marient. Sans consulter personne. Sans même essayer de réfléchir sur le contenu du mot **amour.** Sans se demander ce que c'est qu'un couple, avec ou sans amour, avant ou après la période des amours.

Les paresseuses ont tout de suite appris à tirer profit de la nouvelle morale. Voici comment cela se passe dans une petite ville que je connais bien. A dix-huit ans le garçon fait le fanfaron sur sa moto 500 centimètres cubes. La fille étudie une moue à la Brigitte Bardot. Comme, par formation et par atavisme, la fille sait mieux provoquer et se défendre, le garçon finit par se persuader qu'il « aime pour de bon ». Fiançailles. Service militaire.

Le service militaire du garçon, c'est le mauvais temps pour la fille. Elle doit se lever tôt pour aller à l'atelier ou au bureau... écrire plusieurs fois par semaine au fiancé qui s'ennuie quelque part en Algérie et n'en est que davantage persuadé qu'il aime vraiment pour de bon...

* * * * * *

Dès le retour d'Algérie, mariage. La jeune épouse travaille encore, juste le temps qu'on échange la motocyclette contre une quatre chevaux d'occasion. Pour lui, plus de bolide, fini le sport. Mais il pourra, le dimanche après-midi, se promener sur les routes départementales avec sa chère petite femme, bien au chaud contre lui, ils iront ainsi, de semaine en semaine, faire visite à tous leurs cousins.

Après la voiture, on peut se permettre un enfant... La jeune mère cesse d'aller à l'atelier ou au bureau. Elle n'y retournera jamais plus. Il compensera en faisant des heures supplémentaires. Elle dira : « C'est toujours ça de gagné sur le temps qu'il passait au bistrot. »

Il travaillera dix, douze heures par jour... Mais elle se plaindra qu'elle a bien plus de travail à la maison, et que « c'est plus dur ». S'il a un peu de tête, il réfléchira que si sa compagne savait organiser son « travail ménager » comme n'importe quel artisan sait organiser son atelier, elle aurait encore plus de loisirs qu'elle n'en a. Et que l'effort de diriger une machine-outil est sans commune mesure avec celui de « tenir une maison ». Mais comme il est gentil, il ne dira rien. Il lui préparera même son café avant d'aller à « la boîte ».

*   *   *   *   *   *

Elle continuera de geindre... Pour la soulager de tant de besognes, on entrera dans le cycle aspirateur, machine à laver, frigidaire... le tout à crédit...

Enfin le poste de télévision. Cette fois son homme est bien à elle. Lié par la fatigue, lié par les dettes et, pour ce qui aurait pu quand même lui rester d'heures de liberté, rivé à elle, les pieds dans ses pantoufles, face au petit écran. Son homme pour toujours qu'elle continuera de croquer doucettement, le cœur en paix.

Roger Vailland, *Les Croqueuses d'Homme*, dans
La Nef, janvier-mars 1961.

Le texte de Jean-Paul Sartre, à l'exception de coupures,
a été donné dans la forme originale
et ne sera donc pas répété ici.

VOCABULAIRE FRANÇAIS-ANGLAIS

* * * * * *

FRENCH-ENGLISH VOCABULARY

A

abeille, *f.* bee
abondant(e) abundant
abord (d'abord) at first
abri, *m.* shelter
abriter (s'abriter) to take shelter
abstrait(e) abstract
accompagner to accompany
accord, *m.* agreement
d'accord OK
achat, *m.* purchase
acheter to buy
acier, *m.* steel
actualités, *f.pl.* newsreel
actuel (actuelle) current, contemporary
actuellement these days, nowadays
addition, *f.* addition, bill (in a restaurant)
adieu, *m.* farewell
admirateur (admiratrice) admirer, fan
adresse, *f.* address, cleverness
adroit(e) clever, skillfull
advenir to happen
aéré(e) airy
aérodrome, *m.* airport
afin de . . . in order to
afin que . . . in order that
affaire, *f.* affair
  les affaires business
  un homme d'affaires businessman
âge, *m.* age
âgé(e) old (for a person)
agence, *f.* agency
agir to act
(s')agir, il s'agit de . . . it deals with
agiter to shake
aggraver to aggravate
agrandir to enlarge

agréable pleasant
aide, *f.* aid, help
aider to help
aigu (aiguë) sharp, acute
aiguille, *f.* needle
aile, *f.* wing
ailleurs elsewhere
d'ailleurs besides
aimable nice, kind
aimer to love, to like
ainsi thus
ainsi que . . . as well, also
air, *m.* air
  avoir l'air to seem, to look like
  au grand air } out in the open
  en plein air }
aise, *m.* comfort
  être à l'aise to be comfortable
  être mal à l'aise to be uncomfortable
algue, *f.* seaweed
Allemagne, *f.* Germany
allemand(e) German
aller to go
  s'en aller to go away
allié(e) allied
alliance, *f.* alliance, wedding ring
allonger (s'allonger) to stretch, to be down
allumer to light
allumette, *f.* match
allusion, *f.* reference, allusion
alors then, so, therefore
amabilité, *f.* kindness
ambre, *m.* amber
âme, *f.* soul
améliorer to improve
amélioration, *f.* improvement
amener to bring (a person)
amer (amère) bitter

américain(e) American
Amérique, *f.* America
  L'Amérique du Nord North America
  L'Amérique de Sud South America
amertume, *f.* bitterness
ami(e) friend
amical(e) friendly
amicalement in a friendly manner
amour, *m.* love
amoureux (amoureuse) in love
  tomber amoureux de to fall in love with
amuser to amuse
s'amuser to have a good time
an, *m.* year (after a number)
ananas, *m.* pineapple
année, *f.* year
ancien (ancienne) ancient, former
ange, *m.* angel
anglais(e) English
Angleterre, *f.* England
anglophone English-speaking
animé(e) animated
anniversaire, *m.* birthday, anniversary
annoncer to announce
anse, *f.* handle
antenne, *f.* antenna
anxieux (anxieuse) concerned, worried
août, *m.* August
apercevoir to see, to glimpse
s'apercevoir to realize
à peu près just about, nearly
appartement, *m.* apartment
appeler to call
s'appeler to be called, to be named
appendicite, *f.* appendicitis
appétissant(e) appetizing
applaudissements, *m. pl.* applause
appliquer to apply

apogée, *f.* summit
apprendre to learn
appris(e) learned
approcher to approach
après after
après-midi, *m. or f.* afternoon
aquarelle, *f.* watercolor
arbre, *m.* tree
arc-en-ciel, *m.* rainbow
argent, *m.* silver, money
  argent comptant cash
arracher to pull out
arrestation, *f.* arrest
arrêter to stop
arrière, *m.* rear
arrivée, *f.* arrival
arriver to arrive, to happen
ascenseur, *m.* elevator
aspirateur, *m.* vacuum cleaner
assez enough, rather, fairly
assiette, *f.* plate
assis(e) seated, sitting
assister to attend
associer to associate, to connect
assombrir to darken
assouvir to satisfy, to fulfill
atavisme, *m.* heredity
atelier, *m.* studio, workshop
attacher, to tie, to fasten
(s')attarder, to linger
attente, *f.* wait
attendre to wait for
attirer to attract
attraper to catch
attrayant(e) attractive
aube, *f.* dawn
audacieux (audacieuse) bold, daring
auditeur (auditrice) listener
auditoire, *m.* audience
augmentation, *f.* increase
augmenter to increase
aujourd'hui today

aussi too, also, as
aussitôt right away
aussitôt que as soon as
autant as much, as many
auteur, *m.* author
auto, *f.* automobile
  faire de l'auto-stop to hitchhike
autobus, *m.* bus
automne, *m. or f.* fall, autumn
autour de around
autrefois formerly, long ago
autrement otherwise
avaler to swallow
avancer to advance, to be fast (for a watch)
avant before
avantage, *m.* advantage
avenir, *m.* future
aventure, *f.* adventure, love affair
aveu, *m.* confession
avion, *m.* plane
avis, *m.* opinion
  changer d'avis to change your mind
  à mon avis to my mind
avouer to confess
avril, *m.* April

B

bague, *f.* ring
bague de fiançailles engagement ring
bâiller to yawn
baigner (se baigner) to bathe, to go swimming
baignoire, *f.* bathtub
bain, *m.* bath
baiser, *m.* kiss
bal, *m.* ball, dance
balancer (se balancer) to sway
balcon, *m.* balcony
balle, *m.* ball, bullet
ballon, *m.* balloon, football
barbe, *f.* beard

bariolé(e) many-colored
barrer to cross out
barreau, *m.* bar
bas (basse) low
  en bas downstairs, down below
bataille, *f.* battle
  champ de bataille battlefield
bateau, *m.* boat
bâtiment, *m.* building
bâtir to build
bâton, *m.* stick
battre to beat
(se) battre to fight (with blows)
bavard(e) talkative
bavarder to chat
beaucoup much, many
bébé, *m.* baby
bec, *m.* bill (of a bird)
béni(e) blessed
berceau, *m.* cradle
bercer to rock, to lull, to sway
berger, *m.* shepherd
bergère, *f.* shepherdess
besogne, *f.* chore, work
besoin, *m.* need
bête, *f.* beast, animal
  petite bête insect, bug
bête stupid, lacking in intelligence
beurre, *m.* butter
bibelot, *m.* knick knack
bibliothèque, *f.* library
bidon, *m.* can, jerrycan (for gasoline)
bien well, very, quite
  eh bien! well!
bien des . . . many
bien que . . . although
bientôt soon
biens, *m. pl.* possessions, property
bienveillant(e) kindly, well disposed
bienveillamment with kindness
bienvenue, *f.* welcome
bifurcation, *f.* bifurcation, place where the road branches off

bilingue bilingual
billet, *m.* ticket, banknote
blague, *f.* (familiar) joke
  sans blague? no kidding?
blanc (blanche) white
blesser to wound
blessé(e) wounded
blessure, *f.* wound
bleu(e) blue
boire to drink
bois, *m.* wood
boisson, *f.* beverage
boîte, *f.* box
boîte (boîte de nuit) night spot,
  night club
bolide, *m.* a very fast moving
  object
bombarder to bomb
bombe, *f.* bomb
bon (bonne) good
  le bon the right one
bonbon, *m.* piece of candy
bond, *m.* leap, jump
bondé(e) full, crowded
bonheur, *m.* happiness
bonjour, *m.* good morning, good
  day, hello
bon marché cheap
bonne, *f.* maid
bonsoir, *m.* good evening
bonté, *f.* kindness
bord, *m.* brim, edge
borne, *f.* marker, mile stone
bouche, *f.* mouth
boucle, *f.* curl, loop
  boucle d'oreilles earring
bouger to move
bougie, *f.* candle
boulanger, *m.* baker
boule, *f.* ball
boule de neige snowball
bouleverser to upset, to move
  deeply
Bourgogne, *f.* Burgundy

bourse, *f.* purse, scholarship
bout, *m.* end, extremity
bouteille, *f.* bottle
boutique, *f.* shop
bouton, *m.* button, knob
branle-bas, *m.* **(donner** or **sonner**
  le) signal to commence a battle
bras, *m.* arm
bref (brève) brief, short, in short
briller to shine
bronchite, *f.* bronchitis
brouiller (se brouiller) to break
  up, to stop talking
brouillé(e) misty, rainy
brosse, *f.* brush
brosse à dents toothbrush
brosse à cheveux hair brush
brosse à habits clothes brush
brosser to brush
bruit, *m.* noise
bruyant(e) noisy
brûler to burn
brun(e) dark haired
buffet, *m.* side board
buisson, *m.* bush
bureau, *m.* desk, office
bureau de poste post office

C

cacher to hide
cadeau, *m.* gift
café, *m.* coffee, café
cahier, *m.* notebook (school)
calcul, *m.* calculation
(à) califourchon astride
camarade, *m.* or *f.* schoolmate
camarade de chambre roommate
campagne, *f.* country
canard, *m.* duck
canapé, *m.* couch
caniche, *m.* poodle
canoë, *m.* canoe
caractère, *m.* disposition, temper

cargo, *m.* freighter
carnet, *m.* notebook
carnet d'adresses address book
carnet de chèques check book
carte, *f.* card, map
cas, *m.* case
casser to break
cauchemar, *m.* nightmare
cause (à cause de . . .) because of
causer to talk, to converse
céder to yield, to give in
cellule, *f.* cell
cendre, *f.* ash
cendrier, *m.* ashtray
cent, *m.* one hundred
cercueil, *m.* coffin
cerise, *f.* cherry
cerveau, *m.* brain
cesser de to stop
c'est-à-dire that is to say
chacun(e) each, each one
chaise, *f.* chair
châle, *m.* shawl
chaleur, *f.* warmth
chambre, *f.* bedroom
champ, *m.* field
champignon, *m.* mushroom
chance, *f.* luck
changement, *m.* change
chanson, *f.* song
chanter to sing
chapeau, *m.* hat
chaque each, every
char, *m.* cart, wagon, tank
chargé(e)de in charge of
charmant(e) charming
chasse, *f.* chase, hunt
chasser to drive away, to hunt
chat, *m.* cat
chaud(e) warm
chauffage, *m.* heating
chauffer to heat
chavirer to capsize, to tip over
chef-d'oeuvre, *m.* masterpiece

chemin, *m.* road, path, lane, way
chemin de fer, *m.* railroad
cheminée, *f.* fireplace, chimney
chemise, *f.* shirt
chêne, *m.* oak
chèque, *m.* check
cher (chère) expensive, dear
chercher to look for
  aller chercher ⎫
  passer chercher ⎬ to pick up
chéri(e) darling
cheval, *m.* horse
  à cheval astride
cheveux, *m.pl.* hair
chez at the home, the place of . . .
chic smart
  d'un chic fou terribly smart
chien, *m.* dog
chocolat, *m.* chocolate
choisir to choose
choix, *m.* choice
cholestérine *f.* cholesterol
choqué(e) shocked
chose, *f.* thing
  quelque chose something
cible, *f.* target
ciel, *m.* sky
cimetière, *m.* cemetery
cinéma, *m.* motion picture theater, movies
circulation, *f.* circulation, traffic
circuler to circulate
cirque, *m.* circus
citron, *m.* lemon
clair(e) clear
clair de lune moonlight
clé, *f.* key
client, *m.* **(cliente,** *f.***)** client, customer
clignotant, *m.* blinker, directional signals
cloche, *f.* bell
clocher, *m.* steeple
clou, *m.* nail

cobaye, *m.* guinea pig
cœur, *m.* heart
  par cœur by heart
(se) coiffer to do one's hair
coiffure, *f.* hairstyle
coin, *m.* corner
col, *m.* collar, neck
colère, *f.* anger
  se mettre en colère to become angry
colline, *f.* hill
combattre to fight
combien de how much, how many
comble, *m.* the utmost
commande, *f.* business order
comme like, as how
commençant, *m.* beginner
commencer to begin
comment how
commettre to commit
commode, *f.* chest of drawers
compositeur, *m.* composer
complice, *m.* or *f.* accomplice
complot, *m.* plot
comprendre to understand
compréhension, *f.* understanding
compter to count
compter sur to count on, to expect
concours, *m.* competition
conduire to drive
  permis de conduire driver's
    license
(se) conduire to behave
conduite, *f.* behavior
confection, *f.* ready-to-wear clothes
confiture, *f.* jam
confus(e) embarrassed
congé, *m.* holiday, time off
congelé(e) frozen
conjugaison, *f.* conjugation
connaissance, *f.* acquaintance,
  knowledge
connaître to know, to be
  acquainted with

connu(e) known
  bien connu well known
conquérir to conquer
conquis(e) conquered
consacrer to devote
conseil, *m.* advice
consommation, *f.* a drink, a beverage (what you order to drink in a
  restaurant)
consonne, *f.* consonant
conte, *m.* tale
conte de fée fairy tale
content(e) glad
contenir to contain, to hold
contenu, *m.* content
contenu(e) contained
contre against
copain, *m.* pal, buddy
coquille, *f.* shell (of an egg)
coquillage, *m.* sea shell
corbeille, *f.* basket, waste basket
corde, *f.* rope
corne, *f.* horn
corriger to correct
costume, *m.* suit, outfit
côté, *m.* side
  â côté de . . . beside, next to
côtelette, *f.* chop
cou, *m.* neck
(se) coucher to go to bed
couchant (soleil) setting sun
couleur, *f.* color
couloir, *m.* entrance hall, passage way
coup, *m.* stroke, blow, play, shot
coup de fil (donner un) to phone
  (familiar)
coup de pistolet, de revolver a shot
coup de soleil sunburn
coupable guilty
coupe, *f.* bowl
couper to cut
cour, *f.* yard, court
  faire la cour to flirt, to court

couramment fluently
courir to run
courrier, *m.* mail
cours, *m.* course
course, *f.* race, errand
  faire des courses to go shopping
court(e) short
coussin, *m.* pillow
couteau, *m.* knife
coûter to cost
couvert(e) covered, cloudy, overcast
couverture, *f.* cover, blanket
crabe, *m.* crab
craie, *f.* chalk
cravate, *f.* tie
crayon, *m.* pencil
créer to create
crever to burst (a balloon), to die
  (for an animal)
crème, *f.* cream
crier to cry out, to shout
croire to think, to believe
croisière, *f.* cruise
croiser to come across, to cross, to
  meet
croix, *f.* cross
cruche, *f.* jug
cuillère or **cuiller,** *f.* spoon
cuir, *m.* leather
cuisine, *f.* kitchen, cooking
  faire la cuisine to cook
cuisinière, *f.* cook
cuisse, *f.* thigh
cuisses de grenouilles frogs' legs
cuit(e) cooked
  bien cuit well done
cygne, *m.* swan

D

danse, *f.* dance
danser to dance
d'après according to
débarrasser to rid

(se) débarrasser to get rid of
debout standing
décembre December
déchiffrer to decipher
décorer to decorate
découper to cut up, to carve
découverte, *f.* discovery
découvrir to discover
décrire to describe
déçu(e) disappointed
déesse, *f.* goddess
défaite, *f.* defeat
à défaut de . . . for lack of . . .
défaut, *m.* defect, fault
défendre to defend, to forbid
déguisement, *m.* disguise
déjà already
déjeuner, *m.* lunch
  petit déjeuner breakfast
déjeuner to have lunch, to have
  breakfast
délégué, *m.* delegate
demain tomorrow
demander to ask
demande, *f.* application
demeure, *f.* residence
demeurer to live, to reside
demi half
démission, *f.* resignation
demoiselle d'honneur, *f.* brides-
  maid
dent, *f.* tooth
dentelle, *f.* lace
départ, *m.* departure
(se) dépêcher to hurry
(aux) dépens de at someone's
  expense
dépenser to spend (money)
depuis since, for
déranger to disturb
(se) déranger to get disturbed, to
  go out of one's way
dernier (dernière) last

derrière behind, in back of
désinvolte casual
dès que as soon as
descendre to go or come down, to take down
désespoir, *m.* despair
désordonné(e) disorderly, untidy
dessin, *m.* drawing, sketch
dessin animé cartoon (motion picture)
dessiner to draw
détruire to destroy
dette, *f.* debt
devant in front of
devanture, *f.* shop window, display
devenir to become
deviner to guess
dévoiler to unveil, to reveal
devoir, *m.* exercise, duty, homework
devoir to be supposed to, to be probably, to owe
dévoué(e) devoted
dévouement, *m.* dedication, devotion
diable, *m.* devil
Dieu, *m.* God
mon dieu! Goodness! Gee!
difficile difficult
diffuser to broadcast
diffusion, *f.* broadcasting
dimanche, *m.* Sunday
dîner, *m.* dinner, supper
dîner to have dinner, to have supper
dire to say
diriger to direct
dirigeable (ballon) *m.* navigable balloon
diseuse (de bonne aventure) *f.* fortune teller
disque, *m.* record
disparaître to disappear
(se) disputer to argue, to quarrel
divan, *m.* couch
divers(e) various
diviser to divide

dommage, c'est dommage! what a pity!
doré(e) golden, gilt, gold
donjon, *m.* highest tower
dont of which, of whom, whose
ce dont what (that of which)
dormir to sleep
dos, *m.* back
dossier, *m.* backrest, file
doucement gently, sweetly, slowly
douceur, *f.* gentleness, sweetness
douleur, *f.* pain
douter to doubt
doux (douce) sweet, gentle, soft
drap, *m.* bed sheet
drapeau, *m.* flag
droit, *m.* law, right
étudiant en droit law student
être dans son droit to be within one's rights
droite(e) straight, right
tout droit straight ahead
droite, *f.* (**à droite**) right, on the right
tenir sa droite to keep on the right side (of the road)
drôle funny
duchesse, *f.* duchess
du moins at least
du tout (pas) not at all
du reste however

E

eau, *f.* water
ébloui(e) dazzled
éblouissant(e) dazzling
échanger to exchange
échec, *m.* failure
échecs, *m.pl.* chess
échelle, *f.* ladder
éclairé(e) enlightened, bright
éclairer to light up
éclat, *m.* burst, brilliance
voler en éclats to fly into pieces
éclater to burst

école, *f.* school
économies, *f. pl.* savings
  faire des économies to save
    money
écouter to listen
écouteur, *m.* earphone
écran, *m.* screen
écraser to crush, to squash
(s')écrier to exclaim
écrire to write
écriture, *f.* handwriting
écrivain, *m.* writer
effacer to erase
effet, *m.* effect
  en effet indeed
égal(e) equal
  ça m'est égal I don't care
égard (à l'égard de) towards
égards, *m.pl.* attentions
église, *f.* church
élève, *m.* or *f.* pupil
élevé(e) raised, bred
  bien élevé well mannered
  mal élevé badly mannered
élire to elect
élu(e) elected
embarrasser to embarrass
embrasser to kiss
(s')embrasser to kiss one another
embouteillage, *m.* traffic jam
émerveillement, *m.* wondering
émission, *f.* broadcast
empêcher to prevent
emplettes, *f.pl.* purchases
  faire des emplettes go shopping
employer to use
employé(e) employee
empoisonner to poison
emporter to take along (a thing)
émoussé(e) dulled, which has lost
  its edge
émouvoir to touch, to move deeply
ému(e) touched, moved
enchanté(e) delighted

encore still, again, yet
  pas encore not yet
encre, *f.* ink
(s')endormir to fall asleep
endroit, *m.* place
en effet indeed
enfance, *f.* childhood
enfant, *m.* or *f.* child
enfin at last, finally
enjeu, *m.* stakes
enlever to take off, to remove
ennui, *m.* boredom
ennuis, *m. pl.* troubles
  avoir des ennuis to be in trouble,
    to have troubles
ennuyer to bore, to annoy
(s')ennuyer to be bored
ennuyeux (ennuyeuse) boring
énorme enormous
ensemble together
entendre to hear
entendre dire to hear say
(s')entendre to get along
entier (entière) whole
entr'acte, *m.* intermission
entre between
entrer to enter, to come or go in
entrée, *f.* entrance
envers towards
envoyer to send
épais (épaisse) thick
épanoui(e) in full bloom, ecstatic
épatant(e) great, wonderful
  (familiar)
épaule, *f.* shoulder
épeler to spell
épicerie, *f.* grocery
épices, *m. pl.* spices
épinards, *m. pl.* spinach
épouser to marry
époux, épouse spouse (husband,
  wife)
  les époux the married pair
éprouver to feel, to experience

épuiser   to exhaust
équilibre, *m.*   balance
équipe, *f.*   team, crew
ère, *f.*   era
escale, *f.*   port of call
   faire escale   to stop at
   sans escale   non stop
escalier, *m.*   stairway, staircase
escargot, *m.*   snail
esclave, *m.* or *f.*   slave
Espagne, *f.*   Spain
espagnol(e)   Spanish
espérer   to hope
espion, *m.*   spy
espoir, *m.*   hope
esprit, *m.*   mind
   état d'esprit   state of mind
   avoir de l'esprit   to be witty
essai, *m.*   trial, attempt
essayer   to try
essuyer   to wipe off, to dry
essence, *f.*   gas, gasoline
est, *m.*   East
estomac, *m.*   stomach
étage, *m.*   floor
état, *m.*   state, condition
Etats-Unis, *m. pl.*   United States
été, *m.*   summer
étendue, *f.*   extent
étincelle, *f.*   spark
étincelant(e)   sparkling
étiquette, *f.*   label
étoffe, *f.*   fabric
étoile, *f.*   star
étoilé(e)   star spangled
étonné(e)   astonished, surprised
étrange   strange
étranger (étrangère)   foreign
étranger, *m.* **étrangère,** *f.*
   foreigner, stranger
être   to be
être, *m.*   being
étroit(e)   narrow

études, *f. pl.*   studies
étudiant, *m.* **étudiante,** *f.*   student
étudier   to study
événement, *m.*   event
évier, *m.*   sink
éviter   to avoid
examen, *m.*   examination
exécrer   to hate
exiger   to demand
exigence, *f.*   demands
explication, *f.*   explanation
expliquer   to explain
exposition, *f.*   exhibit
exprès   on purpose
extase, *f.*   ecstasy
exprimer   to express

F

façade, *f.*   front
face (en face de . . .)   opposite, facing
fâché(e)   angry
(se) fâcher   to get angry
facile   easy
facilement   easily
faible   weak
faiblesse   weakness
faim, *f.*   hunger
   avoir faim   to be hungry
   avoir une faim de loup   to be hungry as a bear
faire   to do, to make
faire semblant   to pretend
(se) faire à   to get used to
(s'en) faire   to worry (familiar)
fait, *m.*   fact
   au fait   as a matter of fact
faits et gestes   deeds
fameux (fameuse)   famous
famille, *f.*   family
fanfaron (faire le)   to show off
fantaisie, *f.*   fancy, whim, fantasy
fatigant(e)   tiring, tiresome

fatigué(e) tired
il faut one has to
faute, *f.* mistake
fauteuil, *m.* armchair
favori (favorite) favorite
félicitations, *f. pl.* congratulations
femme, *f.* woman, wife
fenêtre, *f.* window
fer, *m.* iron
ferme, *f.* farm
fermier, *m.* farmer
féroce ferocious
ferraille, *f.* old iron, scrap iron
fête, *f.* feast, holiday, celebration
fétu, *m.* bit of straw
feu, *m.* fire
feu d'artifice fireworks
feuillage, *m.* foliage
feuille, *f.* leaf, sheet of paper
feuilleter to leaf through
février, *m.* February
fiançailles, *f. pl.* engagement
ficelle, *f.* string
fier (fière) proud
fierté, *f.* pride
fièvre, *f.* fever
   avoir de la fièvre to run a
     temperature
figure, *f.* face
fil, *m.* thread, wire
fille, *f.* girl, daughter
   petite-fille granddaughter
   belle-fille daughter-in-law
   vieille fille old maid
fils, *m.* son
   petit-fils grandson
fin, *f.* end
flamme, *f.* flame
flatter to flatter
flatteur (flatteuse) flattering
flatteur, *m.* flatterer
flemme, *f.* laziness (familiar)
   avoir la flemme to feel lazy

flemmingite, *f.* a pseudo-
   scientific term for **la flemme**
fleuve, *m.* large river
flocon, *m.* snowflake
foi, *f.* faith
foie, *m.* liver
fois, *f.* time, instance, occasion
folie, *f.* madness
foncé(e) dark in color
fondre to melt
fondu(e) melted, molten
formidable terrific, great
   (familiar)
fort(e) strong
fou (folle) crazy, mad, foolish
foule, *f.* crowd
fourchette, *f.* fork
fourmi, *f.* ant
fourneau, *m.* stove
fournir to furnish
frais (fraîche) cool, fresh
fraise, *f.* strawberry
francophone French-speaking
frappé(e) struck, dumbfounded
frère, *m.* brother
   beau-frère brother-in-law
fresque, *f.* fresco
frissonner to shiver
froid, *m.* cold
froid(e) cold
fromage, *m.* cheese
front, *m.* forehead
fruitier, *m.* fruit-bearing
fuir, to flee
fuite, *f.* escape, flight
fumée, *f.* smoke
fumer to smoke
fusée, *f.* rocket

G

gagner to earn, to win, to arrive,
   to merit
gamin, *m.* boy, urchin

gant, *m.* glove
garçon, *m.* boy, waiter
garder to keep, to watch
gardien, *m.* watchman
gare, *f.* station
gâteau, *m.* cake
gâter to spoil
gauche left
  à gauche on the left
géant, *m.* giant
geindre to whine, to complain
geler to freeze
gelé(e) frozen
gendarme, *m.* sheriff
générique, *m.* credits (at beginning of a film)
génie, *m.* genius
genre, *m.* gender, kind, sort
gens, *m. pl.* people
gentil (gentille) nice
gitane, *f.* gypsy
gigot, *m.* leg of lamb
gilet, *m.* vest
glace, *f.* ice cream, ice, mirror
glisser to slide, to glide, to slip
gorge, *f.* throat
goût, *m.* taste
grâce à . . . thanks to
grand(e) tall, great
grandir to grow taller
gratuit(e) free (of charge)
grenouille, *f.* frog
grève, *f.* strike
  être en grève ⎫ to strike, to be
  faire la grève ⎭ on strike
grillé(e) grilled, toasted
  pain grillé toast
gris(e) grey
gronder to scold
gros (grosse) fat, large, big
guérir to cure, to recover
guerre, *f.* war
guetter to watch for

guichet, *m.* ticket window

H

habile clever, skillful
habileté, *f.* skill, cleverness
(s')habiller to dress
habitant, *m.* inhabitant
habiter to live, to reside
habitude, *f.* habit, custom
(s')habituer to grow accustomed
habits, *m. pl.* clothes
hareng, *m.* herring
  hareng saur red herring, smoked herring
haricot, *m.* bean
  haricots verts green beans
hâte, *f.* haste
  avoir hâte de to be anxious, or in a hurry to
(se) hâter to hurry
haut(e) high
haut-parleur loudspeaker
hauteur, *f.* height
herbe, *f.* grass
heure, *f.* hour
heureux (heureuse) happy
heureusement fortunately
hier yesterday
histoire, *f.* story, history
hiver, *m.* winter
homme, *m.* man
honte, *f.* shame
  avoir honte to be ashamed
horloge, *f.* clock
hôte, *m.* guest or host
hôtesse, *f.* hostess
hôtesse de l'air airline hostess
hôtel de ville, *m.* city hall
huit eight
huître, *f.* oyster
humeur, *f.* mood
  être de bonne humeur to be in a good mood

être de mauvaise humeur   to be in a bad mood
humide   wet, damp, humid
hurler,   to howl, to yell
hyacinthe, *f.*   hyacinth, hyacinth color (a warm pink)
hymne, *m.*   anthem

I

ici   here
idée, *f.*   idea
idylle, *f.*   romance
île, *f.*   island
immédiatement   right away
immobile   motionless, still
imperméable, *m.*   raincoat
impressionner   to impress
imprimer   to print
imprévu(e)   unforeseen
incendie, *m.*   fire, conflagration
inconnu(e)   unknown
incroyable,   unbelievable, incredible
incroyablement   incredibly
indigné(e)   indignant
inégal(e)   uneven
informe   shapeless
ingénieur, *m.*   engineer
inoffensif (inoffensive)   harmless
inouï(e)   unheard of
(s')inquiéter   to worry
(s')installer   to become settled, to settle
instituteur, *m.*, **institutrice,** *f.*   elementary school teacher
interdire   to forbid
intéressant(e)   interesting
intéresser   to interest
   s'intéresser à   to be interested in
intérieur, *m.*   inside, interior
interrompre   to interrupt
inutile   useless
invraisemblable   unlikely
ivre   intoxicated

J

jamais   never
jambe, *f.*   leg
jambon, *m.*   ham
jaquette, *f.*   jacket
jardin, *m.*   garden
jaune   yellow
jauni(e)   yellow with age
jet, *m.*   jet plane
jet d'eau, *m.*   water works, fountain
jeter   to throw, to throw away
jeu, *m.*   game
jeudi, *m.*   Thursday
jeune   young
jeunes gens   young men, young people
jeunesse, *f.*   youth
joie, *f.*   joy
jouer   to play
joueur, *m.*   player
joli(e)   pretty
jour, *m.*   day
journée, *f.*   day
journal, *m.*   newspaper, diary
journaliste, *m.* or *f.*   newspaperman or woman
joyeux (joyeuse)   joyful, gay, happy
juillet, *m.*   July
juin, *m.*   June
jupe, *f.*   skirt
jurer   to swear
jusqu'à   until
jusqu'à ce que   until
justement   precisely

K

klaxon, *m.*   horn (car)
klaxonnade, *f.*   honking

L

là   there (conversational: here)
là-bas   over there
là-haut   up there
lac, *m.*   lake

lâche loose, cowardly
laid(e) ugly
laine, *f.* wool
laisser, to leave, to allow, to let
lait, *m.* milk
laitier, *m.* milkman
   produits laitiers dairy products
laitue, *f.* lettuce
lampe, *f.* lamp
lande, *f.* moor, heath
langue, *f.* language, tongue
lapin, *m.* rabbit
laryngite, *f.* laryngitis
lavabo, *m.* washbasin
laver (se laver) to wash
lecture, *f.* reading
lecteur, *m.,* **lectrice,** *f.* reader
léger (légère) light
légume, *m.* vegetable
lendemain next day
lent(e) slow
lentement slowly
lenteur, *f.* slowness
(se) lever to get up
lèvre, *f.* lip
   rouge à lèvres lipstick
liaison, *f.* linking
liberté, *f.* liberty, freedom
libre free
lié(e) attached, bound
lieu, *m.* place
   au lieu de instead of
   avoir lieu to take place
lilas, *m.* lilac
limonade, *f.* soda
lire to read
lis (lys) *m.* lily
lit, *m.* bed
livre, *m.* book
livre, *f.* pound
loge, *f.* box (at the theater)
loger to house
logement, *m.* apartment, housing

loi, *f.* law
loin de . . . far from
lointain(e) far away
loisir, *m.* leisure
long (longue) long
longtemps long, a long time
louer to rent
loup, *m.* wolf
lourd(e) heavy
luisant(e) gleaming
lumière, *f.* light
lumineux (lumineuse) luminous
lundi, *m.* Monday
lune, *f.* moon
lunetes, *f. pl.* glasses
lunettes de soleil sunglasses
lutte, *f.* struggle
luxe, *m.* luxury

M

maçon, *m.* mason
madone, *f.* madonna
magasin, *m.* store
   grand magasin department store
magnifique magnificent
mai, *m.* May
maigre skinny, lean
maillot, *m.* bathing suit, tights
main, *f.* hand
maintenant now
mais but
maison, *f.* house
   à la maison at home
maître, *m.* master
maîtresse, *f.* mistress
maîtresse de maison lady of the house, hostess, homemaker
majeur(e) of âge
mal, *m.* pain, ache, evil
   avoir mal à la tête to have a headache
   faire mal to hurt

mal bad, badly

  pas mal not bad

malade sick

maladie, *f.* sickness, illness

maladroit(e) awkward

mâle manly, masculine

malheur, *m.* misfortune

malheureusement unfortunately

malheureux (malheureuse)
unhappy

maman, *f.* mother, mommy

manche, *f.* sleeve

La Manche the English Channel

manger to eat

manière, *f.* manner, way

manquer to lack, to fail, to miss

manteau, *m.* coat

manteau de pluie raincoat

(se) maquiller to make up

marbre, *m.* marble

marchand, *m.*, **marchande,** *f.*
merchant

marche, *f.* step

marché (bon) cheap

marcher to walk. To run (for a car,
a radio, any mechanism)

mardi, *m.* Tuesday

mari, *m.* husband

marié, *m.* groom

mariée, *f.* bride

(se) marier to get married

marée, *f.* tide

marque, *f.* brand

marquer to mark

mars, *m.* March

marteau, *m.* hammer

masse, *f.* mass

matière, *f.* subject, matter

matin, *m.* morning

matinée, *f.* forenoon, afternoon
performance

mauvais(e) bad

méchant(e) mean, nasty, wicked

médecin, *m.* doctor

médecine, *f.* medicine

(se) méfier to suspect, to distrust

mélange, *m.* mixture

mêler to blend, to mix

même same, even

  moi-même myself

mémoire, *f.* memory

ménage, *m.* a couple

  un jeune ménage a young
married couple

  faire le ménage to clean the
house

mener to lead

mensonge, *m.* lie

mentionner to mention

mentir to lie

méprisant(e) scornful

mépriser to despise, to scorn

mer, *f.* sea

merci thank you

mercredi, *m.* Wednesday

mère, *f.* mother

  belle-mère mother-in-law

mériter to deserve

merveilleux (merveilleuse)
marvelous, wonderful

métier, *m.* profession, trade

métro, *m.* subway

mettre to put, to place, to put on

metteur en scène, *m.* director
(motion pictures)

meuble, *m.* piece of furniture

meublé(e) furnished

midi noon

Le Midi de la France the South of
France

mieux better

  tant mieux! good! so much the
better!

  il vaut mieux it's better

mignon (mignonne) delicate,
cute

milieu, *m.* surrounding, midst
  au milieu de in the center of
mille a thousand
millier about a thousand
minuit midnight
mince thin
miroir, *m.* mirror
mixte mixed
mobilier, *m.* furniture
mode, *f.* fashion
modiste, *f.* milliner
moindre lesser, least
moins less
(au) moins at least
mois, *m.* month
moitié, *f.* half
monde, *m.* world
  tout le monde everybody
  beaucoup de monde lots of
    people
mondial(e) of the world
monnaie, *f.* small change (money)
montagne, *f.* mountain
monter to go or come up
montre, *f.* watch
montrer to show
(se) moquer to make fun of
morceau, *m.* piece
mordre to bite
mordant(e) biting, scathing
mort(e) dead
mort, *f.* death
mot, *m.* word
moue, *f.* pout
mouche, *f.* fly
mouchoir, *m.* handkerchief
mouillé(e) wet
mourir to die
mouton, *m.* sheep
moyen, *m.* mean, way, manner
moyen (moyenne) average
moyenne, *f.* the average
muet (muette) mute

mugir to roar
mur, *m.* wall
mûr(e) ripe
muraille, *f.* stone wall
mûrir to ripen
musique, *f.* music, band

N

nager to swim
naïf (naïve) naive, inexperienced
naissance, *f.* birth
nappe, *f.* tablecloth
natation, *f.* swimming
natal(e) native
nature, *f.* nature
nature morte still life
navet, *m.* turnip, daub (a bad
  painting), a bad movie or play
né(e) born
ne . . . que only
nécessaire necessary
nécessaire, *m.* kit
neige, *f.* snow
  flocon de neige snowflake
neiger, to snow
nettoyer to clean
neuf nine
neuf (neuve) brand new
neveu, *m.* nephew
nez, *m.* nose
ni . . . ni neither . . . nor
nid, *m.* nest
noblesse, *f.* nobility
Noël Christmas
  Joyeux Noël! Merry Christmas!
noir(e) black
nom, *m.* noun, name
nombre, *m.* number
nombreux (nombreuse) numerous
nomination, *f.* appointment
nommer to appoint, to name
non plus neither
nord, *m.* North

note, *f.* grade, mark, bill (for a purchase)

notre our

  le nôtre ours

nous we, us

nouveau (nouvelle) new, different

  de nouveau again

Nouvelle Vague New Wave (in films)

novembre, *m.* November

nu(e) bare, naked

nuage, *m.* cloud

nuit, *f.* night

nul (nulle) none, no one, no, void

nulle part nowhere

numéro, *m.* number

O

obéir to obey

obéissance, *f.* obedience

objet, *m.* object, thing

obstiné(e) obstinate, stubborn

occasion, *f.* bargain, opportunity

  d'occasion second hand

occupé(e) busy

octobre, *m.* October

odeur, *f.* fragrance, odor

œil, *m.* (*pl.* **yeux**) eye

œuf, *m.* egg

œuvre, *f.* work (finished work, piece of work)

  chef-d'œuvre masterpiece

offenser to offend

offrir to offer

oiseau, *m.* bird

ombre, *f.* shade, shadow

ombrelle, *f.* parasol

omettre to omit

onde, *f.* wave

or, *m.* gold

ordonnance, *f.* prescription

ordonné(e) orderly, neat

ordre, *m.* order

  mettre en ordre to put in order, to straighten out

oreille, *f.* ear

oreiller, *m.* pillow

oreillons, *m. pl.* mumps

organiser to organize

orgueil, *m.* conceit

orgueilleux (orgueilleuse) conceited

ornithorynque, *m.* duck-billed platypus

os, *m.* bone

oser to dare

ôter to take off, to remove

où where

ou or

oublier to forget

ouest, *m.* West

ouragan, *m.* hurricane

outil, *m.* tool

outre (en) moreover

ouvrage, *m.* work, piece of work, book

ouvreur, *m.,* **ouvreuse,** *f.* usher

ouverture, *f.* opening

ouvrier, *m.* working man

ouvrir to open

P

paille, *f.* straw

pain, *m.* bread

  petit pain roll

paire, *f.* pair

paix, *f.* peace

paisible peaceful

palais, *m.* palace

panier, *m.* basket

panne, *f.* breakdown

  être, tomber en panne to have a breakdown, to have car trouble

  avoir une panne d'essence to run out of gas

pantalon, *m.* pants, trousers, slacks
pantoufle, *f.* slipper
papa, *m.* daddy
papier, *m.* paper
papillon, *m.* butterfly
paquebot, *m.* ship, ocean liner
paquet, *m.* package
paraître to appear
  il paraît it seems
parapluie, *m.* umbrella
parce que because
parcourir to travel through, to run through
pardessus, *m.* topcoat
par-dessus over, above
pardon excuse me
pardonner to forgive
pareil (pareille) like, similar, alike
parent, *m.* relative
parents, *m. pl.* parents
paresseux (paresseuse) lazy
parfait(e) perfect
parfum, *m.* perfume
pari, *m.* bet
parier to bet
parler to speak, to talk
parole, *f.* spoken word
partager to share
particulièrement especially
partie, *f.* part, game
partir to leave, to depart
  à partir de from, starting with
partout everywhere
passé, *m.* past
(se) passer de to do without
passionnant(e) exciting, fascinating
passionner to thrill, to excite, to fascinate
pâte, *f.* dough
  des pâtes macaroni products
patin, *m.* skate
patin à glace ice skate
patin à roulette roller skate
patiner to skate

patrie, *f.* native land, fatherland
patte, *f.* paw
pauvre poor, pitiful
pauvreté poverty
payer to pay
pays, *m.* country
paysage, *m.* landscape
pêche, *f.* peach
péché, *m.* sin
pêcher to fish
peigne, *m.* comb
(se) peigner to comb one's hair
peine, *f.* trouble, sorrow
  faire de la peine à quelqu'un to hurt someone's feelings
  prendre la peine de to take the trouble
(à) peine hardly, barely
peindre to paint
peint(e) painted
peintre, *m.* painter
peinture, *f.* painting
peloton, *m.* ball of (string, yarn, etc.)
peloton d'exécution firing squad
pendant during, while, for
pendant que while
pendre to hang
pendule, *f.* clock
pensée, *f.* thought
penser to think
pension, *f.* boarding house
pente, *f.* slope
perdre to lose
perfectionner to perfect, to improve
permettre to permit
permis de conduire, *m.* driver's license
perroquet, *m.* parrot
personnage, *m.* character (in a book, play, etc.)
personne nobody
petit(e) small
petits pois, *m. pl.* green peas

pétrole, *m.* oil, kerosene
  compagnie de pétroles oil company
  puits de pétrole oil wells
  lampe à pétrole kerosene lamp
peu little, few
(un) peu a little
(à) peu près about, nearly
peuple, *m.* people, population
peur, *f.* fear
peut-être perhaps, maybe
pharmacien, *m.* pharmacist, druggist
pièce, *f.* room
pièce de théâtre play
pied, *m.* foot
pierre, *f.* stone
piéton, *m.* pedestrian
pinceau, *m.* paintbrush
pique-nique, *m.* picnic
pire worse, worst
pitié, *f.* pity
pittoresque picturesque
placard, *m.* closet
place, *f.* city square, seat, room for
plafond, *m.* ceiling
plage, *f.* beach
plaindre to pity
(se) plaindre to complain
plainte, *f.* complaint
plaire to be attractive to
plaisanter to joke, to kid
plaisanterie, *f.* joke
plaisir, *m.* pleasure
  faire plaisir à to please, to make someone happy
plaît (s'il vous) please
plan, *m.* outline, blueprint, plan
plat, *m.* dish
plein(e) full
pleurer to cry
pleut (il) it is raining
pleuvoir to rain
  (il a plu)

pli, *m.* fold, crease
plonger to steep, to plunge, to dive
pluie, *f.* rain
plume, *f.* feather, pen
plus more
  ne...plus no longer, no more
plusieurs several
plutôt rather
poche, *f.* pocket
poids, *m.* weight
poing, *m.* fist
pointu(e) sharp, pointed
pointure, *f.* size (for shoes or gloves)
poire, *f.* pear
poisson, *m.* fish
poisson rouge goldfish
poitrine, *f.* chest
poivre, *m.* pepper
poli(e) polished, polite
policier, *m.* detective
  roman policier murder mystery
pomme, *f.* apple
pomme de terre, *f.* potato
pont, *m.* bridge
populaire popular, proletarian
port, *m.* port, harbor
porte, *f.* door
porte-feuille, *m.* wallet
porter to wear, to carry
portière, *f.* door (of a car)
poste, *f.* post office
pot de peinture, *m.* can of paint
potage, *m.* soup
poteau, *m.* pole, stake
poudre, *f.* powder
poule, *f.* hen
poulet, *m.* chicken
poumon, *m.* lung
poupée, *f.* doll
pour for, to, in order to
pour que so that
pourboire, *m.* tip
pourcent, *m.* percent
pourquoi why

poursuivre to pursue
pousser to push, to grow
poussière, *f.* dust
pouvoir, *m.* power
pouvoir to be able, can
pratiquer to practice
pré, *m.* meadow
précaire precarious, unstable
précipitamment hurriedly
(se)précipiter to dash
premier (première) first
prendre to take
préparatif, *m.* preparation
près de near
presque almost
pressant(e) pressing, urgent
pressé(e) in a hurry
prêt(e) ready
preuve, *f.* proof, evidence
prêter to loan, to lend
prévaloir to prevail
prévenant(e) attentive
prevenances, *f. pl.* attentions
prier to pray
prime, first, early
principe, *m.* principle
printemps, *m.* spring
privé(e) private
priver, to deprive
prix, *m.* price, prize
probablement probably
prochain(e) next
produire to produce
produit, *m.* product
  produits de beauté cosmetics
  produits laitiers dairy products
profane, *m.* or *f.* uninitiated
profit, *m.* benefit
profiter de to take advantage of
profond(e) deep, profound
progrès, *m.* progress
projet, *m.* plan

promenade, *f.* walk
  faire une promenade to take a walk
  faire une promenade en voiture to go for a ride
(se) promener to take a walk
promesse, *f.* promise
promettre to promise
(à) propos by the way; at the right time
propre clean; own
  être propre à to be suitable to
protéger to protect
prouver to prove
puis then
puisque since
puissance, *f.* power
puissant(e) powerful
punir to punish
punition, *f.* punishment
pur(e) pure, fresh
  l'air pur fresh air

Q

quand when
quand même just the same, nevertheless
quant à as for, as to
quarante forty
quart, *m.* quarter
quartier, *m.* neighborhood
quasi almost
quatre four
quatorze fourteen
quel (quelle) what, which
quelquefois sometimes
quelque part somewhere
quelques a few
quelques-uns a few
queue, *f.* tail, waiting line
  faire la queue to stand in line
qui who, whom
quitter to leave

quoi what
quoique although

R

racheter to buy back, to redeem
racine, *f.* root, stem
raconter to tell, to relate
radeau, *m.* raft
radis, *m.* radish
raffiné(e) refined
rafraîchir to cool, to refresh
rafraîchissements, *m. pl.* refreshments
raisins, *m. pl.* grapes
raisonnement, *m.* reasoning
ramasser to pick up
ramener to bring back (a person)
rang, *m.* row, rank
ranimer to bring back to life
(se) rappeler to recall
rapport, *m.* report, relationship
　se mettre en rapport avec to establish contact with
rapprocher to bring closer
raser to shave
rasoir, *m.* razor
ravi(e) delighted
recevoir to receive, to entertain
　être reçu à un examen to pass an exam
récit, *m.* narration, story
recommander to recommend
(se) réconcilier to make up, to reconcile
reconnaître to recognize
réfléchir to think over, to reflect, to think about
réflexion, *f.* remark
réfrigérateur, *m.* refrigerator
refuser to refuse
　être refusé à un examen to fail an exam
refus, *m.* refusal

regarder to look
regard, *m.* glance, look
régime, *m.* diet
　être au régime to be on a diet
règle, *f.* rule
règlement, *m.* regulation
reine, *f.* queen
relire to read again
remède, *m.* remedy
remerciements, *m. pl.* thanks
remercier to thank
remettre to put back, give back, put off
remords, *m.* remorse
remonter to wind up
remplacer to replace
remplir to fill
remuer to move
renard, *m.* fox
rencontre, *f.* encounter, meeting
rencontrer to meet
rendez-vous appointment, date
rendre to give back, to return, to make
　se rendre compte to realize
　se rendre à to go to
renseignement, *m.* information
repas, *m.* meal
répéter to repeat
répétition, *f.* repetition, rehearsal
répondre to answer
réponse, *f.* answer
(se) reposer to rest
repos, *m.* rest
représentant, *m.* representative
reste, *m.* rest, remnant
　les restes the leftovers
rester to stay
　il ne reste plus qu'à all that's left to do is …
retard(en) late
retardataire, *m.* or *f.* someone who is late

retarder to be slow (of a watch)
retour, *m.* return
  être de retour to be back
  à mon retour upon my return
retourner to go back, to return
(se) retourner to turn around
réunir to assemble
réussi(e) successful
réussir to succeed
réussite, *f.* success
rêve, *m.* dream
rêver to dream
rêverie, *f.* daydream
réveil, *m.* waking up; alarm clock
(se) réveiller to wake up
revenir to come back
revêtir to clothe, to cover
rêveur, *m.* dreamer
revoir to see again
(au) revoir goodbye
revue, *f.* review, magazine
revue militaire military parade
rez-de-chaussée, *m.* ground floor
rhume, *m.* cold
rhume de cerveau head cold
riche rich
rideau, *m.* curtain
rideau de fer iron curtain
rien... ne nothing
rien... que nothing but
rire to laugh
rire, *m.* laughter
rivé(e) riveted, attached
robe, *f.* dress
robe de chambre dressing gown
roi, *m.* king
roman, *m.* novel
roman policier murder mystery
rond(e) round
rôti, *m.* roast
rouge red, rouge
rougeole, *f.* measles
rouler to roll

route, *f.* road
  se mettre en route to leave, to get on the way
  roux (rousse) redhead, russet
royaume, *m.* kingdom
ruban, *m.* ribbon
rubrique, *f.* headline
rue, *f.* street
ruisseau, *m.* brook
ruisselant(e) dripping wet
ruse, *f.* trick

S

sac (sac à main), *m.* handbag
sage well behaved
saisir to seize
saison, *f.* season
sale dirty
salir to dirty
salle, *f.* room
  salle à manger, *f.* dining room
  salle de bain, *f.* bathroom
  salle d'attente, *f.* waiting room
  salle d'étude, *f.* study hall
  salle de séjour, *f.* living room
salon, *m.* drawing room, parlor
saluer to greet
samedi Saturday
sang, *m.* blood
  de sang-froid in cold blood
sanglant(e) blood-stained
sangloter to sob
sans without
sans cesse all the time, unceasingly
santé, *f.* health
sapin, *m.* pine tree
satisfaire to satisfy
satisfait(e) pleased
saucisse, *f.* sausage
saucisson, *m.* salami
sauvage wild, savage
sauter to jump, to skip
savoir to know, to know how

savon, *m.* soap
scène, *f.* scene, stage
séance, *f.* session
sec (sèche) dry
séculaire secular, age old
séduisant(e) seductive, attractive
sel, *m.* salt
selle, *f.* saddle
semaine, *f.* week
semblable similar
sembler to seem
  il me semble it seems to me
sens, *m.* meaning
sentir to feel; to smell
  se sentir bien to feel well
  se sentir mal to feel badly
septembre, *m.* September
sérieux (sérieuse) reliable, earnest
serpent, *m.* snake
serpent à sonnettes rattlesnake
serpenter to meander
serveuse, *f.* waitress
serviette, *f.* briefcase; napkin; towel
servir to serve, to wait on
(se) servir de to use, to make use of
seul(e) alone, only
seulement only
sévère stern
si so, if
siècle, *m.* century
siège, *m.* seat
siffler to whistle
signalement, *m.* description of a person
signifier to mean
silencieux (silencieuse) silent, mute
situation, *f.* position, job, situation, location
soeur, *f.* sister
  belle-soeur sister-in-law
soi one self

soie, *f.* silk
soif, *f.* thirst
soin, *m.* care
  aux bons soins de in care of
soirée, *f.* evening party, evening time
soit . . . soit either . . . or
soit! All right! Have it your way!
sol, *m.* soil
soldat, *m.* soldier
soleil, *m.* sun
solide strong, solid
sombre dark
somme, *f.* sum
  en somme all in all
sommeil, *m.* sleep
  avoir sommeil to be sleepy
son, *m.* sound
sonner to ring
sonnette, *f.* bell, doorbell
  serpent à sonnettes rattlesnake
sortir to come or go out, to step out
  être sorti to be out
sot (sotte) silly, foolish
sou, *m.* cent, penny
soudain suddenly, sudden
souffler to blow
souffrant(e) feeling ill, not feeling well
souhait, *m.* wish
souhaiter to wish
soulagement, *m.* relief
soulier, *m.* shoe
souligner to underline
soupir, *m.* sigh
soupirer to sigh
sourd(e) deaf, unexpressed, dull
sourire, *m.* smile
sourire to smile
souris, *f.* mouse
sous under
sous peine under penalty, at the risk of
souvenir, *m.* memory, remembrance

(se) souvenir to remember
souvent often, many times
speaker, *m.* radio announcer
spirituel (spirituelle) witty
stupéfait(e) dumbfounded
stylo, *m.* fountain pen
stylo à bille ball point pen
sucre, *m.* sugar
sud South
suffire to be enough
suite, *f.* continued, rest
(de) suite in succession
(ainsi de) suite and so forth and so on
suivant(e) following
suivre to follow
sujet, *m.* subject
sûr(e) sure
sur on
surgir to appear suddenly
surtout especially, above all
suspendre to hang
suspendu(e) suspended
symptôme, *m.* symptom

T

tabac, *m.* tobacco
tableau, *m.* picture, painting, black-board
tache, *f.* spot, stain
taille, *f.* size; waist; height
tailleur, *m.* tailor, tailored suit
tandis que while
tant so much, so many
tante, *f.* aunt
tant mieux! so much the better! good!
tard late
tas, *m.* a lot, a heap, an awful lot
tasse, *f.* cup
taureau, *m.* bull
  course de taureaux bullfight
teint, *m.* complexion
teinte, *f.* shade

temps, *m.* time, weather
ténèbres, *f. pl.* darkness
tendre to extend
tendre tender, soft, loving
tendresse, *f.* tenderness
tenir to hold
terminaison, *f.* ending
terminer to end
terre, *f.* earth, ground
  par terre on the floor, on the ground
tête, *f.* head
  en tête heading
thé, *m.* tea
tiens! (surprise) well!
timbre, *m.* electric bell; stamp
timoré(e) timid, fearful
tinter to ring, to chime
tirer to draw, to pull, to shoot
tirer profit de to take advantage
tirer les cartes to read the cards
tiré de extracted from, taken from
tiret, *n.* dash
tireuse de cartes, *f.* fortune teller
tiroir, *m.* drawer
titre, *m.* title
toit, *m.* roof
toile, *f.* canvas, linen
toilette, *f.* outfit, dress
  faire sa toilette to get dressed
tombeau, *m.* tomb
tomber to fall
ton, *m.* tone
tort, *m.* wrong
  avoir tort to be wrong
  faire tort to do or cause harm
tôt soon, early
toucher to touch
toujours always
toupet, *m.* (familiar) nerve
tour, *m.* turn, trick
  faire le tour to circle
  à votre tour it's your turn

tourner to turn
tout à coup suddenly
tout à fait quite, completely
tout de suite right away
tout en while
(se) tracasser to fret, to worry
traducteur, *m.* translator
traduction, *f.* translation
traduire to translate
train, *m.* train
   être en train de to be in the act,
     to be engaged in
trainer to drag
traînant dragging
traiter to treat
traître treacherous
tranchée, *f.* trench
tranquille quiet, peaceful
   laisser tranquille to leave alone
   être tranquille to have peace and
     quiet
traquer to hunt down, to persecute
travail, *m.* work
travailleur, *m.* hardworking
(à) travers across
traverser to cross
tréma diaeresis
trembler to tremble
trente thirty
trêve, *f.* truce
tribu, *f.* tribe
tricher to cheat
tricot, *m.* a knit garment, a sweater
tristesse, *f.* sadness
tromper to deceive
(se) tromper to be mistaken
trop too much, too many
trottoir, *m.* sidewalk
trou, *m.* hole
trouver to find
truc, *m.* trick, gimmick, a "thing"
tuer to kill
tué(e) killed

tuile, *f.* tile
tutoyer to say "tu" (to use informal
  form of address)

U

utile useful

V

vacances, *f. pl.* vacation
vache, *f.* cow
vacillant(e) staggering, unsteady
vague, *f.* wave
vaincre to conquer
vaincu(e) conquered
vaisseau, *m.* ship
valeur, *f.* value
valoir to be worth
   il vaut mieux it is better
vaniteux (vaniteuse) vain
vapeur, *f.* steam
vaquer (à ses occupations) to do
  one's chores
vedette, *f.* star
veine, *f.* vein
   avoir de la veine to be lucky
velours, *m.* velvet
vendeur, *m.* salesman
vendeuse, *f.* saleslady
vendre to sell
vendredi, *m.* Friday
venger to avenge
vengeance, *f.* revenge
venir to come
vent, *m.* wind
ver, *m.* worm
véritable real, true
vérité, *f.* truth
verre, *m.* glass
vers towards
vers, *m.* verse, poetry
versant, *m.* slope
vers, *m.* verse, poetry
vert(e) green

vestibule, *m.* hallway
veston, *m.* jacket, coat
vêtements, *m. pl.* clothes
vêtu(e) clad, dressed
veuf, *m.,* **veuve,** *f.* widower, widow
viande, *f.* meat
vide empty
vie, *f.* life
vieillard, *m.* old person, old man
vieux (vieille) old
vif (vive) bright, lively
vilain(e) ugly, unattractive
villa, *f.* house in a resort
ville, *f.* town
vin, *m.* wine
violet (violette) purple
violette, *f.* violet
vipère, *f.* viper
visage, *m.* face
viser to aim
vite quickly
vitesse, *f.* speed
   faire de la vitesse to speed
   changer de vitesse to shift gears
vitre, *f.* window pane, glass
vivant(e) living, alive
vive! long live!
vocation, *f.* calling
vœu, *m.* vow, wish
voici, voilà here is, there is; here are, there are

voile, *m.* veil
voile, *f.* sail
voir to see
voisin, *m.* neighbor
voiture, *f.* car
voix, *f.* voice
vol, *m.* flight
voler to fly
volant, *m.* steering wheel
   machine volante flying machine
volontiers gladly, willingly
voué(e) devoted to
vouloir to want, to wish
   en vouloir à to be mad at, to bear a grudge
vouloir dire to mean
vouloir bien to accept, to be willing
(je) voudrais I would like
voyage, *m.* travel, trip, journey
voyager to travel
voyageur, *m.* traveller
voyelle, *f.* vowel
voyez (vous voyez ?) do you see?
vrai(e) true, real
vraiment really, truly
vraisemblable likely
vue, *f.* view

Y

yeux, *m. pl.* eyes (plural of œil)

INDEX